HISTOIRE DE LA CIVILISATION FRANÇAISE

André Lévêque

UNIVERSITY OF WISCONSIN

HISTOIRE DE LA

CIVILISATION FRANÇAISE

Troisième Édition

HOLT, RINEHART AND WINSTON

New York　　　Toronto　　　London

Avant-propos

Cette *Histoire de la Civilisation française, Troisième Édition,* est une refonte complète des ouvrages parus en 1940 et en 1949. Des deux éditions précédentes il ne subsiste guère que quelques paragraphes. Toutefois, le plan général de l'ouvrage et la division en chapitres sont restés à peu près les mêmes. L'idée de traiter chaque sujet comme un tout, des origines jusqu'à nos jours, a l'avantage de la continuité dans l'étude du sujet. Néanmoins et malgré toute son artificialité, la division en périodes offre certains avantages. Elle permet de mieux saisir les relations existant, par exemple, entre la littérature et l'art de cette période ainsi que le régime politique ou l'état social.

L'ouvrage actuel fait une part plus considérable que le précédent aux développements d'ordre économique et social, ainsi qu'aux conditions de la vie au cours des diverses époques. L'histoire politique a été réduite. Peu importe, nous semble-t-il, que nos élèves sachent qu'une coalition formée en 1686 contre Louis XIV soit connue sous le nom de la Ligue d'Augsbourg. Ceci ne veut pas dire pourtant que la politique étrangère du Grand Roi soit sans intérêt pour l'étude de la civilisation de son temps.

Un ouvrage aussi général que celui-ci est nécessairement très incomplet. Il serait vain d'essayer de faire place à tout, de multiplier les noms de lieux et de personnes, artistes et savants. Beaucoup de ces noms, qui peuvent suggérer quelque chose à un Français, ne signifient rien pour des étudiants américains. Pour la même raison, il vaut mieux donner quelques explications, même très brèves, sur un tableau particulier qu'essayer d'énumérer les oeuvres d'un peintre.

Je tiens à exprimer mes remerciements à mes collègues de l'Université de Wisconsin, en particulier à Julian Harris, à Alfred Glauser et à Richard Switzer, qui ont lu les diverses parties du manuscrit, et à ma soeur, Claire Quandt, qui m'a aidé dans la préparation du manuscrit et dans la correction des épreuves.

André Lévêque

April, 1966

Table des matières

HISTOIRE DE LA CIVILISATION FRANÇAISE

I

LES ORIGINES

IL y a vingt ou trente mille ans, vivaient à Cro-Magnon des êtres humains dont les ossements brunis reposent maintenant dans des vitrines au Musée de l'Homme, à Paris. Des dizaines, et même des centaines de milliers d'années auparavant, avaient vécu des hommes dont les outils de pierre taillée ont été découverts sur le territoire de la France actuelle. C'est pourquoi les époques qui terminent le premier âge de l'humanité, l'âge paléolitique, portent le nom de localités françaises.[1]

Les plateaux calcaires qui bordent à l'ouest le Massif Central sont coupés de rivières, la Dordogne et ses affluents. Là, notamment dans la vallée sinueuse de la Vézère, se trouvent quelques-uns des lieux célèbres de la préhistoire, Cro-Magnon, les Eyzies, la grotte de la Madeleine. C'est là aussi qu'en 1940 trois jeunes chasseurs firent une découverte sensationnelle, celle de la grotte de Lascaux. Descendant, après leur chien, dans une ouverture laissée dans le sol par un arbre que l'orage avait récemment déraciné, ils se trouvèrent dans une immense salle dont les parois étaient couvertes d'étonnants dessins en ocre et en noir, représentant des chevaux sauvages, des taureaux, de dimensions parfois considérables, et exactement représentés. La conservation de ces dessins avait été assurée par l'état d'obscurité et d'humidité constante existant dans ce lieu hermétiquement clos. Malheureusement, après que cette célèbre grotte de Lascaux eut été ouverte au public, les peintures commencèrent à s'altérer, malgré les précautions prises, et il fallut, temporairement au moins, rendre la grotte à son ancienne solitude.

Les auteurs de ces dessins que nous admirons maintenant appartenaient à un peuple de chasseurs. Très probablement, leurs dessins avaient pour objet de jeter un sort sur les animaux représentés, un peu comme dans la magie médiévale le sorcier façonnait une image en cire de sa victime, puis la perçait de coups d'épingle. Parfois l'animal est représenté percé d'un trait, ou bien il porte la marque de blessures. On a observé d'ailleurs que les grottes où se trouvent ces dessins sont en général d'un accès difficile et qu'elles ne portent pas trace d'habitation humaine. Ces grottes étaient donc sans doute réservées à l'accomplissement de certains rites.

[1] Par exemple, l'époque abbevilienne (environ 400.000 ans av. J.-C.) nommée d'après Abbeville, en Picardie ; l'époque aurignacienne (vers 25.000 ans av. J.-C.), d'après Aurignac, dans la région des Pyrénées ; l'époque magdalénienne (vers 10.000 ans av. J.-C.), d'après la grotte de la Madeleine, en Périgord - et tant d'autres.

Le chien et son maître,
à qui l'on doit la découverte
de la grotte de Lascaux

Les dessins de la grotte de Lascaux

Associés également à des rites anciens sont des vestiges appartenant à une époque plus voisine de la nôtre, l'époque des mégalithes, nombreux surtout dans les régions proches de l'Océan, particulièrement en Bretagne. Les *menhirs* sont de gros blocs de pierre brute, plantés verticalement dans le sol. Dans la campagne bretonne, près de Quiberon, se dressent des rangées de « grandes pierres », les célèbres alignements de Carnac, qui groupent des milliers de menhirs. Là avaient lieu autrefois des cérémonies religieuses se rattachant sans doute au culte du soleil, de la lumière, dont les hommes attendaient le retour après les interminables nuits d'hiver. Les *dolmens,* tables de pierre originairement recouvertes de terre, servaient de tombes. La « fin de la terre », que rappelle encore le nom de Finistère donné à l'extrémité de la Bretagne, était par excellence la terre

Alignements de Carnac

des morts, face à l'immense océan occidental où chaque soir disparaissait le soleil.

Pour la France, la période historique commence avec la fondation de Marseille par les Phéniciens, six cents ans avant notre ère. Les anciens Grecs, grands voyageurs, fondèrent des colonies un peu partout sur les côtes et dans les îles de la Méditerranée. L'une d'elles fut Marseille, la plus vieille ville de France. Il ne faut toutefois pas s'exagérer l'importance de cet établissement. Toute l'activité de l'antique Marseille était tournée vers la mer. Au delà de l'arrière-pays s'étendait une vaste contrée, inexplorée et dangereuse, peuplée de Barbares aux cheveux longs et portant d'étranges braies[2], ceux que les Romains appelaient les Gaulois.

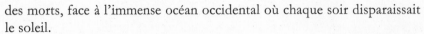

Ces Gaulois étaient des Celtes qui, en des temps où les migrations de peuples étaient fréquentes, avaient envahi le pays et s'étaient mêlés aux populations qu'ils y trouvèrent. Vers la fin du quatrième siècle avant notre ère, ils saccagèrent et brûlèrent Rome, alors simple bourgade, et ne consentirent à s'en aller qu'après paiement d'une énorme rançon.

Avec de tels antécédents, les Gaulois n'étaient pas populaires parmi les Romains. Lorsque Rome accrut sa puissance, le règlement de comptes commença. Passant les Alpes, les Romains occupèrent d'abord la région côtière, dont ils firent une province, d'où le nom de *Provence* que porte encore cette région. Puis ils occupèrent la vallée du Rhône. Enfin, vers le milieu du premier siècle avant notre ère, l'ambitieux César entreprit la conquête des Gaules, sûr que le succès lui vaudrait une immense renommée parmi ses compatriotes. Cette conquête fut lente et pénible. Les Gaulois se défendirent bravement, et les légions romaines se trouvèrent maintes fois isolées dans un pays hostile, où les communications étaient difficiles. Les envahisseurs avaient toutefois de grands avantages : leurs connaissances tactiques, leur armement supérieur, leur excellente discipline, leurs camps fortifiés contre lesquels venaient se briser les vagues gauloises. D'autre part, César sut tirer parti des rivalités et des haines entre les divers peuples de la Gaule pour s'y ménager des amis, même des alliés. Un moment, il est vrai, un jeune chef du pays d'Auvergne, Vercingétorix, réussit presque à unir les Gaulois contre l'envahisseur. Vaincu,

[2] Alors que Grecs et Romains avaient les jambes nues, les Gaulois portaient des braies, qui sont pour ainsi dire les ancêtres du pantalon moderne.

4

forcé de se rendre, il fut emmené par César à Rome, puis étranglé dans sa prison. Avec lui mourut l'indépendance gauloise. La Gaule devint romaine et le resta pendant quatre siècles.

Vercingétorix

La domination romaine en Gaule eut une grande influence sur la destinée du pays, au point de vue de sa civilisation sinon au point de vue ethnique. Même au temps de sa toute puissance, Rome n'était qu'une ville qui ne pouvait peupler de Romains ses immenses possessions, et une bonne partie de ses troupes - composées d'ailleurs non seulement de Romains, mais de troupes auxiliaires, gauloises et autres - étaient en garnison le long du Rhin. Les Romains étaient en somme peu nombreux en Gaule. C'étaient surtout des légionnaires, des marchands, quelques fonctionnaires. Néanmoins leur langue l'emporta, car même si le latin qu'ils parlaient n'était pas le latin littéraire, il avait sur le gaulois l'avantage d'être une langue écrite, indispensable en tout ce qui touchait à l'administration et les emplois publics, et utile pour les transactions de toute sorte.

Dans les villes surtout, les Gallo-Romains se mirent donc à parler latin tant bien que mal, avec une prononciation et une syntaxe incertaines. Dans les campagnes, la résistance du celtique fut plus forte, mais il finit par céder, surtout parce que le latin était la langue de l'Église. C'est de ce latin parlé en Gaule que sont sortis les divers dialectes en usage au Moyen Age sur l'étendue de la France actuelle, et dont l'un est devenu le français. A part des noms de lieux dont il est souvent difficile de tracer l'origine, le français moderne ne compte que bien peu de mots qui viennent du gaulois, et encore, s'ils sont parvenus jusqu'à nous, c'est par l'intermédiaire du latin. Bon nombre d'entre eux concernent la vie rurale, des mots tels que *charrue*, *bruyère*, *chemin*, et quelques autres.

Même phénomène d'assimilation en ce qui concerne la religion. Les Gaulois avaient des prêtres, les *druides*, qui constituaient une élite sociale, et dont les croyances fort évoluées étaient proches du monothéisme. Mais le peuple vénérait quelques grands dieux, souvent personnifications des forces de la nature, et surtout un grand nombre de divinités locales, divinités des sources, des rivières, des vieux arbres. Dieux et divinités gauloises trouvèrent sans trop de peine leur équivalent dans le Panthéon romain. Là où les Celtes vénéraient la Lune, on éleva un temple à Diane, déesse de la lumière, ailleurs un temple à Mercure. Même si les Romains persécutèrent les druides, dont ils craignaient le prestige auprès du peuple, la transition d'une religion à l'autre se fit en somme sans heurt.

Il n'en fut pas de même lorsqu'au troisième siècle le christianisme se propagea en Gaule. A la différence de la religion romaine, qui ne prescrivait qu'offrandes et sacrifices, la religion nouvelle exigeait de ses fidèles l'amour d'un Dieu unique, le seul vrai Dieu. Pas d'assimilation, pas de

Druide

compromis possible : refus total de la part des chrétiens de sacrifier aux dieux, à l'empereur divinisé. De là les persécutions, les premiers martyrs en Gaule, la jeune Blandine livrée aux bêtes à Lyon, saint Denis décapité à Paris et qui, selon la légende, porta sa tête au lieu où est maintenant la ville qui porte son nom.

Lorsque le christianisme eut triomphé en Gaule, il s'efforça d'extirper les racines tenaces des vieilles croyances, en bâtissant église ou chapelle là où était un temple dédié à une divinité gallo-romaine. Sous le chœur de Notre-Dame de Paris, on a retrouvé des autels de pierre où sont représentés des dieux romains - Jupiter, Vulcain - et aussi le vieux rite gaulois de la cueillette du gui sacré. Dans certaines régions françaises, le Morvan par exemple, on trouve encore communément au fond des forêts une statue de la Vierge près d'une source, ou bien une « chapelle du Chêne », vestiges de très anciens cultes.

La domination romaine affecta profondément la vie des Gaulois. L'élevage, notamment des chevaux et des porcs, était déjà une de leurs spécialités. La grande ferme à la façon romaine, la *villa,* continua la tradition, et ses produits allaient jusqu'à Rome, où la charcuterie gauloise était fort réputée. Mais la grande révolution fut le développement de la

L'amphithéâtre de Nîmes

Le Pont du Gard

Arles—les colonnes
du Théâtre Antique

vie urbaine. Avant l'arrivée des Romains, les Gaulois n'avaient guère que quelques bourgs composés de huttes couvertes de chaume, qui servaient de lieux d'échange, de marchés. Les Romains introduisirent l'emploi de la pierre taillée, de la brique, de la tuile, du marbre. Des villes se construisirent un peu partout, et si leurs maisons d'habitation nous paraissent maintenant bien exiguës, leurs édifices publics étaient très imposants. C'étaient des villes avec des temples du genre de l'élégante Maison Carrée de Nîmes, avec des thermes - ces bains publics si importants dans la vie des Romains - du genre de ceux dont on voit encore les ruines dans le Quartier latin, à Paris. Les Gaulois, cruels par nature, accueillirent avec enthousiasme les distractions de l'amphithéâtre, combats de bêtes et combats de gladiateurs. L'amphithéâtre de Nîmes est, sinon le plus vaste, du moins le mieux conservé de tous les amphithéâtres romains. Non loin de Nîmes est l'indestructible Pont du Gard, ancien aqueduc à trois rangs d'arches superposés, et dont la canalisation, au sommet de l'édifice, amenait autrefois l'eau jusqu'à la ville. Fait de blocs de pierre taillés et disposés avec un art très sûr, il est de nos jours traversé dans toute sa longueur, au niveau du premier étage, par une route où circulent dans les deux sens les automobiles.

Parmi les legs de l'époque gallo-romaine, il faut citer notre calendrier. L'année gauloise était divisée en mois lunaires, chacun de vingt-neuf jours et demi. Les Romains introduisirent le calendrier solaire qui, légèrement modifié au quinzième siècle, est resté le nôtre. Des noms de mois rappellent cette origine : juillet, c'est le mois de Jules César, août, celui de l'empereur Auguste. Même remarque à propos des jours de la semaine : lundi est le jour de la Lune, vénérée des Gaulois, mardi, le jour du dieu Mars, mercredi, celui de Mercure. Tous, à l'exception de dimanche, ont été nommés en l'honneur d'anciennes divinités païennes.

Pendant trois siècles, la Gaule connut les bienfaits et aussi la dureté et l'oppression de la *Paix romaine*. Mais à partir du troisième siècle, la sécurité n'exista plus. Les légions romaines établies le long du Rhin ne pouvaient empêcher la pénétration des Barbares. Tantôt par infiltration graduelle, tantôt par pénétration plus massive, les Germains arrivaient, obéissant eux-mêmes à une pression venue de l'Est. Dans la seconde moitié du troisième siècle, les Vandales déferlèrent sur la Gaule, tuant, pillant, brûlant sur leur passage. Les villes, auparavant ouvertes, se fortifièrent, se réduisant souvent à une forteresse facile à défendre. La vie urbaine déclina. La ville gallo-romaine d'Autun en Bourgogne, jusqu'alors célèbre par ses écoles d'éloquence, fut mise à sac par les Vandales, et elle ne retrouva jamais son ancienne splendeur.

Enfin, au début du cinquième siècle, tout craqua sous la poussée des Barbares. Francs, Burgondes, Wisigoths s'installèrent en Gaule, les Francs dans la région du Nord qui prit plus tard le nom de France, les Burgondes dans la région encore nommée d'après eux la Bourgogne, et les Wisigoths dans le Midi. Alors commença une période confuse et violente, période de guerres, de meurtres et d'atroces vengeances. Le premier soin d'un nouveau roi barbare était d'ordinaire de se débarrasser par le meurtre de ses rivaux possibles, y compris les membres de sa propre famille. Les villes gallo-romaines, déjà bien amoindries, achevèrent de se ruiner. C'était l'époque où les Wisigoths transformaient en forteresse les Arènes de Nîmes en mûrant les ouvertures.

Baptême de Clovis

Francs et Wisigoths, ordinairement ennemis, s'unirent un instant avec les Gallo-Romains pour faire face à la terrible invasion d'Attila. Les Huns furent chassés de l'Ouest après la bataille des Champs catalauniques, qui sauva si l'on veut la civilisation occidentale, du moins la civilisation future.

Un roi franc de la fin du cinquième siècle, Clovis, a laissé un nom dans l'histoire. Par des conquêtes sur ses voisins, ce qui restait des Gallo-Romains, Burgondes, Wisigoths et autres, il réussit à créer un vaste royaume franc. Surtout il reçut le baptême des mains de saint Remi, évêque de Reims, inaugurant ainsi l'alliance de la Monarchie et de l'Église, du trône et de l'autel, qui restera traditionnelle jusqu'à la Révolution.

Ce grand royaume ne survécut pas à Clovis. C'était en effet la coutume chez les Francs, à la mort du roi, de partager son royaume entre ses enfants, et, étant donné les mœurs du temps, il est facile de prévoir les conséquences d'un tel partage : disputes et guerres féroces entre héritiers. Victimes de cette anarchie constante, les rois de la première dynastie finirent par perdre toute autorité. Ces rois fainéants ne faisaient rien en effet, mais que pouvaient-ils faire ? Les Mérovingiens[3] n'avaient rien de ce qu'il fallait pour assurer la durée de leur pouvoir, pas d'administration, pas d'organisation, pas même de résidence fixe. Leurs successeurs, les Carolingiens, souffrirent à peu près des mêmes maux.

Ces derniers arrivèrent au pouvoir grâce, en partie du moins, à l'immense prestige donné à la famille par la victoire de l'ancêtre Charles Martel. Les Arabes étaient pour les pays d'Occident un danger constant. Établis en Espagne, ils franchirent bientôt les Pyrénées et envahirent la région du Midi, s'emparant de Bordeaux, puis ils poussèrent vers le Nord, en direction de la Loire. C'est là, entre Poitiers et Tours, que l'armée franque leur infligea une défaite complète. Néanmoins l'Islam, par l'intermédiaire des Arabes d'Espagne et des Mozarabes, exerça longtemps une forte influence sur les destinées de l'Europe occidentale.

Le grand homme de la dynastie carolingienne fut évidemment Charlemagne. Vrai chef barbare, il ne se faisait pas scrupule, tout en étant chrétien, de faire décapiter un jour des milliers de prisonniers saxons dont

---

[3] On nomme Mérovingiens les rois de la première dynastie, du nom de Mérovée, son fondateur. Les derniers de ces rois furent appelés les *rois fainéants*, parce qu'ils n'ont rien fait (cf. feignants).

Couronnement de Charlemagne

il ne savait que faire. Robuste, corpulent, il se remaria maintes fois et oublia parfois de le faire. Mais ce roi des Francs était un Barbare énergique, d'esprit remarquablement curieux et ouvert. Son conseiller et ami, le savant abbé Alcuin, lui donna quelques notions de la géométrie et de l'astronomie, science alors très séduisante en raison même de son mystère. Surtout Alcuin eut l'idée de fonder des écoles dans les villes épiscopales, dans les monastères, même une espèce d'Académie dans le propre palais de Charlemagne, à Aix-la-Chapelle. Tout cela lui fait grand honneur, ainsi qu'à son roi.

Charlemagne savait lire, mais il paraît être resté malhabile dans l'art d'écrire, qu'il commença à apprendre trop tard, et il signait d'une croix, ornée il est vrai d'un K, d'un R et d'un S.[4] Il contribua pourtant au développement de l'écriture et indirectement de l'imprimerie. L'écriture telle que la pratiquaient alors les copistes des monastères était fort incertaine, chacun d'eux ayant un art qui lui était propre. Or, il se trouva que les moines de la petite ville de Corbie, en Picardie, inventèrent une écriture à la fois claire, élégante, et beaucoup plus pratique que les encombrantes majuscules latines. Alcuin et Charlemagne encouragèrent la diffusion de cette écriture, améliorée dans d'autres monastères. Longtemps plus tard, au quinzième siècle, cette « minuscule carolingienne » fut adoptée pour les livres imprimés. C'est elle que nous employons toujours, sous le nom de caractères romains.

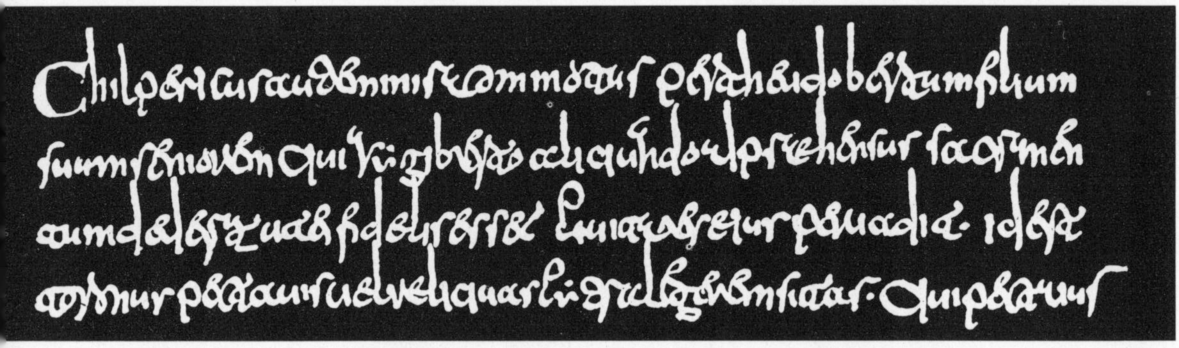

Minuscule de Corbie

Charlemagne passa une bonne partie de sa longue vie — il vécut 72 ans — à faire la guerre, contre les Lombards établis en Italie, contre les Saxons qu'il convertit au christianisme, en Espagne contre le calife de Cordoue, contre les Slaves, contre les Avars qui terrorisaient les marches de l'Est.[5] Ses expéditions ne furent pas toujours heureuses, notamment

---

[4] Pour KAROLUS, forme latine de Charles.
[5] On appelait ainsi autrefois les provinces frontières d'un empire. Les marquis étaient à l'origine des chefs militaires chargés de la défense des marches.

celle d'Espagne, qui se termina par l'immortel désastre de son arrière-garde à Roncevaux. Il réussit néanmoins à former un immense mais fragile empire. En l'an 800, le pape, rétabli à Rome par ses soins, le couronna empereur d'Occident. Le titre, hélas, ne suffisait pas : le rétablissement de l'empire romain ne fut guère que le vœu d'un pape disposé à s'entendre avec les puissances.

Bien mieux que ses prédécesseurs, Charlemagne s'efforça pourtant d'organiser son empire. Il envoya, même dans les régions les plus éloignées, des représentants de son autorité, les *missi dominici*, il édicta des lois, les célèbres *capitulaires*, applicables à tout l'empire. Enfin, à la différence de ses devanciers qui étaient sans domicile fixe, il établit sa capitale à Aix-la-Chapelle. La « chapelle » qu'il y fit construire était un bâtiment de forme octogonale, surmonté d'un dôme et orné à l'intérieur de mosaïques. On fit venir d'Italie les grilles de bronze qui le décoraient et sans doute aussi des colonnes, car, depuis le commencement des temps barbares, ce qui restait de l'art ne cessait de se parer des dépouilles de Rome.

Quelques années après la mort de Charlemagne, les Normands brûlaient sa capitale. Le reste de son œuvre ne fut guère plus durable. Seules son autorité et sa force maintenaient l'ordre dans son empire, et encore eut-il à réprimer bien des révoltes. Aussitôt qu'il avait le dos tourné, les Saxons qu'il avait convertis se déconvertissaient. Ses administrateurs eux-mêmes, les *comtes*, étaient attachés à lui par un lien personnel, un lien d'homme à homme. Sa monarchie était déjà une monarchie féodale.

Charlemagne disparu, l'anarchie régna de plus belle. Son successeur, Louis le Débonnaire, n'avait pas la solide poigne de son père. Comme d'habitude, le nouveau monarque eut de sérieuses difficultés avec ses trois fils — Lothaire, Louis et Charles — et à sa mort, ces trois fils se firent la guerre, comme d'habitude. Deux d'entre eux s'allièrent contre le troisième, se promettant amitié et aide réciproque. Tel est l'objet des célèbres *Serments de Strasbourg* (842), le plus ancien exemple que nous possédions de la langue parlée à cette époque dans le pays qui deviendra bientôt la France. L'année suivante, au partage de Verdun, Louis reçut la Germanie, Lothaire l'Italie et les pays du Rhin — cette Lotharingie qui, bien réduite, est devenue la Lorraine — et Charles, les régions à l'ouest de la Meuse et du Rhin. Dès lors, la France, l'Allemagne et l'Italie eurent des destinées différentes.

Toute cette époque fut une époque de grandes misères. A peine Charlemagne était-il mort que les pirates normands, venus des pays scandinaves, paraissaient le long des côtes de l'Occident, remontaient fleuves et rivières, brûlant ce qu'ils ne prenaient pas, recherchant particulièrement les églises et les monastères à cause de leurs richesses. Leurs incursions devinrent annuelles et se prolongèrent pendant presque un siècle. Les Normands saccagèrent Paris, qui avait encore son nom gallo-romain de Lutèce et ne dépassait guère l'île de la Cité. Ils revinrent l'assiéger en 885, avec tant de navires que la Seine en était couverte, sept cents, dit-on. Finalement un roi de France, désireux de protéger le cœur de son royaume, résolut de traiter avec eux. Il leur céda la région maritime à l'embouchure de la Seine. C'est l'origine du duché de Normandie, qui joua au Moyen Age un rôle si important dans les destinées du royaume.

Le roi donnant la Charte des Normands à l'archevêque de Rouen

Les Normands n'étaient pas les seuls à désoler le pays. Sur le Midi pesait lourdement la menace de l'Islam. Les Sarrasins faisaient des incursions en Aquitaine, ils dominaient la Méditerranée, ravageaient les côtes de Provence, s'étaient établis presque à demeure dans certains passages des Alpes, d'où ils rançonnaient pèlerins et voyageurs. Alors qu'éventuellement les Normands se convertirent, les Sarrasins restèrent des Infidèles. Dans l'esprit populaire, Charlemagne devint le grand champion de la chrétienté en lutte contre l'ennemi héréditaire. La légende grandit l'imposante figure de l'empereur. Pour le rendre encore plus vénérable, elle lui attribua une large barbe — alors que les Francs avaient le menton rasé — elle l'entoura des douze pairs, plaça un fragment de la Sainte Lance dans le pommeau de son épée, Joyeuse. Presque trois siècles après la mort de Charlemagne, la *Chanson de Roland* montre combien était resté vivace le souvenir du vieil et sage empereur. Mais l'époque était bien différente de la sienne. Après le mélancolique automne gallo-romain, puis le long et sombre hiver de l'époque franque, approchait le beau printemps du douzième siècle.

2

LE MOYEN AGE

La France Féodale

AU cours des dixième et onzième siècles achève de s'élaborer une espèce d'ordre, pour ne pas dire de désordre, auquel on a donné le nom de régime féodal. Ce qui caractérise ce régime, c'est l'extrême dispersion du pouvoir et l'exercice de l'autorité par un grand nombre d'individus, chacun d'eux exerçant cette autorité sur un nombre variable d'hommes dont il est le maître, le *seigneur*.

Cet émiettement du pouvoir existait dès l'époque de Charlemagne. Les comtes, en principe ses représentants, avaient souvent des velléités d'indépendance, et après sa mort bien plus que des velléités. D'autre part, les misères du temps, les invasions normandes, forcèrent les faibles à chercher un protecteur dans leur voisinage immédiat, puisque personne d'autre ne pouvait les défendre.

Le régime féodal s'étant développé sous le signe de la force, ce protecteur fut en même temps un oppresseur. Le seigneur est le *baron*, c'est-à-dire l'homme fort, celui qui possède des armes, un cheval, qui vit dans une demeure fortifiée. Comment, même s'il désirait le faire, le paysan à pied et sans armes pourrait-il défier l'autorité de l'homme à cheval, du « chevalier » armé d'une épée et dont le corps est protégé par des lames ou par des mailles de fer ?

Mais il ne s'agit pas seulement d'assujettir les faibles. Il faut aussi tenir tête à ses égaux, être à même de résister à l'attaque d'un plus fort que soi. Le protecteur des uns a lui-même besoin de protection. Par la cérémonie de l'hommage,[1] il consent donc à se faire l'homme d'un autre seigneur, mais c'est là, en principe du moins, un accord librement consenti, un

---

[1] Au cours de cette cérémonie, le vassal, les mains jointes, mettait un genou à terre et disait : « Je deviens votre homme à partir de ce jour ». Le suzerain le relevait, l'embrassait et lui remettait un symbole du fief, poignée de terre, branche d'arbre, etc.

échange de services entre hommes qui se considèrent comme égaux, comme pairs. Par l'hommage, le *vassal* s'engage à rester fidèle à son *suzerain*, à se rendre à son appel s'il a besoin de lui pour prendre part à quelque expédition militaire, pour discuter les intérêts du seigneur suzerain et de ses vassaux, ou pour régler les disputes qui ne peuvent manquer de se produire parmi ces derniers. En échange, le suzerain promet à son vassal son appui pour le défendre, lui et ce qu'il possède, contre une attaque toujours à craindre. Entre suzerain et vassal, pas de redevances en argent ou en nature, sauf dans des cas exceptionnels. Ce sont l'un et l'autre des gens de guerre, qui sont là pour recevoir des redevances de leurs inférieurs, mais qui n'en doivent à personne.

Le contrat féodal est donc une espèce de pacte de non-agression et d'aide mutuelle, qui a pour objet de garantir l'intégrité de la seigneurie, des terres et des droits qui la composent. Le fief dont le vassal fait hommage à son suzerain est d'ordinaire une terre, un domaine, mais il peut être aussi un droit quelconque, celui de percevoir quelque redevance en argent ou en nature, droit d'exercer la justice, profitable en raison des amendes et confiscations. Dans les villes en particulier, l'autorité se trouve ainsi partagée entre plusieurs seigneurs. Souvent l'évêque est le seigneur de la ville ancienne, alors que la nouvelle a pour maître un baron féodal. Au cœur même de la cité, le marché peut dépendre d'un autre seigneur, qui perçoit à son profit les redevances. Dans le Paris médiéval, tel seigneur exerce les droits de justice, eux-mêmes souvent fort divisés, dans tel quartier, parfois dans telle rue de la ville.

De cet état de choses résulte un enchevêtrement extrême de juridictions, de droits de toute sorte, et aussi de fidélités. Il arrive fréquemment qu'à cause des terres qu'il possède ou des droits qu'il exerce, un baron est en même temps l'homme de plusieurs seigneurs. Si deux de ces derniers font en même temps appel à ses services, surtout l'un contre l'autre, il y a là un cas de conscience fort délicat. Néanmoins, et surtout au début du Moyen Age, la fidélité promise est de part et d'autre observée presque religieusement. Outre l'opprobre de ses pairs auquel il s'expose, celui qui manque à ses engagements peut être déclaré déchu de son droit au fief. Mais en fait ce droit est un véritable droit de propriété, transmissible aux héritiers, même aux femmes. Dans ce dernier cas, les obligations vassaliques sont assumées par un *vidame*, chargé notamment de la défense armée du fief.

L'histoire fournit un exemple célèbre du retrait d'un fief par le suzerain pour manquement du vassal à ses obligations féodales. Au commencement du treizième siècle, des vassaux français de Jean sans Terre, roi d'Angleterre, firent appel au roi de France Philippe Auguste au cours d'une dispute avec leur seigneur. Philippe ordonna à Jean, son vassal pour ses possessions françaises, de venir en France pour y être jugé par ses pairs. Jean ne vint pas, et il fit bien, car il aurait pu éprouver de très grandes difficultés à retourner dans son royaume. Le roi de France déclara alors le roi d'Angleterre déchu de tous ses fiefs français pour avoir manqué à ses obligations vassaliques.

Lui-même roi féodal, Philippe Auguste se servit donc de la féodalité pour la combattre et pour étendre son propre pouvoir. Il fit bâtir à Paris, sur la rive droite de la Seine et près de l'île de la Cité, le premier château du Louvre, qui n'était alors qu'une sombre forteresse féodale. Du donjon du Louvre, symbole de la puissance royale, relevaient, prétendait-il, toutes les seigneuries du royaume. Cette conception nationale et hiérarchique du régime féodal pouvait certes lui être utile, mais même en son temps elle ne correspondait guère à la réalité, car la féodalité était avant tout un ensemble complexe de fidélités sur le plan local et régional.

Le trait le plus caractéristique de la France féodale est en effet ce particularisme local et régional. Tout d'abord, deux grandes divisions : le Nord et le Midi. D'une façon générale, le Midi, mieux que le Nord, a gardé les traditions gallo-romaines. Par contre et bien que les Barbares établis en Gaule aient été relativement peu nombreux — les Francs étaient peut-être une centaine de mille et les Burgondes la moitié de ce chiffre parmi quelque dix millions de Gallo-Romains — c'est dans la région du Nord et de l'Est que l'influence germanique se fit le plus fortement sentir. Sauf les Bretons, réfugiés celtiques venus de Cornouaille au sixième siècle, les nouveaux venus adoptèrent la langue de la majorité gallo-romaine. Les dialectes germaniques qu'ils parlaient n'ont laissé que peu de traces dans le français moderne, des termes relatifs à la guerre, comme le mot *guerre* lui-même, à l'armement, *haubert* par exemple, et quelques autres, tel le mot *fief*, relatifs aux institutions. Une ligne allant à peu près de Bordeaux à Grenoble divisait alors le pays en deux zones linguistiques, au nord les pays de langue d'oïl, au sud ceux de langue d'oc, d'après la façon de dire *oui* dans les deux langues. Mais là encore aucune uniformité. La langue d'oïl groupait un certain nombre de dialectes plus ou moins différents les uns des autres, comme le francien, parlé dans la région parisienne et d'où vient notre français, le normand, le champenois, le picard; et dans les régions de langue d'oc la diversité était tout aussi grande.

Même division entre le Nord et le Midi au point de vue juridique. Les provinces méridionales étaient les pays de *droit écrit*, où l'on suivait les dispositions du droit romain tel qu'il avait été codifié au sixième siècle par l'empereur Justinien. L'université de Toulouse acquit une grande renommée comme centre des études juridiques romaines, au point de vue du droit public comme du droit privé, et c'est là que se formèrent maints légistes[2] de Philippe le Bel, maints apôtres de l'étatisme contre l'indépendance locale ou régionale. Par contre, dans les pays du Nord, on suivait une foule de coutumes diverses, qui ne furent rédigées qu'à partir du treizième siècle, et c'est pourquoi ces pays étaient dits pays de *droit coutumier*.

La distinction Nord-Midi pourrait être poursuivie. Quoiqu'elle existât aussi dans le Midi, la féodalité y était bien différente de ce qu'elle était dans le Nord, plus brillante, plus tolérante et plus humaine. Les seigneurs du Midi, même les plus grands d'entre eux, tel Guillaume d'Aquitaine, ne dédaignaient pas de composer ces gracieux et subtils poèmes d'amour en langue d'oc que nous connaissons sous le nom de poésie des troubadours. Enfin, dans l'histoire de l'art médiéval, le nord et le Midi constituèrent deux foyers d'inspiration différente. Le premier en date des grands styles religieux, l'art roman, s'est répandu du Midi vers le Nord, alors que son successeur, l'art ogival ou gothique, s'est propagé du Nord vers le Midi. Mais cette distinction entre le Nord et le Midi rend mal compte de l'extrême diversité de la civilisation médiévale. C'est pourquoi il est bon peut-être de parler de quelques régions dont le rôle fut alors particulièrement important.

Guillaume d'Aquitaine

La Normandie avait été cédée au commencement du dixième siècle par Charles le Simple à Rollon, chef de pirates normands qui, selon l'usage, prêta serment de fidélité au roi de France, et dont les descendants devinrent ducs de Normandie. Il résulta de cette cession que l'autorité des ducs, moins disputée que ne l'était alors celle des autres grands féodaux, fut plus ferme que la leur. La Normandie fut bientôt, au point de vue de la justice, des finances, des forces militaires, le mieux administré des grands fiefs. C'est en partie pourquoi, en 1066, le duc Guillaume put se lancer dans sa singulière aventure qui aboutit à la conquête de l'Angleterre dont la célèbre tapisserie de Bayeux a immortalisé les principaux épisodes.[3] Les compagnons du Conquérant venaient de diverses régions du continent, mais la plupart étaient bien entendu des Normands. Ceux-ci

---

[2] Voir p. 68.

[3] Cette tapisserie est en réalité une broderie de laine, longue de soixante-dix mètres et large d'un demi-mètre seulement. Cette forme insolite s'explique sans doute par le fait qu'en certaines occasions la tapisserie était tendue dans la nef de la cathédrale. Outre sa valeur artistique, elle offre un intérêt documentaire considérable.

transportèrent en Angleterre leurs usages et leur langue, voisine du dialecte de l'Ile-de-France. D'où naquit toute une littérature française en Angleterre, à laquelle appartient la légende de Tristan et Iseut.

Malheureusement, les effets de la conquête ne furent pas seulement d'ordre artistique et littéraire. Pendant quatre siècles, ils pesèrent lourdement sur les destinées des royaumes de France et d'Angleterre. Les Anglo-Normands étaient solidement installés à Caen, à Rouen. Leur maître était vassal du roi de France, ce qui compliquait les relations franco-anglaises, d'autant plus que le roi capétien dans sa petite île au milieu de la Seine fut d'abord moins puissant que son redoutable voisin. Ce n'est qu'au temps de Philippe Auguste, au commencement du treizième siècle, que les forces en présence commencèrent à s'équilibrer.

La situation créée par la conquête de Guillaume fut encore aggravée, au siècle suivant, par une aventure d'un autre genre mais non moins singulière, dont l'enjeu fut cette fois toute la région du sud-ouest, *l'Aquitaine*, et l'héroïne la célèbre Eléonore ou Aliénor, fille du duc d'Aquitaine. Celle-ci épousa Louis VII, roi de France. C'était pour lui un beau mariage, avec une riche héritière, mais ce ne fut pas un bon mariage. Eléonore avait été élevée à la cour d'Aquitaine. Louis VII, surnommé le Jeune, n'était pas habitué aux mœurs des cours méridionales en général et à celles de sa femme en particulier. Une croisade, la deuxième, à laquelle ils prirent part ensemble ne contribua nullement à rétablir la paix entre les époux. Bref, ils se séparèrent. Eléonore reprit sa dot, et quelques années plus tard, par dépit peut-être, elle épousa Henri Plantagenêt, comte d'Anjou, de Touraine et autres lieux, et qui, comble de malchance, devint roi d'Angleterre sous le nom d'Henri II. Le premier résultat fut que tout

Tapisserie de Bayeux

l'Ouest de la France actuelle, de la Normandie à la Gascogne, passa aux mains des Anglais. Le second fut presque un siècle de guerre entre les deux nations, notamment entre Philippe Auguste, roi de France, contre Henri II d'Angleterre, puis contre ses fils, Richard Cœur de Lion et Jean sans Terre. Par la force et par la ruse, car les scrupules ne l'arrêtaient pas, Philippe Auguste réussit à s'emparer de la Normandie, de l'Anjou, de la Touraine. Mais les Anglais étaient toujours en Aquitaine, et bien qu'il les eût vaincus à la guerre, l'honnête saint Louis les y laissa. Pendant une grande partie du Moyen Age la région du Sud-Ouest fut donc sous la domination anglaise. Les marchands de Bordeaux expédiaient leurs vins en Angleterre, ceux de Londres leur envoyaient en échange des tissus, et ces étroites relations commerciales et politiques paraissaient alors très avantageuses aux uns et aux autres. En réalité, si les Anglais avaient perdu plus tôt leurs possessions françaises, la France et l'Angleterre auraient évité bien des misères, notamment les affreuses souffrances de la guerre de Cent Ans.

Voisine de l'Aquitaine, la région de *Toulouse* fut jusqu'au commencement du treizième siècle un des centres les plus brillants de la civilisation médiévale. Les comtes de Toulouse étaient de grands seigneurs, épris de faste et émancipés d'esprit. Ils furent accusés non seulement de tolérer, mais de favoriser l'hérésie albigeoise, ainsi nommée d'après Albi, ville du comté de Toulouse. Traditionnellement la région du Midi était d'orthodoxie incertaine. Juifs, Syriens, Grecs d'Asie Mineure y étaient assez nombreux, et peut-être y avait-il encore des vestiges des religions orientales, si populaires au déclin de l'empire romain. C'est un fait que la foi des Albigeois n'avait pas grand-chose à voir avec le christianisme. Ils croy-

aient en la transmigration des âmes, jusqu'à ce que celles-ci aient atteint un état de pureté parfaite, d'où le nom de Cathares, ou purs, donné à ces nouveaux manichéens. Les Albigeois rejetaient la plupart des sacrements de l'Église et toutes ses pratiques, le culte de la Vierge et des saints, le culte des reliques, l'octroi des indulgences, et ils provoquèrent des incidents regrettables. L'Église regardait tout ceci d'un très mauvais œil. Le comte de Toulouse fut excommunié par le pape et son comté frappé d'interdit.[4] Cîteaux prit l'initiative d'une croisade contre les hérétiques.[5] Les barons du Nord, voyant là une splendide occasion de pillage, se rendirent en masse à l'appel. Pendant vingt années, ce fut une effroyable tuerie, sans distinction de catholiques et d'hérétiques. La brillante civilisation méridionale disparut, anéantie par le fer et par le feu. La destruction fut si complète qu'il ne nous reste que quelques poèmes composés par les anciens troubadours.

Cependant, Cîteaux est un des grands noms du Moyen Age français, et au point de vue de l'importance dans l'histoire du mouvement religieux, il ne le cède guère qu'à Cluny. C'est en *Bourgogne* que se trouvaient les illustres monastères de Cluny, de Cîteaux, et quelques-uns des grands sanctuaires où affluaient les pèlerins. Au douzième siècle, la Bourgogne fut presque la capitale religieuse du monde chrétien. On dit qu'au temps de la fête de sainte Marie-Madeleine, vénérée à Vézelay, la foule des visiteurs était si grande que beaucoup passaient la nuit sur la paille, dans les rues voisines de l'église. Une telle affluence ne pouvait manquer d'encourager le commerce, et les foires de Vézelay étaient alors aussi renommées que celles de Beaucaire, en Provence.

Mais les grandes foires du Moyen Age étaient les foires de *Champagne*, région voisine de la Bourgogne et comme elle située dans une zone de communications faciles, par la vallée du Rhône, entre les pays du Nord et ceux du Midi. Elles se tenaient chaque année pendant la belle saison et successivement dans quatre villes de la province, y compris Troyes sa capitale, où des marchands venus de partout dressaient leurs tentes et étalaient leurs marchandises, draps de Flandre ou de Florence, cuirs d'Espagne, épices provenant du lointain Orient. Très bien policées et réglementées, les foires de Champagne occupèrent, jusqu'au temps de la guerre de Cent Ans, une place fort importante dans l'économie médiévale.

L'Île-de-France, qui n'est pas une île, mais le nom donné à la région parisienne, était au début du Moyen Age le domaine royal. Au temps de Hugues Capet, vers la fin du dixième siècle, et des premiers Capétiens, ce domaine ne comprenait guère qu'une bande de territoire s'étendant à peu

---

[4] L'*interdit* interdisait l'exercice du culte sur le territoire qui en était frappé. Ainsi les morts restaient sans sépulture chrétienne.
[5] Sur Cîteaux, voir p. 28.

près de Beauvais au nord jusqu'à Orléans au sud. C'était bien peu de chose. Néanmoins les premiers Capétiens, simples rois féodaux, avaient de la peine à faire respecter leur autorité à l'intérieur même de leur seigneurie. Encore au commencement du douzième siècle, des barons la défiaient ouvertement. Louis VI, dit le Gros ou le Batailleur, passa une bonne partie de sa vie en d'obscures expéditions contre les donjons de l'Île-de-France. Pourtant, grâce à leurs efforts, les Capétiens étendirent peu à peu leur autorité. Paris fut le berceau de la monarchie française. C'est là que le roi vivait, dans son modeste château fort appelé le Palais, à l'extrémité de l'île de la Cité, et c'est à deux lieues de là, dans l'église abbatiale de Saint-Denis, qu'il aurait un jour sa sépulture.[6] Ainsi, la France monarchique s'est constituée par une sorte de lente et irrégulière cristallisation autour de Paris et de l'Île-de-France. Le royaume fut longtemps fait de pièces et de morceaux, au hasard des expéditions militaires, des mariages, des héritages qui réunissaient à la couronne telle ou telle région.

Sans entrer dans le détail de l'histoire de ces rois, il est utile de savoir quelque chose des grands événements qui eurent lieu sous le règne de deux ou trois d'entre eux. Ces développements intéressent l'histoire de la civilisation, et l'époque d'un certain roi est un moyen commode de les relier chronologiquement les uns aux autres.

A la fin du onzième siècle, au temps de la première croisade et de la *Chanson de Roland*, commence la grande période de la France médiévale. La vie monastique fleurit, et avec elle se réveille la vie intellectuelle et artistique. On construit de belles églises de style roman, surtout dans les sanctuaires fréquentés par les pèlerins. Au milieu du douzième siècle, au temps de Louis VII le Jeune, si la civilisation reste encore rurale, les villes commencent à se développer. Sous l'influence des idées de chevalerie, les mœurs féodales s'adoucissent quelque peu. C'est l'époque où Chrétien de Troyes compose ses poèmes qui se rattachent à la légende arthurienne et aux chevaliers de la Table Ronde.

Saint-Bertrand-de-Comminges, cloître de style roman

Le règne de Philippe Auguste, à la fin du douzième siècle et au commencement du treizième, est une période de grands changements. Les villes, dont la population s'est accrue et qui sont conscientes de leur force nouvelle, obtiennent des concessions de leurs seigneurs, et parfois les imposent. Pour abriter les foules urbaines, on construit dans les villes des cathédrales d'un style nouveau, le style gothique. Au temps de Philippe Auguste, on est en train de bâtir Notre-Dame de Paris, la construction des cathédrales d'Amiens, de Reims est commencée. Le roi entoure d'une enceinte fortifiée sa capitale, qui s'étend maintenant sur les

[6] Les tombeaux des rois de France furent ouverts sous la Révolution, les restes des rois dispersés, et le plomb des cercueils employé à faire des « balles patriotes ».

Saint Louis

deux rives de la Seine. Les écoles parisiennes ont acquis une telle renommée que les étudiants y viennent en grand nombre, et avant la fin du douzième siècle Philippe Auguste fonde l'Université de Paris. Si l'on ajoute à cela les efforts victorieux du roi pour regagner les possessions françaises des rois d'Angleterre, on voit l'importance de son règne dans l'histoire de la France médiévale.

Aussi scrupuleux que son grand-père Philippe Auguste l'était peu, Louis IX, roi de France au milieu du treizième siècle, a été canonisé par l'Église sous le nom de Saint Louis. Grâce à son fidèle Joinville, qui a écrit une *Vie de Saint Louis*, nous le connaissons mieux que les autres rois dont la personnalité est souvent perdue dans le grand anonymat du Moyen Age. Joinville a immortalisé la mémoire du saint roi qui rendait la justice à ses sujets à l'ombre du chêne de Vincennes, lavait les pieds des pauvres et lui disait un jour qu'il aimerait mieux avoir la lèpre que vivre en état de péché mortel. Tout cela est fort édifiant, et même si la justice et la charité de Saint Louis étaient bien impuissantes à soulager les grandes misères de son peuple, elles lui valurent une immense renommée dans toute la chrétienté. Le pieux roi fit bâtir la Sainte-Chapelle pour y abriter de précieuses reliques. Il laissa à son fils de très honnêtes conseils de gouvernement. Pourtant, on sent que la société médiévale est déjà en proie à des dissensions croissantes, et quelques années après la mort du roi, peut-être prélude encore lointain aux discordes sociales de la guerre de Cent Ans, l'âpre et inquiétant Jean de Meung en dénonçait avec violence les abus dans la seconde partie du *Roman de la Rose*.

Une époque finit avec Saint Louis, celle des croisades. La première qu'il entreprit échoua misérablement — fait prisonnier par les Sarrasins, il dut payer une énorme rançon. La deuxième fut encore pire : en 1270, Saint Louis mourut de la peste à Tunis. Aux yeux de ses sujets, cette mort lui donna l'auréole du martyre.

Il y avait alors presque deux cents ans que de temps à autre on organisait une croisade. La première, la grande et la seule qui ait vraiment atteint son objectif, remontait à la fin du onzième siècle.

La cause immédiate de cette première croisade fut, on le sait, les mauvais traitements infligés aux chrétiens par les Turcs, nouveaux maîtres du Saint-Sépulcre. Ces persécutions furent le thème habituel des prédications de Pierre l'Ermite qui entraînèrent les foules, après que le pape Urbain II eut proposé la croisade au concile de Clermont. Mais les causes profondes sont plus complexes. Les Sarrasins étaient encore en Espagne, et il était facile d'enflammer les populations contre l'Islam, le vieil ennemi toujours redouté. Les barons avaient le goût de la guerre, des combats, des grands coups d'épée, aussi le goût du pillage. Ils trouvèrent dans la croisade de quoi les satisfaire. Enfin et surtout, une extraordinaire ferveur religieuse animait tous ceux, grands et petits, qui prirent à travers l'Europe la route de Jérusalem. « Gesta Dei per Francos » : longtemps les pays du Proche Orient confondirent Francs et Occidentaux, et non sans raison, car si la première croisade fut une expédition des pays d'Occident, beaucoup des croisés venaient des régions de la France actuelle, Normandie, Lorraine, Flandre, Aquitaine.

Le premier corps des croisés, composé des humbles, des petites gens, fut anéanti dans les déserts de l'Asie Mineure. Plus lents à se mettre en marche, les corps des chevaliers, gens bien armés dont le métier était de faire la guerre, plus de deux ans après leur départ et après avoir grande-

Les croisades de Saint Louis

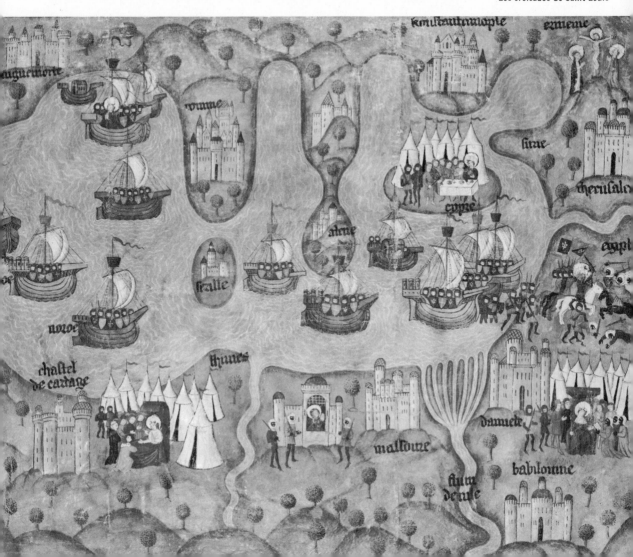

ment souffert, arrivèrent devant Jérusalem. La ville sainte fut prise d'assaut et sa capture suivie d'une effroyable tuerie. Femmes, enfants, tout y passa. Puis, pour remercier Dieu de leur victoire, les croisés tombèrent à genoux, élevant vers le ciel leurs mains ensanglantées. Telles étaient les mœurs du temps.

Jérusalem délivrée, les croisés s'installèrent dans leur nouvelle conquête. Godefroi de Bouillon devint baron du Saint-Sépulcre. Le royaume chrétien d'Orient, divisé en principautés, fut organisé sur le modèle féodal. Pour la défense de ces principautés, on créa des ordres religieux-militaires. Sous la robe blanche ornée de la croix rouge de leur ordre, Templiers et Hospitaliers portaient le haubert des chevaliers. Ce sont eux qui firent construire ces puissantes forteresses féodales dont les ruines imposantes parsèment encore le paysage aride de l'Asie Mineure, notamment le célèbre *krak des Chevaliers*, bâti par les Hospitaliers.

Krak des Chevaliers

C'est pour venir en aide aux établissements chrétiens toujours menacés que furent organisées les croisades postérieures. On essaya toute sorte de moyens, par voie de terre, par voie de mer, comme la quatrième croisade, celle de Villehardouin, qui partit de Venise et qui, étrangement détournée de son but, aboutit à la conquête de Constantinople. De même, on essaya diverses routes pour atteindre la Terre sainte. Saint Louis débarqua en Egypte, puis à Tunis. Rien n'y fit. Vers la fin du douzième siècle, Jérusalem tomba au pouvoir du sultan Saladin, et cinquante ans plus tard la ville sainte passa aux mains des Turcs.

Pour l'Occident chrétien et pour la France en particulier, les croisades eurent des conséquences fort importantes. Elles affectèrent à peu près tous les aspects de la vie du temps. Tout d'abord, beaucoup de seigneurs partirent pour la croisade et beaucoup ne revinrent pas. Le roi de France profita de leur absence pour étendre son pouvoir. Les bourgeois des villes en profitèrent aussi. Ayant besoin d'argent, les seigneurs en partance vendaient volontiers des franchises, des garanties aux bourgeois des villes, qui, devenus plus prospères, ne demandaient pas mieux que de les acheter. C'est ainsi que le départ des croisés causa un profond bouleversement dans l'ordre politique et social.

Tout en transportant la féodalité occidentale dans les établissements chrétiens d'Orient, les croisés fixés « Outremer », comme on disait alors, adoptèrent rapidement les habitudes de vie des Orientaux. Cette vie était bien plus facile et agréable que celle qu'ils menaient dans leurs sombres châteaux d'Occident. Ils s'initièrent au luxe. Certes, les Templiers défendirent avec un grand courage leurs possessions constamment menacées; mais en même temps ils s'enrichirent. Tout comme les Vénitiens, ils réalisèrent de gros profits en prêtant de l'argent aux Infidèles et aux Chrétiens, bien que l'Église n'approuvât pas le prêt à intérêt. De plus en plus, l'esprit de lucre remplaça l'esprit missionnaire des premiers croisés, de Pierre l'Ermite et de Gautier Sans Avoir. La soif de l'or, ou plutôt la soif de la terre poussa les barons à entreprendre le lointain voyage, soit individuellement soit en croisade. Constantinople, encore capitale de l'empire chrétien d'Orient, devint une proie plus tentante que le Saint Sépulcre. Ainsi, la quatrième croisade, entreprise au commencement du treizième siècle, aboutit à la conquête de Constantinople et à la fondation de principautés latines, non en Terre sainte, mais dans les Balkans.

En tout cas, à la suite des croisades, des relations bien plus étroites et plus suivies s'établirent entre l'Occident et l'Orient chrétien. Quelque chose du luxe oriental parvint jusqu'aux donjons de l'Île-de-France. L'ameublement, jusqu'alors rudimentaire, s'améliora. L'Orient fournit des tapis, de belles étoffes, des armes richement ornées. Le château lui-même changea d'aspect. Ses défenses se multiplièrent, défenses que les croisés avaient rencontrées en Orient et dont ils connaissaient bien l'efficacité. La première grande œuvre de langue française, la *Chanson de Roland*, est en fait la chanson de la croisade. Dans la sculpture des églises, dans le dessin des vitraux, on trouve de nombreux motifs de décoration qui proviennent de manuscrits et de tissus orientaux.

Cette influence orientale n'était évidemment pas nouvelle. L'Occident était depuis longtemps en contact avec l'Orient, et, par les pèlerins d'Espagne et de Terre sainte, avec le monde arabe. Mais les croisades rendirent ce contact plus étroit. C'est au début du douzième siècle, par exemple, que l'usage des chiffres arabes commença à se répandre. On employait jusqu'alors les chiffres romains, bien peu pratiques pour les calculs. Il suffit pour s'en rendre compte d'additionner des nombres aussi simples que XXIV et XIII..... Bref, le contact entre deux civilisations si différentes, s'il n'eut pas que de bons effets —on dit que la lèpre fut rapportée d'Orient par les croisés — fut sans doute le principal résultat des croisades.

La société au Moyen Age

Les auteurs du Moyen Age distinguaient volontiers trois groupes dans la société de leur temps : *oratores*, ceux qui prient, *bellatores*, ceux qui combattent, *laboratores*, la foule de ceux qui travaillent. Cette distinction n'est évidemment pas absolue. Il y avait des moines-chevaliers, et les bourgeois des milices urbaines portaient les armes, même s'ils s'en servaient peu. Cependant, dans l'esprit des gens d'autrefois, elle répondait à une espèce d'ordre social établi par la Providence.[1]

CEUX QUI PRIENT

Jusqu'au douzième siècle, les villes furent peu nombreuses et surtout peu importantes. La plupart, anciennes villes gallo-romaines plus ou moins ruinées par les invasions, avaient pour seigneur leur évêque, qui avait

---

[1] Elle a subsisté jusqu'à la Révolution française dans la distinction des trois « états » du royaume, le clergé, la noblesse et le tiers-état. Cette terminologie nouvelle remonte à l'établissement des États généraux.

acquis et conservé le pouvoir, même aux temps barbares, grâce au prestige dont jouissait l'Église et à la crainte qu'elle inspirait. C'est ainsi que le clergé avait pris sa place dans l'ordre féodal. L'évêque avait des vassaux, exerçait droits et prérogatives attachés à son évêché. Parfois même, il se rapprochait un peu trop, par ses habitudes et par ses goûts, des barons féodaux. La tapisserie de Bayeux nous montre, par exemple, l'évêque de la ville combattant à la bataille d'Hastings, armé non d'une épée — son état lui interdisant de répandre le sang — mais d'une massue, qui n'en répandait pas.

L'évêque jouissait dans sa ville d'une très grande autorité. Il avait son propre tribunal, l'officialité, qui jugeait non seulement les procès où figuraient des « clercs » — c'est-à-dire les membres du clergé — et ceux qui leur étaient assimilés, veuves et orphelins par exemple, mais même les causes intéressant les sacrements, notamment les cas de nullité de mariage. Chaque évêché avait son école, et ce n'est qu'après la fondation de l'Université que les écoles parisiennes s'affranchirent de la domination de l'archevêque.

L'évêque et les chanoines qui formaient le chapitre de sa cathédrale étaient recrutés d'ordinaire dans les familles féodales. Par contre, prêtres et desservants des campagnes étaient d'humble origine, et leur vie différait peu de celle des paysans. Ils savaient lire, plus ou moins, et cela leur conférait une rare distinction.

Evêques et curés des villes, prêtres et desservants des campagnes, constituaient le clergé séculier, puisqu'ils vivaient dans le monde, « dans le siècle », comme on disait alors. Le clergé régulier, lui, se composait de ceux qui, appartenant à un ordre religieux, étaient soumis à une règle monastique. Ces moines, nombreux au Moyen Age, furent d'abord des moines bénédictins, qui vivaient en commun dans un monastère bâti à la campagne, entouré de ses champs, de ses vignes et de ses bois. Le monastère avait ses travailleurs du sol qui lui payaient redevances, ses revenus provenant de la vente des produits de la terre. C'était en fait une espèce de seigneurie, tant il est vrai que l'ordre féodal pénétrait alors toutes les institutions.

Les onzième et douzième siècles furent l'époque de la puissance et de la splendeur de la grande abbaye de Cluny, en Bourgogne. Comme ils appartenaient à des familles féodales, les moines de Cluny laissaient à d'autres le travail manuel, la culture du sol. La règle de saint Benoît était une règle sévère, imposant le silence, et presque toute l'activité des moines de Cluny était consacrée au service divin. Mais il y a diverses manières de servir Dieu. Les moines de Cluny avaient le goût des belles choses, des belles églises, de la belle musique. Les monastères clunisiens se multi-

plièrent bientôt en France et dans l'Occident chrétien, notamment dans les lieux, ou sur la route, des grands pèlerinages du temps. C'est ainsi que Cluny contribua grandement à la diffusion de l'art roman. Beaucoup des grandes églises romanes sont des églises de sanctuaires, construites sous l'égide d'anciens monastères clunisiens.

On ne peut pas plaire à tout le monde. Les belles églises ne plurent pas à saint Bernard, qui jugeait tout ce luxe peu conforme à l'idéal chrétien de pauvreté et d'humilité. Inévitablement, les monastères clunisiens s'enrichissaient. De grands et puissants seigneurs leur faisaient des dons, s'y retiraient parfois au déclin de l'existence, et à leur mort laissaient au monastère une partie au moins de leur héritage. Avec la prospérité, la règle se relâchait. Tout doucement, Satan s'introduisait dans le cloître. Saint Bernard l'en chassa.

Dans la première moitié du douzième siècle, saint Bernard se retira à Cîteaux, où la règle bénédictine avait été rétablie dans toute sa rigueur, et il devint plus tard abbé de Clairvaux, en Champagne. Là, plus de belles églises ni de belle musique, ni de bon vin des vignes du Seigneur. De l'eau à peine rougie, des légumes cuits à l'eau, des vêtements grossiers et un travail pénible dans les champs du monastère. Même si une bonne partie du travail fut l'œuvre des frères convers, qui occupaient une place de moindre importance dans la hiérarchie monastique, il n'en reste pas moins que les cisterciens contribuèrent au défrichement et à la mise en culture de terres nouvelles dont, vu l'état de la technique agricole, le pays avait alors grand besoin.

Bien que leurs activités aient été différentes, clunisiens et cisterciens vivaient éloignés du monde. Or, au douzième siècle, en raison du développement des villes, la civilisation, de rurale qu'elle était, tendit à devenir urbaine. Les monastères au fond des campagnes cessèrent d'être les grands centres d'activité économique, intellectuelle et artistique. D'autre part, l'hérésie albigeoise montrait la nécessité, pour l'Église, de reconquérir par la prédication les populations égarées. De là la création à Toulouse, par l'Espagnol saint Dominique, de la première maison des dominicains, appelés aussi « frères prêcheurs ». Vers la même époque — le commencement du treizième siècle — le bon saint François d'Assise fondait son ordre, celui des « frères mineurs », des franciscains. Vêtus d'une robe grise, une corde à nœuds autour de la taille — d'où le nom de cordeliers qu'on leur donna — les franciscains vivaient, comme les dominicains, mêlés à la population urbaine.[2] Parlant la langue du peuple

---

[2] L'abbaye de Saint-Germain-des-Prés fut bâtie, au treizième siècle, pour les franciscains. Les dominicains avaient aussi un couvent à Paris, rue Saint-Jacques, d'où le nom de jacobins qu'on leur donna. Le couvent dominicain de la rue Saint-Honoré devint célèbre sous la Révolution française, quand, après la dispersion des moines, il fut le lieu de réunion d'un club révolutionnaire, dit des Jacobins.

dont ils partageaient les sentiments, les aspirations et les craintes, faisant constamment appel à sa sensibilité, les nouveaux moines exercèrent par leur prédication une profonde influence. Le développement au treizième siècle du culte de la vierge Marie, Mère toujours indulgente et inclinée au pardon des fautes de la pauvre humanité, est en partie au moins l'œuvre des prédicateurs, et bien plus encore sans doute, vers la fin du moyen âge, l'immense pitié pour les souffrances du Christ, le Christ de la Passion.

En ces siècles de foi, la religion occupait une grande place dans la vie des hommes. Même si les terreurs inspirées par la crainte que le monde allait finir en l'an mille ne sont guère qu'une légende, l'idée de la fin du monde, suivie du jour terrible du Jugement dernier, hantait les esprits. On redoutait les châtiments de l'enfer peut-être encore plus qu'on ne désirait les joies du paradis. L'imagination des sculpteurs du Moyen Age est inépuisable quand il s'agit de représenter les supplices qui attendent les réprouvés : d'affreux démons leur arrachent la langue, les yeux, la barbe, les précipitent la tête la première dans des chaudières bouillantes, au milieu d'un grouillement de serpents et de crapauds. Ce serait pourtant une erreur de croire que le sentiment religieux ait été fait seulement de crainte. Il était fait aussi d'amour, de pitié, de charité, et en ces temps si durs la charité était une vertu admirable.

Entre l'homme chétif et Dieu justicier était la douce figure de la vierge Marie, toujours prête à plaider la cause de l'humanité souffrante. Elle occupe une place d'honneur dans les grandes cathédrales, et beaucoup d'entre elles portent son nom, Notre-Dame de Chartres, Notre-Dame de Paris, Notre-Dame de Reims. D'autres églises et cathédrales étaient placées sous l'invocation d'un saint dont le culte était d'ordinaire plus local, parfois aussi plus spécialisé si l'on ose dire, puisqu'on s'adressait à tel ou tel saint dans telle ou telle circonstance : saint Lazare était le patron des lépreux, saint Antoine guérissait le mal des ardents, l'ergotisme causé par la consommation de seigle avarié et qui causait la gangrène, saint Roch protégeait de la peste.

Les reliques d'un saint personnage attiraient les foules, et les églises, surtout les monastères, les recherchaient avec avidité. Un moine de Véze-lay, dit-on, serait allé jusqu'à Aix ravir les ossements de sainte Marie-Madeleine qui firent au douzième siècle la renommée de l'abbaye. Au péril de sa vie, un autre moine réussit à ramener à Conques les restes de la jeune sainte Foy, martyrisée au quatrième siècle. Chartres avait son puits miraculeux et sa statue de « la Vierge devant enfanter ». Les pèlerins venaient parfois de loin à ces sanctuaires. D'autres, en route pour une destination plus lointaine, s'arrêtaient au passage. Le chemin du grand pèlerinage de Saint-Jacques de Compostelle, en Espagne, était jalonné de sanctuaires. C'est pour les pèlerins qu'ont été construites bien des églises romanes, et certains disent que la *Chanson de Roland* a pris corps le long de la route qui, par les Pyrénées, menait à Saint-Jacques.

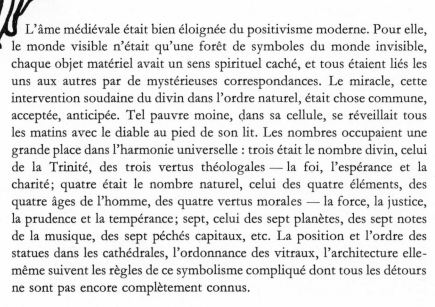

L'âme médiévale était bien éloignée du positivisme moderne. Pour elle, le monde visible n'était qu'une forêt de symboles du monde invisible, chaque objet matériel avait un sens spirituel caché, et tous étaient liés les uns aux autres par de mystérieuses correspondances. Le miracle, cette intervention soudaine du divin dans l'ordre naturel, était chose commune, acceptée, anticipée. Tel pauvre moine, dans sa cellule, se réveillait tous les matins avec le diable au pied de son lit. Les nombres occupaient une grande place dans l'harmonie universelle : trois était le nombre divin, celui de la Trinité, des trois vertus théologales — la foi, l'espérance et la charité; quatre était le nombre naturel, celui des quatre éléments, des quatre âges de l'homme, des quatre vertus morales — la force, la justice, la prudence et la tempérance; sept, celui des sept planètes, des sept notes de la musique, des sept péchés capitaux, etc. La position et l'ordre des statues dans les cathédrales, l'ordonnance des vitraux, l'architecture elle-même suivent les règles de ce symbolisme compliqué dont tous les détours ne sont pas encore complètement connus.

CEUX QUI COMBATTENT

Nous entrons ici dans un monde nouveau, celui des *barons*, un monde où, au commencement surtout, la violence est maîtresse.

Jusqu'au milieu du onzième siècle, les barons vivaient dans des « lieux forts » qui ressemblaient un peu, quoique plus primitifs, aux « stockades » des colons d'Amérique : au milieu, une grosse tour de bois, le donjon, construit sur un monticule et enfermé dans une enceinte de palissades entourée de fossés. Bientôt le bois, trop exposé à l'incendie par l'assiégeant, fut remplacé par la pierre. Le donjon subsista, mais cessa d'être la demeure du seigneur et des siens, qui préférèrent vivre dans un bâtiment plus confortable, à l'intérieur d'un quadrilatère de hauts murs protégés par des tours d'angle. Il ne fut plus qu'une forteresse, symbole de la puissance seigneuriale et dernier réduit des défenseurs. La base du donjon était formée de solide maçonnerie, avec des murs de dix ou quinze pieds d'épaisseur, la porte d'accès était située à une grande hauteur, et chaque étage pouvait être défendu séparément. Au temps des croisades, les défenses se multiplièrent. Le donjon, d'abord carré, prit au treizième siècle une forme circulaire, de façon à ce que l'ennemi ne pût en miner un des angles et causer ainsi son effondrement. Avec les machines de guerre du temps, un château bien approvisionné et défendu résolument ne pouvait guère être pris que par surprise, ou après un long siège.

Le seigneur et sa maison, parents, amis, serviteurs, menaient là une vie dont la rudesse nous étonne. Les meubles étaient rares, grossiers, et les conforts les plus élémentaires faisaient gravement défaut. La grande distraction du seigneur, la chasse, était une nécessité autant qu'un plaisir — elle fournissait de viande sa maison — et il aimait la chair des animaux sauvages, cerfs et sangliers, et surtout peut-être les oiseaux, le paon surtout, oiseau noble par excellence, que nous considérons maintenant comme un ornement plutôt que comme un comestible.

On employait alors beaucoup d'épices et de condiments, et les mets servis au seigneur et aux siens étaient si fortement assaisonnés qu'on a dit

Le donjon de Loches

que ces gens devaient avoir l'estomac fait de mailles de fer, comme leur haubert. Les mets liquides étaient servis dans une écuelle, qu'on partageait avec un autre convive; les solides, sur des tranches de pain, et, les fourchettes étant inconnues, on les mangeait avec ses doigts. Tout cela était d'une très grande simplicité.

Au château, les distractions sont rares. On reçoit parfois des visiteurs, ou quelque jongleur vient raconter ses histoires, mais les heures paraissent souvent longues. Le grand plaisir du baron est de faire la guerre, d'entreprendre une expédition armée plus ou moins lointaine, soit de sa propre initiative soit à l'appel de son suzerain. Ses armes sont l'épée et la lance. Alors qu'au début du Moyen Age, il descendait de cheval pour combattre, au onzième siècle il combat à cheval, et son corps est protégé par une chemise de mailles de fer, le haubert, qui lui enserre également la tête, protégée par le heaume. La statuaire des cathédrales représente le chevalier ainsi vêtu, même lorsqu'il s'agit de saint Georges ou de saint Théodore, comme à Chartres. En somme, et bien que la guerre soit une occupation dangereuse, le baron est protégé par ses armes défensives ou par les solides murailles de son château. Un des pires malheurs qui puissent lui arriver est d'être capturé par son adversaire, qui le garde prisonnier jusqu'à ce qu'il ait payé rançon. Les paysans souffrent bien plus que lui de la guerre. L'habitude est de dévaster le fief de l'ennemi, de brûler les récoltes, d'incendier les maisons. L'Église elle-même, malgré la crainte qu'elle inspire, n'échappe pas aux fureurs des hommes d'armes. Sanctuaires et monastères ne sont pas toujours épargnés. Au cours d'une expédition

32

contre Thibaut, comte de Champagne, le roi Louis VII le Jeune ordonna de mettre le feu à une église où s'étaient réfugiés les habitants de Vitry. Treize cents périrent dans les flammes. A la suite de quoi, terrorisé par l'énormité de son crime, il partit pour la croisade. Trop souvent, l'homme de guerre du Moyen Age, homme fort impulsif, ne peut résister à l'exaltation de détruire, à la joie de tuer. Puis, bourrelé de remords, il s'impose les plus austères pénitences.

D'ailleurs, l'Église veille, et elle a souvent la main lourde. Au début du treizième siècle, le pape lança l'anathème contre Raymond VI, comte de Toulouse, accusé de favoriser l'hérésie albigeoise. Le légat qu'il envoya pour assurer l'exécution de la sentence fut assassiné par un écuyer du comte, désireux sans doute de plaire à son maître. A la suite de quoi le haut et puissant comte de Toulouse fut contraint de se présenter devant l'église de Saint-Gilles, en Provence. Fouetté de verges, « nu et flagellé », il dut descendre dans la crypte où reposait la dépouille mortelle de sa prétendue victime, bien que sa responsabilité personnelle n'eût pas été établie.

Les barons étaient trop attachés à leur droit de guerre privée pour qu'il fût possible de les en priver. L'Église, qui souffrait aussi des violences féodales, réussit pourtant à le limiter. Vers le milieu du onzième siècle, un concile fixa la durée de la « trêve de Dieu » : la guerre était interdite aux époques des grandes fêtes religieuses, et aussi de jeudi à dimanche, jours de la semaine correspondant à la période qui s'étendit de la Passion jusqu'à la Résurrection. Instituant ainsi la trêve de Dieu, l'Église s'adressait au sentiment religieux du baron féodal. Par la chevalerie, elle fit appel à un sentiment presque aussi fort, à sa fierté, à son orgueil.

Célébrer par une cérémonie le moment où l'adolescent atteignait l'âge de porter les armes était un très ancien usage. L'Église sanctifia cet usage d'abord païen. Au douzième siècle, le jeune écuyer qui aspire à entrer dans l'ordre de la chevalerie doit accomplir certains rites de caractère religieux — la veillée des armes dans la chapelle du château, la confession, la communion — puis il jure d'observer le code du chevalier, de défendre les faibles, de respecter la femme, de protéger la veuve et l'orphelin. Le blâme, sinon le mépris de ses pairs assure le respect de ces engagements. Le vassal félon était celui qui manquait à ses obligations envers son suzerain; le chevalier félon était celui qui manquait à ses obligations de chevalier — et l'un ne valait pas mieux que l'autre. La chevalerie a donc introduit chez ceux qui combattent des valeurs morales nouvelles. C'est par elle que le sentiment de l'honneur et de la courtoisie, avec ses insuffisances et ses lacunes, est devenu de tradition dans la société nobiliaire.

Au Moyen Age, les *vilains* étaient les habitants des campagnes. Le sens dans lequel le mot est maintenant employé en dit long sur la façon dont on considérait alors le paysan. Les auteurs nous le décrivent comme un être grossier, au teint noir, à la barbe hirsute, aussi repoussant au moral qu'au physique. Il est sournois, hostile. « Poignez vilain, il vous oindra; oignez vilain, il poindra », disait-on.[3] Ces vilains toutefois ne sont plus des serfs. Ils sont attachés à la seigneurie, c'est vrai, mais leur droit aux lopins de terre qu'ils exploitent est presque un droit de propriété, transmissible à leurs descendants. Il y a même des paysans aisés, surtout vers la fin du Moyen Age, ceux qu'on appelle les *laboureurs*. Mais la plupart vivent misérablement. Outre le *cens*, loyer de la terre qu'ils doivent payer au seigneur, ils sont soumis à toute sorte de redevances, surtout en nature, car l'argent est si rare qu'on ne peut exiger d'eux ce qu'ils n'ont pas. Sous le nom de *dîme* et de *champart*, une partie des récoltes va à l'Église ou au seigneur; les *banalités* obligent le paysan à employer le pressoir ou le moulin seigneurial, moyennant redevance bien entendu; la *corvée* l'oblige à travailler à l'entretien du château et des chemins de la seigneurie.

Le pire est que ces récoltes, qu'il doit partager avec tant d'autres ou plutôt leur distribuer, sont d'une pauvreté désespérante. Les méthodes de culture étant fort primitives, le sol s'épuisait vite. Après une ou deux récoltes, il fallait le laisser reposer pendant une année, et cette pratique de la *jachère*, comme on l'appelle, laissait constamment inutilisé un tiers ou la moitié des terres labourables. Les engrais, qui auraient augmenté la productivité, étaient peu employés, car le bétail était rare : comment le nourrir pendant l'hiver, alors que les hommes avaient à peine de quoi manger? Les seuls animaux un peu nombreux étaient les porcs, qui vivaient de la forêt, notamment des glands du chêne.

---

[3] C'est-à-dire : Maltraitez un vilain et il vous bénira; traitez-le bien et il vous maudira.

Quelques-unes des plus faciles et des plus productives parmi nos cultures actuelles étaient alors inconnues, par exemple celles de la pomme de terre et du haricot, qui viendront plus tard d'Amérique. Ce que les paysans essayaient alors de faire pousser et ce dont ils se nourrissaient, c'étaient les céréales, surtout le seigle et l'avoine, le blé étant alors un luxe, et aussi la vigne qu'on cultivait partout, même à Paris. Pendant des siècles, jusqu'au dix-huitième, la pénurie des subsistances fut un des facteurs qui contribuèrent à limiter la population du pays, laquelle, à part quelques périodes de grands malheurs, semble avoir oscillé entre des limites assez étroites, peut-être entre douze et seize millions.

Au douzième siècle pourtant, à la suite d'une pacification relative et de la mise en culture de terres nouvelles, il y eut un accroissement notable du nombre des habitants du royaume. La vie des paysans devint un peu plus tolérable, et surtout les villes entrèrent dans l'histoire.

L'annonce aux bergers (Chartres)

Toulouse au Moyen Age

Si les vilains étaient les habitants des campagnes, on appelait *bourgeois* les habitants des villes. Même si ces dernières se développèrent à partir du douzième siècle, on ne saurait les comparer, au point de vue de la population, à nos villes modernes. Une agglomération d'une dizaine de milliers d'habitants était alors considérée comme importante. La cathédrale de Chartres, qui, il est vrai, était un lieu de pèlerinage, aurait sans doute pu abriter toute la population de la ville.

A part quelques représentants de l'autorité, gens de justice et autres, et aussi, hélas, la foule des miséreux, de ceux qui mendiaient au coin des rues ou à la porte des églises, les bourgeois étaient surtout les gens des métiers. Alors que dans notre société production et commerce sont presque toujours séparés, au Moyen Age ils se confondaient souvent et l'artisan vendait lui-même les produits qu'il fabriquait. Dans bien des villes de France, des noms de rues rappellent qu'autrefois les gens d'un certain métier se trouvaient dans ces rues — rue des Orfèvres, rue au Lin, rue des Lombards, ces derniers étant les changeurs et aussi les prêteurs d'argent à une époque où la variété des monnaies était grande et où le prêt à intérêt était regardé avec défaveur par l'Église.

Bien que le travail libre existât et que l'organisation corporative fût inconnue dans certaines villes importantes, artisans et commerçants exerçant un même métier étaient généralement groupés en *corporations*, celles des drapiers, celle des bouchers, celle des orfèvres, etc. Chacun des métiers jurés, comme on disait alors, avait son organisation et ses règlements dont le but était d'éviter la concurrence en assurant une égalité complète, quant aux matières premières et aux procédés de fabrication, entre tous les membres de la corporation.

Le système peut paraître propre à décourager toute initiative individuelle, mais il faut tenir compte de ce qu'était alors l'économie, presque toujours une économie fermée, locale ou tout au plus régionale. Il importait donc de contrôler la production et la vente de façon à ce que la ville eût tous les produits dont elle avait besoin, sans surplus dont il aurait été difficile de disposer. Des villes, il est vrai, devaient leur prospérité à un certain produit. Amiens, par exemple, devait la sienne à un produit employé dans la teinture des étoffes et qui était l'objet d'un commerce actif en dehors de la ville. Mais ces villes constituaient en somme l'exception.

Le travail lui-même était soigneusement réglementé. A la tête, les chefs des métiers, les *maîtres*, dont les représentants élus dirigeaient les affaires de la corporation. Chacun des maîtres était un artisan qui travaillait avec l'aide de quelques ouvriers appelés *compagnons*, et un nombre encore plus limité *d'apprentis*, jeunes garçons qui étaient censés apprendre le métier sous la direction du maître. Le maître était le chef de cette famille plus ou moins unie. Les compagnons vivaient chez lui, « à son feu et à son pot », et les apprentis servaient souvent à faire les courses de la maîtresse du logis, laquelle ne les traitait pas toujours avec une douceur maternelle.

Les heures de travail étaient longues, de l'aube au crépuscule. Elles dépendaient donc de la saison. Les horloges étant inconnues, les activités de la journée, comme les prières, étaient réglées par les cloches des églises. On mesurait les heures de la nuit par des procédés assez approximatifs, le nombre des chandelles consumées par exemple. Réveillé en sursaut par un confrère, frère Jacques sonnait les matines,[4] et les autres sonneurs sonnaient après lui. La journée de travail commençait d'ordinaire à « prime » pour se terminer à « vêpres », de six heures du matin à six heures du soir. En été, elle était plus longue encore. Il faut dire d'ailleurs que le nombre des jours chômés était si grand que les ouvriers eux-mêmes s'en plaignaient. Fêtes religieuses, fêtes corporatives, enterrements, réjouissances publiques, plus les dimanches, tout cela faisait que les ouvriers ne travaillaient guère que la moitié de l'année. Et pas de congés payés, bien entendu.

A côté de ses peines, la vie corporative avait aussi ses joies. Les membres d'un même métier formaient une *confrérie*, placée sous la protection d'un saint patron, laquelle s'occupait d'œuvres charitables — aumônes aux malades et aux « pauvres honteux » — et aussi de plaisirs et distractions, notamment, vers la fin du Moyen Age, de la représentation des

[4] Les heures de la journée étaient déterminées par le moment des offices religieux. C'est pourquoi on appelait « livres d'heures » les recueils de prières quotidiennes. Les *matines* correspondaient à la partie de l'office divin antérieure au début du jour.

mystères. La confrérie possédait son église ou sa chapelle, figurait fièrement dans les processions, dans les fêtes données en l'honneur d'une
visite royale. La cathédrale de Chartres, notamment, a de fort beaux
vitraux donnés par les métiers de la ville, depuis les riches drapiers
jusqu'aux tailleurs de pierre.

Sans atteindre à la puissance politique des grands métiers de Florence,
les corporations occupèrent donc une place considérable dans la France
médiévale. Avec ses métiers bien organisés, solidaires les uns des autres
malgré des rivalités inévitables, la ville se sentit bientôt assez forte pour
tenir tête à son seigneur, résister à ses exigences. Les pourparlers qui
s'engagèrent alors entre les bourgeois et leur seigneur aboutirent dans la
plupart des cas à un accord. En échange d'une somme d'argent et la
promesse de payer des taxes dont la nature et le montant fut fixé avec
précision, le seigneur accordait une charte à la ville, une espèce de constitution qui définissait les droits et obligations réciproques. Bien des
seigneurs conclurent des arrangements de ce genre avant de partir pour la
croisade, car c'était un moyen de financer leur expédition. Mais il y eut
aussi des résistances, surtout lorsque le seigneur de la ville était un homme
d'Église, moins pressé d'argent. Et les bourgeois étant à l'occasion aussi
violents que leur maître, plus d'une fois les choses se gâtèrent. Au commencement du douzième siècle, les habitants de Laon se révoltèrent
contre leur évêque, lui fendirent la tête d'un coup de hache, puis mirent
le feu à la cathédrale. Dix ans plus tôt, les bourgeois de Vézelay avaient,
pour des raisons analogues, massacré leur abbé.

Les bourgeois de certaines villes, Laon, Amiens et autres, réussirent à
se substituer, pour ainsi dire, à leur propre seigneur. A la tête de cette
seigneurie urbaine, la *commune*, dont le beffroi symbolisait la puissance
féodale, étaient des magistrats élus, le *maire* et les *échevins*. La ville avait
ses vassaux, ses taxes, sa justice, son armée même, la milice bourgeoise.
Dans l'ensemble, ces essais de démocratie urbaine ne furent pas heureux.
Déchirée par des rivalités, par des factions, la commune eut souvent une
existence fort peu paisible, jusqu'au jour inévitable où le roi intervint pour
rétablir l'ordre, et remplaça maire et échevins par des agents royaux,
baillis et *prévots*, tous gens qui ne badinaient pas.

Paris

L'Université

Vers la fin du douzième siècle, au temps de Philippe Auguste, Paris avait peut-être deux cent mille habitants, ce qui faisait d'elle une ville énorme pour l'époque. Le roi l'entoura d'une enceinte haute de trente pieds, défendue par plus de soixante tours et dont il reste encore quelques rares vestiges. De sombres forteresses défendaient les rives de la Seine, particulièrement l'accès à l'île de la Cité, le Châtelet par exemple, avec ses affreux cachots, qui était la résidence du prévôt royal dont la justice était si redoutée. La Bastille, qui protégera Paris du côté de l'est, ne sera construite qu'un siècle plus tard; mais à l'autre extrémité, Philippe Auguste avait bâti l'ancien Louvre, château fort dont il ne reste rien.

Étranglé ainsi dans son enceinte de murailles, Paris était surpeuplé. Les maisons s'entassaient, s'accrochaient partout, aux remparts, aux églises, aux rares ponts de la ville.[1] Le Paris populaire était un labyrinthe de rues étroites et tortueuses, dont les principales, la rue Saint-Denis par exemple, qui allait du Châtelet à la Porte Saint-Denis, avaient à peine vingt pieds de large. Les places n'étaient que des carrefours. La plus connue, la place de Grève[2] — maintenant place de l'Hôtel de Ville — était grande comme un mouchoir de poche. Philippe Auguste avait fait paver quelques rues, construire quelques égouts, mais tout cela était bien peu de chose. Les Gallo-Romains avaient eu l'heureuse idée de bâtir leurs villes sur le flanc d'une colline, de sorte qu'une pluie d'orage en nettoyait plus ou moins les rues. Rien de tel à Paris, où les immondices s'accumulaient, le service de la voirie étant pratiquement inexistant. L'eau de la ville était celle de la Seine, et même si Philippe Auguste fit amener cette eau de

---

[1] Jusqu'au dix-huitième siècle, à l'exception du Pont-Neuf construit au début du dix-septième, les ponts entre l'île de la Cité et les deux rives de la Seine furent bordés de maisons.

[2] Les ouvriers à la recherche de travail avaient l'habitude de s'assembler place de Grève. De là le mot « grève », qui désigne maintenant une interruption volontaire de travail par les ouvriers.

Belleville, elle n'offrait pas toutes les garanties de salubrité désirables. Avec une population en grande partie sous-alimentée, les épidémies faisaient d'effrayants ravages.

On divisait alors Paris en trois zones : au centre, la *Cité* — l'île du Palais et de Notre-Dame — la *Ville* sur la rive droite, et l'*Université* sur la rive gauche. Les bords de la Seine étaient alors le théâtre d'une grande activité. La plupart des produits nécessaires à la vie urbaine — grains, viande, vin, bois, fourrages — arrivaient sur les bateaux plats des *Marchands de l'eau* parisiens. Ces derniers formaient une association marchande — une *ghilde*, comme on disait pour les distinguer des corporations de métiers — qui possédait le monopole du commerce fluvial. Les armes actuelles de Paris, représentant un navire voguant sur une eau agitée avec la devise latine : *Fluctuat nec mergitur* — « Il est battu par les flots, mais il ne sombre pas » — sont celles de l'ancienne association des Marchands de l'eau parisiens.

Les armes de Paris

Les berges de la Seine n'avaient pas de quais, et les marchandises étaient débarquées sur la grève, d'où le nom de place de Grève. Près de là étaient installés les bouchers parisiens qui, faute d'abattoirs, tuaient les animaux dans les rues voisines.[3] C'est Philippe Auguste qui fit construire les premiers bâtiments couverts à l'emplacement des Halles du Paris moderne. A côté du marché se trouvait le lugubre cimetière des Saints-Innocents, bordé de ses charniers où s'entassaient les ossements des anciens morts pour faire place aux nouveaux. Cette horreur ne disparaîtra qu'au dix-huitième siècle. Notre civilisation s'efforce de cacher les laideurs de la vie et de la mort. Le Moyen Age les acceptait telles quelles.

La plupart des métiers étaient groupés sur la rive droite, particulièrement dans le voisinage du fleuve. A Paris, existaient six grands métiers — drapiers, merciers, pelletiers, épiciers, changeurs, orfèvres — qui, sans posséder la puissance des sept arts majeurs de Florence, avaient néanmoins une grande influence sur la vie municipale. Dans les rues commerçantes, le rez-de-chaussée des maisons était occupé par une boutique, souvent sous une arcade ou dans une galerie, les « maisons à piliers » du Moyen Age. Le devant de la boutique était clos la nuit d'un lourd auvent de bois qu'on abaissait pendant la journée et qui servait ainsi de comptoir. Tant pis si l'auvent empiétait sur la rue, déjà trop étroite et où les maisons n'observaient qu'un alignement très approximatif. Pas de trottoirs, bien entendu. Le fossé d'écoulement des eaux, si on peut l'appeler ainsi car les eaux ne s'écoulaient guère, était situé au milieu de la rue, de sorte qu'en cas d'orage les passants étaient obligés de frôler la façade des maisons, au

---

[3] La Tour Saint-Jacques, près du Châtelet et de l'Hôtel de Ville, est ce qui reste de l'ancienne église Saint-Jacques de la Boucherie.

risque de recevoir n'importe quoi sur la tête, y compris les lourdes enseignes peintes qui se balançaient à tous vents. L'usage des numéros dans les rues ne date que du début du siècle dernier. Durant des siècles, ces enseignes servirent à identifier les maisons d'une certaine rue.

Les bourgeois de Paris se disaient bourgeois du roi, et à ce titre réclamaient certains droits et privilèges. Les droits de justice étaient néanmoins partagés entre diverses autorités, agents royaux, autorités ecclésiastiques et seigneuriales. Dans une ville où les misères étaient si grandes et que les œuvres de charité ne soulageaient que bien peu, vagabonds, mendiants, criminels même étaient légion. La police royale et celle des métiers parisiens, ce qu'on appelait le guet, ne pouvait assurer la sécurité, pas plus d'ailleurs que les supplices et exécutions publiques, place de Grève ou ailleurs. Le cadavre des suppliciés restait indéfiniment pendu au gibet de Montfaucon, pour servir d'exemple aux autres.

La rive gauche, — « Outre-Petit-Pont », comme on disait, — était le quartier des écoles. L'enseignement au Moyen Age suivit le mouvement général de la civilisation. Au début, toute vie intellectuelle était concentrée dans les monastères bénédictins. Puis les écoles fleurirent dans les villes épiscopales, à Laon, à Chartres, à Orléans.

A l'aube du douzième siècle, les écoles parisiennes étaient celles de l'archevêché, ou plutôt du chapitre de Notre-Dame. Paris s'accrut. Les écoles, jusque-là situées dans le cloître Notre-Dame, devinrent insuffisantes. Les maîtres manquaient. Le chapitre accorda donc la « licence » d'enseigner à des maîtres qui, passant le Petit-Pont, s'installèrent sur la rive gauche, au flanc de la colline appelée Montagne-Sainte-Geneviève.

L'Université de Paris en 1215

Le verbe *s'installer* pourrait prêter à erreur. En fait, ils se logèrent comme ils purent, eux, leurs élèves et leurs classes, louant une chambre ici, y faisant leurs cours, ou bien dans la rue, sous le porche d'une église. Néanmoins ces écoles prospérèrent, surtout après que la renommée d'Abélard eut amené une foule d'étudiants dans la capitale. Suivant la tendance alors universelle à l'association, au groupement professionnel, maîtres et élèves formèrent une sorte de corporation qui prétendit se gouverner elle-même, avoir ses propres statuts, droits et immunités, notamment au point de vue de sa juridiction. Telle est l'origine de l'Université de Paris, fondée officiellement par Philippe Auguste vers la fin du douzième siècle. Et toute l'histoire de l'Université de Paris au Moyen Age est pleine de conflits entre elle et l'archevêque, le prévôt royal, l'abbaye voisine de Saint-Germain-des-Prés, qui avait des prétentions sur le Pré-aux-Clercs, le long de la Seine. Il y eut d'homériques batailles entre moines et étudiants.

Quelques étudiants étaient riches — ils se faisaient accompagner lorsqu'ils allaient à leurs cours d'un serviteur portant leurs livres — mais la plupart étaient pauvres et ne mangeaient pas souvent à leur faim. Certains tournaient mal, faisant pour exister les métiers les moins avouables. Les étudiants se groupaient pour s'aider les uns les autres, par *Nations*, selon leur pays d'origine. Il y eut alors quatre Nations — les Français, les Picards, les Normands et les Anglais — dont l'œuvre d'assistance correspondait quelque peu à celle de la confrérie dans les corporations de métiers. Les élèves se plaçaient aussi volontiers sous la tutelle d'un maître de leur pays. Mais pour les maîtres eux-mêmes la vie était souvent difficile et la concurrence entre eux féroce, puisque la réputation d'un maître et son revenu dépendaient du nombre de ses élèves.

Il y avait heureusement des personnes charitables. Au temps de Saint Louis, l'une d'entre elles, Robert de Sorbon, fonda un collège où des étudiants de théologie trouvaient logement, nourriture et des livres — que leur fallait-il d'autre ? C'est ainsi que naquit le collège de Sorbonne, qui se confondit plus tard avec la faculté de théologie. L'initiative de Robert de Sorbon fut imitée et, aux quatorzième et quinzième siècles, les collèges se multiplièrent, collège d'Harcourt, collège de Navarre, etc.

L'Université elle-même se composait de quatre facultés : la faculté des Arts, qui comptait de beaucoup le plus grand nombre d'élèves, la faculté

Sceau de l'université de Paris

de Droit, la faculté de Médecine, et enfin la grande, l'illustre faculté de Théologie. L'enseignement de la faculté des Arts était un enseignement général, qui se terminait vers l'âge de dix-huit ans par le baccalauréat. C'est là que les élèves étaient instruits dans les disciplines alors fondamentales, les arts du trivium — grammaire, rhétorique, logique — et les sciences du quadrivium — arithmétique, géométrie, astronomie et musique. Dans les autres facultés, comme leur nom l'indique, les études étaient plus spécialisées.

L'instruction était alors presque entièrement orale. Les bons élèves prenaient des notes, car les livres étaient rares et très coûteux. Toutefois des copistes étaient attachés à l'Université, comme d'ailleurs toute sorte de gens — marchands d'encre, de parchemin, apothicaires, boulangers, blanchisseuses même — et chaque année l'Université se rendait en corps à la foire du Lendit, sur la route entre Paris et Saint-Denis, pour y acheter ses fournitures. C'était un fort beau cortège.

Les études offraient des ressemblances avec ce qu'elles étaient des siècles plus tôt, dans les écoles gallo-romaines. A côté de la tradition chrétienne, la tradition latine et classique restait forte. Virgile et Cicéron étaient des maîtres vénérés, la rhétorique et l'éloquence des arts très estimés. Mais tout l'enseignement était dominé par l'autorité irréfragable des Livres saints, qui contenaient les vérités révélées. Or, au douzième siècle, quelque chose de la science et de la philosophie grecques pénétra dans l'Occident chrétien par l'intermédiaire de Byzance et des Arabes d'Espagne. La découverte d'Aristote et de ses commentateurs juifs et arabes, par les problèmes mêmes que posa cette découverte, contribua grandement à aiguiser l'esprit d'Occident en le confrontant avec toute sorte de questions qu'il s'efforça de résoudre par l'exercice de la raison.

Qu'il s'agisse de physique, de métaphysique ou de morale, il y avait bien des contradictions, au moins apparentes, entre la science humaine, telle que l'avait transmise Aristote, et la science divine, celle de la théologie, fondée sur l'autorité des Livres saints et de l'Église. Le principal effort intellectuel du Moyen Age sera donc de chercher à résoudre ces contradictions, à réconcilier des propositions en apparence irréconciliables. Et ces contradictions n'existaient pas seulement entre autorité divine et autorité humaine, mais entre toute sorte d'autorités. En ce qui concerne la médecine, par exemple, l'un dira qu'un mal se traite par la chaleur, l'autre par le froid. Comment choisir ? On s'efforcera donc d'analyser rationnellement ces affirmations, de trouver une solution au dilemme. De là l'immense vogue de la logique formelle, du syllogisme, qui est un argument à trois propositions, la majeure (Tous les hommes sont mortels), la mineure (Or, Pierre est homme) et la conclusion (Donc Pierre est mortel).[4] De là aussi la popularité et l'extrême acharnement des « disputes », argumentations contradictoires entre savants des écoles. Dans un de ses ouvrages, Abélard, célèbre par sa science autant que par ses malheurs, a relevé des passages contradictoires des Pères de l'Église et essayé d'expliquer ces contradictions — avec un sens critique et historique exceptionnel à son époque — et cet ouvrage porte le titre révélateur de *Sic et Non* — Oui et Non.

Toutes les grandes questions philosophiques ont été posées et discutées dans les écoles médiévales, la question des rapports entre la raison et la révélation, celle de la conciliation entre la liberté humaine et la toute-puissance divine, la relation entre le temps humain et la simultanéité absolue de l'éternité, le problème de l'existence du mal. Mais aucune question ne fut plus agitée et ne causa plus de dissensions que celle des universaux, déjà soulevée par Aristote. Il s'agissait de savoir si les « universaux » — ou idées générales, celle que nous avons de l'homme par exemple — existent en eux-mêmes, ou s'ils ne sont qu'une pure conception de l'esprit. Les « réalistes » affirmaient que les universaux existent réellement, alors que les « nominalistes » n'y voyaient que des données abstraites de l'intelligence, qui ne correspondent à aucune réalité en dehors des individus qui composent ce que nous appelons, par exemple, l'humanité. La question des universaux touchait de près celle de l'essence et de l'existence, le problème de la condition humaine, de la liberté. Surtout, elle pouvait soulever des questions d'ordre théologique, celle par exemple de l'existence d'une Église universelle distincte de la communion des fidèles. Elle fut ainsi une des causes de la condamnation d'Abélard, dont les idées parurent inconciliables avec le dogme.

Certes, la croyance en la valeur du syllogisme, la scolastique, a longtemps entravé le développement de la science humaine. L'enseignement médiéval a pourtant le mérite d'avoir affirmé sa foi en la raison, même si cette raison s'est souvent étrangement égarée dans son exercice.

Abélard

---

[4] Afin de mieux se souvenir des différents modes du syllogisme, les élèves des écoles apprenaient par cœur des mots dont les voyelles représentaient un mode particulier du syllogisme. Molière, dans son *Bourgeois gentilhomme*, se moque de cette pratique par l'intermédiaire du maître de philosophie expliquant à M. Jourdain que la troisième opération de l'esprit est « de bien tirer une conséquence par le moyen des figures. *Barbara, Celarent, Darii, Ferio, Baralipton* ».

La cathédrale de Rouen

Art roman et art gothique

Un chroniqueur du onzième siècle a écrit qu'en son temps la terre se couvrit soudain d'un blanc manteau d'églises neuves. A la place d'une vieille église carolingienne, dont parfois la crypte existe encore,[1] on en construisit une nouvelle, de style roman. Plus tard l'époque gothique ajouta ses propres constructions. De là une superposition des styles dont on pourrait citer maints exemples, entre autres Chartres et le Mont-Saint-Michel.

Le plan général d'une église romane est celui de la basilique, édifice public de l'époque romaine, qui servait à la fois de palais de justice et de lieu de marché. Une église romane ressemble à une basilique romaine un peu comme le français, langue romane, ressemble au latin. Cette ressemblance justifie donc le nom d'art roman donné au premier grand style religieux du Moyen Age.

---

[1] La crypte était une église souterraine, habituellement sous le chœur de l'église haute, qui servait de sanctuaire et de lieu de sépulture.

La cathédrale d'Orléans

La cathédrale de Pise, en Italie, est une église romane. Elle est bien différente des églises qu'on bâtissait en France vers la même époque. En France même, le style varie d'une région à l'autre. Mais d'ordinaire l'église romane, comme d'ailleurs la cathédrale gothique, est en forme de croix latine. Si nous imaginons le Christ attaché à cette croix, le chœur correspond à la tête, le transept aux bras étendus et la nef représente le reste du corps.

La porte principale est au centre de la façade, flanquée de deux tours où sont les cloches. De là on entre dans la nef, long vaisseau voûté reposant sur de forts piliers réunis les uns aux autres par de grandes arcades formant travées. De chaque côté et sur toute la longueur de la nef s'étend un collatéral dont la voûte repose, du côté intérieur sur les mêmes piliers que ceux du vaisseau central, et de l'autre sur les murs latéraux de l'église. Nef et collatéraux sont interrompus au transept. Toutefois, au delà du transept et dans le prolongement de la nef se trouve le chœur, où est l'autel. Passant derrière le chœur, un déambulatoire semi-circulaire va d'un collatéral à l'autre et permet ainsi de faire le tour de l'église. Sur ce déambulatoire s'ouvrent d'ordinaire des chapelles rayonnantes formant l'abside. Telle est, dans ses grandes lignes, la structure des églises et cathédrales du Moyen Age.

Le grave problème fut celui de la voûte. Le vaisseau principal de la basilique romaine, comme celui des églises de Toscane, était couvert de poutres en bois reposant d'aplomb sur les murs. Mais pour des raisons d'ordre esthétique et peut-être surtout d'ordre acoustique, afin d'améliorer la résonance, d'accroître l'ampleur de la musique et des chants liturgiques, les constructeurs romans décidèrent de couvrir d'une voûte en pierre la nef de leurs églises. Malheureusement cette lourde voûte exerçait une énorme pression latérale. Les bâtisseurs augmentèrent donc l'épaisseur des murs — les murs d'églises romanes ont jusqu'à six pieds d'épaisseur — ils les étayèrent à l'extérieur par des chapelles et par de massifs contreforts, et ils évitèrent de multiplier les ouvertures qui auraient pu nuire à la solidité de l'édifice. Rarement osaient-ils percer des fenêtres dans la partie haute de la nef. Ils préféraient les placer dans les murs des collatéraux, sur la façade, à l'abside, là où elles ne risquaient pas de trop compromettre la solidité de l'ensemble. Ne recevant ainsi qu'une lumière indirecte et rare, les églises romanes sont en général sombres, et cette demi-obscurité sévère et favorable au recueillement n'est pas un de leurs moindres charmes.

Même sévérité à l'extérieur. Des murs épais, des formes carrées, massives, donnant une impression de force et de puissance plutôt que de grâce et de légèreté. La décoration est sobre. Certes il y a des différences

Sainte-Foix de Conques

Saint-Hilaire-le-Grand à Poitiers

régionales. La façade de Notre-Dame-la-Grande, à Poitiers, est d'une grande richesse ornementale. Mais d'ordinaire la décoration est limitée à certaines parties de l'édifice, notamment au tympan, espace semi-circulaire au dessus de la porte d'entrée, et aux chapiteaux, points de jonction de la voûte avec ses colonnes ou ses piliers de soutien.

Au tympan de la cathédrale d'Autun, un des rares sculpteurs dont nous connaissions le nom, car il a orgueilleusement signé son œuvre — *Gislebertus hoc fecit* (Gislebert a fait ceci) — a laissé un admirable exemple d'une scène que l'on retrouve au tympan de bien des cathédrales, celle du « Jugement dernier ». Au centre, un Christ aux formes anguleuses, à l'attitude hiératique, assis sur son trône dans un médaillon ovale — le « Christ de majesté » si caractéristique de la sculpture romane — préside au Jugement. Autour de lui, c'est un grouillement d'êtres de toutes sortes, de toutes dimensions, aux formes allongées, contournées pour mieux épouser la forme du tympan. Un ange sonne sa trompette, un autre pèse dans une balance les bonnes et les mauvaises actions des hommes, tandis qu'un démon hideux, agrippé au fléau, s'efforce de faire pencher vers lui le plateau. D'un côté les élus, de l'autre les réprouvés. A la partie inférieure, la scène de la Résurrection. Deux mains énormes, venues on ne sait d'où, saisissent la tête d'un mort pour l'arracher à la tombe, comme on arrache un chou de la terre. L'effet décoratif est admirable, et notre époque, qui recherche dans l'art non une reproduction exacte des formes mais la puissance évocatrice, apprécie pleinement l'art du vieux Gislebert.[2]

---

[2] Il n'en fut pas toujours ainsi. Au dix-huitième siècle, cet art parut ridicule, et les chanoines d'Autun firent recouvrir de plâtre le tympan de Gislebert. C'est seulement de nos jours que le tympan a été rétabli dans son ancienne splendeur.

Le tympan de la cathédrale d'Autun

Autun est en Bourgogne, région où l'art roman a laissé de nombreux monuments, puisque c'était essentiellement un art de monastères et de sanctuaires. Mais on trouve un peu partout des églises romanes, en Normandie, dans le Midi, notamment le long des routes suivies par les pèlerins allant à Saint-Jacques de Compostelle, la belle église de Conques, maintenant petit village perdu au milieu de montagnes arides, Moissac, avec son cloître aux proportions si élégantes et ses admirables chapiteaux.[3]

Vers le temps même où saint Bernard condamnait le luxe des églises clunisiennes, les bâtisseurs d'églises essayaient de nouvelles méthodes de construction qui allaient donner une hauteur et une splendeur jusque-là inconnues aux édifices religieux du Moyen Age. Les constructeurs de l'époque romane avaient résolu à leur façon le problème de la voûte, par l'emploi de murs épais, de contreforts, de chapelles latérales et absidiales, tous moyens d'étayer l'édifice, d'assurer sa solidité. Or, leurs successeurs de l'époque dite gothique découvrirent des procédés nouveaux, dont deux surtout étaient révolutionnaires : à l'intérieur, l'emploi de l'ogive dans la construction de la voûte, et à l'extérieur, l'emploi de l'arc-boutant comme moyen de soutien.

Le contrefort que les constructeurs romans plaçaient à intervalles réguliers sur les côtés de leurs édifices n'était guère en somme qu'un moyen d'accroître en cet endroit l'épaisseur du mur. Les nouveaux constructeurs eurent l'idée d'éloigner le soutien en le joignant au mur

Les arcs-boutants

---

[3] Le cloître était une cour carrée, entourée d'une galerie ornée de colonnes, qui servait de lieu de récréation et de promenade aux moines du monastère.

La cathédrale d'Amiens

par un étai oblique solide capable de résister à la pression latérale. Tel est l'arc-boutant, qui tout en étant un soutien efficace, était aussi d'un grand effet esthétique. Il suffit pour s'en rendre compte de voir le bel effet produit par les arcs-boutants de Notre-Dame de Paris, qui donnent à la nef l'aspect d'un navire dont les rames s'abaissent en une parfaite cadence.

A la voûte de l'édifice, l'ogive offrait le même avantage, à la fois utilitaire et esthétique. Par son dessin, la croisée d'ogives, formée de six ou de quatre arcs diagonaux réunis au point le plus élevé de la voûte,[4] en dirigeait le poids sur le solide support des piliers; et à l'extérieur, le mur supportant la voûte était soutenu par des arcs-boutants. Entre les ogives, la voûte pouvait devenir beaucoup plus légère. C'est ainsi que l'immense voûte de la cathédrale d'Amiens n'a par endroits que quelques centimètres d'épaisseur.

Ce procédé nouveau fut le résultat d'essais, de tâtonnements, et les plus anciennes ogives sont encore grossières. Pourtant, avant même le milieu du douzième siècle, l'ogive était employée avec une grande maîtrise, notamment à l'église abbatiale de Saint-Denis. De la région de l'Île-de-France l'art nouveau se répandit dans les villes voisines, Amiens en Picardie, Reims en Champagne, puis dans l'Europe entière.

L'âge classique a appelé cet art l'art gothique, terme de mépris pour art barbare, art des Goths, bien qu'évidemment les Goths n'aient rien eu à voir avec la construction des cathédrales. On a proposé de l'appeler art ogival, terme technique qui le définit beaucoup mieux. Au Moyen Age, les étrangers l'appelaient tout simplement l'art français, ce qui le caractérise fort bien historiquement.

Le nom des grands bâtisseurs de cathédrales reste souvent perdu dans l'anonymat du Moyen Age. Celui qui a dressé le plan d'ensemble originel n'est que rarement connu, et s'il l'est ce n'est guère qu'un nom, celui de Robert de Luzarches par exemple, le premier « maître de l'œuvre », comme on disait alors, de la cathédrale d'Amiens. L'artiste alors n'existait pas — c'est une création de la Renaissance — et les anciens maîtres d'œuvre n'ont sans doute tiré ni grande gloire ni grand profit de leur prodigieuse entreprise.

L'église cathédrale était une église urbaine, celle où l'évêque avait sa chaire. C'était l'évêque qui d'ordinaire prenait l'initiative de la construction. Il fallait d'abord se procurer au moins de quoi commencer les travaux. Lui et ses chanoines faisaient des donations, souvent importantes.

---

[4] La voûte des premières cathédrales gothiques, Laon et Paris par exemple, est souvent sexpartite, la croisée d'ogives ayant six nervures correspondant à deux travées, c'est-à-dire à deux des grandes arcades du rez-de-chaussée. Les cathédrales postérieures, entre autres Amiens et Reims, ont d'ordinaire une voûte quadripartite, les quatre nervures correspondant à une seule travée.

On sollicitait l'aide du roi, celle de grands et riches personnages. On accordait des indulgences à ceux qui apportaient leur contribution à la grande entreprise.[5] Les chanoines se mettaient en route, emportant avec eux de précieuses reliques qu'ils exposaient de ville en ville, de sanctuaire en sanctuaire. Les chanoines de Laon voyagèrent par toute l'Angleterre, sollicitant des fonds pour la restauration de leur cathédrale incendiée au cours de la fameuse révolte qui eut lieu dans leur ville au commencement du douzième siècle.

Lorsqu'on avait assez d'argent, les travaux commençaient, habituellement par le chœur, puis par le transept. On amenait parfois les pierres de très loin. Quand on construisit la cathédrale de Laon, il fallut monter ces pierres jusqu'au sommet de l'escarpement où est située la vieille ville, et c'est, paraît-il, en gratitude du labeur de leurs humbles auxiliaires que les constructeurs eurent l'idée à la fois étrange et touchante de placer des figures de bœufs qui regardent toujours la ville et la campagne voisine du haut des tours de la cathédrale. La construction de la cathédrale de

---

[5] L'indulgence n'effaçait pas, comme on le dit parfois, le péché commis, mais rachetait seulement la peine résiduelle attachée à un péché dont l'absolution avait été obtenue.

Maçons et tailleurs de pierre

La cathédrale de Laon

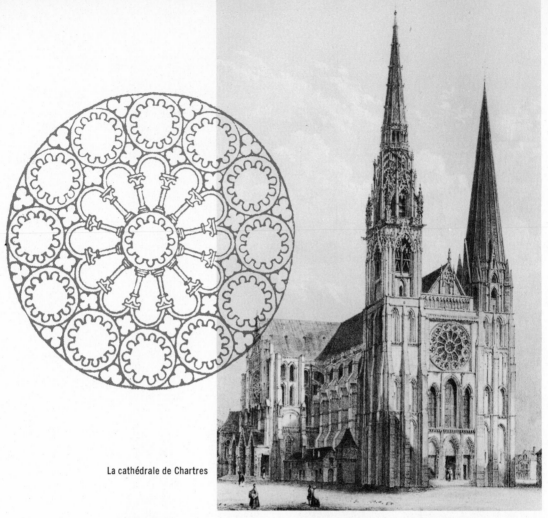

La cathédrale de Chartres

Chartres fut entreprise avec un immense enthousiasme. On vit même de grands seigneurs et de grandes dames s'atteler aux chariots qui amenaient les pierres à pied d'œuvre.

Bien entendu, la construction n'allait pas sans accidents. Les incendies dus à la foudre ou à la négligence d'un ouvrier n'étaient pas rares. Des écroulements avaient lieu et il fallait recommencer. L'exemple le plus célèbre est celui de Beauvais, dont les habitants décidèrent de bâtir une cathédrale encore plus vaste que celle de la ville d'Amiens, leur rivale. Ils construisirent un chœur d'une hauteur étonnante — il s'élève à plus de 48 mètres au-dessus du sol — puis le transept. Malgré leur maîtrise de l'ogive, les maîtres de l'œuvre avaient tenté l'impossible. Vers la fin du treizième siècle, une partie de la voûte s'écroula, puis deux siècles plus tard, ce fut le tour du clocher. On en resta là. De nos jours, la cathédrale n'a guère qu'un transept et un chœur, le chef-d'œuvre des chœurs, comme la nef d'Amiens reste le chef-d'œuvre des nefs de l'âge gothique.

Une cathédrale est habituellement orientée de l'est vers l'ouest, la façade étant orientée du côté de l'occident, là où disparaîtra le soleil au dernier jour du monde. Au centre est le grand portail, flanqué de deux portails plus petits correspondant aux collatéraux. Une grande rose, qui éclaire la nef, s'ouvre sur la façade, au-dessus du portail central. La même disposition — un portail surmonté d'une rose — se retrouve à chaque extrémité du transept, c'est-à-dire aux côtés nord et sud de l'édifice. A l'intérieur, la nef est d'ordinaire divisée en trois étages : au rez-de-chaussée, les grandes arcades reposant sur le solide support des piliers; puis le triforium, étroite galerie ornée d'arcades, qui fait parfois le tour de l'église tout entière; enfin les fenêtres hautes, garnies de vitraux. Alors que les constructeurs de l'époque romane n'osaient guère percer d'ouvertures les murs de leurs églises, ceux de l'époque gothique prirent plaisir à les multiplier. Entre les nervures des ogives à l'intérieur et les arcs-boutants au dehors, ils n'ont pas hésité à ménager une succession de fenêtres de plus de trente pieds de haut et à percer la façade occidentale et le transept de roses de trente pieds de diamètre. L'époque gothique est la grande époque de la lumière multicolore.

Il y a bien entendu de nombreuses variations dans le plan des cathédrales, variations dans le temps et variations d'un lieu à l'autre. Les premières cathédrales gothiques conservent encore des vestiges de l'époque romane. La façade de Chartres reste sévère, avec ses hauts contreforts sans ornements. Laon et Notre-Dame de Paris, commencées à peu près en même temps, vers 1160, ont encore des tribunes.[6] La cathédrale de Bourges n'a pas de transept. La nef, avec ses hautes arcades, forme une longue et large avenue qui s'étend de l'entrée de la cathédrale jusqu'au fond du chœur. Pour combattre l'effet de rétrécissement que l'alignement ininterrompu des piliers risquait de produire, le maître de l'œuvre a eu soin d'accroître quelque peu la largeur de la nef d'une extrémité à l'autre. C'est un art très conscient que celui des bâtisseurs de cathédrales.

L'art gothique tendit de plus en plus à la légèreté. Il est vrai que l'admirable clocher roman de Chartres pointe audacieusement vers le ciel, mais les lignes horizontales sont fortement accentuées à la façade, comme d'ailleurs à celle de Notre-Dame de Paris. Par contre, à Amiens, à Reims, les lignes verticales prédominent. Depuis le sol jusqu'au sommet des tours, tout l'édifice semble obéir à un mouvement vers la hauteur, mouvement qu'accentuent les gables, les pinacles, les hautes fenêtres, les ouvertures

La façade d'Amiens

---

[6] Les tribunes étaient de longues galeries s'ouvrant sur la nef et situées au-dessus des collatéraux. Au même niveau que le triforium, elles étaient utilisées par les fidèles, notamment par les pèlerins. Elles servaient aussi à contrebuter la nef.

Portail royal de Chartres

superposées des tours comme à Amiens, les longues statues de la galerie des rois comme à Reims. Même mouvement ascensionnel à l'intérieur. Les grandes arcades deviennent de plus en plus hautes. Les retombées des ogives et les ogives elles-mêmes forment des lignes continues de la base des piliers jusqu'au sommet de la voûte. Les murs mêmes tendent à disparaître, comme à la Sainte-Chapelle, où ils sont remplacés par des vitraux.

En même temps que la légèreté dans la structure, l'époque gothique recherche la richesse dans l'ornementation. C'est l'époque de la grande statuaire médiévale. Les plus anciennes statues, celles du *portail royal* de Chartres par exemple, sont encore soumises à la contrainte de l'architecture, de l'espace qu'elles ont à décorer. De même qu'à l'époque romane les corps s'allongeaient, se courbaient pour mieux épouser la forme du tympan, maintenant les statues adoptent la forme des colonnes qu'elles servent à dissimuler. Les ancêtres et précurseurs du Christ, que figurent sans doute ces statues-colonnes, sont des personnages aux formes étroites et rigides, représentés les pieds joints, les bras collés au corps, vêtus de draperies qui tombent presque jusqu'à terre en longs plis stylisés. Seul le visage est vivant dans ces figures de momies.

Ce sont là des statues du douzième siècle. Au treizième, toute la sculpture s'anime. Aux portails des cathédrales, les personnages perdent leur rigidité romane, acquièrent une souplesse, un naturel dans leur attitude inconnus auparavant. Parfois deux statues semblent converser, comme au grand portail de Reims, dans la scène de la Visitation, la Vierge et sainte Elisabeth. Le « beau Dieu », qui accueille les fidèles à la porte de la cathédrale d'Amiens, n'est plus le Dieu impassible, vengeur et justicier de l'époque romane. Son visage est empreint d'une douceur et d'une sérénité nouvelles : dans sa main gauche il tient le Livre, de sa droite il bénit les hommes. Le sentiment religieux est fait maintenant d'amour et de pitié plus que de crainte. Dieu s'est rapproché des hommes. En même temps, la Vierge, qui occupe une place d'honneur dans l'imagerie des cathédrales, est devenue une reine humaine et une jeune mère. Au transept de la cathédrale d'Amiens, la « Vierge dorée », une lourde couronne sur la tête, sourit à l'enfant qu'elle tient sur son bras — et ce sourire se retrouve à Reims, notamment dans le célèbre « ange au sourire ». Pour faire équilibre au poids de l'enfant, la Vierge s'incline légèrement vers la gauche. Partout les gestes s'accentuent, se diversifient. Les vêtements aux plis autrefois stylisés sont maintenant gracieusement et sobrement drapés autour du corps. A l'art abstrait, évocateur, de l'époque romane, succède un art réaliste et qui se préoccupe déjà de l'élégance des formes. Qu'une époque postérieure ait introduit dans cet

Le Beau Dieu d'Amiens

La Visitation (Reims)

La Vierge Dorée (Amiens)

art pas mal de convention, d'accord. Le déhanchement de la « Vierge dorée », le « sourire de Reims » ont été trop copiés, imités. Le treizième siècle n'en reste pas moins le grand siècle, sinon de toute la sculpture, au moins de la grande statuaire médiévale.

Nous ne voyons plus églises et cathédrales telles qu'elles étaient autrefois. La Révolution française a brisé bien des statues, à Notre-Dame de Paris par exemple. Au Moyen Age, les statues, même celles du dehors, étaient peintes et dorées — d'où le nom de « Vierge dorée » donné à la madone d'Amiens — et on aperçoit des traces de peinture sur certains « Jugements derniers » de l'époque romane. A l'intérieur de l'église, les peintures étaient encore plus abondantes. Les parois et la voûte de

L'ange au sourire (Reims)

La cathédrale d'Albi

Les vitraux de la Sainte-Chapelle (Paris)

l'étrange cathédrale d'Albi[7] sont toujours revêtues de couleurs vives, violentes même. Mais la grande peinture médiévale est celle des vitraux.

Beaucoup de ces vitraux ont malheureusement disparu. Le vent et les intempéries en ont brisé un certain nombre au cours des siècles. Les chanoines du dix-huitième en ont brisé bien davantage. Ils trouvaient barbares ces bleus et ces rouges, qui d'ailleurs assombrissaient la nef. Ce n'était même pas leur faute. Ce qu'ils aimaient était une église claire, aimable, qui ressemblât à une salle d'opéra. Par eux, Amiens a perdu presque tous ses vitraux. Chartres a conservé les siens, et c'est une vue magnifique que celle de la lumière colorée qui change selon l'heure du jour à l'intérieur de la vieille cathédrale. Les figures de prophètes, d'apôtres, de saints, les scènes illuminées forment un ensemble inoubliable.

Le dessin du vitrail était tracé en creux sur un bloc de craie, puis du plomb fondu était versé dans ces creux. Des morceaux de verre d'épaisseur diverse — c'est ainsi qu'on obtenait les nuances d'une même couleur — et découpés au fer rouge étaient alors sertis dans l'armature de plomb, renforcée par des barres de fer. A la façade et aux extrémités du transept, les vitraux des grandes roses étaient soutenus par des rayons de pierre, d'un dessin à la fois très élégant et très savant, car tout était conçu de façon à assurer le maximum de solidité. Comme les maîtres d'œuvre, comme les sculpteurs, les verriers des cathédrales furent bien souvent des artisans dont le sens esthétique et l'habileté technique nous étonnent.

---

[7] Commencée vers la fin du treizième siècle, la cathédrale d'Albi est un curieux exemple de gothique méridional. Construite en briques, avec une tour unique qui ressemble à un donjon féodal, c'est en réalité une forteresse bâtie par un évêque qui n'avait nulle confiance en ses ouailles. La nef, large et sans collatéraux, est sur croisées d'ogives, mais sur les flancs de l'édifice les arcs-boutants sont remplacés par des murs de soutien qui séparent les chapelles latérales et qu'on voit à peine de l'extérieur.

La littérature

A l'exception de quelques *Vies des saints,* les plus anciennes œuvres en langue d'oïl que nous possédons sont des chansons de geste, poèmes guerriers célébrant les exploits de personnages dont l'histoire a été enrichie par la légende épique et projetée par elle sur le plan héroïque. Il nous reste une centaine de ces chansons, composées à différentes époques — car leur vogue a été durable — et très variables par leur longueur, leur inspiration et leur valeur littéraire. Elles étaient chantées, ou plutôt récitées en mélopée soit par leur auteur, le *trouvère,* soit le plus souvent par des *jongleurs,* musiciens et faiseurs de tours ambulants, partout où ils trouvaient un auditoire, sur les places publiques, aux champs de foire, aux lieux de pèlerinage, aux fêtes, aux dîners des corporations. Même si ces jongleurs n'étaient pas toujours bien traités, car leur profession était quelque peu méprisée, ils étaient fort populaires.

La plus ancienne de ces chansons, et la plus belle, est la *Chanson de Roland* qui, telle que nous la connaissons, fut sans doute composée vers la fin du onzième siècle. C'est un récit en quelque quatre mille vers, divisés en « laisses » de même assonance,[1] du désastre subi au défilé de Roncevaux, dans les Pyrénées, par l'arrière-garde de l'armée de Charlemagne, qui revenait d'une expédition militaire contre les Sarrasins d'Espagne. La narration est habilement conduite, de façon à captiver l'attention des auditeurs, et le poème est bien composé : la trahison de Ganelon qui, envoyé par Charlemagne pour négocier avec le roi Marsile, prépare l'embuscade où périra Roland, le propre neveu de Charlemagne, dont il veut se venger ; puis le combat, les exploits héroïques de Roland, les sages conseils d'Oliver que par bravade Roland refuse de suivre, la mort courageuse et chrétienne de Roland et des siens ; enfin, la terrible vengeance de Charlemagne, la sanglante défaite des Sarrasins, la mort de Marsile et le châtiment de Ganelon, qui périra écartelé.

---

[1] L'assonance est fondée sur l'identité de la dernière voyelle tonique, « a », par exemple, dans *sage, armes, Carles,* etc.

dee noz fort Rollant baudonin et Thierri
Car turpm et guenelon estoient auecq:
le Roy

Delamort du Roy marseille et du taespasse
Rolland   vw.

vant cette bataille fut parfai
te et Rollant Retournoit il
trouua on bois unit sarazin
noir qui la estoit uucie et estd bien fort

La mort de Roland

Toute la violence de l'époque féodale apparaît dans la *Chanson,* et aussi ses sentiments, ses aspirations, ses valeurs morales. Le dévouement de Roland envers son seigneur, les liens de fidélité qui existent entre ses compagnons et lui sont, autant que le désir de gloire, des constantes de la mentalité des barons du temps. Ganelon lui-même n'est pas sans fierté et sans scrupules, mais le désir de vengeance l'emporte. Ce qui domine toute la *Chanson,* comme d'ailleurs beaucoup d'autres, c'est l'idée de la guerre sainte, l'idée que les guerriers sont les soldats du Christ. A peu près contemporaine de la première croisade, la *Chanson de Roland* en traduit exactement l'esprit.

La question de savoir comment la légende de Roland a pris naissance, s'est développée, et comment le poème a été composé est encore discutée. Le poème tel que nous le connaissons est-il fondé sur des poèmes antérieurs transmis par la tradition orale ou même écrite, ou la légende s'est-elle développée bien après les événements qu'elle rapporte? Les uns disent que le poème est né de cantilènes, courtes chansons populaires. Les autres attribuent un rôle capital aux sanctuaires et aux pèlerinages dans l'élaboration et la propagation des chansons de geste, comme dans l'histoire de l'art roman. La foule des pèlerins qui fréquentaient les sanctuaires était, disent-ils, un auditoire tout indiqué pour les jongleurs. La légende de Roland aurait ainsi fleuri le long de la route qui menait les pèlerins à Saint-Jacques de Compostelle. Ailleurs, c'était un autre héros dont la mémoire était associée à l'histoire du sanctuaire, Girard de Roussillon à Vézelay, par exemple. Moines et prêtres du clergé local encourageaient la diffusion de ces légendes, puisqu'elles accroissaient la renommée de leur sanctuaire.

Souvent les récits épiques embrassaient non seulement divers événements de la vie du même personnage, mais plusieurs générations de la même famille. Autour du héros central, les chansons de geste groupaient ainsi ses ascendants et ses descendants. Ces poèmes, composés par divers auteurs peut-être désireux d'exploiter la popularité d'un certain sujet, sont évidemment différents de ton. A la grande figure de Charlemagne succède son faible fils Louis le Débonnaire : la grandeur épique passe alors à Guillaume d'Orange et aux siens, défenseurs, contre les Sarrasins, de la Provence et de la Catalogne.

A partir du douzième siècle, des éléments nouveaux, qui indiquent un changement dans les goûts et dans les mœurs de la société féodale, s'introduisent dans les chansons de geste. La chevalerie offre alors au rude baron un nouvel idéal. Il commence à faire attention à la femme, à peu près ignorée dans les premières chansons. C'est maintenant pour l'amour de sa dame qu'il se met en quête d'aventures, qui bien entendu ne manquent pas de lui arriver. Il n'a pas perdu le goût des grands coups d'épée, mais ce ne sont plus des Sarrasins qu'il pourfend : ce sont des géants, renforcés de méchants enchanteurs et de nains perfides. Tel est le thème habituel de la « matière de Bretagne », dont les principaux personnages sont le roi Arthur et ses chevaliers de la Table ronde, Gauvain, Lancelot, avec une foule de comparses, la fée Morgane, le sénéchal Ké et autres. Le chevalier poursuit sa quête au milieu de ce monde étrange, où les enchantements naissent sous ses pas. Mais rien ne l'étonne. Il triomphe des obstacles, et il reste toujours obstinément, ou presque, fidèle à sa dame.

Le roi Arthur

De l'histoire du chevalier Tristan

Peut-être les Plantagenêt ont-ils favorisé la diffusion de ces histoires pour faire pièce à leurs rivaux français, les rois capétiens. Le grand poème de *Tristan et Yseult,* cette touchante histoire d'un amour fatal, fut l'œuvre de deux poètes du douzième siècle, Béroul et Thomas. Mais l'idée même de courtoisie, de ces égards plus ou moins respectueux dus à la femme, vient du Midi de la France. Si Eléonore d'Aquitaine réussit mal à apprivoiser son mari Louis VII, ses filles eurent plus de succès qu'elle. L'une épousa le comte de Blois, l'autre le comte de Champagne, et cette dernière occupe une place importante dans l'histoire de la littérature courtoise. A la cour de Champagne, on aimait à parler d'amour, à discuter sur les sentiments, et le plus grand poète de la « matière de Bretagne », Chrétien de Troyes, fut le protégé de la comtesse Marie.

Son poème *Yvain ou le Chevalier au Lion* est peut-être le chef-d'œuvre de la littérature courtoise. On y trouve ce goût de l'allégorie si chère à l'esprit médiéval, allégorie du lion qu'Yvain libère de l'étreinte d'un dragon, et qui par reconnaissance devient le compagnon fidèle de son sauveteur, allégorie de la fontaine dont l'eau répandue déchaîne la tempête. Mais le grand thème du poème est l'amour du chevalier Yvain pour Laudine, dont il a tué le mari. La conquête de cette veuve qui a toutes les raisons de le haïr sera pour Yvain le triomphe suprême, car la quête de la femme est une aventure comme une autre et la victoire comble de satisfaction le vainqueur, qui l'emporte sur son rival. Yvain réussit. Il épouse Laudine. Après cela, il a bien de la peine à lui rester fidèle — car la tentation de la chevalerie errante est bien forte — mais là encore il réussit. La femme légitime finit par triompher de l'aventure, et dès lors Yvain restera bien sagement auprès d'elle. Fin d'ailleurs assez exceptionnelle.

L'analyse des sentiments est habilement faite. Ils s'extériorisent encore volontiers par leurs manifestations physiques, larmes, gestes des bras et des mains qui expriment le désespoir. Néanmoins, lorsqu'il s'agit de traduire des scrupules, d'exprimer des nuances de sentiments, Chrétien révèle une délicatesse alors sans précédent. Et sa maîtrise du dialogue, souvent ironique, parfois un peu précieux, est chose nouvelle. Tout cela est un jeu, si l'on veut, et pourtant ce jeu a contribué à adoucir un peu les mœurs, bien qu'il y ait eu de regrettables retours à la férocité féodale.

La première partie du *Roman de la Rose,* composée aux environs de 1230 par Guillaume de Lorris, se rattache à la littérature courtoise. C'est, sous forme d'allégorie, une sorte d'art d'aimer, un peu du genre de ce que sera, quatre siècles plus tard, la *Carte de Tendre.*[2] Dans le songe que raconte le poète, il s'agit de cueillir la rose dont il est tombé amoureux, en dépit de Danger, qui la garde, et de tous les obstacles que rencontre l'Amant — Jalousie, Male-Bouche, c'est-à-dire la médisance, et autres personnifications chères aux écrivains moralistes du Moyen Age. Avec l'aide de Franchise, de Pitié et de Bel-Accueil, l'Amant finit par obtenir de la Rose la faveur d'un baiser ; et le poème de Guillaume de Lorris s'arrête là.

Désireux peut-être de profiter de la vogue du poème et en même temps de brûler tout ce que Guillaume avait adoré, Jean de Meung ajouta, une quarantaine d'années plus tard, 18.000 vers aux 4.000 de son prédécesseur. Jean de Meung est un savant homme, trop savant parfois, qui aime à disserter sur le bien, le mal, la fortune, le libre-arbitre, et qui, chemin faisant, démolit tout. Il fait peu de cas des femmes, de l'amour même. Pourquoi ne pas tout bonnement « suivre Nature » ? Son esprit positif s'attaque à tout idéal, où il ne voit que mensonge, qu'il s'agisse de courtoisie ou d'ascétisme. Le discours de Faux-Semblant est une diatribe contre l'hypocrisie des ordres mendiants, et si Jean de Meung dit admirer les vrais chevaliers comme Gauvain, il en trouve bien peu d'exemples dans la société de son temps. En le lisant, on devine les dissensions dont souffrait déjà la société féodale et que révèlera le siècle suivant.

[2] Dans *Clélie*, roman précieux de Mlle de Scudéry.

Cest celle q̄ baille a vsure
Et p̄ste par sa grant ardure
Dauoir congiere t ariabler
Rober tollir t barater
Et par faulsete mesconter
Cest celle aussi q̄ les tricheurs
Fait t cause les barateurs
Qui maintesfois p leurs flauelles
Ont aux varletz t aux pucelles
Leurs droitz t heritez tollues
Car moult courtes t moult crossues
Auoit les mains icelle ymage
Il est droit q̄ tousiours enrage
Couuoitise de lautruy p̄dre
Couuoytise ne scet entendre
Fors q̄ lautruy trop acrochier
Couuoitise a lautruy trop chier

Et medisante et ramponneuse
Si sembloit femme oultrageuse
Moult sauoit bien paidre t pourtraire
Cil q̄ tel ymage sceut faire
Car sembloit bien chose villaine
De dispit et de douleur pleine
Et femme q̄ bien petit sceust
Honneur et tout ce q̄ elle deust

Couuoitise
Tout aupres estoit couuoitise
Cest celle q̄ les gens atise
De p̄dre et de riens donner
Et des grans auoirs amener

Auarice
Une autre ymage y eust assise
Coste a coste de couuoitise
Auarice estoit appellee
Laide estoit sale et souillee
Et si estoit maigre t chetiue
Et aussi verde comme ciue
Tant estoit foit decoulouree

Cet esprit négateur et satirique se retrouve dans le *Roman de Renart*.[3] Ce qu'on appelle ainsi est en réalité une série d'histoires en vers composées au cours des douzième et treizième siècles. Le héros de ces histoires est Renart, dont le nom devint alors si populaire qu'il a complètement supplanté dans la langue française le vieux mot « goupil ». Les premiers récits, les premières « branches » comme on les nomme, sont des contes d'animaux dans la tradition de la fable populaire et ésopique. Il s'agit des aventures et mésaventures de Renart et autres animaux familiers ou exotiques, Chantecler le coq, Tibert le chat, Ysengrin le loup, Noble le lion. On y trouve déjà des allusions satiriques à l'ordre de choses existant, le clergé en particulier n'est pas épargné, mais en somme la satire reste légère et gaie. Les auteurs se soucient surtout d'amuser aux dépens des dupes et de faire admirer l'ingéniosité de Renart, lequel est d'ailleurs parfois victime de ses propres ruses.

Mais dans les branches postérieures, composées vers la fin du treizième siècle, le ton change. Renart devient la personnification de la fourberie, de l'injustice, et le poème — une espèce de moralité où toute la perversion du siècle est dénoncée. Marchands fripons, femmes dévergondées, prêtres et moines hypocrites, puissants qui oppressent les faibles, voilà le triste monde qui peuple ces histoires, dont l'une — Renart le Contrefait — a quelque soixante mille vers. En même temps, le roman tend à devenir un pot-pourri de connaissances, une espèce de *Somme* par laquelle l'auteur entreprend d'instruire le lecteur de tout ce qu'il doit savoir. Pédantisme, misogynie, anticléricalisme et dénonciation violente des abus, tout cela nous éloigne fort de la littérature courtoise et chevaleresque de Chrétien de Troyes. Les bourgeois des villes se souciaient peu de belles aventures et de beaux sentiments.

Même inspiration satirique dans les fabliaux, qui ne sont pas des fables, comme le nom pourrait le suggérer, mais de petits contes en vers dont les personnages sont les victimes habituelles des auteurs « bourgeois », c'est-à-dire les vilains, les prêtres et les femmes. Évidemment ce sont des histoires destinées à amuser les bonnes gens des villes, à les faire rire des mésaventures des autres, souvent de mésaventures conjugales, qui faisaient l'objet de grosses plaisanteries. La persistance des attaques dirigées contre certains groupes sociaux n'en est pas moins assez inquiétante.

---

[3] Le mot *roman* désignait alors simplement un ouvrage écrit en langue romane, c'est-à-dire en langue vulgaire, que ce récit fût imaginaire ou non.

Les deux derniers siècles du Moyen Age

A la fin du treizième siècle et au commencement du quatorzième, le roi de France était Philippe le Bel, grand Capétien blond, aux yeux bleus et au regard dur, digne descendant par son absence de scrupules de son ancêtre Philippe Auguste. Les actes de violence qui marquèrent son règne ont laissé une tache sur son nom, et il fut peu aimé de son peuple. Pourtant, en bien ou en mal, ce règne est important dans l'histoire de la France médiévale.

Parmi les actes de violence dont Philippe le Bel était capable figure le célèbre « attentat d'Anagni ». Philippe était très pieux, comme l'étaient sans aucun doute les bourgeois de Laon qui avaient massacré deux siècles plus tôt leur évêque, et il eut la mort du pape sur la conscience. La papauté avait alors atteint un haut degré de puissance. Au début du quatorzième siècle, le pape Boniface VIII avait conscience de cette puissance, et il était autoritaire. Philippe le Bel l'était aussi, et de plus il était toujours à court d'argent, ce qui le rendait plus dangereux encore. Lorsque Boniface VIII déclara que Philippe n'avait pas le droit d'exiger des subsides de l'Église de France, les choses se gâtèrent. Au moment où le pape allait excommunier le roi, ce dernier le devança : il envoya en Italie, à Anagni où le pape était alors, son fidèle Nogaret, qui à la tête d'une bande d'hommes armés envahit le palais pontifical et somma Boniface VIII d'abdiquer. Le pape refusa. Néanmoins, le coup avait été si rude qu'il mourut quelques semaines plus tard.

Cet attentat brisa la puissance de Rome. Philippe le Bel parvint bientôt à faire élire un pape français, qui vint s'établir à Avignon. Les papes restèrent là près de soixante-dix ans, construisant pièce à pièce leur résidence, en même temps forteresse — signe de l'insécurité des temps — qu'on appelle maintenant le *palais des papes*. Durant cette longue période, Avignon, avec ses prélats et cardinaux en rapports constants avec l'Italie, fut le foyer d'une vie bien plus brillante et plus raffinée que celle du vieux Louvre où, entouré de ses légistes, le roi de France méditait ses mauvais coups.

L'un d'eux, et non des moindres, fut l'affaire des Templiers. La Terre sainte perdue, les chevaliers du Temple s'étaient établis ailleurs. Ils avaient à Paris une maison très importante, qui n'existe plus, mais dont le nom d'un quartier de la capitale — le quartier du Temple — rappelle encore l'existence. L'Ordre était devenu fort riche. Il possédait un grand nombre de seigneuries, se livrait à des opérations très profitables de crédit et de banque, malgré la défaveur encore attachée à ces opérations.[1] Que ce soit pour des raisons politiques, parce qu'il jugeait excessive la puissance de l'Ordre, ou pour des raisons financières, afin de confisquer ses possessions comme c'était son habitude de le faire avec celles des juifs et des lombards, Philippe décida de traduire les Templiers en justice — la

---

[1] Le prêt à intérêt entre chrétiens étant condamné par l'Église, il était souvent pratiqué par des Juifs ou par des Italiens, alors connus sous le nom de lombards.

justice la plus injuste du monde, cela va sans dire, et Nogaret fut chargé de l'affaire. Les Templiers furent accusés de tout, d'idolâtrie, de sacrilège, de mauvaises mœurs. Beaucoup d'entre eux furent horriblement torturés puis brûlés vifs, notamment le grand maître de l'Ordre, qui périt sur un bûcher dressé dans une petite île maintenant réunie à l'Île de la Cité. Ceci fait, Philippe le Bel s'empara des dépouilles des Templiers.

Le besoin d'argent le poussa à d'autres actes qui lui valurent le surnom de « faux-monnayeur ». De nos jours, l'inflation monétaire est d'ordinaire graduelle, insensible, de sorte que les victimes s'en rendent à peine compte. Les méthodes employées par Philippe le Bel étaient plus grossières. Tantôt il diminuait le poids ou le titre des pièces d'or et d'argent, c'est-à-dire la quantité de métal précieux qu'elles contenaient, ou bien il changeait le rapport qui existait entre elles, décidant par exemple que telle pièce serait désormais échangée contre deux autres au lieu de trois. Ces manipulations monétaires constantes rendirent le roi impopulaire. Après sa mort, son intendant des finances fut pendu au gibet de Montfaucon, à la grande joie du peuple qui aimait voir les puissants d'un jour conduits au supplice.

Dans son désir d'étendre son autorité, Philippe le Bel eut constamment recours aux services de gens de loi. Ces « légistes », comme on les appelle, étaient des hommes qui avaient étudié le droit romain, souvent à Montpellier ou à Toulouse, et Nogaret était l'un d'entre eux. Ils rêvaient d'une monarchie où le roi serait maître dans son royaume, comme l'empereur romain l'avait été dans son empire. Les autorités locales et régionales, seigneuriales ou ecclésiastiques, n'eurent pas de pires ennemis que ces durs légistes, qui disputaient leurs pouvoirs, leur intentaient constamment des procès qui peu à peu leur ôtaient les droits qu'ils exerçaient, les privilèges dont ils jouissaient. Cette classe nouvelle des gens de loi, issus de la bourgeoisie ou de la petite noblesse, joua dès lors un rôle considérable dans la vie du pays.

La citadelle de ces gens de loi fut le *parlement* de Paris, qu'avait créé Saint Louis, mais qui fut vraiment organisé par Philippe le Bel. C'était une cour de justice, essentiellement une cour d'appel des décisions rendues en matière civile, criminelle et administrative par les diverses juridictions du royaume. L'idée de ce tribunal, composé de juristes de profession, et qui prétendait dominer tous les autres, était alors fort révolutionnaire. En l'absence d'une constitution précisant les pouvoirs des divers organes du gouvernement, toute institution nouvelle devait se faire une place dans l'ordre de choses existant. Malgré la création de parlements dans les provinces, le parlement de Paris devint rapidement et resta jusqu'à la Révolution un des principaux corps de l'État.

Les États généraux, autre institution de Philippe le Bel, eurent une destinée moins brillante, sans doute parce que leur création ne fut dans l'esprit du roi qu'un expédient, un moyen de s'assurer l'appui du pays dans des moments difficiles. Il eut l'idée de convoquer les représentants des trois « états » du royaume — le clergé, la noblesse et le tiers-état — au cours de sa querelle avec Boniface VIII. Il les réunit aussi pour obtenir légalement, par l'impôt, l'argent dont il avait besoin. Le fait est que le principe même de l'impôt royal était encore très discuté. Dans une France féodale, le roi avait-il le droit de lever l'impôt sur ses sujets, même sur ceux qui vivaient hors de son domaine propre? D'ailleurs, tout impôt était impopulaire, le peuple ayant à peine de quoi exister après s'être acquitté des redevances qui l'accablaient. Désirant des subsides, Philippe le Bel eut soin d'obtenir l'approbation des États. L'impopularité de l'impôt serait ainsi partagée. En fait, les États généraux ne conduisirent pas à l'établissement d'une monarchie parlementaire, comme ils auraient pu le faire en d'autres circonstances. Ils n'eurent guère qu'un rôle consultatif et le roi les réunissait quand il lui plaisait. Il ne plut ni à Louis XIV ni à Louis XV de les réunir. C'est ainsi que pendant plus de cent cinquante ans les États généraux restèrent lettre morte, bien qu'ils aient continué d'être jusqu'à la Révolution une des institutions de l'ancienne France.

Le dernier des trois fils de Philippe le Bel, qui régnèrent successivement, mourut en 1328, et avec lui s'éteignit la lignée des Capétiens directs, laquelle avait compté des rois remarquables par leur énergie. A qui le trône allait-il échoir? Edouard III, roi d'Angleterre, était par sa mère petit-fils de Philippe le Bel, et les Anglais possédaient toujours la Guyenne, à propos de laquelle leur roi Édouard Ier avait déjà eu de sérieuses difficultés avec Philippe le Bel. A la mort du dernier Capétien, Édouard III revendiqua le trône de France. On réunit alors une assemblée des barons français, car la France était toujours une monarchie féodale. Invoquant une ancienne coutume des Francs saliens — la fameuse « loi salique » — cette assemblée déclara que le trône de France ne pouvait échoir à une femme, et que le droit au trône ne pouvait donc être transmis par elle. Philippe de Valois, cousin du roi défunt, fut proclamé roi de France. Édouard III hésita longtemps. Puis à la suite de divers incidents, notamment dans les Flandres et en Guyenne, alors plus anglaise que française, la guerre éclata entre la France et l'Angleterre, cette terrible guerre de Cent Ans qui coûta si cher aux deux pays.

il ne sont pas pains si come il
doiuent seoir · mais lordre est ou
foillet precedent

il ne sont pas pains si come il doiuent
seoir · mais lordre est ou foillet precedent

Philippe de Valois présidant à une séance de la cour des pairs

Étrange guerre, en vérité. Il est difficile d'en fixer le début et encore plus la fin. Elle commença, peut-on dire, en 1346, l'année de Crécy, et finit en 1453, avec la capitulation de Bordeaux. Mais il n'y eut jamais de traité de paix, et le combat cessa faute de combattants, après que les Anglais eurent été chassés de France, où pourtant ils conservèrent Calais encore tout un siècle. Les misères de cette interminable guerre furent interrompues durant une quinzaine d'années, sous le règne de Charles V, qui réussit à reconquérir la presque totalité de son royaume. Lui mort, les désastres recommencèrent. Sauf cette courte accalmie du règne de Charles V, la guerre de Cent Ans fut une époque d'immenses souffrances et de colères populaires.

Tout aussi étrange est le fait qu'au cours de ce siècle de conflit, il n'y eut guère que trois batailles considérables, qui toutes les trois furent désastreuses pour le royaume de France : Crécy en 1346, la première bataille de la guerre, Poitiers dix ans après, et Azincourt — l'« Agincourt » des Anglais — soixante ans plus tard. L'histoire de ces batailles est toujours la même : une chevalerie féodale française, lourdement armée, qui fonce au galop et tête baissée sur l'infanterie anglaise, bien entraînée et dont les flèches la mettent en déroute. Ces barons français étaient incapables d'apprendre quoi que ce soit des défaites subies par leurs prédécesseurs. Dans toutes les batailles, outre leur impétuosité et leur absence complète de discipline, ils commirent les erreurs tactiques les plus grossières, de sorte qu'ils furent chaque fois mis en déroute par des Anglais moins nombreux qu'eux.

Les armées aux prises étaient en effet peu nombreuses. On dit que dans sa grande expédition de 1417, Henri V d'Angleterre débarqua avec une dizaine de milliers d'hommes. Il est vrai que ces effectifs étaient considérablement augmentés par l'addition de troupes alliées et de soldats mercenaires. L'attaque et la défense des villes, alors si fréquentes, n'étaient pas des opérations de grande envergure. La délivrance d'Orléans par Jeanne d'Arc, en 1429, fut un des épisodes décisifs de la guerre : or, assiégeants et assiégés réunis ne comptaient que quelques milliers d'hommes.

Il peut sembler étrange que, dans ces conditions, la guerre ait été si désastreuse. Cela fut causé surtout par sa nature même, guerre de chevauchées rapides, d'embuscades, de coups de main. Des troupes armées parcouraient le pays, emmenant le bétail, s'emparant par surprise ou par trahison d'un château, d'une ville. Jour et nuit les guetteurs veillaient au sommet des tours, mais à la faveur de l'obscurité des « écheleurs » ennemis parvenaient souvent à escalader une muraille, puis à ouvrir une porte à leurs compagnons. La guerre était devenue un métier pro-

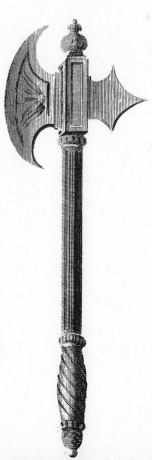

Un épisode de la "jacquerie" a Meaux (1358)

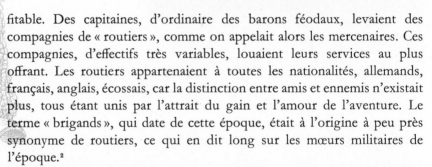

fitable. Des capitaines, d'ordinaire des barons féodaux, levaient des compagnies de « routiers », comme on appelait alors les mercenaires. Ces compagnies, d'effectifs très variables, louaient leurs services au plus offrant. Les routiers appartenaient à toutes les nationalités, allemands, français, anglais, écossais, car la distinction entre amis et ennemis n'existait plus, tous étant unis par l'attrait du gain et l'amour de l'aventure. Le terme « brigands », qui date de cette époque, était à l'origine à peu près synonyme de routiers, ce qui en dit long sur les mœurs militaires de l'époque.[2]

Une autre caractéristique de la guerre de Cent Ans fut son universalité. Certaines régions souffrirent plus que d'autres, notamment la Normandie maintes fois dévastée, la Champagne dépeuplée, l'Île-de-France et Paris ensanglantés par la lutte entre Armagnacs et Bourguignons. Mais aucune ne fut épargnée au cours de cette guerre interminable. L'Aquitaine elle-même eut son tour, lorsqu'elle fut reprise aux Anglais. Seule la Bourgogne, sous l'autorité de ses ducs, échappa quelque peu aux misères de la guerre.

Pour ajouter à toutes ces horreurs, la guerre de Cent ans fut une guerre civile encore plus qu'une guerre étrangère. Guerre sociale d'abord. Dans les villes, le prolétariat urbain se révolta contre les riches bourgeois; dans les campagnes, les paysans, exaspérés par la souffrance et par la faim, se soulevèrent contre les seigneurs qui ne les protégeaient plus.

---

[2] La *brigandine* était une armure légère qui protégeait la poitrine et le dos des gens de pied.

Folie de Charles VI

Jean le Bon prisonnier à Poitiers

Ce furent ces fameuses « jacqueries », révoltes de paysans nommées d'après Jacques Bonhomme, l'ancien nom du paysan français. A Paris, après la défaite de Poitiers où le roi Jean le Bon fut fait prisonnier par les Anglais, le prévôt des marchands Étienne Marcel prit la tête d'un mouvement populaire, qui faillit donner au royaume un gouvernement parlementaire, avec participation des représentants du pays. Étienne Marcel fut assassiné, et la tentative de réforme gouvernementale et administrative des États généraux de 1357 n'eut pas de suites. Mais cet incident fut accompagné de désordres et de violences qui causèrent grand dommage au pays.

Ce fut bien pire encore quelque cinquante ans plus tard lorsque le conflit entre Armagnacs et Bourguignons désola la France. Le pays jouait de malheur. En 1392, le roi Charles VI perdit la raison. De puissants personnages, notamment Philippe le Hardi, à qui le roi Jean le Bon son père avait eu l'imprudence de donner la Bourgogne en apanage,[3] et le duc d'Orléans, frère de Charles VI, convoitaient la couronne. Entre l'oncle et le frère du roi fou, la rivalité devint bientôt féroce. Le nouveau duc de Bourgogne, Jean sans Peur, fit assassiner le duc d'Orléans, son rival, et se vanta publiquement du meurtre. Le comte d'Armagnac, dont la fille avait épousé le poète Charles d'Orléans, fils du duc assassiné, prit en mains sa cause, après que le malheureux poète eut été fait prisonnier par les Anglais à Azincourt et enfermé par eux dans la Tour de Londres.

---

[3] On appelait ainsi une principauté féodale constituée au profit des fils cadets du roi de France.

La guerre éclata entre les deux partis, celui des Armagnacs et celui des Bourguignons. Sans aucun souci de l'intérêt national, les Armagnacs d'abord s'allièrent aux Anglais, puis ce fut le tour des Bourguignons, qui restèrent longtemps leurs alliés fidèles. Paris changea plusieurs fois de mains. L'entrée d'un parti dans la capitale était naturellement suivie du massacre des partisans de l'autre faction. Pendant ce temps, des enfants mouraient de faim sur des tas de fumier dans la capitale, et des loups, affamés eux aussi, rôdaient aux portes de la ville. Le résultat fut qu'à la mort de Charles VI, lorsqu'on déposa son corps dans la basilique de Saint-Denis, le duc de Berry, héraut d'armes de France, proclama Henri «par la grâce de Dieu roi de France et d'Angleterre».[4] Et comme le nouveau roi n'était âgé que de quelques mois, un régent anglais, le duc de Bedford, s'installa à Paris.

Le dauphin Charles,[5] fils du roi défunt, se fit également proclamer roi de France. Ses ennemis l'appelaient par dérision « le roi de Bourges », bien qu'il possédât encore quelques provinces. C'est à ce moment qu'une humble fille de dix-sept ans, Jeanne d'Arc, vint trouver le roi en son château de Chinon et lui promit de délivrer Orléans, qu'assiégeaient alors les Anglais. En désespoir de cause, Charles VII lui donna une escorte de quelques hommes d'armes. Elle entra avec eux dans Orléans, car les Anglais n'étaient pas assez nombreux pour investir la ville. Elle ranima si bien les courages que la garnison attaqua les assiégeants. Ils battirent précipitamment en retraite. Puis ce fut le tour de Talbot et de Falstaff d'être vaincus. A vrai dire, Jeanne n'exerça jamais de commandement important. Les vrais chefs de guerre étaient des professionnels, souvent de la pire espèce. C'est sa présence et surtout sa suprême confiance en sa mission qui firent de Jeanne d'Arc une si étonnante force morale. Instinctivement, elle eut la suprême habileté de faire sacrer le roi, dont la légitimité était contestée, dans la cathédrale de Reims. Dès lors Charles VII devint l'authentique roi de France.

Casque de Jeanne d'Arc

---

[4] Il s'agit d'Henri VI, dont une pièce de Shakespeare porte le nom.
[5] La région du Dauphiné avait été récemment cédée à la France, à condition que le fils aîné du roi serait appelé le *dauphin*, en l'honneur de la province qui avait un dauphin sur ses armes.

Jeanne d'Arc prisonnière des Anglais

Charles VII sacré à Reims

Jeanne d'Arc

Hélas, il ne fit rien pour sauver celle à qui il devait tant. Faite prisonnière à Compiègne par les Bourguignons qui la livrèrent aux Anglais, ce fut pour Jeanne la voie douloureuse : la prison, le scandaleux procès, puis en 1431 le bûcher sur la place du Vieux Marché, à Rouen. Elle avait alors dix-neuf ans.

Son sacrifice ne fut pas en vain. Elle avait donné au pays le loyalisme monarchique qui lui manquait. Le peuple de France, longtemps indifférent envers ses maîtres de l'heure, se tourna de plus en plus contre les Anglais, les « Goddons » comme il les appelait en francisant un de leurs jurons favoris. Après que le roi de France se fut réconcilié avec le duc de Bourgogne, les Anglais subirent défaite sur défaite. Même la Guyenne si longtemps anglaise leur fut enfin arrachée.

La guerre terminée, Charles VII se révéla bon administrateur. Avec l'aide de son « argentier » Jacques Cœur, envers qui d'ailleurs il se montra aussi ingrat qu'il l'avait été pour Jeanne d'Arc, il réorganisa les finances, régularisa l'impôt royal, établit une armée permanente composée à la fois de cavaliers et de fantassins, notamment d'archers. Il créa même une artillerie. L'armée féodale ne fut plus qu'une sorte de réserve. Les leçons de la guerre de Cent Ans n'avaient pas été perdues.

Parmi ces leçons était celle du danger que représentait pour le roi de France l'existence d'un puissant État bourguignon. Les ducs de Bourgogne, dont Dijon était la capitale, avaient aussi des possessions impor-

tantes dans le Nord de la France et dans les Flandres. La destruction de leur puissance fut l'œuvre de Louis XI, un des plus étranges parmi les rois de France, le premier roi moderne, a-t-on dit, sans que cela fût nécessairement un compliment pour ses successeurs. D'une piété extrême, tombant sans cesse en prières devant son chapeau garni de petites statues en plomb des saints qu'il honorait d'une dévotion particulière, il était en même temps le moins scrupuleux, le plus soupçonneux et le plus retors des politiques. Il négocia avec ses ennemis, ce qui était alors une nouveauté, car la diplomatie était encore dans son enfance. Il négocia avec les Anglais, qui pensaient à recommencer la guerre. Il négocia avec le duc de Bourgogne, qu'il encouragea à entreprendre une expédition en Lorraine, au cours de laquelle l'illustre duc Charles le Téméraire trouva la mort. Ceci fait, Louis XI s'empara du duché de Bourgogne. Le reste de l'héritage de Charles le Téméraire passa malheureusement par mariage aux mains de l'empereur Maximilien, ce qui compliqua grandement les choses au cours des deux siècles suivants.

La France se releva assez rapidement de la guerre de Cent Ans, et lorsque Charles VII eut repris la direction de son royaume, tout rentra dans l'ordre. Mais la guerre avait produit de grands changements dans la structure de la société féodale.

Paris dévasté avait beaucoup décliné. En 1346-48, au lendemain de la bataille de Crécy, la peste noire, venue d'Orient et dont moururent des millions d'Occidentaux, y avait fait d'effrayants ravages. Plus tard, ce fut l'anarchie, la guerre entre Armagnacs et Bourguignons. En dehors des remparts, dont on avait muré plusieurs portes afin de faciliter la défense de la ville, la campagne et les faubourgs étaient en ruines. A l'intérieur de ce Paris autrefois surpeuplé, il y avait maintenant des maisons vides. Son Université, auparavant si prospère, s'était discréditée par sa collaboration avec les Anglais et sa participation au procès de Jeanne d'Arc.

La dissension était partout. Un abîme s'était creusé entre les chefs des métiers, les *maîtres,* et leurs ouvriers, les *compagnons.* L'accès à la maîtrise était devenu de plus en plus difficile pour ceux qui n'avaient pas la chance d'être fils ou beaux-fils de maîtres. Les frais d'admission dépassaient les moyens de la plupart des ouvriers, et surtout il fallait avoir accompli le « chef-d'œuvre », ouvrage long et coûteux qui devait être accepté par un jury d'examen avant admission à la maîtrise. De sorte que les pauvres compagnons se trouvaient pratiquement exclus de la maîtrise.

Unis par leurs besoins et aussi par leurs rancunes, ils formèrent donc des associations clandestines, les « compagnonnages », qui groupaient les ouvriers selon le métier qu'ils exerçaient. Ces associations avaient leur mystique — elles prétendaient remonter à la construction du temple de Salomon — et leurs rites d'initiation. Peut-être étaient-elles nées parmi les bâtisseurs des cathédrales. Par ces associations, l'ouvrier trouvait aide et travail dans les diverses villes où il séjournait. C'est ainsi que la tradition ouvrière du Tour de France, qui existait encore au siècle dernier, eut son origine dans les compagnonnages du Moyen Age.[6]

Il est difficile de déterminer leur rôle dans les troubles sociaux de la guerre de Cent Ans, au cours desquels les bouchers parisiens jouèrent un rôle violent et furent souvent les porte-parole des revendications populaires. Cette colère des miséreux contre les « riches hommes » n'était d'ailleurs que trop fondée. L'Église elle-même avait son prolétariat de clercs errants, qui joignaient parfois des bandes de routiers. Et le contraste était grand entre la misère des petits et le luxe des puissants.

---

[6] Beaucoup d'ouvriers avaient autrefois l'habitude de parcourir la France, en exerçant leur métier.

Drapiers et bouchers (vitrail)

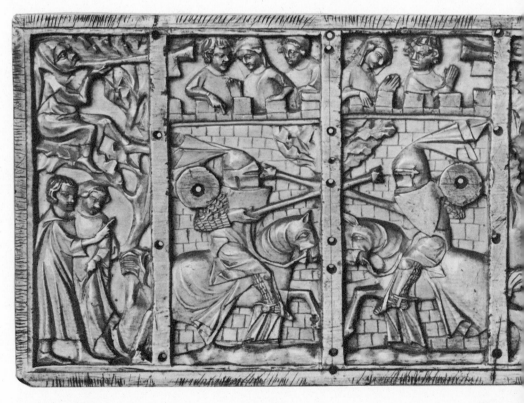

Tournoi des chevaliers

Jamais la vie noble n'avait été si brillante. Couverts de lourdes « armures en plates »,[7] les chevaliers aimaient s'affronter en champ clos, briser des lances dans des tournois où les prix étaient décernés par des dames. La guerre elle-même était soumise au code de la chevalerie. Il semble bien que dans l'esprit de bon nombre de seigneurs du temps, banditisme et chevalerie n'étaient pas incompatibles. Dans les combats, il s'agissait avant tout de capturer un personnage d'importance et de lui faire payer une rançon énorme pour obtenir sa liberté. Jean le Bon, roi de France, fut fait prisonnier par les Anglais à Poitiers, où il avait lutté avec une extrême bravoure, sinon avec beaucoup d'esprit. Le soir de la bataille, le prince Noir le servit en personne à table, car il était son vassal, et se déclara indigne de s'asseoir à côté du roi — ce qui ne l'empêcha pas bien entendu d'exiger de son prisonnier une rançon énorme. Jean le Bon revint en France pour lever sa rançon, laissant son fils en otage. Ce fils, qui en avait assez des Anglais, s'échappa, sous prétexte de faire un pèlerinage. Aussitôt le roi de France retourna en Angleterre, où il fut très admiré pour sa noblesse d'âme, mais où il mourut.

Comme Savonarole le fera à Florence cinquante ans plus tard, des prédicateurs dénonçaient le luxe des grands et des riches. Dans un moment de repentir, on brûlait sur un bûcher bijoux et parures, tous les colifichets du diable. Mais le diable était tenace, et le goût des riches fourrures, des élégants souliers à la poulaine[8] et des bizarres vêtements bicolores — une jambe rouge et l'autre bleue — l'emportait toujours.

Si quelque chose peut racheter l'égoïsme des grands, c'est, au moins chez certains d'entre eux, un désir nouveau de raffinement, l'éveil d'un goût esthétique et d'une curiosité intellectuelle qui annoncent déjà la Renaissance. Après sa longue et dure captivité en Angleterre, Charles d'Orléans consacra ses dernières années à la poésie et à la vie mondaine. Philippe le Hardi, duc de Bourgogne, fonda la célèbre « cour d'amour » qui tenait chaque année ses assises à Paris le jour de la Saint-Valentin, le 14 février. Mais le meilleur, et à certains égards le pire exemple de ces grands seigneurs somptueux est le duc de Berry, celui pour qui les frères Limbourg peignirent l'admirable calendrier des *Très Riches Heures*. Épris de luxe et parfaitement égoïste, il vécut entouré d'une cour brillante de seigneurs, de dames, et de ses chiens qui mangeaient à sa table. Il aimait les livres rares. Ce n'était manifestement plus le seigneur féodal du temps de Saint Louis.

---

[7] L'armure faite de pièces rigides jointes entre elles aux articulations du corps avait remplacé l'ancienne cotte de mailles.

[8] On appelait *soulier à la poulaine* une chaussure souple, qui se terminait par une longue pointe recourbée.

La littérature et les arts
aux quatorzième et quinzième siècles

Les genres littéraires qui avaient fleuri aux douzième et treizième siècles furent remplacés par d'autres au cours des deux siècles suivants. On lisait toujours les vieux romans, mais maintenant dans des versions en prose. La vogue allait à des genres poétiques nouveaux, à des petites pièces en vers d'une facture savante et compliquée, la *ballade*, le *rondeau*, l'*épître*, la *complainte,* le *chant royal.* Les poètes étaient parfois des personnages de haute condition, comme Charles d'Orléans, ou des gens de l'entourage des princes. Certes, Charles d'Orléans ne fut guère qu'un gracieux poète, connu pour ses malheurs et aussi pour son humeur mélancolique et tendre plutôt que par une sublime inspiration. Le grand poète du temps fut un pauvre hère, qui finit on ne sait où ni comment sa vie agitée, François Villon. Il était né à Paris dix ans après la mort de Jeanne d'Arc, fréquenta les tavernes, commit un vol dans un collège, tua un prêtre, subit une longue prison et n'échappa que tout juste au gibet, s'il y échappa. Son *Grand Testament* en vers est admirable. Le regret d'une vie qui s'en va, l'effroi et la hantise de la mort, son ironie mélancolique et légère, tout cela joint à un étonnant don d'expression poétique, font de l'auteur de la « ballade des Pendus » et de celle des « Dames du temps jadis » non seulement un merveilleux évocateur de la France du quinzième siècle, mais un des plus grands des poètes français.

Du Grand Testament de Villon

La cour des ducs de Bourgogne, à Dijon leur capitale, fut un temps le centre d'une vie sociale et intellectuelle franco-flamande assez brillante, bien que formaliste et rigide, d'autant plus que Paris était alors ravagé par la guerre. Là fleurit la poésie des Grands Rhétoriqueurs, poésie difficile, savante, poésie d'initiés et dont Lemaire de Belges est sans doute le représentant le plus connu.

Le contraste entre deux inspirations, l'une idéaliste l'autre réaliste, qui se trouvait déjà si nettement marqué dans les deux parties du *Roman de la Rose,* s'accentue encore. L'inspiration réaliste, caustique, bourgeoise si l'on veut, par opposition à l'inspiration chevaleresque, l'emporte de plus en plus. Suivant la tradition misogyne médiévale, des ouvrages dénoncent les femmes, le mariage, les *Quinze Joies du mariage* par exemple dont le titre seul indique assez l'esprit. Il est vrai que les femmes ont aussi des défenseurs, notamment la savante Christine de Pisan, championne passionnée des vertus de son sexe.

Amour parle à Amant
(Roman de la Rose)

Toutes ces œuvres n'étaient lues que d'un petit public. Le grand public était celui du théâtre, qui connut une faveur immense pendant les deux derniers siècles du Moyen Age. Comme chez les Grecs, le théâtre eut une origine liturgique. Il commença par la représentation, à l'intérieur de l'église, de grandes scènes religieuses, la Nativité, la Passion du Christ. Puis ces *Mystères*, comme on appelait alors les dramatisations, sortirent de l'église, s'installèrent sur la place publique, devinrent bientôt d'immenses et coûteuses représentations suivies passionnément par tous les habitants de la ville. L'Ancien et le Nouveau Testament, les vies de saints, même les événements de l'histoire nationale tels que le « Siège d'Orléans » fournirent des sujets de drames. Au début du quinzième siècle, une confrérie parisienne, celle des « Confrères de la Passion », reçut du roi le privilège exclusif de la représentation des mystères sacrés dans la capitale. Les acteurs n'étaient donc pas des acteurs professionnels, mais d'ordinaire des bourgeois de la ville réunis par leur intérêt commun pour le théâtre.

Le quinzième siècle fut la grande époque des mystères. Au siècle précédent, la vogue allait plutôt aux *miracles,* qui étaient des dramatisations d'épisodes miraculeux, généralement une intervention de la Vierge Marie en faveur d'un pauvre pécheur qui avait commis quelque faute impardonnable selon la loi humaine et divine. Ce curieux mélange de l'humain et du divin ne semblait nullement irrévérencieux aux gens du Moyen Age. De fait, même le mystère de la Passion avait ses intermèdes comiques, ce qui plus tard, au temps de la Réforme, choqua gravement les protestants graves.

Le théâtre comique avait aussi ses genres propres, la *farce* et la *sotie,* que jouaient une autre confrérie parisienne, celle des « Enfants sans-souci ». La jolie farce de *Maître Pathelin,* l'avocat fripon dupé par un faux berger encore plus fripon que lui, est le chef-d'œuvre du genre, tout en étant un exemple de l'esprit négateur et satirique du temps. Le monde est composé de fripons. Il est composé aussi de fous, à en croire auteurs et acteurs des soties. Ces joyeux compères portaient un vêtement mi-partie jaune et vert, un bonnet à longues oreilles, et leurs audaces n'épargnaient ni les gens d'Église, ni l'Université, ni le roi lui-même. Le genre survécut même à la Renaissance, bien que les rois l'aient considéré avec méfiance, lorsqu'ils ne l'utilisaient pas pour leurs propres fins politiques.

«Danse macabre»

Cette vision pessimiste de la vie humaine se retrouve dans l'art de l'époque. Le quinzième siècle notamment est obsédé par l'idée de la souffrance et de la mort, associée, comme chez Villon, à l'émotion religieuse. La popularité du thème de la Passion du Christ est caractéristique. L'art aime représenter le Christ couronné d'épines, au visage déformé par les souffrances et exprimant les angoisses de la mort. La pratique religieuse du « chemin de croix » prit alors une grande extension. Sur les murs des églises, à l'intérieur des cloîtres, dans la galerie du cimetière des Saints-Innocents à Paris, on peignit aussi des « danses macabres », qui représentaient des personnages appartenant à toutes les conditions humaines entraînés par des squelettes dans une danse effrénée. On imagina même de représenter des cadavres en décomposition, thème que reprendra la Renaissance pour montrer l'urgence de la vie présente.

Jamais la croyance au surnaturel et à la magie ne fut plus vivace. Conclure un pacte avec le démon était alors chose commune. Parmi les accusations dirigées contre les Templiers, puis contre Jeanne d'Arc, était la terrible accusation de sorcellerie. L'un des compagnons de Jeanne d'Arc fut Gilles de Rais, l'original de Barbe-bleue, dit-on, et qui finit ses jours sur l'échafaud. Il l'avait d'ailleurs bien mérité, ayant commis des crimes authentiques au cours de ses opérations magiques.

Cette exaspération de la sensibilité fut peut-être due quelque peu aux sermons des prédicateurs franciscains, qui attiraient sans cesse l'attention de leur auditoire sur les souffrances du Christ, sur la mort et sur l'au-delà.

Elle fut l'œuvre surtout de la dureté et de la misère des temps. Un événement heureux — entrée princière, représentation d'un mystère — donnait lieu à une explosion de joie populaire, bientôt suivie de souffrances et de désespoir. Quel esprit aurait pu résister à ces chocs répétés, du moins parmi ceux qui les subissaient ?

Cependant, certains y échappaient. Pour eux, la vie n'avait jamais été si belle. Froissart, qui a laissé d'admirables *Chroniques* de la guerre de Cent Ans, décrit avec complaisance le luxe des grands, les tournois, la guerre chevaleresque. On assiste en effet, dès cette époque, à l'éveil dans la société aristocratique d'un goût pour les belles choses qui annonce déjà la Renaissance. Le Louvre que Charles V fit construire à Paris pour remplacer le vieux château de Philippe Auguste était encore une forteresse. Néanmoins, sa riche décoration de tours, de cheminées, ses proportions élégantes indiquent des préoccupations esthétiques nouvelles. Bien avant l'époque de la Renaissance, la région de la Loire attirait les princes valois. Le somptueux duc de Berry y avait de belles résidences. Après sa sortie des prisons anglaises, Charles d'Orléans eut à Blois une espèce de cour. Louis XI se fit construire près de Tours un château agréable, bien qu'il y vécût médiocrement dans l'intimité de son barbier et de son grand prévôt, sous la protection des archers de sa garde écossaise et des pièges à loups de son parc.

Mais les plus splendides de tous étaient sans doute les ducs de Bourgogne. Ces princes voulurent laisser à la postérité au moins une image de leur grandeur. Le souci de la gloire terrestre les poussa à se faire ensevelir dans de magnifiques tombeaux, même si les inscriptions des tombeaux, comme celle du duc de Berry maintenant dans la crypte de la cathédrale de Bourges, proclamaient la vanité des biens de ce monde. Ce tombeau, comme celui des ducs, était entouré d'effigies de « pleurants », personnages vêtus de longues robes et qui par leurs gestes et leur attitude éplorée exprimaient le plus profond désespoir. Au musée du Louvre, on voit

Tombeau de Jean sans Peur
et de Marguerite de Bavière

Très Riches Heures du duc du Berry, mois de janvier

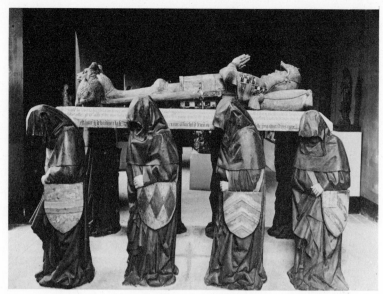

Tombeau de Philippe Pot

encore le tombeau peint de Philippe Pot, sénéchal de Bourgogne. La dalle qui porte la statue couchée du mort — le « gisant » vêtu de son costume d'apparat — repose sur les épaules de huit pleurants. Jamais le pathétique de la fin du Moyen Age ne s'est exprimé avec plus de force. Par contre, la sculpture des tombeaux des ducs révèle une inspiration nouvelle. Les formes ont quelque chose de robuste, de plantureux, qui nous éloigne de la statuaire gothique traditionnelle. La statuaire de la Renaissance française devra une partie de son inspiration à ce qu'on appelle parfois « l'École bourguignonne ».

L'art des miniaturistes, qui, eux aussi, travaillaient souvent pour de grands personnages, atteignit alors son apogée. Le calendrier des *Très Riches Heures*[1] du duc de Berry, et qui, selon l'usage, représentait les occupations des mois de l'année — les vendanges de septembre, les semailles d'octobre, la chasse au sanglier de décembre, le festin du mois de janvier — est d'une valeur artistique aussi grande que l'est sa valeur documentaire. La même remarque s'applique aux miniatures de Jean Fouquet, qui donnent de si curieux détails sur le Paris du quinzième siècle, Notre-Dame, la Sainte-Chapelle, Paris et ses clochers paraissant au-dessus des murs crénelés de la ville.

Même si l'art profane était alors en voie de développement, l'inspiration religieuse restait toujours vivace. Certes, on bâtissait moins d'églises qu'autrefois. Elles étaient déjà nombreuses, et les temps troublés ne permettaient guère d'en bâtir de nouvelles. Rares sont les grandes constructions entreprises à cette époque. Le plus souvent, on ajoutait à la décoration d'édifices existants, on finissait des parties inachevées, notam-

---

[1] Les livres d'heures étaient des recueils de prières pour les différentes heures de la journée.

ment tours et clochers. Le quinzième siècle est la période du « gothique flamboyant », style d'une richesse décorative extrême, et ainsi nommé à cause de la prédominance dans la décoration de lignes sinueuses, qui rappellent des flammes agitées par le vent.

La forme la plus caractéristique de ce style nouveau est peut-être la contre-courbe, arc en accolade dans lequel une courbe concave prolonge une courbe convexe, pour se terminer en une pointe surmontée d'un fleuron. Cet arc est souvent accosté de deux pinacles en forme de flèche et ornés de crochets, disposition qu'on retrouve dans les lucarnes des châteaux, même au début de la Renaissance.

L'époque du flamboyant a peu changé la structure des édifices. Le grand changement est dans la décoration. A l'intérieur, les nervures des ogives se ramifient, formant à la voûte des clefs compliquées, retombant sur des piliers circulaires à des hauteurs différentes, de sorte que ces piliers font penser à des palmiers garnis de leurs feuilles. Tout tend à se diviser. Les fenêtres elles-mêmes sont divisées à l'intérieur par des colonnettes, dont le sommet se fragmente en courbes et en contre-courbes.

La cathédrale d'Albi, construite surtout au quatorzième siècle, est une espèce de forteresse en briques rouges, d'un extérieur austère. Mais vers la fin du quinzième, on ajouta à la façade méridionale un porche de pierre blanche d'un très grand effet décoratif. Avec sa floraison de pinacles à crochets, de fleurons, de courbes et de contre-courbes, ce « baldaquin » est une des plus gracieuses constructions de l'époque flamboyante.

Cette même cathédrale d'Albi possède toujours son jubé. Le jubé était une architecture ajourée, d'une richesse décorative extrême, qui clôturait le chœur d'une église du côté de la nef. On y accédait par un escalier placé à chaque extrémité. Beaucoup de ces jubés furent construits vers la fin du Moyen Age, par des artisans qui aimaient ciseler la pierre avec une précision et une patience de miniaturistes. Il en reste quelques-uns, mais la plupart ont été détruits par les chanoines du dix-huitième siècle, qui les trouvèrent gênants. Cet art flamboyant, aux formes un peu grêles, a été longtemps méconnu.

Cloître de l'Ancienne Abbaye à Cadouin
(style flamboyant)

3

LA RENAISSANCE

Du Moyen Age à la Renaissance

L E Moyen Age laisse l'impression d'une époque remarquablement homogène. De l'an mille à la seconde moitié du quinzième siècle, il y eut certes des changements de tout ordre, mais ces changements s'accomplirent graduellement, furent le résultat d'évolutions que le temps rendait inévitables plutôt que de révolutions soudaines. L'Église, parfois menacée, conserva son unité et son hégémonie. La pensée païenne, représentée par Aristote et Platon, s'incorpora à la pensée chrétienne. Bien que la société ait évolué, sa structure resta la même. Du roman au gothique, du gothique classique au flamboyant, l'art conserva son unité d'inspiration et sa continuité.

Or, de 1450 à 1550, période de la Renaissance dans l'Occident chrétien, les changements furent plus radicaux qu'au cours des cinq siècles qui avaient précédé. C'est alors qu'eurent lieu une série d'événements dont les conséquences furent d'autant plus grandes qu'elles allèrent toujours en s'amplifiant. L'imprimerie, par exemple, eut des débuts obscurs. Les incunables, c'est-à-dire les livres imprimés durant les cinquante années qui suivirent la mise en œuvre des procédés techniques de Gutenberg, sont maintenant d'une grande rareté et ne furent jamais très nombreux. Mais peu à peu les ouvrages imprimés se multiplièrent, et l'action du livre, avec toutes les conséquences qu'elle comporte, se fit de plus en plus fortement sentir. Même observation à propos de la découverte du continent américain, des voyages de Magellan et autres navigateurs. Auparavant, le commerce maritime de l'Occident avait été limité à des mers voisines, à la Méditerranée, qui depuis l'antiquité était le grand centre des échanges. La découverte de l'Amérique ne déplaça pas du jour au lendemain l'axe commercial. L'activité resta grande dans la Méditerranée. Néanmoins, les centres commerciaux se multiplièrent le long des côtes de l'Atlantique, et des vaisseaux de plus en plus nombreux naviguèrent sur la « Mer océane ».

François Ier

Les quelque trente années du règne de François Ier furent, pour la France au moins, les années les plus importantes de cette période si riche en nouveautés de tout genre. Les guerres d'Italie révélèrent aux Français les merveilles des villes italiennes. L'or d'Amérique arrivait par l'intermédiaire de l'Espagne. Les idées protestantes pénétraient dans le royaume. Le Polonais Copernic osait soutenir que le soleil était le centre de notre monde planétaire, et sa théorie héliocentrique, bouleversant la conception médiévale, posait de nouveaux problèmes d'ordre moral et religieux, comme le faisait d'ailleurs la découverte du continent américain, avec ses gens aux mœurs bizarres et aux valeurs morales qui n'étaient pas celles de la civilisation chrétienne d'Occident.

Quelques-uns des contemporains de François Ier eurent le sentiment d'appartenir à un monde nouveau, et dans leur enthousiasme, ils refusèrent souvent de reconnaître ce qu'ils devaient à l'ancien. En réalité, leur époque paraît étrangement partagée entre ces deux mondes. Les cavaliers qui combattaient en Italie étaient encore couverts des pieds à la tête d'une armure en plates et ils employaient la longue lance; les fantassins étaient armés tantôt de l'arquebuse moderne tantôt de l'arbalète médiévale. Grâce à l'imprimerie, les vieux romans chevaleresques ne furent jamais plus populaires que sous François Ier, au moment même où fleurissait l'humanisme, ni la croyance aux sorciers et magiciens plus répandue qu'au temps où les réformés prétendaient revenir à la pure doctrine chrétienne. Les châteaux de la Loire eux-mêmes doivent bien plus qu'on ne le croit parfois à la tradition médiévale. C'est cette diversité qui fait l'intérêt de cette période si remarquable par sa vitalité, son énergie et sa passion, poussée souvent jusqu'au fanatisme.

La découverte du continent américain eut, pour les pays d'Occident, des effets économiques et sociaux considérables. Des cultures nouvelles, celles du maïs et du haricot par exemple, furent alors introduites en Europe et l'usage du tabac commença à se répandre. Mais ces innovations n'eurent pas de conséquences immédiates importantes. Le grand facteur économique fut l'arrivée rapide d'une quantité énorme de métaux précieux, l'or et l'argent des Incas et des Aztèques, dont les « conquistadores », Pizarre, Cortez et autres, s'emparaient par le meurtre et par la fraude.

La maison de Jacques Cœur

La rareté du numéraire avait jusqu'alors entravé le développement économique. Déjà au temps de Charles VII, Jacques Cœur[1] avait si bien senti le besoin d'accroître la quantité de monnaie qu'il s'était efforcé d'exploiter des mines de métaux précieux dans la région de Lyon. Sauf quelques institutions comme la banque florentine, le crédit n'était pas suffisamment organisé pour suppléer à l'insuffisance du numéraire. L'or et l'argent d'Amérique stimulèrent donc beaucoup l'industrie et le commerce, surtout dans les pays maritimes de l'Europe. L'Espagne ne garda pas longtemps ses trésors mal acquis. Économiquement peu développée, faute d'une forte classe bourgeoise qui consacrât son activité à l'industrie, l'Espagne se vit obligée d'acheter beaucoup à l'étranger, d'autant plus que ses établissements d'Amérique augmentaient ses dépenses. Son or s'en alla bientôt en Italie, en France ou ailleurs. Les marchands de Bordeaux, de Rouen, de Dieppe s'enrichirent. Le petit port breton de Saint-Malo connut alors une grande prospérité. C'est de là qu'au temps de François 1er partit Jacques Cartier, qui visita Terre-Neuve et le Canada, où il fonda Mont-Royal (Montréal) et dont il prit possession au nom du roi son maître. François 1er lui-même jugea utile de créer, à côté de la flotte dite du Levant — celle de la Méditerranée — une flotte du Ponant, c'est-à-dire de l'Atlantique; et pour servir de base à cette flotte nouvelle, il fonda un port nouveau, appelé alors Le Havre de Grâce.

L'abondance des métaux précieux eut d'autres conséquences moins heureuses. Elle causa une hausse des prix dont profitèrent quelques-uns et dont d'autres souffrirent, particulièrement les ouvriers des villes, car l'augmentation des salaires ne suivit pas celle des prix. Il y eut des grèves, malgré leur interdiction, notamment la grande grève des imprimeurs lyonnais en 1539. Dans l'ensemble, les paysans gagnèrent à la hausse des prix. Ils achetaient peu, vivant de leurs propres produits. Le loyer de la terre qu'ils cultivaient — le *cens* — et la plupart des taxes seigneuriales qu'ils acquit-

[1] Jacques Cœur, dont on peut voir encore la maison à Bourges, était un riche marchand qui créa une véritable flotte afin de disputer aux Vénitiens le commerce dans la Méditerranée. Il devint très riche, et ses ennemis finirent par obtenir sa disgrâce du roi Charles VII, dont il était ministre. Ses biens furent confisqués et il mourut en exil.

taient étant des redevances fixes et payables en argent, toute diminution de la valeur réelle de l'argent leur profitait. Si le sort des *brassiers,* simple main-d'œuvre agricole, resta misérable, les *laboureurs,* c'est-à-dire les paysans propriétaires ou quasi-propriétaires de leurs terres, vécurent mieux, atteignirent même parfois l'aisance. Malheureusement les campagnes furent souvent ravagées par la guerre, l'éternel fléau des populations rurales. De riches provinces comme la Picardie subirent l'invasion, surtout le passage des armées, et presque aucune n'échappa aux terribles dévastations des guerres de religion.

Malgré l'attrait qu'exerçait sur la haute noblesse la vie de cour au temps de François 1er et de Henri II, la noblesse française du seizième siècle était encore fortement attachée à la terre. Ce fut l'époque des gentils-hommes campagnards qui, bien qu'ils aient été parfois tyranniques, maintenaient de bonnes relations avec leurs paysans, dont ils partageaient — à distance convenable bien entendu — les alarmes et les réjouissances. Ils menaient dans leurs gentilshommières une vie assez rude et monotone, dont la chasse était la principale distraction.

Leurs revenus n'augmentaient pas, au contraire. La valeur réelle des redevances qu'ils percevaient diminuait avec la diminution du pouvoir d'achat de l'argent. La vie de cour était ruineuse pour ceux qu'elle attirait. Les bonnes gens riaient déjà de tous ces beaux seigneurs magnifiquement vêtus, qui, disaient-ils, « portaient leurs terres et leurs moulins sur leurs épaules ». Mais ces seigneurs restaient l'exception dans une France où la noblesse était encore essentiellement rurale.

La chasse

Des changements notables étaient pourtant en train de s'accomplir dans la société aristocratique. Jusqu'alors la noblesse avait été fondée sur la coutume de porter les armes. Bien des anciennes familles s'étaient éteintes au cours de la guerre de Cent Ans, mais d'autres gens de guerre avaient pris la place des anciens. Au quinzième siècle, des chefs de routiers, de brigands, enrichis Dieu sait comment, avaient acquis des seigneuries, fondé de nouveaux lignages. Or, au seizième, les grands bourgeois eux-mêmes accèdent de plus en plus à la noblesse. Devenus riches, ils achètent des terres nobles, des fiefs mis en vente par leurs anciens propriétaires à la suite de quelque revers de fortune, puis ils obtiennent du roi des lettres de noblesse. Ou bien ils achètent quelque haut emploi dans l'administration de la justice, une charge de conseiller au parlement par exemple. La vénalité des offices judiciaires, c'est-à-dire le droit de les acheter et de les vendre, fut officiellement reconnue sous François 1er. De la vénalité, qui fait le juge propriétaire de sa charge, à l'hérédité, qui lui permet de la transmettre à ses enfants, il n'y a qu'un pas. C'est ainsi que se constitua une classe de grands magistrats à laquelle on a donné le nom de « noblesse de robe ».

L'importance de cette classe ne fit que croître. Le parlement de Paris essaya même, avec plus ou moins de succès selon les périodes, d'exercer une espèce de contrôle sur les actes du souverain. Tous les pouvoirs étant alors concentrés dans les mains du roi, les ordonnances royales étaient les lois de l'époque. Puisque la coutume voulait qu'une ordonnance n'entrât en vigueur qu'après son enregistrement par le parlement, ce dernier prétendit examiner les ordonnances qui lui étaient soumises, et le cas échéant, faire part au souverain de ses objections. Telle est l'origine du « droit d'enregistrement et de remontrances ». Maintes fois ce droit causa de grandes difficultés entre le roi et son parlement, qui refusait parfois d'enregistrer une ordonnance.

Le monde des gens de justice avait alors une importance sociale considérable. Il la conserva jusqu'à la Révolution, qui, en supprimant la vénalité des offices et en transformant les juges en fonctionnaires, a brisé sa puissance. Du seizième siècle à la fin de l'ancien régime, les gens de justice constituent un groupe social nombreux, trop nombreux peut-être, mais actif, instruit, et dans l'ensemble riche et considéré. Les magistrats du seizième siècle occupent une place distinguée dans l'histoire du mouvement humaniste. Beaucoup des écrivains du dix-septième appartenaient à des familles d'« officiers » — leur père étant titulaire de quelque office. Comme il était de tradition dans ces familles de donner aux garçons une solide instruction, la bourgeoisie des gens de loi formait la classe la plus instruite du pays.

Une des raisons de l'importance sociale de ce groupe était le nombre incroyable d'affaires judiciaires, de procès. La propriété de la terre était alors la principale richesse. Mais depuis les temps féodaux, cette propriété était chargée de droits et d'obligations de toute sorte qui, sans compter les contrats dont elle était l'objet, faisait d'elle une source intarissable de litiges. L'héritage en était une autre. L'importance de la famille dans la structure sociale d'autrefois avait certes ses avantages, mais aussi que de rivalités, que de haines à l'intérieur des familles! Les procès entre héritiers, entre frères et sœurs, entre une mère et ses enfants étaient chose courante — et dont tiraient grand profit juges et avocats.[2]

La justice n'était pas le seul moyen par lequel la bourgeoisie accroissait son pouvoir. Alors que la noblesse restait oisive — un noble ne pouvait exercer un métier sans déroger, c'est-à-dire sans perdre sa noblesse — les bourgeois s'enrichissaient par l'industrie et par le commerce, par la « mécanique » et par la « marchandise », comme on disait alors. L'artisanat était le mode de production habituel. Néanmoins, une espèce de capitalisme industriel et commercial était en voie de développement. De gros entrepreneurs, notamment dans le textile, employaient quantité de gens qui travaillaient pour eux, non pas dans des fabriques qui n'existaient guère, mais à domicile. En Normandie, par exemple, paysans et paysannes travaillaient à la fabrication d'un drap grossier. Ce travail mal rétribué, mais qui aidait les pauvres gens à gagner leur vie, rapportait gros à l'entrepreneur. Enfin le développement du commerce maritime, qui exigeait des fonds considérables — un navire coûtait cher et les risques de la navigation étaient très grands — explique le rôle grandissant des gens de finances dans les affaires du royaume et aussi leur importance sociale. Le château de Chenonceaux fut bâti par un « financier ». Ces financiers prêtaient même de l'argent à François 1er, qui ne leur était pas toujours reconnaissant, comme le montre l'exemple de l'honnête Semblançay, pendu comme un vulgaire malfaiteur au gibet de Montfaucon, à l'âge de soixante-douze ans. Le fait est que François 1er dépensa follement. Ses expéditions en Italie, jointes à son goût des belles choses, coûtèrent très cher au royaume.

---

[2] Racine, plus tard, a dénoncé ironiquement cet état de choses dans sa comédie des *Plaideurs*, lorsque la comtesse de Pimbesche, toujours en procès, raconte à Chicaneau ses malheurs judiciaires :

> Monsieur, tous mes procès allaient être finis;
> Il ne m'en restait plus que quatre ou cinq petits;
> L'un contre mon mari, l'autre contre mon père,
> Et contre mes enfants. Ah! monsieur! la misère!

Les guerres d'Italie

L'Italianisme

Pendant plus d'un demi-siècle, la France monarchique entreprit en Italie une série d'expéditions militaires qui n'aboutirent à aucune conquête territoriale durable, mais qui eurent de grands effets sur sa civilisation. Les guerres d'Italie sont toujours mentionnées parmi les soi-disant causes de la Renaissance française. Même au dix-septième siècle, lorsque la France eut pleinement conscience de sa civilisation nationale, l'influence italienne, plus discrète sans doute, était encore vivace. Le rôle de l'Italie fut grand dans la formation du goût classique, depuis l'établissement des trois unités dans la tragédie jusqu'à l'ordonnance des jardins de Versailles.

Charles VIII

Dans les dernières années du quinzième siècle, le roi de France Charles VIII eut l'idée de faire valoir de vagues « droits » familiaux sur le royaume de Naples. L'idée était absurde, mais la proie était tentante. L'Italie, alors en pleine Renaissance, était une poussière de principautés d'où émergeaient quelques États plus importants, le royaume de Naples au sud, l'État pontifical au centre, et au nord, la principauté de Savoie, le duché de Milan et les riches républiques de Venise et de Florence. Malheureusement, depuis la mort de Laurent le Magnifique qui avait réalisé une espèce d'entente italienne, la division était partout. Le pape et la république de Venise ne s'aimaient pas. Les habitants de Pise supportaient mal la domination de Florence. A Milan, des rivalités existaient à l'intérieur même de la famille des Sforza. D'autre part, ces États prospères étaient mal défendus, par des mercenaires sans foi ni loi, sous la conduite de *condottieri* qu'on pourrait toujours acheter s'ils montraient par hasard des velléités de résistance.

L'occasion paraissait trop belle pour la laisser échapper. En 1495, Charles VIII envahit l'Italie à la tête d'une armée, entra à Florence puis à Rome, atteignit Naples où il fit une entrée solennelle. Les Italiens regardaient passer ces cavaliers couverts de fer de la tête aux pieds, ces gendarmes, ces piquiers, ces mousquetaires, ces gardes écossais, ces aventuriers et mercenaires de tout poil qu'ils confondaient sous le nom générique de Barbares. Ils en virent passer bien d'autres au cours des cinquante années qui suivirent, Français, Espagnols, Allemands, Suisses. Ils apprirent à leur faire bon visage, tout en souhaitant qu'ils fussent tous à six pieds sous terre.

Au moment même où Charles VIII croyait triompher, les choses se gâtèrent. Une ligue contre lui se forma entre Venise, Milan, l'empereur d'Allemagne, le roi d'Aragon. Charles VIII battit précipitamment en retraite, parvenant avec difficulté, et grâce à la *furia francese,* à se frayer passage jusqu'à son pays. Ceci fait, il rentra chez lui à Amboise, se cogna un jour la tête contre une porte du château, et il en mourut.

Le royaume de Naples était perdu. Cette perte ne découragea pas son successeur Louis XII, qui crut habile de s'entendre avec Ferdinand le Catholique pour partager sa conquête. Voilà de nouveau les Français à Naples. Mais l'histoire apprend, ou devrait apprendre, que partager un pays entre deux occupants est habituellement fort dangereux : l'un veut d'ordinaire la part de l'autre. Bientôt Français et Espagnols étaient aux prises en Italie. En outre, le volontaire et si capable Jules II, « le pape guerrier », ameuta tout le monde contre les Français — les États italiens, les Suisses, l'empereur d'Allemagne, même Henri VIII d'Angleterre. Louis XII abandonna précipitamment ses conquêtes italiennes.

François Ier, l'illustre successeur de l'honnête Louis XII[1], crut sage de ne pas s'aventurer si loin : laissant Naples aux Espagnols, il entreprit la conquête du duché de Milan. Il traversa donc les Alpes, remporta sur les Suisses, réputés invincibles, l'éclatante victoire de Marignan, puis il entra à Milan. Mais au moment où la conquête de la Lombardie paraissait assurée, eut lieu un événement qui allait peser longtemps sur les destinées politiques du royaume de France : contre son rival François Ier, Charles d'Espagne fut élu empereur d'Allemagne. Charles-Quint régnait ainsi sur d'immenses possessions. Roi d'Espagne, maître des territoires du Nouveau Monde, de l'Italie méridionale et des îles voisines, son empire s'étendait sur les Pays-Bas et aussi sur des régions françaises de langue et de tradition, la Lorraine, l'Artois, la Flandre et la Franche-Comté, qui était passée dans sa famille après la mort de Charles le Téméraire, duc de

Louis XII

---

[1] Au temps où l'on donnait volontiers des surnoms aux rois, Louis XII fut appelé « le père du peuple » parce qu'il diminua les impôts.

Bourgogne. Il avait ainsi des « droits » à la Bourgogne, que le vieux Louis XI avait annexée au royaume de France.

Casque de Charles-Quint

Entre lui et François Ier, la guerre éclata, par consentement mutuel si l'on ose dire, et une fois de plus l'Italie fut le théâtre des opérations militaires. En 1525, à quelques kilomètres de Marignan où il avait remporté dix ans plus tôt une retentissante victoire, François Ier subit une défaite qui ne le fut pas moins. Il fut fait prisonnier sur le champ de bataille. Charles-Quint l'emmena en captivité à Madrid, où il lui imposa un traité par lequel le roi de France renonçait non seulement au duché de Milan, mais à la Bourgogne, française depuis plus de cinquante ans. Rentré à Paris, François Ier déclara nul ce traité. La guerre reprit entre le roi et l'empereur. Elle dura une vingtaine d'années et fut marquée par l'incapacité de chacun des adversaires de remporter sur l'autre un succès décisif. Les Impériaux envahirent deux fois la Provence et, comme l'avaient fait si souvent les Français en Italie, ils partirent plus vite qu'ils n'étaient arrivés.

Henri II, continuant la guerre de son père, dirigea ses efforts vers l'est du royaume, ce qui au moins était plus sensé que d'aller se perdre en Italie. Il s'empara de Metz, Toul et Verdun, les Trois-Evêchés de la Lorraine qui appartenait à Charles-Quint. Charles-Quint arriva devant Metz, mais il dut lever le siège de la ville. Une autre fois, l'armée espagnole des Pays-Bas envahit la Picardie. Avec l'aide des Anglais, elle remporta à Saint-Quentin une victoire considérable, mais qui ne fut nullement décisive. Les Français eurent leur revanche l'année suivante : ils s'emparèrent de la ville de Calais, que les Anglais occupaient toujours depuis la guerre de Cent Ans.

Tout le monde était fatigué de cette lutte épuisante. En 1558, la paix fut conclue au Château-Cambrésis, par lassitude mutuelle. La France conservait Calais et les Trois-Evêchés, mais elle renonçait à toutes ses possessions en Italie. Ce n'était pas la peine d'avoir combattu plus de soixante ans pour en arriver là.

Les guerres d'Italie eurent néanmoins de grands effets politiques. Elles marquent le début de la longue rivalité entre la France et la Maison d'Autriche. L'idée d'une nation française, jusqu'alors indécise — la guerre de Cent Ans l'avait bien montré — se précise. Après l'erreur initiale des expéditions en Italie, la politique royale s'oriente vers les régions de langue française du nord et de l'est, vers l'Artois, vers la Flandre, vers la Lorraine. En même temps prend corps l'idée d'un équilibre européen, que seulement la deuxième guerre mondiale détruira, ou du moins compromettra gravement. François 1er et Charles-Quint eurent tous deux l'expérience désagréable de se heurter à des coalitions lorsqu'ils se croyaient presque vainqueurs. Même si la diplomatie n'était pas un art nouveau — Louis XI et d'autres l'avait déjà pratiquée avec succès — jamais elle n'avait été aussi active. Les États italiens, en contact si étroit les uns avec les autres, y étaient passés maîtres. François 1er s'y essaya, avec plus ou moins de succès. Il négocia avec le pape, avec Henri VIII d'Angleterre, avec les protestants d'Allemagne, et même, au grand scandale de bon nombre de chrétiens choqués de voir le roi très chrétien allié à des mécréants, avec les Turcs qui menaçaient les États de son rival Charles-Quint. C'est à la fin du quinzième siècle que l'habitude italienne d'entretenir des relations diplomatiques permanentes avec les États voisins fut adoptée par la France.

Les résultats culturels des guerres d'Italie furent encore plus considérables que leurs effets politiques. Lors de la première expédition, les rudes compagnons de Charles VIII et le roi lui-même restèrent bouche bée devant les merveilles de l'Italie. A Florence, à Rome, dans toutes ces villes où la Renaissance italienne était alors en plein éclat, ils crurent être dans « le Paradis terrestre ». La splendeur des palais avec leurs magnifiques jardins et leurs fontaines d'eau vive, les églises avec leurs marbres de couleur, la richesse de la décoration des édifices, ces tableaux, ces statues de femmes aux formes opulentes et d'hommes musclés — si différentes des statues austères et quelque peu anémiques de leurs propres églises — tout cela produisit sur eux une telle impression qu'ils eurent vaguement conscience d'être des Barbares, comme les appelaient les Italiens. Lorsque Charles VIII revint de son expédition malheureuse, il ramena non seulement un long cortège de voitures chargées de meubles, de statues, d'objets d'art de toute sorte, mais aussi des ébénistes, des sculpteurs, des artistes italiens. François 1er fit encore mieux. Il ramena en France Andrea del Sarto, Benvenuto Cellini, qui s'y ennuya, et le vénérable Léonard de Vinci, qui y mourut, laissant au roi « la Joconde ».

Venise

François Ier par Clouet

François 1er est resté le roi de la Renaissance française, et même si sa politique fut généralement déplorable, il aurait certes mérité le surnom de Magnifique, si on le lui avait donné. D'humeur instable, toujours en voyage de château en château avec une suite de milliers de personnes, il aimait vivre au milieu d'une société brillante de seigneurs, de dames — « une cour sans femmes est une année sans printemps, un printemps sans roses », disait-il — jusqu'au jour ou, désenchanté, il écrivit, dit-on, sur une fenêtre du château de Fontainebleau le distique bien connu :

> Souvent femme varie,
> Bien fol est qui s'y fie.

Tout ce qui était beau l'attirait, les beaux vêtements d'or et d'argent, les belles statues, les belles tapisseries, les belles femmes. Il aimait s'entourer de savants, d'artistes, de poètes. C'était la première fois qu'un roi de France montrait un goût si vif pour la vie de société et pour les choses de l'esprit.

Ce goût lui fut inspiré par l'exemple des cours italiennes. Il est vrai qu'au quinzième siècle de grands personnages, notamment les ducs de Bourgogne, avaient eu le goût du luxe et avaient attiré autour d'eux écrivains et artistes. Mais leur cour, à Dijon ou ailleurs, n'avait ni l'ampleur ni l'éclat de celle de François 1er, toujours à la recherche du plaisir.

Cette passion de vivre prenait mille formes diverses. On aimait les sports. Jamais la vogue des joutes et des tournois n'avait été plus grande. Il ne s'agissait pas comme autrefois de désarçonner l'adversaire, de le forcer à se rendre à merci pour s'emparer de son cheval ou le mettre à rançon, mais de « briser sa lance » contre le bouclier ou l'armure[2] de son antagoniste, en présence de spectateurs de choix, seigneurs et dames. Henri II mourut des suites d'un tournoi. La lance de son adversaire se brisa sur la visière de son casque, et un éclat de bois, pénétrant dans l'œil du roi, le blessa mortellement. Selon l'habitude médiévale, Henri II portait ce jour-là les couleurs de sa dame, le blanc et le noir de Diane de Poitiers.

Pendant les guerres d'Italie, François 1er avait, pour des raisons politiques, marié son fils, le futur Henri II , à Catherine de Médicis, de la célèbre famille florentine. Mais la grande « amye » de Henri II fut Diane de Poitiers, femme assez rapace, semble-t-il, et d'ailleurs plus âgée que lui d'une vingtaine d'années. Cette amitié royale serait bien oubliée si artistes et poètes n'avaient fait de Diane la déesse protectrice de la Renaissance française. Sa mémoire reste attachée à bien des châteaux de la Loire, Chenonceaux par exemple, et à des œuvres d'art telles que sa statue par Jean Goujon.

---

[2] Beaucoup des belles armures en plates, armures de guerre et armures de joute que l'on voit dans les musées, datent de l'époque des guerres d'Italie.

Diane, par Jean Goujon

La chasse était toujours le grand divertissement royal. Chambord fut essentiellement un château de chasse, bâti par François 1er dans une région giboyeuse. Puis le roi s'aperçut qu'il n'avait pas besoin d'aller si loin, que la chasse était excellente dans la forêt de Fontainebleau. Il fit donc construire le château de Fontainebleau... Au temps de Henri II, le nom de Diane de Poitiers fut immédiatement associé à celui de Diane, déesse de la chasse. Poètes et sculpteurs exploitèrent jusqu'à satiété ce thème de Diane chasseresse. La vieille tradition chevaleresque de l'amour et de l'aventure se modernisa, et la rivalité des deux déesses, Diane et Vénus, déesse de l'amour, resta longtemps un lieu commun de la littérature galante.

Dans quelques réunions mondaines, et en particulier à la cour où les femmes occupent une grande place, apparaît une recherche de l'élégance, un désir de raffinement nouveaux. A bien des égards cependant, les mœurs du temps peuvent sembler grossières. Les contemporains et les contemporaines des guerres d'Italie et des grandes luttes religieuses ne sont pas des modèles d'urbanité, ni de moralité bourgeoise. Mais certains ont le souci de ce qu'ils croient être les belles manières. Le goût est aux choses italiennes, dans le vêtement, même dans le langage. Au temps de Henri II, des courtisans affectent de parler un jargon qui « n'est qu'une fricassée de quelques mots italiens parmi une quantité de mots français », disait le savant humaniste Henri Estienne, soucieux de défendre l'intégrité de sa langue natale.

Toute une « petite Italie » — c'est le terme qu'on employait — vivait alors à Paris et à la cour. Rois et seigneurs avaient de nombreux Italiens à leur service, artistes, ingénieurs, jardiniers, artisans. Beaucoup d'autres Italiens vinrent chercher fortune auprès de Catherine de Médicis, plus tard auprès de Marie de Médicis, leur bonne reine. D'autre part, architectes, sculpteurs, peintres français faisaient en masse le voyage outre-monts. Encore au temps de Louis XIV, un séjour plus ou moins long en Italie était de rigueur pour tout artiste digne de ce nom.

Des troupes de comédiens italiens arrivèrent en France au temps de Catherine de Médicis. Excellents mimes, ils introduisirent la « commedia dell'arte », avec ses types traditionnels, Géronte, Isabelle, le Docteur, et

Château de Chaumont

ses dialogues improvisés. Les Italiens finirent par s'établir en permanence à Paris. Plus tard, ils partagèrent son théâtre avec Molière et la dette du grand comique envers ses confrères italiens est loin d'être négligeable.

Dans la seconde moitié du siècle, et malgré les misères du temps, il y eut des fêtes au Louvre, où la cour s'était installée. On y jouait la comédie; mais bien que la tragédie fût en train de renaître, Catherine de Médicis, très superstitieuse, ne voulait pas qu'on représentât des tragédies à la cour : elle craignait que cela n'amenât des événements funestes.[3] Les préférences allaient au « ballet », genre également introduit par les Italiens. C'étaient des pièces mimées, où les acteurs, qui étaient des courtisans, exprimaient leurs pensées par des gestes ou par des pas de danse. Puis on y ajouta des chants et des récits. Sous Henri III, le *Ballet comique de la Royne* émerveilla tout le monde.

---

[3] Elle avait grande confiance en son astrologue, le florentin Ruggieri. L'époque était très superstitieuse, et l'on estimait fort Michel de Nostre-Dame, le célèbre Nostradamus, qui avait, dit-on, prédit la mort tragique de Henri II.

La Réforme et les guerres de religion

Les guerres d'Italie étaient à peine terminées que commença une longue période de guerres civiles, dites de religion, bien que le conflit religieux né de la réforme protestante n'en ait pas été la cause unique. Des ambitions personnelles, des haines d'homme à homme, de famille à famille s'y mêlèrent. Il est heureux en tout cas pour la France que ses ennemis de la veille, l'Espagne et l'Empire, aient été trop affaiblis par la guerre pour être à même d'exploiter les luttes qui la déchiraient.

Les idées protestantes furent lentes à pénétrer en France. Certes, et depuis longtemps, beaucoup réclamaient une réforme de la discipline ecclésiastique. Dans une société où le temporel et le spirituel étaient si étroitement associés, le clergé était l'objet de bien des critiques. Prêtres et desservants des campagnes, souvent mal instruits, ne donnaient pas toujours l'exemple des bonnes mœurs. Prélats et autres dignitaires montraient souvent un souci trop grand des biens de ce monde. Et le récent Concordat de Bologne n'avait rien fait pour arranger les choses.

En 1516, au cours de sa première expédition en Italie et au lendemain de sa victoire de Marignan, François 1er avait conclu avec le pape un concordat qui parut tout à son avantage. Le choix des évêques, auparavant élus

102

par les chapitres des cathédrales, était laissé au roi de France. Le pape leur donnait seulement l'investiture spirituelle. Comme les évêchés, les abbayes étaient des seigneuries qui avaient parfois des revenus importants. Or, la nomination à ces « bénéfices » ecclésiastiques fut également attribuée au roi, avec des résultats parfois étranges. Les revenus des abbayes furent trop fréquemment accordés à des favoris ou à des favorites, à des gens de guerre, même plus tard à des huguenots comme Sully, le digne ministre de Henri IV.

De telles coutumes étaient regrettables. Toutefois, les protestants n'attaquèrent pas seulement la discipline de l'Église, ils s'en prirent à ses usages et à la nature même du sentiment religieux. Les pratiques médiévales, le culte de la Vierge et des saints, la vénération des reliques, les pèlerinages, tout cela leur parut étranger à l'Évangile. On les appela d'abord les « évangéliques ». Ils prenaient en effet directement l'Évangile comme guide de leur vie religieuse et de leur vie morale, rejetant l'interprétation et l'enseignement de l'Église.

En France, les premiers réformés se recrutèrent dans les milieux intellectuels où l'enthousiasme pour l'humanisme s'accompagnait de dédain pour l'héritage du Moyen Age. Marguerite de Navarre, sœur de François 1er, favorisait la Réforme. François 1er se montra d'abord tolérant pour les idées nouvelles. Ce n'est que lorsque le protestantisme menaça de devenir une cause de troubles civils qu'il décida de sévir. Une nuit de 1534, quelques luthériens exaltés eurent l'idée malheureuse d'afficher dans les rues de Paris des « placards » injurieux contre la messe, et le roi, qui était à Blois, en trouva à la porte même de son château. Dès lors les mesures répressives se multiplièrent. Des protestants furent exécutés. A la fin du règne de François 1er eut lieu le massacre des Vaudois[1] de Provence, dont les villages furent brûlés et le pays changé en désert.

---

[1] C'était une très ancienne secte dont les adeptes, établis dans les vallées vaudoises du Dauphiné et du Piémont, avaient déjà été victimes d'une terrible répression au temps de la croisade albigeoise. Leurs croyances étant très voisines de celles des « évangéliques », ils furent de bonne heure gagnés au protestantisme. La responsabilité de François 1er dans le massacre n'est d'ailleurs pas certaine, car il était gravement malade au moment où eut lieu cet événement déplorable.

103

Henri II, par Clouet

Henri II était d'esprit moins tolérant que son père. Diane de Poitiers et les Guise le poussaient d'ailleurs à la répression. Ces Guise étaient une famille lorraine de gens fort durs et fort capables, qui prirent un grand ascendant sur le roi. Le duc François de Guise fut l'un des grands capitaines de son temps. L'habile défense de Metz contre Charles-Quint et la prise de Calais sur les Anglais, opérations militaires qu'il dirigea, lui avaient valu une grande renommée. Son frère, le cardinal de Lorraine, perspicace et dissimulé, était fort redouté. En partie au moins sous leur influence, la répression s'aggrava. On établit au parlement de Paris une «chambre ardente», dont le nom seul indique assez la mission : condamner au feu les hérétiques. Un conseiller au parlement, Anne Du Bourg, ayant osé confesser sa foi protestante en présence du roi, Henri II le fit immédiatement enfermer à la Bastille. Il fut éventuellement pendu, puis brûlé en place de Grève.

La Réforme avait déjà accompli d'immenses progrès. Ce n'était plus l'affaire de quelques lettrés excentriques, comme au temps de François Ier. A la mort de Henri II, il y avait 2.000 églises protestantes, et la foi nouvelle avait fait des adeptes dans toutes les classes de la société, même parmi les princes du sang.

Le grand propagateur en France du protestantisme fut Jean Calvin. Né à Noyon, dans l'Île-de-France, Calvin étudia à Paris, à Orléans, à Bourges. Au temps de l'« affaire des placards », il se retira à Strasbourg, puis à Bâle, puis à Genève, où il se fixa. Son *Institution chrétienne*, qu'il publia d'abord en latin, puis en français, contient sa doctrine : la croyance en la prédestination, en l'existence d'une église invisible composée de la totalité des élus, l'idée que les deux sacrements qu'il accepte — le baptême et la communion — sont des signes par lesquels Dieu confirme au fidèle les promesses de sa bienveillance. Doctrine bien faite pour donner à ses adeptes, aux « huguenots »[2] comme on appelait les calvinistes, le sentiment que Dieu est avec eux, sentiment qui fit leur force et qui explique leur extraordinaire persévérance, leur entêtement, disaient leurs ennemis.

Calvin

Calvin, homme dur et impitoyable comme le sont d'ordinaire les doctrinaires, fut un grand administrateur. Il s'occupa avec soin de la formation intellectuelle et religieuse des pasteurs. C'est de Genève que partirent beaucoup des missionnaires qui vinrent évangéliser le royaume du roi très chrétien. Calvin organisa, cimenta entre elles les églises protestantes de France. Grâce à lui, la Réforme « pullula », selon l'expression qu'on employait alors.

A mesure que le protestantisme s'étendait, les incidents se multipliaient. Tantôt un complot se tramait contre les Guise et, la conspiration décou-

---

[2] Le nom vient peut-être du mot allemand *eidgenossen* (confédérés par serment), par lequel on désignait les habitants de Genève révoltés contre le duc de Savoie.

verte, les conjurés, y compris beaucoup de protestants, étaient pendus au balcon de fer du château d'Amboise et leurs cadavres laissés là pour servir d'exemple aux autres (Conjuration d'Amboise, 1560). Tantôt une bande d'hommes d'armes du duc de Guise, traversant une petite ville de Champagne, surprenait un groupe de huguenots réunis pour un prêche et les massacrait (Massacre de Wassy, 1562).

Catherine de Médicis, veuve de Henri II, exerçait le pouvoir durant la minorité de ses fils.[3] Femme, étrangère, elle était dépassée par les événements. On lui a reproché sa duplicité. Sans doute fut-elle dissimulée, mais encore plus désemparée. Ne sachant que faire, elle essaya tout. Elle essaya la conciliation. Avec son chancelier, l'honnête Michel de l'Hôpital, elle eut l'idée de mettre en présence, au colloque de Poissy, théologiens catholiques et théologiens protestants pour les faire arriver à un accord sur la question de l'eucharistie. Peine perdue. L'assemblée se sépara, sur des récriminations mutuelles. L'année suivante, en 1562, commença la guerre civile.

Les deux partis levèrent sans peine des armées et trouvèrent des chefs militaires. Les nobles aimaient toujours la guerre. Certains y voyaient l'occasion de pêcher en eau trouble. Les convictions religieuses, même sincères et profondes, pouvaient s'allier à d'autres motifs. Il n'aurait pas déplu aux Guise, par exemple, de succéder aux Valois dégénérés, comme autrefois les ducs de France avaient succédé aux Carolingiens. Tel seigneur, huguenot convaincu, convoitait des terres d'Église. Et ces gens étaient d'ordinaire de terribles individus, cruels et sans pitié.

Chaque époque semble avoir une physionomie qui lui est propre. Les portraits du début du dix-septième siècle nous montrent des hommes au visage grave, réfléchi; plus tard, au temps de Louis XIV, les visages acquièrent une majesté un peu lourde; au dix-huitième siècle, les yeux pétillent d'esprit et un sourire moqueur se dessine sur les lèvres. Or, les portraits du seizième siècle, les « crayons » des Clouet par exemple, représentent d'ordinaire des hommes au regard froid, et la douceur est absente de ces visages avec leur barbe en pointe.

Les guerres civiles, coupées de trêves éphémères, durèrent presque trente ans. Elles furent marquées de part et d'autres par d'horribles excès. Chaque parti avait à son service des mercenaires étrangers, *reîtres* et *lansquenets* allemands, engeance casquée et cuirassée aussi redoutable que l'avait été autrefois celle des routiers. Comme au temps de la guerre de Cent Ans, la guerre était dans l'Ouest, dans le Languedoc, dans l'Île-de-France, en Champagne, partout. S'ils arrivaient à une église catholique, souvent les protestants brisaient les statues, profanaient les autels, tiraient

---

[3] Trois d'entre eux régnèrent successivement : François II, l'époux de Marie Stuart, Charles IX et Henri III.

des mousquetades au crucifix, oubliant qu'après tout c'était le même Dieu qu'ils révéraient. Les catholiques ne se comportaient pas mieux. Il y eut des gens, ceux qu'on appelait les « politiques », qui déploraient ces excès, mais ils étaient rares, surtout au commencement des guerres religieuses. Forcer par la terreur son prochain à faire son salut ou le punir de son refus par la mort paraissait alors une activité louable.

Quelques épisodes des guerres religieuses sont restés tristement célèbres. La Saint-Barthélemy pèse sur la mémoire de Catherine de Médicis. Cette déplorable affaire eut pourtant comme cause une tentative faite par la reine mère pour arranger les choses. Pendant une des trêves conclues au cours de la guerre civile, elle décida de marier sa fille Marguerite de Valois à Henri de Navarre, l'un des chefs du parti protestant. D'autre part, depuis la réconciliation, beaucoup de huguenots étaient venus à Paris, notamment l'illustre amiral Coligny. Des incidents eurent lieu. Il y eut un attentat contre la vie de Coligny. On parlait de conspiration contre la cour, de coup de force possible. L'effroi, ou le désir de conserver son autorité poussa-t-il la reine mère à arracher à son fils, le faible et malade Charles IX, l'ordre de mettre à mort les chefs protestants, Coligny en tête? Quoi qu'il en soit, pendant la nuit de la Saint-Barthélemy, en août 1572, les cloches de l'église Saint-Germain-l'Auxerrois, voisine du Louvre, donnèrent le signal. Coligny fut assassiné dans son lit et son cadavre jeté par la fenêtre. La populace parisienne se mit à massacrer les huguenots et à jeter leurs corps dans la Seine. Le nombre exact des victimes est inconnu. Deux mille, dit-on.

Cette tragique histoire montre combien Paris était, dans l'ensemble, hostile aux réformés. Lorsque la guerre civile reprit et que le nouveau roi, Henri III, se montra incapable d'assurer l'ordre dans son royaume, une puissante union catholique se forma à Paris et prit le nom de Sainte Ligue. Les membres prêtaient serment de combattre le protestantisme, d'obéir à leur chef élu. Ce chef fut bien entendu Henri de Guise, fils du duc François, celui qu'on appela le Balafré à cause d'une longue cicatrice qu'un coup d'arquebuse lui avait laissée au visage. En face d'un roi discrédité, la Ligue prit la direction des affaires. Elle organisa à Paris d'immenses processions où figuraient des moines cuirassés, portant un mousquet sur l'épaule.

Henri de Guise prenait de plus en plus l'allure d'un sujet rebelle. Forcé de convoquer les États généraux à Blois afin d'exclure Henri de Navarre de tout droit à la couronne, bien qu'il l'eût choisi comme son héritier, Henri III décida de se débarrasser par l'assassinat de son redoutable adversaire. On montre encore aux visiteurs, dans une salle du château de Blois, l'endroit où tomba le duc de Guise, assailli à coups d'épée par

les gardes de Henri III, contre lesquels il se défendit bravement. L'année suivante, un moine ligueur assassina Henri III. François de Guise, Coligny, Henri de Guise, Henri III, plus tard Henri IV, la liste est longue de ceux qui périrent par le meurtre en un temps où les passions étaient déchaînées.

C'est une espèce de soulagement d'arriver, au milieu de ces violences, à la personne de Henri de Navarre, qui succéda à Henri III avec le nom de Henri IV. Il était huguenot, ce qui, aux yeux des ligueurs, n'arrangeait pas les choses. Mis en demeure, à la Saint-Barthélemy, de choisir entre « la mort et la messe », il opta pour cette dernière. Puis il commanda l'armée protestante. Après qu'il fut devenu roi, Paris ligueur refusa de le reconnaître comme tel. Il abjura donc le protestantisme. « Paris vaut bien une messe », aurait-il dit, et le mot n'est pas invraisemblable. S'il peut paraître pragmatique, il faut se souvenir qu'Henri IV était roi de France, qu'il fut un bon roi, et aussi que la tolérance était une vertu rare en son temps. La postérité a pardonné ses défauts au « bon roi Henri », dont la statue orne toujours le Pont-Neuf, à Paris. Il fut grand coureur de femmes,[4] et ses anciens compagnons protestants lui reprochaient de mieux traiter ses ennemis que ses amis. Mais l'Édit de Nantes, qu'il a rendu, fait oublier bien des peccadilles.

---

[4] On l'appelait pour cette raison « le Vert galant », et ce nom est resté au petit jardin public qui s'étend à la pointe de l'Ile de la Cité, en contrebas de sa statue.

Ce célèbre édit est le premier qui ait reconnu le principe de la tolérance religieuse. Il accordait aux réformés la liberté de conscience pleine et entière, et la liberté du culte, avec quelques restrictions dictées par la prudence. Henri IV avait de bonnes raisons de se souvenir de la Saint-Barthélemy. Il savait que permettre aux protestants l'exercice de de leur culte dans la ville de Paris serait inviter de nouveaux désordres. Les protestants eurent donc le droit d'exercer leur culte dans des localités voisines, mais qui étaient alors en dehors de la capitale, Charenton par exemple. Bien mieux, en garantie de son exécution, l'Édit accorda aux réformés deux cents villes de sûreté, où ils seraient les maîtres et où ils pourraient entretenir des troupes. Henri IV jugea cette concession nécessaire. Les catholiques la trouvèrent exorbitante. Au fond, ni un parti ni l'autre ne fut satisfait de l'Édit — ce qui était peut-être une marque de son excellence. L'Édit de Nantes resta en vigueur près d'un siècle, et lorsque Louis XIV le révoqua, il commit une des pires fautes de son règne.

L'entrée de Henri IV à Paris (1594)

L'humanisme

Les belles-lettres

Il est malaisé de préciser ce que l'on entend par l'humanisme de la Renaissance. Le mot implique tout d'abord la notion d'humanité, un sens de l'homme détaché des contingences du temps et du lieu, des croyances propres à son pays et à son époque. Ce qui caractérise les humanistes, c'est donc une attitude critique, un esprit de recherche et de libre examen. Leur curiosité était insatiable et leur activité très diverse. L'Italie, patrie de l'humanisme, a produit, avec Léonard de Vinci, le modèle de ces hommes au savoir encyclopédique, aux vues géniales, dont le cerveau était capable d'emmagasiner une masse énorme de connaissances. L'humanisme a pénétré de son esprit toutes les manifestations de la vie intellectuelle du temps, la philosophie, les sciences, la poésie, l'architecture même.

Un sentiment de solidarité, fondé sur leur communauté d'esprit, unissait souvent ces humanistes. Beaucoup étaient en relations les uns avec les autres, même avec des savants étrangers. Ils n'étaient pas toujours d'accord. Des disputes s'élevaient. Hommes au tempérament vigoureux, prompts à la colère comme l'étaient leurs contemporains, ils s'invectivaient alors comme des chiffonniers, mais en latin bien entendu.

Il était inévitable en effet qu'avec leur enthousiasme, l'ardeur admirable qu'ils apportaient à leurs études, ils en soient venus à se considérer comme une race à part, une élite infiniment supérieure au vulgaire. L'idée du poète inspiré des dieux et dont les louanges assurent l'immortalité aux plus grands de ce monde, même aux rois, est une idée chère aux poètes de la Pléiade. Il fallait une belle audace pour l'avancer. En tout cas, la très haute idée qu'ils se faisaient de l'activité intellectuelle, du travail de l'esprit créateur leur fait grand honneur.

Lecture de l'histoire grecque
à la cour de François Ier

Lorsqu'on pense aux humanistes de la Renaissance, on pense surtout à l'étude des langues anciennes, celle du grec en particulier, et à ce qu'on appelait alors la philologie, c'est-à-dire la critique patiente des manuscrits récemment découverts et l'édition d'ouvrages de l'antiquité. Le plus grand peut-être parmi les humanistes français, Guillaume Budé, est célèbre par ses travaux d'érudition, notamment son édition de l'*Histoire* de Thucydide. Henri Estienne est également connu pour ses travaux sur la langue grecque.

Au commencement du seizième siècle, la ville de Lyon, avec sa cinquantaine d'ateliers, était le grand centre de l'imprimerie en France.[1] Bon nombre d'imprimeurs étaient en même temps des humanistes. Henri Estienne, par exemple, appartenait à une illustre famille d'imprimeurs lyonnais. L'imprimerie a donc facilité les études nouvelles. Mais des presses sortaient toute sorte d'ouvrages, Évangiles, ouvrages scientifiques, scolaires, populaires. Les vieux romans de chevalerie étaient encore souvent imprimés en caractères imitant l'écriture des manuscrits, alors que pour les ouvrages plus modernes on utilisait les caractères de la minuscule carolingienne, déjà employés par les Italiens. Pour favoriser l'impression d'ouvrages de l'antiquité grecque, François Ier fit fondre à ses frais de fort beaux caractères qu'on appela « les grecs du roi ».

---

[1] En France, la première presse à imprimer fut installée à la Sorbonne en 1470.

C'est Guillaume Budé qui en avait donné l'idée à François 1er. Il lui en donna une autre : celle de fonder un collège qui, en face de la Sorbonne, asile de la théologie médiévale, serait le centre des études humanistes. Des « lecteurs royaux » y enseigneraient le grec, l'hébreu, le latin sur des textes établis d'après les méthodes critiques les plus récentes. Le collège fut fondé en 1530. Il existe encore et il est resté fidèle à l'esprit de sa fondation. C'est le Collège de France, composé de spécialistes dans les diverses disciplines littéraires et scientifiques. Les quelques cours publics qu'ils enseignent leur laissent le temps dont ils ont besoin pour leurs travaux savants.

Cet intérêt passionné pour l'antiquité, cette admiration sans bornes pour les Anciens, risquait d'amener un retour à la pensée antique, qui sur bien des points était en contradiction avec la pensée chrétienne. Le conflit fut pourtant beaucoup moins prononcé et moins violent qu'on ne serait tenté de le croire. Certes les humanistes, comme les protestants, dénonçaient les abus de l'Église romaine. D'ordinaire leur critique s'arrêtait là, ils séparaient leur vie intellectuelle de leur vie religieuse. Ce n'était pas la faute des Grecs et des Romains, pensaient-ils, s'ils n'avaient pas connu la religion révélée. Eux, dans l'ensemble, l'acceptaient comme telle. Leur paganisme était dans la forme plutôt que dans le fond. Lorsque Jodelle fit représenter sa première tragédie imitée de l'antique, *Cléopâtre,* lui et ses amis se réunirent pour sacrifier, à la façon des Grecs, un bouc aux cornes dorées et décorées de lierre, aux cris de : « Evohé ». Simple rite, qui n'avait rien à voir avec leurs croyances. Ils étaient plus ou moins bons chrétiens, question de disposition d'esprit plutôt que de principe. La plupart ne voyaient pas de contradiction profonde entre pensée païenne et pensée chrétienne. Lorsque, vers la fin du siècle surtout, les morales antiques attirèrent de plus en plus l'attention, les données de la morale stoïcienne et de la morale épicurienne ne semblèrent nullement incompatibles avec celles de la morale chrétienne. Qui peut trouver à redire à la sagesse stoïcienne d'acceptation de l'inévitable ? Il suffit de remplacer l'idée païenne de l'ordre du monde par celle, chrétienne, de Providence. L'épicurisme, avec sa doctrine de modération et de juste milieu, est-il condamnable ? Le scepticisme même, en faisant table rase des idées reçues, n'est-il pas une espèce de préparation à la foi ?

L'attitude des humanistes envers la Réforme fut diverse et influencée par le cours des événements. Le protestantisme à ses débuts avait de quoi les attirer — sa dénonciation des abus de l'Église, son hostilité envers la tradition médiévale, son intention de remonter aux sources de l'Écriture — l'hébreu pour l'Ancien Testament et le grec pour le Nouveau. Bon nombre d'humanistes furent favorables à Luther. Mais leur enthousiasme se refroidit en présence de Calvin. Ce dernier était lui-même un humaniste, à sa façon. Néanmoins il n'aimait pas les humanistes, qu'il accusait à la fois d'arrogance et de lâcheté, alors qu'eux considéraient les huguenots comme des perturbateurs de la paix publique. Ronsard, dans ses *Discours,* les accuse de désoler le royaume, les rend responsables des misères de la guerre civile. Hommes de leur temps, les humanistes ne furent souvent tolérants que dans la mesure où ils avaient eux-mêmes besoin de la tolérance.

Plat émaillé de Bernard Palissy

La curiosité qui caractérise l'époque de la Renaissance éveilla un grand intérêt pour les choses de la nature. La botanique, la zoologie, la géologie même furent l'objet de nombreux traités. Cependant on ne peut guère parler alors de sciences de la nature. Les phénomènes observés étaient trop souvent l'objet d'explications fantaisistes. A côté d'observations sagaces et de vues ingénieuses, bien des remarques nous font maintenant sourire. La tendance médiévale à confondre naturel et surnaturel hantait encore les esprits. On croyait toujours aux vertus secrètes des choses, à celles des nombres. Même un homme aussi averti que Montaigne était parfois d'une crédulité qui nous étonne. Le grand céramiste Bernard Palissy, dont les plats émaillés sont maintenant si précieux, a laissé un *Discours admirable de la nature des eaux et fontaines,* où il traite des métaux, des éléments, des « choses naturelles », et où il s'occupe aussi de l'agriculture. Il a des idées neuves et justes sur l'emploi des engrais agricoles, sur la nature des fossiles. Il est aussi capable de donner les explications les plus bizarres.

Le pauvre Palissy, protestant, mourut à la Bastille « de misère, nécessité et mauvais traitement ». Son coreligionnaire Ambroise Paré fut plus heureux : la grande réputation qu'il avait acquise comme chirurgien, surtout dans le traitement des plaies causées par les armes à feu, le sauva du massacre de la Saint-Barthélemy. C'est lui qui avait soigné Henri de Guise lorsque ce dernier fut blessé au visage. Ambroise Paré eut le premier l'idée de ligaturer les artères après une amputation, au lieu de cautériser la plaie au fer rouge. Cette innovation lui a assuré une place d'honneur dans l'histoire de la chirurgie.

Les chirurgiens étaient d'ordinaire assez peu considérés. Ils appartenaient à la même corporation que les barbiers. Même si on distinguait les barbiers-chirurgiens des barbiers-barbants, les médecins les considéraient tous comme des artisans qui travaillaient avec leurs mains, alors qu'eux étaient de savants hommes, tout nourris d'Aristote et de Galien, et diplômés de la Faculté. Leur savoir médical était pourtant en général assez mince. Il s'étendait surtout à prescrire des remèdes d'autant plus efficaces qu'ils étaient plus répugnants. Peut-être était-ce là, pour les médecins, un moyen d'établir plus sûrement leur empire sur les malades.

Les calculs de l'illustre astronome polonais Copernic amenèrent la réforme grégorienne du calendrier, qui fut introduite en France en 1582, sous Henri III. Vers la même époque, la mesure du temps changea avec l'introduction des horloges. La journée fut divisée en vingt-quatre heures, et au lieu de « matines » et de « tierce », on parla de telle ou telle « heure d'horloge ». Une des plus anciennes horloges de Paris existe encore : c'est celle que Henri III fit installer sur l'une des tours d'angle du Palais de Justice.

Rabelais, l'auteur de *Gargantua* (1534) et de *Pantagruel* est un admirable exemple de l'humaniste des lettres pendant la première Renaissance. Sa curiosité est insatiable, son savoir énorme, son enthousiasme immense, comme son géant. Il est heureux de vivre, heureux de vivre en son temps. Certes il y trouve beaucoup à critiquer et il ne se prive pas de le faire. Il dénonce, ridiculise tout ce qui assombrit l'existence, tout ce qui entrave le libre développement de l'homme — la discipline inhumaine des collèges, la sotte ambition de Picrochole, le conquérant qui fait le malheur de tant d'innocents, la règle monastique qui impose abstinences et privations. Lui aime la liberté, le bon vin, la bonne chère — et l'étude. C'est l'homme le moins ascétique qui soit au monde. Et pourtant, lorsqu'il s'agit de

Gargantua

l'état ecclésiastique, Rabelais éprouve une espèce d'attrait pour ce qu'il critique. Frère Jean des Entommeures est un moine bien sympathique. Si Rabelais rêve d'une utopie, il l'imagine sous l'aspect d'une abbaye, l'abbaye de Thélème, affranchie de toute règle si ce n'est « Fais ce que vouldras », mais abbaye tout de même... Son œuvre, écrite avec une verve étonnante, mélange de plaisanteries et de choses sérieuses, est non seulement une des grandes œuvres de la littérature française, mais aussi un témoignage de l'extrême complexité de l'homme de la Renaissance.

La langue de Rabelais est d'une grande richesse. Il a puisé partout ses moyens d'expression. Archaïsmes, provincialismes, latinismes, néologismes abondent dans son œuvre, et il les manie tous avec une dextérité étonnante. Les poètes en particulier eurent le sentiment que la langue héritée du Moyen Age était trop pauvre pour la poésie nouvelle. Dans sa *Défense et illustration de la langue française,* Du Bellay proposa d'enrichir la langue poétique par des emprunts aux langues étrangères — latin, grec, italien — dont le génie lui paraissait conforme à celui du français. Ronsard recommandait les mêmes procédés, en insistant sur la création de mots nouveaux d'après des mots déjà existants. De toutes ces tentatives résulta une langue poétique assez savante, parfois bizarre — avec des composés tels que « doux-amer » ou « porte-flambeaux » — mais plus riche, plus complexe et plus souple qu'elle ne l'était autrefois.

Lyon était alors une ville active et prospère par son industrie de la soie et par sa banque, qu'avaient introduites les Italiens. C'était aussi un centre culturel. La bourgeoisie lyonnaise s'intéressait aux belles-lettres. Avec Louise Labé et Maurice Scève, Lyon fut, avec Paris, un des foyers de la Renaissance poétique. Mais le grand poète du temps, celui qui fut presque universellement respecté et admiré c'est Ronsard.

Protégé des rois, surtout de Charles IX qui le combla de faveurs, Ronsard a laissé une œuvre lyrique considérable, des odes, des élégies, des hymnes, des sonnets. Même si, avec le merveilleux sens du rythme qui était le sien, il emploie encore parfois des mètres poétiques du Moyen Age, il s'attache aux genres restaurés de l'antiquité. Les sources de son inspiration sont la Grèce, l'Italie ancienne et moderne. Dans ses odes, il s'inspire d'Horace, de Pindare et d'Anacréon, dans ses élégies de Tibulle, dans ses sonnets — genre italien — de Pétrarque. Sa poésie est éminemment sensuelle, sa vision des êtres et des choses est toute païenne. L'amour et la mort, la fuite du temps, la fragilité de la vie humaine et l'appel désespéré à jouir de cette vie avant qu'il ne soit trop tard sont ses thèmes habituels. Il voit volontiers la nature à travers les anciens mythes, il peuple ses forêts de sylvains, ses eaux de naïades. Ses meilleurs poèmes — car il est inégal et son inspiration est parfois livresque — ont une grâce, une puissance de suggestion ou une plénitude qui n'avaient jamais été atteintes en France avant lui, du moins dans ce genre de poésie.

Autour de Ronsard se forma un groupe de poètes qui est resté célèbre sous le nom de « la Pléiade ». Ils étaient sept, comme le nombre des étoiles dans la constellation qui porte ce nom. Nul d'entre eux n'égala Ronsard, le chorège, même si, à son image, ils se disaient inspirés d'un dieu — qui malheureusement n'était pas toujours là quand ils avaient besoin de lui. Belleau, Baïf ne furent que des étoiles de moindre grandeur. Bien plus original fut, vers la fin du siècle, Agrippa d'Aubigné. Ses *Tragiques* sont une espèce d'épopée des guerres religieuses. Chez ce chef huguenot, la puissance d'invective se joint à une extraordinaire puissance d'évocation de cette période tourmentée. Sa poésie tendue, violente, où la ferveur religieuse se mêle à l'éclat des images empruntées aux saisons, aux éléments, aux choses naturelles est dans la tradition de la

Pléiade, mais avec quelque chose de plus. Les thèmes de l'instabilité, du changement, de la métamorphose aboutissent à une vision apocalyptique du monde, à une sensibilité nerveuse, désordonnée, à une acuité des sensations visuelles, auditives et autres, qu'on a essayé de caractériser par le terme de « baroque » donné quelquefois à la littérature de la fin du seizième siècle et du début du siècle suivant.

C'est à un des membres de la Pléiade, à Jodelle, que revient l'honneur d'avoir restauré la tragédie. Les mystères du Moyen Age, encore très en vogue vers le milieu du seizième siècle, étaient alors l'objet de bien des critiques. Les humanistes, les lettrés tendaient à les considérer comme un divertissement d'illettrés. Les protestants les accusaient de manquer gravement au respect dû à la religion. Pour les gens du Moyen Age, en effet, le sacré et le profane se confondaient volontiers. Ils ne voyaient rien que de très naturel, par exemple, à trouver des scènes comiques au milieu des épisodes les plus dramatiques du mystère de la Passion. Des pièces à sujet religieux furent aussi employées, soit par les catholiques soit par les protestants comme moyen de propagande. Bref, en 1548, un arrêt du parlement de Paris interdit la représentation des mystères « sacrés » dans la capitale. Les confrères de la Passion ne purent donc plus représenter le genre de pièces qui étaient leur raison d'être.

Quatre ans plus tard, Jodelle fit représenter sa tragédie de *Cléopâtre captive*. C'était une pièce parfaitement médiocre, un simple exercice de collégien âgé de dix-neuf ans, mais c'était une tragédie. Le thème de la captivité attira d'autres auteurs dramatiques de la Renaissance, qui concevaient la tragédie comme la triste histoire d'un personnage écrasé par le destin. Il en résulta des pièces pleines des lamentations de la future victime et de ceux qui l'aimaient. Peu de conflits intérieurs, une tragédie en somme assez vide, avec un dénouement dont l'horreur rachetait l'absence d'action dramatique. *Les Juives* de Garnier, avec leurs chœurs — d'ailleurs fort beaux — imités de l'antique, sont le chef-d'œuvre du genre.

Les pièces étaient jouées, dans les collèges ou ailleurs, devant un auditoire restreint. Ce n'est qu'au siècle suivant, quand la société mondaine prendra goût au théâtre, que la tragédie trouvera le public dont elle avait besoin pour son plein développement.

Montaigne écrivit ses *Essais* dans la seconde moitié du seizième siècle, au cours des guerres de religion, qu'il déplore certes, mais qu'il contemple de loin. Sa grande préoccupation est de vivre paisiblement et aussi heureusement que possible — et de mourir de même. Il peut y avoir quelque égoïsme dans cette attitude. Mais du livre de Montaigne se dégage une grande leçon de modération, de juste milieu, de tolérance, ce qui n'était pas un mince mérite en son temps, qui fut le temps des fanatiques.

Ses *Essais* sont une vaste enquête sur « l'humaine condition ». Il se regarde vivre, il observe ses propres actions, discute ses goûts, analyse ses sentiments. « Le sot projet qu'il a de se peindre ! », a dit Pascal, à la fois son critique et son admirateur. L'expérience personnelle ne suffit pas à Montaigne. Grand lecteur des Anciens, il va chercher chez les philosophes, surtout chez les historiens de l'antiquité — notamment dans Plutarque, que venait de traduire en français le savant Amyot — de quoi renforcer ses observations personnelles, établir des principes de conduite. Il a le sentiment de l'extrême diversité des hommes et des choses à travers le temps et à travers l'espace, et ce sentiment le conduit au doute, au fameux « Que sais-je ? » En morale, il incline vers l'épicurisme, qui correspond à son tempérament hédoniste et surtout ennemi de la douleur. Par son idée de direction rationnelle de l'existence, de contrôle et de bon usage des passions, surtout par son intérêt pour les choses « morales », Montaigne eut une influence très grande sur la pensée du dix-septième siècle. Ses *Essais*, écrits dans une langue souple, fluide, souvent pittoresque, restent une des très grandes œuvres de la littérature française.

A propos de l'éducation de Pantagruel, Rabelais dénonce la pédagogie médiévale, qui tyrannise l'enfant, maltraite son esprit autant que son corps en imposant à l'un et à l'autre une contrainte qui ne fait que les « abâtardir », alors qu'on doit les laisser se développer librement. Chez Rabelais, le goût du savoir est encyclopédique, et on a dit avec raison que le programme d'études de son héros convient mieux à un géant qu'à un être humain. L'idéal de Montaigne est assez différent. Lui aussi est ennemi de la contrainte, mais, tout en conservant le goût des choses de l'esprit, il préfère une « tête bien faite » à une « tête bien pleine ». Il vise à la formation du jugement de son élève, et il s'attache déjà au développement des vertus humaines et mondaines qui sera, au siècle suivant, un des buts de l'éducation dans les collèges des jésuites.

Montaigne

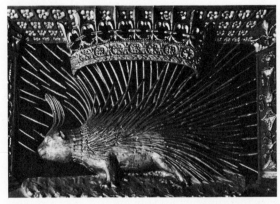

Les arts

L'art du Moyen Age avait été un art presque entièrement religieux. Le quinzième siècle, il est vrai, a laissé des édifices civils qui sont parmi les plus beaux monuments de l'époque flamboyante, le palais de justice de Rouen par exemple. De grands personnages, laïcs et ecclésiastiques, se faisaient construire de belles résidences, comme la maison de Jacques Cœur à Bourges, et quand ils mouraient, on leur bâtissait de somptueux tombeaux. La Renaissance a continué ces traditions. Toutefois, l'art religieux est alors passé au second plan. Les grands monuments de la Renaissance française, ce sont les châteaux et les palais. L'esprit de l'époque, avec son amour passionné de la vie, a recherché tout ce qui pouvait l'embellir — beaux châteaux, beaux jardins, vêtements d'or et d'argent comme ceux qu'aimait François 1er, tournois, fêtes. La hantise de la mort, héritée du Moyen Age finissant, n'était qu'une raison de plus de jouir de la vie présente. « Cueillez dès aujourd'hui les roses de la vie », conseillait Ronsard.

L'art gothique était si admirablement adapté à la construction des églises que la Renaissance en a continué la tradition dans ses édifices religieux. Elle n'a pas bâti de cathédrales. Elle s'est contentée d'ordinaire d'ajouter ici une flèche, là un portail à celles déjà existantes. L'église Saint-Eustache à Paris combine, malheureusement d'ailleurs, l'art ancien et l'art nouveau : un « squelette gothique revêtu de haillons romains », a dit Viollet-le-Duc. Les chapelles des châteaux sont des constructions moins ambitieuses et plus élégantes. A l'église de Brou, la richesse du gothique flamboyant se marie avec la grâce italienne. Mariage heureux parfois, comme dans le beau portail en « anse de panier » qui orne sa façade, mais quelquefois regrettable. L'église fut bâtie par Marguerite d'Autriche, petite-fille de Charles le Téméraire, pour abriter le tombeau de son mari, Philibert le Beau, duc de Savoie. Ce tombeau, qui occupe le

centre du chœur, et le tombeau voisin de Marguerite, sont d'un très bel effet décoratif.

Le constructeur de Brou était un artisan flamand, à la façon des « maîtres de l'œuvre » des anciennes églises et cathédrales. La Renaissance vit paraître un type nouveau, celui de l'architecte, qui était en quelque sorte un humaniste spécialisé dans la construction des bâtiments. Il avait étudié les ouvrages des anciens, le traité *De l'architecture* de Vitruve, ceux de Serlio chez les modernes. Comme les autres artistes, Français ou Italiens, il était au service du roi et des grands, mais il jouissait auprès d'eux d'un grand prestige et d'une considération nouvelle. François 1er traitait familièrement Pierre Lescot, qu'il chargea de la construction du nouveau Louvre. Philibert Delorme, architecte du roi, dirigea les travaux de Fontainebleau, construisit le palais des Tuileries, fut aussi l'architecte ordinaire de Diane de Poitiers, pour qui il travailla à Chenonceaux. Un autre, Jacques Androuet du Cerceau, auteur de la série de plans « les Plus Excellents Bastiments de France », fonda une lignée d'architectes. C'est son fils que Henri III chargea des travaux de construction du Pont-Neuf.

Ces architectes appartiennent à une époque tardive de la Renaissance française. Il faut en effet distinguer plusieurs périodes dans l'histoire de son développement : d'abord la fin du quinzième siècle et le commencement du seizième, époque de Louis XII, celle où l'effet des premières expéditions françaises en Italie commence à se faire sentir; puis l'époque de François 1er, jusque vers le milieu du seizième siècle, qui correspond à la « première Renaissance » française; enfin la seconde moitié du siècle, celle de la « deuxième Renaissance », au cours de laquelle l'architecture tend à une régularité déjà classique.

A la première période appartiennent le château d'Amboise, ainsi que « l'aile Louis XII » du château de Blois. La structure de ces bâtiments

Blois: Façade Louis XII

reste gothique. L'influence italienne apparaît seulement dans l'emploi de quelques motifs de décoration, chiffres, emblèmes, entrelacements de feuillages stylisés, arabesques. Les toits sont encore ornés de lucarnes surmontées de contre-courbes et flanquées de pinacles. L'aile Louis XII du château de Blois est une construction élégante, parfaite dans ses proportions et d'un très bel effet, avec la combinaison des teintes bleutées de son toit d'ardoise, des briques roses de ses murs et des encadrements de pierre blanche aux fenêtres et aux angles du bâtiment.

L'influence italienne est beaucoup plus marquée dans la partie du château de Blois construite plus tard par François Ier. Cette influence est maintenant visible dans la structure même de « l'aile François Ier ». Les arcades, les balcons, les loggias, surtout la galerie qui s'étend sous la toiture le long de la façade qui donne sur la ville, sont clairement d'origine italienne. Dans la cour intérieure est le grand escalier, dont Léonard de Vinci aurait donné le plan, et qui est tout orné de l'F couronné de François Ier et de son célèbre emblème, la salamandre. Le toit est encore décoré de lucarnes, mais la contre-courbe a disparu. Elle a été remplacée par un fronton en pyramide, flanqué de candélabres. La décoration italo-antique l'emporte de plus en plus sur la décoration traditionnelle.

Davantage dans la tradition française sont les beaux châteaux d'Azay-le-Rideau, de Chenonceaux et de Chambord. Tous sont construits sur le plan de l'ancien château féodal : un bâtiment quadrangulaire garni de tours aux angles. Mais ils ont perdu l'aspect de forteresse. Les murs sont percés d'ouvertures. A Azay-le-Rideau, les tours sont devenues de gracieuses tourelles, et le chemin de ronde du château féodal, avec ses machicoulis, s'est transformé en galerie de circulation sous la toiture.

Blois: Aile François Ier

Blois: Le grand escalier

Chenonceaux

Diane de Poitiers

Même transformation de l'appareil défensif en motifs de décoration à Chenonceaux. Là, même les douves et le pont-levis de l'ancien château ont été utilisés pour l'agrément de l'ensemble. Le château fut bâti au début du seizième siècle par un bourgeois enrichi dans les finances publiques. Il finit par acheter la seigneurie d'une ancienne famille féodale dont il avait longtemps guetté la ruine. Il fit abattre l'ancien château situé au bord du Cher, dont il reste pourtant un vestige, le gros donjon sur la terrasse. Il le remplaça par le gracieux château actuel, bâti sur les fondations d'un vieux moulin. Il n'en profita guère. Devenu « noble et puissant seigneur messire Thomas Bohier », seigneur et baron de ceci et de cela, conseiller chambellan, général de France, etc., il mourut en Italie, dans l'exercice de ses fonctions de receveur royal. Après sa mort, François 1er le déclara débiteur envers le trésor public — ce qui n'était pas impossible — et il lui prit son château, qu'Henri II donna à sa grande amie Diane de Poitiers. Après la mort de Henri II sa femme Catherine de Médicis « échangea » avec Diane Chenonceaux pour Chaumont, pensant sans doute que c'était bien le tour de sa rivale d'aller s'ennuyer à Chaumont. Catherine donna à Chenonceaux de magnifiques fêtes. C'est elle qui fit bâtir la galerie au-dessus du Cher, sur un pont qu'avait fait construire Diane afin de se rendre plus commodément dans ses jardins de l'autre côté de la rivière.

Chambord est l'œuvre de François 1er. C'est une splendide construction, un château de conte de fées, où l'on discerne encore le plan de l'ancien château féodal. Au centre du bâtiment actuel, les quatre grosses tours qui encadrent le grand escalier et dont deux font corps avec la façade, correspondent au donjon des vieux châteaux forts. Toutes ces lucarnes, ces cheminées au sommet de l'édifice sont dans la tradition médiévale française, même si leur décoration est italienne. Malgré l'abondance des cheminées, on n'arrivait pas à avoir chaud à l'intérieur pendant la saison froide de l'année. On tendait bien de grandes tapisseries sur les murs des chambres afin de se garantir du froid. Rien n'y faisait, et Chambord n'était guère habitable. C'est que, si le chauffage laissait beaucoup à désirer, la réfrigération était excellente. Au centre du château, la cage du grand escalier, ouvert de tous côtés, distribuait l'air froid dans toutes les directions. Mais les contemporains de François 1er avaient l'habitude de vivre sans confort, au milieu d'un luxe extrême.

Chambord

La deuxième Renaissance, appelée aussi la « Renaissance classique », est caractérisée par une influence beaucoup plus grande de l'antiquité. Les survivances médiévales, très visibles à Azay-le-Rideau et même à Chambord, tendent à disparaître. Si par hasard le plan quadrangulaire est conservé, les tours d'angle sont remplacées par des pavillons carrés. Plus de traces de l'appareil défensif. On construit maintenant des palais dont la façade est divisée en étages, selon les ordres de l'antiquité. A chacun des étages, les ouvertures sont séparées les unes des autres par des colonnes d'ordre ionique ou corinthien. La superposition des ordres, imitée du Colisée romain, devient un dogme. C'est une architecture savante, fondée sur une étude minutieuse des proportions de l'art antique, et dont le chef-d'œuvre est la partie la plus ancienne du Louvre actuel, construite au temps de François Ier.

Vers la fin de son règne, en effet, François Ier décida de remplacer par un palais de style nouveau le vieux Louvre de Charles V. Il confia la tâche à l'architecte Pierre Lescot, qui s'en acquitta très heureusement. L'ordonnance est parfaite. Les proportions des ordres superposés deviennent plus fines à mesure que le regard s'élève. Lescot eut l'idée de rompre la monotonie possible des lignes horizontales par des avant-corps légèrement en saillie et surmontés d'un fronton. Enfin, cette façade sur la cour du Louvre est magnifiquement décorée par les sculptures de Jean Goujon.

Le Louvre de Lescot

Un peu plus tard, Catherine de Médicis fit bâtir près du Louvre un palais qui n'existe plus — il fut incendié en 1871 — mais dont le jardin, d'ailleurs très différent de ce qu'il était alors, existe encore : le jardin des

Palais et jardin des Tuileries

Tuileries. Le palais des Tuileries,[1] construit par Philibert Delorme, était un bâtiment d'apparence classique dont la façade, garnie de colonnes, avait de la noblesse, sans avoir pourtant la grâce et le charme du Louvre de Lescot. Par contre, ses jardins à l'italienne étaient très admirés.

L'architecture de la deuxième Renaissance recherche la symétrie, dont se préoccupait peu la première. De loin, la façade de Chambord paraît régulière. Mais si on examine les détails, on s'aperçoit vite que la symétrie n'est nulle part observée : la partie à gauche du corps central du château est plus courte que l'autre ; sur la toiture, cheminées, lucarnes, tout est asymétrique. Par contre, à la façade de Lescot, la symétrie est parfaite. Le monument laisse une impression d'équilibre et de perfection; mais la fantaisie, l'imprévu de la première Renaissance ont disparu.

Parmi les bâtiments auxquels le nom de François 1er est resté attaché est le château de Fontainebleau, où il passa tristement les derniers jours de sa vie. Ce château est plus important pour sa décoration intérieure que pour son architecture. En 1526, en effet, François 1er fit venir d'Italie tout un groupe d'artistes dont les plus connus sont Rosso et Le Primatice. La décoration actuelle du château date de différentes époques. Il reste peu de chose de l'œuvre de cette équipe italienne. Néanmoins, son influence fut considérable. Ce sont les Italiens de l'École de Fontainebleau qui lancèrent la mode d'associer des figures en stuc — soit blanc soit peint ou doré — avec la peinture ou la fresque dans la décoration des salles et des galeries.

---

[1] On l'appelait ainsi parce qu'il avait été bâti à l'emplacement d'une fabrique de tuiles. Le nom de la « rue du Bac » à Paris rappelle le bac qui transporta à travers la Seine les pierres employées dans la construction du palais.

Ce sont eux qui inaugurèrent en France la peinture mythologique et allégorique, et toutes ces figures d'enfants, ces chutes de fruits dont la vogue a été si durable.

En fait, au seizième siècle, la peinture française est presque entièrement aux mains des Italiens. Notre époque a pourtant remis en honneur un peintre français fort original, malgré son italianisme : Antoine Caron, qui fut peintre de Catherine de Médicis. Son « Massacre du triumvirat », dont la composition fragmentaire est si étrange, représente une de ces scènes de massacre alors si fréquentes dans les guerres, de religion et autres. Mais la scène est curieusement transposée dans le temps et dans l'espace. Le paysage est fait d'éléments architecturaux, où l'on reconnaît sans peine divers monuments romains entassés les uns sur les autres, de fragments du réel. Cette projection du réel dans l'imaginaire, ce passage constant de la réalité à l'illusion et vice versa, est un des traits les plus caractéristiques, non seulement de la peinture, mais de la littérature de l'époque baroque. De cette vision des choses à travers des symboles, mythologiques, historiques, où les temps semblent se rejoindre, résulte un art suggestif, évocateur, et dont le mystère même fait le charme.

Dans la nef de la basilique de Saint-Denis, on voit encore les tombeaux de rois de la Renaissance française, Louis XII, François 1er, Henri II. Là aussi, l'influence italo-antique a modifié les habitudes médiévales. François 1er et la reine Claude, sa femme, sont toujours représentés allongés côte à côte, non plus vêtus et les mains jointes, selon la tradition médiévale, mais à l'état de cadavres, le corps nu, les yeux clos, la tête renversée. Le nu était rare au Moyen Age, qui le réservait aux morts sortant de leur tombe et aux damnés dans la grande scène du Jugement dernier. Mais les artistes de la Renaissance, passionnés d'anatomie, ont aimé représenter le corps humain, même dans la déchéance de la mort.

Au-dessus des « gisants » de François 1er et de sa femme s'élève un monument en marbre, orné de colonnes, œuvre de Philibert Delorme, et dont le dessin imite l'arc de triomphe romain. Les voûtes en sont décorées de bas-reliefs montrant des épisodes des guerres d'Italie. Enfin, sur la plate-forme au sommet du tombeau, sont agenouillés les « priants », statues du roi, de la reine et de leurs trois enfants morts avant leur père. Le tombeau de Henri II et de Catherine de Médicis est une œuvre assez semblable. Mais là les statues priantes sont en bronze, ainsi que les quatre Vertus d'inspiration toute païenne, aux angles du tombeau.

Les sculpteurs de la Renaissance s'attachèrent également à la représentation de formes moins sévères, celles de Diane de Poitiers par exemple. Bien que la sculpture soit toujours employée dans la décoration des édifices, celle de Lescot au Louvre par exemple, la statuaire se libère davantage de l'architecture. Une statue devient une œuvre d'art, cesse d'être une partie d'un ensemble, comme l'étaient les figures au portail d'une cathédrale. C'est que l'art a perdu sa mission éducative : il est fait maintenant pour le plaisir des yeux, pour la jouissance esthétique qu'il donne. En même temps, la matière change. Le bronze et le marbre de Carrare, capables de reproduire les mouvements les plus souples et les formes les plus délicates, remplacent la pierre, au grain plus grossier, de la sculpture médiévale.

Jean Goujon: Nymphes

4 LE DIX-SEPTIÈME SIÈCLE

Le Grand Siècle avant Louis XIV

LES soixante premières années du dix-septième siècle sont parmi les plus fécondes dans l'histoire de la France et de sa civilisation. Cette période a été quelque peu éclipsée par l'âge de Louis XIV, qui l'a suivie et a magnifiquement vécu de son riche héritage. Voltaire a parlé du « Siècle de Louis XIV ». En réalité, la partie du siècle qui précède le règne personnel de Louis XIV est une époque d'intense activité créatrice dans tous les domaines. L'énergie désordonnée de la Renaissance commence alors à se discipliner. On s'efforce d'établir le contrôle de la raison sur la passion. L'entreprise n'est pas toujours facile. Rien encore de cette autorité, d'ailleurs plus morale que politique, qu'exercera Louis XIV et qui fera de lui le modèle et l'arbitre de son temps. Le règne de Henri IV, celui de Louis XIII, la minorité de Louis XIV sont des époques d'indépendance, au cours desquelles l'individualisme peut conduire au désordre, que n'aiment ni Richelieu ni Mazarin. Mais cet individualisme produit en même temps des personnages remarquables par leur énergie ou par leur vertu.

Avec Henri IV, une branche nouvelle des Capétiens, celle des Bourbons, monta sur le trône. Ses ancêtres avaient régné sur l'ancien royaume de Navarre, qui s'étendait alors sur les deux versants des Pyrénées. Le titre « roi de France et de Navarre » a donc été le titre officiel des rois de France pendant toute la durée de l'ancien régime.

Henri IV fut un excellent roi, qui conciliait la bonhomie avec une grande fermeté. Devenu roi malgré l'opposition des ligueurs, il lui restait à conquérir son royaume. Il y réussit, employant de préférence les négociations, mais ayant recours à la force lorsqu'elle était nécessaire. Son Édit de Nantes rétablit la paix religieuse. Ceci fait, il travailla assidûment au bonheur de son peuple.

Les campagnes, dévastées par les guerres de religion, étaient dans un état lamentable. Partout des fermes désertes, des villages abandonnés. Henri IV protégea les paysans contre les violences dont ils étaient victimes de la part des gens de guerre, contre les exactions des créanciers qui exploitaient leur misère. C'est lui qui formula le vœu que chacun d'eux pût, tous les dimanches, « mettre la poule au pot ». Bien mieux, il s'intéressa personnellement à l'agriculture, aux méthodes nouvelles de rotation, à la culture des plantes fourragères, telles que le sainfoin et la betterave. Les progrès de l'agriculture ont certes été trop lents. Mais cet intérêt du roi lui fait grand honneur, à une époque où tout ce qui touchait à la vie et à l'économie rurale était d'ordinaire traité avec tant d'indifférence.

Henri IV trouva en son ministre Rosny, duc de Sully, vieil huguenot à barbe blanche, un auxiliaire dévoué et peu commode. Sully avait, dit-on, « la négative fort rude », grande qualité pour un ministre, particulièrement, en ce temps-là surtout, pour un ministre des finances. Préoccupé comme son maître de l'économie nationale, il développa les industries textiles, celle de la laine, surtout celle de la soie dans la région de Lyon. Ces industries avaient alors une importance économique particulière. Le luxe des vêtements allait jusqu'à l'extravagance parmi les gens de cour, et la soie était un produit coûteux et fort recherché. Depuis deux siècles, la manufacture des draps fins faisait la fortune de la Calimala de Florence,[1] comme la fabrication des glaces faisait celle de Venise. De là les efforts de Sully pour réduire les importations d'objets de luxe et favoriser l'exportation des produits agricoles. Le même souci de « l'économie » le poussa, afin d'améliorer les communications, à construire des routes plantées d'arbres, à bâtir des ponts pour remplacer les bacs, à établir des auberges le long des routes. Le voyageur Champlain n'eut pas de peine à convaincre Henri IV de l'utilité d'un établissement français au Canada, et en 1608, il fonda sur le Saint-Laurent la ville de Québec.

Sully

---

[1] On appelait ainsi l'art florentin de transformer en draps fins des draps bruts, souvent importés de France.

La mort de Henri IV

Deux ans plus tard, Henri IV fut tué d'un coup de couteau dans une rue de Paris, un jour qu'il se rendait en carrosse à l'Arsenal, près de la Bastille, où habitait Sully. L'assassin, Ravaillac, était un fanatique. Les haines éveillées par les guerres de religion n'étaient pas encore éteintes et les idées régicides professées sous Henri III par les ligueurs et par leurs adversaires hantaient toujours les esprits, au moins ceux qui étaient mal équilibrés. Henri IV avait dit un jour que son peuple comprendrait ce qu'il valait quand il ne serait plus là. Il avait raison : son peuple le regretta.

A la mort de Henri IV, son fils Louis XIII était mineur. Selon l'usage, la régence fut exercée par la reine mère, Marie de Médicis, seconde femme de Henri IV. C'était une grosse personne peu intelligente et qui manquait d'autorité. Les mécontents, surtout les grands seigneurs, en profitèrent. L'économe Sully fut disgrâcié. Le trésor de plus de vingt millions qu'il avait soigneusement amassé pour son maître et qu'il gardait à la Bastille, dont il était gouverneur, fut pillé par une bande d'intrigants appartenant aux premières familles du royaume, les Condé entre autres. Le procédé qu'ils employaient était simple, mais efficace : ils menaçaient de se révolter s'ils n'obtenaient pas ce qu'ils voulaient, c'est-à-dire des pensions et des gratifications. Ils se révoltaient parfois. Les protestants en faisaient autant, prétendant que les dispositions de l'Édit de Nantes n'étaient pas fidèlement observées. Les choses allèrent de mal en pis jusqu'au jour où Louis XIII, majeur, appela au pouvoir un homme qui n'était pas d'humeur à tolérer l'anarchie, Armand du Plessis, cardinal de Richelieu.

Richelieu fut détesté de son vivant, et son impopularité lui a survécu. Deux siècles après sa mort, il était toujours une espèce d'ogre pour les romantiques, Vigny, Hugo, Dumas père. Même s'il fut peu aimé — et peu aimable — ce fut un grand homme d'État, d'une énergie extraordinaire. Il était volontaire, impitoyable. On ne lui a pas pardonné la déclaration bien connue de son *Testament politique* : dans un État bien policé, dit-il, il ne faut pas que le peuple soit « trop à son aise », parce qu'il devient alors impossible de « le contenir dans les règles de son devoir ». A la différence de Sully, Richelieu ne s'intéressait donc guère au bonheur du peuple, ni aux questions économiques et financières, excepté dans la mesure où elles affectaient la puissance royale, sa grande, presque son unique préoccupation. Louis XIII, qui n'aimait pas particulièrement son ministre, s'en rendait compte. Plusieurs fois sur le point de le disgrâcier, il finit toujours par le soutenir contre ses ennemis, parce qu'il avait besoin de lui.

Richelieu, par Champaigne

Des complots se tramaient sans cesse contre Richelieu. Les grands, et encore plus leurs amies, parfois leurs femmes, haïssaient cet horrible cardinal, et ils cherchèrent à se débarrasser de lui par tous les moyens, y compris l'assassinat. La reine Anne d'Autriche, persécutée par Richelieu, attirait la sympathie. Gaston d'Orléans, « Monsieur », frère du roi, était de toutes les conspirations dirigées contre le cardinal. Mais le secret n'était pas facile à garder dans le monde de la cour et malheur à qui était découvert défiant l'autorité du ministre. Même s'il appartenait à une illustre famille, comme celle des Montmorency, Richelieu lui faisait couper la tête.[2] C'est ainsi que le cardinal ramena la noblesse dans les règles de son devoir.

Les protestants s'agitaient, eux aussi. Constituant une minorité soupçonneuse et toujours armée, forts des places de sûreté que leur avait

---

[2] En 1626, Richelieu décida de faire revivre un édit interdisant le duel, qui coûtait chaque année la vie à de nombreux gentilshommes. Par un acte de désobéissance voulue, le comte de Montmorency-Boutteville vint se battre en duel en plein jour, place Royale. Le cardinal le fit décapiter en place de Grève. Deux ans plus tard, un autre Montmorency, gouverneur du Languedoc, se révolta et livra bataille aux troupes royales. Fait prisonnier, il fut décapité à Toulouse.

accordées l'Édit de Nantes, ils finirent par se révolter ouvertement. Ils appelèrent les Anglais à leur secours. Richelieu vint assiéger La Rochelle, dirigeant personnellement les opérations militaires, entre autres la construction de la longue digue destinée à interdire l'accès de la ville aux vaisseaux anglais. La Rochelle capitula après un long siège. Le cardinal vainqueur traita les vaincus avec modération. Il enleva aux huguenots leurs villes de sûreté, qui étaient autant de petites républiques protestantes. Pour le reste, il confirma l'Édit de Nantes : les protestants conservèrent leur liberté de conscience et la liberté du culte selon l'Édit. Richelieu distinguait entre ses fonctions d'homme d'Église et celles d'homme d'État.

Depuis l'époque de François 1er, la Maison d'Autriche, groupant maintenant l'Empire et l'Espagne, était la grande rivale de la France en Europe. La politique de Richelieu assura le triomphe de la Maison de France. Contre l'Empire, il profita de la guerre de Trente-Ans pour prendre pied en Alsace. Contre l'Espagne, il prépara la victoire décisive que quelques mois après la mort du cardinal, en 1642, un général de vingt-deux ans, le futur prince de Condé, remporta à Rocroi sur les Espagnols. Six ans plus tard, les traités de Westphalie furent le couronnement de l'œuvre de Richelieu. Ils consacrèrent « l'abaissement de la Maison d'Autriche », selon l'expression qu'il employait, et pour un temps au moins, l'hégémonie politique de la France en Europe.

Louis XIII suivit de près son ministre dans la tombe. Le nouveau roi, le futur Louis XIV, étant mineur, la régence fut confiée à sa mère Anne d'Autriche. Les difficultés recommencèrent. La haute noblesse, toujours turbulente, recommença à s'agiter. Il n'était pas question bien entendu de se révolter contre le roi, ni même contre la régente, qui après tout était la reine mère. Mais elle avait choisi comme ministre un homme de rien, un beau cardinal italien nommé Mazarini, en français Mazarin. Et le souvenir de l'ancien cardinal-ministre n'était pas de nature à accroître la popularité du nouveau.

Pourtant, Mazarin n'était nullement le terrible homme qu'avait été Richelieu. Il ne décapitait personne. Il était doux, conciliant. Il excellait toutefois à semer la division parmi ses adversaires, ce qui, si l'on considère la mentalité noble du temps, l'individualisme et l'orgueil si susceptible des grands, n'était pas chose difficile.

La Fronde commença par l'arrestation du Conseiller Broussel

Mazarin

La Fronde,[3] comme on appelle la guerre civile qui eut lieu pendant la régence d'Anne d'Autriche et sous le ministère de Mazarin, dura cinq ans (1648-1653) et causa bien des souffrances. La première, ou Vieille Fronde, commença par la révolte du parlement de Paris, qui s'était rendu follement populaire par son refus d'enregistrer les édits royaux augmentant les impôts. A la suite de l'arrestation d'un parlementaire particulièrement agressif, Paris se couvrit de barricades, façon classique d'empêcher l'entrée de troupes destinées à rétablir l'ordre dans la capitale. La famille royale, accompagnée de Mazarin, en fut réduite à s'enfuir une nuit de Paris révolté. La cour fit alors appel au vainqueur de Rocroi. Condé s'efforça de bloquer la ville, sans y parvenir, car il n'avait pas assez de troupes pour le faire. Paris révolté avait une espèce de gouvernement insurrectionnel, que dominait la fleur de l'aristocratie française, princes et princesses, ducs et duchesses, car les femmes étaient encore plus enragées que les hommes. Mazarin négocia. Il finit par acheter le plus remuant des Frondeurs, le futur cardinal de Retz, agitateur émérite et futur auteur des *Mémoires,* et la paix fut rétablie.

---

[3] On l'appela ainsi du nom d'un jeu dangereux auquel se livraient volontiers les jeunes délinquants parisiens vers le milieu du dix-septième siècle.

Pas pour longtemps d'ailleurs. Condé, « Monsieur le Prince », trouva que Mazarin ne l'avait pas suffisamment récompensé des immenses services qu'il lui avait rendus au cours de la Vieille Fronde. Il prit donc la tête de la Jeune Fronde, ou Fronde des Princes. Mazarin le fit mettre en prison, avec son frère M. le prince de Conti, et M. de Longueville, le mari de sa sœur. Cet emprisonnement des princes n'arrangea rien. La haute aristocratie, La Rochefoucauld et autres, se rangea bien entendu du côté des princes. Bordeaux, capitale de la Guyenne dont Condé était gouverneur, passa à la révolte ouverte. Mazarin, lui, passa de bien mauvais moments. Il jugea prudent de quitter le royaume, mais il y revint bientôt. Ce fut alors le tour de M. le Prince de s'en aller. Condé se réfugia dans les Flandres, et un peu plus tard on vit le vainqueur de Rocroi rentrer en France à la tête d'une armée espagnole... Affaire de famille, après tout, simple querelle entre lui et son cousin le roi de France.

Ces épisodes peuvent servir à jeter quelque lumière sur la mentalité et sur les mœurs de la haute aristocratie du temps de Corneille, car M. le Prince fut à sa façon un héros cornélien. Néanmoins, ce serait une erreur de croire que la Fronde ait été seulement une révolte nobiliaire ou parlementaire. Elle fut aussi l'expression d'un profond ressentiment populaire. Les révoltes contre les impôts n'étaient pas nouvelles. Déjà sous Henri II, une vingtaine d'agents de la gabelle, l'impôt si détesté sur le sel, avaient été massacrés par les habitants de Bordeaux, qui, haineusement, avaient salé leurs cadavres. Or, Bordeaux fut, avec Paris, le grand foyer de la Fronde. L'augmentation des impôts provoquait souvent des révoltes paysannes, celle des « croquants » du Limousin vers la fin du seizième siècle, celle des « nu-pieds » de Normandie au temps de Richelieu. Ces révoltes étaient impitoyablement réprimées. D'autre part, de mauvaises récoltes engendraient la faim, mauvaise conseillère. Les nobles de province souffraient aussi de ces misères. Puisqu'ils tiraient leurs revenus de leurs terres, leur sort était lié à celui des paysans. Bon nombre d'entre eux, ruinés, se voyaient contraints de vendre leurs propriétés, qu'achetaient de riches bourgeois. C'est ainsi que graduellement, par un lent procédé d'évolution, s'érodait la puissance des puissants du jour.

AVDITVS.
L'OVYE.

La société

Dès les premières années du siècle, un développement est en cours, dont les conséquences seront considérables : Paris devient le centre d'une vie mondaine brillante, où les femmes occupent une place de plus en plus grande. Peu à peu, cette société nouvelle acquiert des goûts nouveaux. Elle s'intéresse à la politesse, aux bonnes manières, au beau langage, aux choses de l'esprit. Les jeunes raffinés de la génération de 1620 tendent à considérer les rudes survivants des guerres de religion comme des vestiges d'un autre âge.

La cour était au Louvre, et elle exerçait naturellement une forte attraction. Être près du roi, c'était être près des emplois, des gratifications, ce qui, pour une noblesse généralement besogneuse, n'était pas un avantage à négliger. Toutefois, les compagnons de Henri IV, dont bon nombre étaient Gascons, n'étaient pas des modèles d'urbanité. Louis XIII, dont la pudeur s'effarouchait facilement, veilla à une meilleure tenue parmi ses courtisans. Mais les divertissements du roi et de sa cour étaient encore grossiers. A part la chasse, qui le passionnait, et les travaux manuels, le seul divertissement qui intéressait Louis XIII était le ballet de cour à la façon des Valois, avec costumes, machines, etc., fait pour le plaisir des yeux plus que pour les délices de l'esprit.

Ce ne fut donc pas « à la cour », mais « à la ville » que se constitua cette société mondaine. Dans les premières années du siècle, une grande dame, la marquise de Rambouillet, ouvrit les portes de son hôtel, c'est-à-dire de sa résidence parisienne, à un petit nombre de personnes appartenant au même monde qu'elle. Dans cette noble compagnie, elle eut l'heureuse idée d'admettre des gens d'esprit, des poètes, même s'ils étaient roturiers,[1] comme Voiture, ou de jolies personnes comme Mlle Paulet « la belle lionne ». A côté de distractions purement mondaines, bals, excursions à la campagne, représentation de quelque pièce de théâtre, la conversation était le grand plaisir de cette société. Cette conversation était tantôt enjouée tantôt sérieuse — on aimait fort discuter sur les sentiments, l'amour en particulier — mais les habitués s'efforçaient de toujours garder un ton et un langage de bonne compagnie.

C'est là et dans des assemblées semblables que s'est peu à peu formé le goût classique. Car si les réunions de « la chambre bleue » de la marquise sont les plus connues, il y en eut bien d'autres. Certaines de ces ruelles, comme on les nommait d'après l'usage de la maîtresse de maison de recevoir ses invités allongée sur son lit,[2] furent très littéraires, d'autres simplement pédantes, d'autres tombèrent dans l'affectation et le ridicule. La préciosité est née de cet effort louable vers le raffinement et l'urbanité.

Le goût était encore incertain. Par crainte d'être grossier, on tombait dans l'excès de politesse, ce qui ne valait guère mieux. Les manuels de civilité à l'usage des gens du monde étaient très en vogue. Ils offraient par exemple des modèles de conversations entre personnes appartenant à diverses conditions sociales, ecclésiastiques, hommes d'épée, magistrats. Les intéressés apprenaient là comment il fallait converser ou écrire congrûment. S'adressant aux femmes, les hommes du monde adoptèrent ces

---

[1] Le terme *roturier* désignait toute personne qui n'était pas de naissance noble. La *roture* était sa condition. Voulant l'humilier, les ennemis de Voiture rimaient volontiers son nom avec roture.
[2] On appelait *ruelle* la partie de la chambre à coucher où se trouvait le lit.

façons de parler complimenteuses et légèrement artificielles, ce langage de la galanterie que parlent encore les héros de Racine.

Le désir d'éviter toute trace de « brutalité », chez ces gens qui avaient le sentiment d'appartenir à une élite, surtout peut-être le désir d'être ingénieux conduisirent à la *préciosité*. Car la préciosité fut avant tout un jeu d'esprit, ou plutôt une suite de jeux d'esprit : le passage du concret à l'abstrait, un objet matériel étant désigné par ses fonctions ou qualités, les fauteuils devenant « les commodités de la conversation », les cheveux gris, des « quittances d'amour » ; ou bien le passage de l'abstrait au concret, lorsqu'une certaine disposition d'esprit devient « un tour d'esprit », par analogie avec le tour sur lequel le potier fabrique son vase. Il serait facile d'indiquer d'autres procédés précieux, la substitution d'un adjectif à un nom, « le tendre » pour l'amour, par exemple, ou : « Vous donnez dans le vrai de la chose » au lieu de dire simplement : Vous avez raison. Tous ces procédés impliquent une espèce de gymnastique intellectuelle, tous trahissent un goût prononcé pour la transposition, pour le passage d'un ordre de choses à un autre, qui paraît bien être une des caractéristiques de l'esprit du temps.

A ce commerce, les gens du monde apprirent à goûter les plaisirs de l'esprit. Tel marquis ne dédaigne pas de composer un sonnet galant, un impromptu surtout, qui n'exige en principe aucun effort. Car la moindre apparence de travail, de métier, surtout de métier d'homme de lettres est contraire à l'idéal moral noble. L'homme de bonne compagnie, « l'honnête homme » comme on disait alors, est, selon La Rochefoucauld, « celui qui ne se pique de rien ».

Le code moral noble a ses valeurs propres, et il est exigeant. L'orgueil, l'affirmation du *moi*, la défense de son intégrité contre toute atteinte de la part des autres, le sentiment de l'honneur, non seulement de l'individu, mais de sa famille, de ses amis même, voilà les valeurs morales nobles par excellence. De là la fréquence des duels. Ces valeurs morales nobles ont trouvé en Corneille un magnifique interprète.

La générosité et la magnificence étaient d'autres vertus fort prisées. Le vieil idéal noble de largesse remontait à l'époque féodale et déjà le désir d'éblouir réglait souvent la conduite des grands seigneurs de la fin du Moyen Age. La société aristocratique du dix-septième siècle est plus que jamais éprise de luxe. Luxe des vêtements d'abord. Périodiquement, des édits somptuaires essaient de mettre un frein à l'extravagance du costume féminin et encore plus peut-être du costume masculin. Richelieu réglemente l'usage des dentelles, des étoffes de soie, d'or et d'argent. Mazarin est plus sévère encore : il ne tolère les rubans que là où ils servent d'attaches. Mais ces édits somptuaires sont mal observés. On trouve toujours le moyen de les tourner, en mettant par exemple des rubans à la ceinture, aux genoux, là où ils ont l'air de servir à quelque chose. Le luxe des modes, parfois ridicules, atteint son point culminant sous Louis XIV. Tel courtisan est paré comme un paon. Ce luxe n'est d'ailleurs pas l'apanage de la noblesse. De riches bourgeois mènent grand train, et les efforts faits parfois pour maintenir la distinction convenable entre eux et l'aristocratie de naissance restent vains. Monsieur Jourdain[3] veut être aussi bien vêtu qu'un grand seigneur.

Ces bourgeois se logent bien. Ils se font construire autant d'immeubles que les nobles dans le nouveau quartier du Marais. Le quartier, à l'intérieur des murs de la capitale, était resté longtemps non bâti, parce que les eaux de la Seine l'inondaient périodiquement. Henri IV y fit aménager une esplanade, puis construire trente-six belles habitations en brique et pierre blanche, dont le rez-de-chaussée formait des arcades autour d'une belle place carrée — la place Royale, appelée maintenant place des Vosges. Cette place fut longtemps un lieu de promenade fréquenté par la société élégante. Seigneurs et dames, si soucieux de paraître, aimaient aller à pied ou en carrosse dans des endroits où ils se retrouvaient les soirs d'été, pour

---

[3] Personnage principal du *Bourgeois gentilhomme*, comédie de Molière.

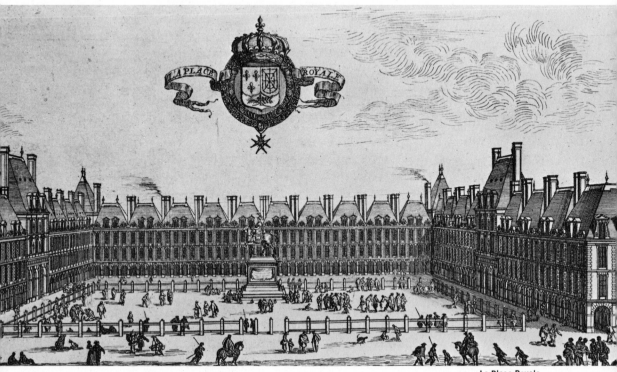

La Place Royale

y échanger saluts, grand compliments et menus propos. Outre la place Royale, ils fréquentaient volontiers le Jardin du Luxembourg, plus vaste qu'il ne l'est aujourd'hui, le Jardin des Tuileries, alors à la limite ouest de la capitale, ou le Cours-la-Reine, avenue de quatre rangées d'arbres que Marie de Médicis avait fait planter le long de la Seine et qui était alors en dehors de Paris proprement dit. La galerie du Palais de Justice, où marchandes de modes et libraires tenaient boutique, était aussi un lieu de rendez-vous de la société élégante.

Dans le quartier du Marais asséché, nobles et riches financiers se firent construire de beaux hôtels, où ils vivaient entourés de « domestiques », de gens attachés à quelque titre à leur service. Carrosses, chevaux, cochers, tout cela coûtait très cher, d'autant plus que les grands n'étaient pas d'ordinaire très experts en matière de finances et que leurs serviteurs les volaient outrageusement. La hausse générale des prix, leurs dépenses sans cesse croissantes alors que leurs revenus n'augmentaient pas, les ruinaient graduellement, et quelquefois très rapidement. Plus tard, au temps de Louis XIV, Versailles rendit leur situation encore plus précaire. Les dépenses de la cour s'ajoutant à celles de la ville — car la plupart des courtisans avaient un hôtel à Paris, sans compter leurs châteaux de province — achevèrent la ruine de la haute noblesse.

L'attrait qu'exerçait Paris, puis Versailles, eut de graves conséquences. La haute noblesse française se déracina. La province considéra de plus en plus les nobles comme des parasites, soucieux de leurs plaisirs bien plus que de leurs obligations sociales. C'était l'opinion de La Bruyère et de bien d'autres vers la fin du dix-septième siècle. Et le retour de certains nobles à la terre, au siècle suivant, eut lieu trop rarement et trop tard pour changer cette opinion.

A côté du Paris aristocratique, il y avait le Paris populaire. Bien que les contemporains de Corneille aient été émerveillés par le nombre et par la beauté des bâtiments nouveaux, en particulier par les hôtels avec jardins qui se construisaient alors un peu partout, Paris restait une ville moyenâgeuse, mélange de splendeur et de misère, de luxe et de pauvreté. Il faut bien le dire, Paris était horriblement sale. L'odeur de la ville était insupportable à quiconque n'y était pas habitué et la boue noirâtre, puante, des rues de la capitale était, dit-on, si corrosive qu'elle perçait des trous dans les vêtements. Aussi tous ceux qui pouvaient le faire allaient-ils en carrosse ou en chaise à porteurs. Dans les rues étroites, les cochers des grandes maisons menaient leurs voitures à fond de train, criant « Gare ! Gare ! » aux piétons, qui n'avaient pas toujours le temps ni l'espace de se garer. Ou bien la rue était soudain obstruée par un troupeau de bœufs ou de moutons. Jules César avait interdit la circulation des voitures pendant la journée dans les rues de la Rome antique. Ni Richelieu ni Louis XIV n'osèrent prendre une mesure si radicale, et sans doute n'y pensèrent-ils même pas.

La rive droite de la Seine était protégée par des fortifications modernes, avec fossés et bastions, qui suivaient à peu près la ligne actuelle des grands boulevards. Sur la rive gauche, deux faubourgs, le faubourg Saint-Germain et le faubourg Saint-Jacques s'étendaient au-delà de la vieille muraille garnie de tours, construite par Philippe Auguste, et qui était toujours debout, bien que fort délabrée. Seize portes donnaient accès à la capitale. Si l'on considère que peut-être 500.000 personnes vivaient sur cet espace restreint, on se rend mieux compte des conditions d'existence dans le Paris du milieu du dix-septième siècle.

Une grande partie de l'activité, et de la saleté, de la capitale était concentrée le long de la Seine, particulièrement dans le voisinage de l'île de la Cité. La Seine était alors couverte de bateaux qui déchargeaient à peu près tous les produits place de Grève, le bois dans le voisinage de la Bastille, le foin au Port-au-Foin, voisin du Pont-Neuf et dont Malherbe a immortalisé les crocheteurs.[4]

Le Pont-Neuf

Le Pont-Neuf, avec au milieu le fameux « cheval de bronze », était alors le seul pont de Paris qui ne fût pas bordé de maisons de chaque côté. C'est aujourd'hui encore un très beau pont de pierre, large, noblement construit. Pendant la journée, il y avait toujours foule sur le Pont-Neuf

---

[4] Voir plus loin, p. 153.

et dans son voisinage immédiat. Des étalages de modes y attiraient élégants et élégantes. Des charlatans y débitaient leurs drogues, des montreurs y faisaient exécuter mille tours curieux à des singes et autres animaux étranges. Pendant la Fronde, les chansons satiriques, surtout les « mazarinades » contre Mazarin, y fleurirent avec une profusion telle qu'on finit par appeler ces œuvres des « ponts-neufs ». On voyait à une extrémité du pont la fontaine publique de la Samaritaine,[5] dont un grand magasin parisien porte encore le nom.

Si le Pont-Neuf était un endroit très amusant pendant la journée, il ne fallait pas s'y hasarder la nuit. Il devenait alors le centre d'opérations de

---

[5] L'eau des fontaines publiques, ou le plus souvent de la Seine, était amenée à domicile par des porteurs d'eau, à raison d'un denier le seau. La dépense était minime, car les gens se lavaient peu.

Le Bal Champêtre, par Callot

bandes organisées, « Frères de la Samaritaine » et autres, qui détroussaient et souvent assassinaient les passants attardés. La nuit, Paris était un véritable coupe-gorge. Dans les rues obscures rôdaient des valets de grande maison, domestiques le jour, bandits la nuit, des soldats déserteurs, parfois de grands seigneurs armés qui trouvaient plaisant de s'associer avec la canaille. Rentrant de la campagne la nuit, les habitués de l'hôtel de Rambouillet avaient soin de se faire accompagner d'une escorte portant des flambeaux. Les gueux des « cours des miracles » — il y avait encore un certain nombre de ces lieux à Paris, dans des culs-de-sac au fond de rues étroites — mendiants, bohémiens, faux estropiés ou simplement miséreux, étaient si dangereux que la police elle-même n'osait s'aventurer dans leurs repaires.

La nuit venue, les bourgeois se barricadaient prudemment dans leurs maisons. Un incendie les réveillait parfois. Le feu était fort redouté, car les moyens de le combattre étaient bien insuffisants, malgré le dévouement des moines capucins, qui étaient les pompiers de l'époque. Le dimanche, les Parisiens allaient volontiers faire un tour à la campagne. Ils se rendaient parfois jusqu'à Argenteuil ou à Suresnes pour y boire le vin local, car il y avait alors des vignes un peu partout dans la région parisienne. A Paris même, ils pouvaient vider des pots de vin dans les cabarets. Mais les cabarets avaient assez mauvaise réputation, étant fréquentés par des gens suspects, fils de famille, seigneurs et gens de lettres libertins.

Paris bouillait et débordait aussi facilement qu'une soupe au lait. Les nouvelles s'y répandaient avec une rapidité étonnante, et la réaction d'une population nerveuse, souvent mal nourrie, était immédiate et violente. Mazarin en fit l'expérience à ses dépens. Des quantités d'écrits séditieux ou diffamatoires circulaient clandestinement. Nombreux étaient aussi les colporteurs de nouvelles plus ou moins vraies. Pourtant, au temps de Richelieu, un certain Théophraste Renaudot fonda la *Gazette,* qui est considérée comme l'ancêtre du journal en France. C'était une simple feuille de quatre pages, qui paraissait chaque semaine et donnait quelques nouvelles de la cour et de la ville. Théophraste Renaudot eut une autre idée, celle du « bureau d'adresse », véritable agence de placement à l'usage de ceux qui cherchaient un emploi ou qui désiraient vendre quelque marchandise. Il fonda aussi un mont-de-piété, sur le modèle italien, pour le prêt d'argent sur gage d'un objet mobilier. Hélas, Théophraste eut le sort de bien des précurseurs : il mourut « gueux comme un peintre », écrivait un de ses contemporains.

L'Église et le mouvement religieux

A la suite de la Réforme et des désordres qui en avaient été la conséquence, l'impiété avait fait des progrès inquiétants pour l'Église. L'influence de la pensée antique, touchant notamment la question de l'immortalité de l'âme, se faisait sentir, surtout peut-être par l'intermédiaire des « padouans », les maîtres italiens de l'université de Padoue. Si les athées étaient peu nombreux, les déistes l'étaient davantage, et c'est notamment parmi les jeunes gens de la génération de 1620 que se recrutèrent ceux qu'on appelait les libertins.

Cette génération nouvelle voulait être moderne, prétendait s'affranchir de toute discipline imposée par la tradition, proclamait, avec quelque ostentation, son désir d'être libre — d'où le nom de *libertins*. Il y eut certes un libertinage savant, philosophique. Mais la plupart des libertins, ceux du moins qui faisaient parler d'eux, étaient des jeunes gens appartenant parfois aux meilleures familles du royaume, et quelques poètes comme Théophile de Viau. En révolte contre toute autorité, y compris l'autorité paternelle, ils faisaient peu de cas des règles de la morale courante. Ils proclamaient les droits de l'instinct, de la passion. « Suivre nature », tel était leur principe de conduite. Le destin règle notre vie, qui est courte, disait Théophile. Jouissons-en donc, car l'immortalité de l'âme est un leurre :

> Le sot glisse sur les plaisirs,
> Mais le sage y demeure ferme
> En attendant que ses désirs
> Ou ses jours finissent leur terme.

Une telle doctrine, si audacieusement affichée, scandalisait fort les esprits bien pensants. Théophile en fit la triste expérience. Il passa deux années en prison et mourut l'année suivante. D'autres, comme le philosophe italien Vanini, déclaré coupable d'athéisme et de magie, moururent sur le bûcher, car on brûlait toujours les gens, bien que l'habitude fût en train de disparaître.

La répression ne mit pas fin au libertinage. Mais il devint discret. Les audaces d'un libertin célèbre, Cyrano de Bergerac, n'attirèrent pas la foudre sur la tête de leur auteur, peut-être parce qu'on jugeait cette tête déjà quelque peu fêlée. Quoi qu'il en soit, le libertinage, qui traverse tout le Grand Siècle, annonce l'esprit philosophique du dix-huitième.

Lorsque la Réforme protestante devint pour elle une menace, l'Église prit des mesures pour la contenir. Le Concile œcuménique de Trente, qui dura dix-huit ans, de 1545 à 1563, fut le grand instrument de la Contre-Réforme. En ce qui concerne le dogme et les pratiques, le culte de la Vierge et des saints par exemple, le concile refusa d'altérer en quoi que ce soit les positions de l'Église. Mais il accomplit de grandes réformes en ce qui concerne la discipline intérieure du clergé. Le collège des cardinaux fut réorganisé, les évêques durent résider dans leur diocèses, les moines observer la règle de leur ordre. En France, les décrets du concile furent finalement acceptés par les évêques, bien que le parlement de Paris ait obstinément refusé de les enregistrer. C'est que le parlement était farouchement gallican : pour lui, le roi de France et les assemblées du clergé français étaient les vrais chefs de l'Église de France. Il acceptait difficilement toute ingérence de Rome, toute intervention de la catholicité internationale dans les affaires de l'Église nationale. C'est pour cette même raison que le parlement résista longtemps avant d'admettre l'introduction en France de l'ordre des jésuites. Le conflit entre gallicans, défenseurs des libertés et traditions de l'Église de France, et ultramontains, partisans de l'autorité du pape au-delà des monts, se réveilla souvent, du moins aussi longtemps que dura l'ancien régime.

C'est en 1540 que l'Espagnol Ignace de Loyola avait fondé la Compagnie de Jésus, dont les membres étaient soumis à la règle de l'obéissance passive, ordre militant et presque militaire dont le chef s'appelait général. La Compagnie s'établit en France sous Henri II, malgré la résistance du parlement qui lui fut toujours hostile. Les jésuites exercèrent bientôt une influence profonde par la prédication, et surtout par deux fonctions dans lesquelles ils se spécialisèrent : la direction des consciences et l'instruction de la jeunesse.

Malgré quelques athées et libertins, et ceux, bien plus nombreux, pour qui la religion n'était pas une préoccupation de première importance, le dix-septième siècle fut foncièrement religieux. Les gens du monde eux-mêmes s'intéressaient à tout ce qui touchait la vie morale. Élevés chrétiennement, beaucoup oubliaient plus tard les leçons apprises. Ils menaient parfois une vie peu édifiante. Mais, sur le déclin de l'existence, ils revenaient presque tous à la religion. Ils se convertissaient, comme on disait alors. C'est l'histoire de Racine, de La Fontaine, de Louis XIV lui-même, sans compter beaucoup de libertins notoires. On ne voulait pas mourir sans l'aide d'un confesseur. Les femmes en particulier aimaient consulter quelque personne pieuse et d'expérience sur les choses touchant leur vie spirituelle et même leurs intérêts matériels. C'est ainsi que les jésuites devinrent souvent les « directeurs de conscience » de gens du monde. Le confesseur du roi était un père jésuite.

Plus importante encore fut l'action des collèges. Certains des collèges parisiens existaient depuis longtemps. Robert de Sorbon avait autrefois fondé son collège pour les étudiants de théologie. A son exemple, des âmes charitables en avaient, à diverses époques, fondé d'autres à l'usage des élèves de l'ancienne faculté des Arts. Ces collèges étaient donc des écoles d'enseignement général. Or, au début du dix-septième siècle, les collèges existants passèrent aux mains des jésuites, qui en créèrent aussi de nouveaux. C'est ainsi que Corneille fut élève des jésuites de Rouen, Descartes, des jésuites de La Flèche, et que Molière fit ses études au grand collège jésuite de Clermont, qui devint le collège, puis le lycée Louis-le-Grand.

Les études latines restaient à la base de l'enseignement des jésuites, et l'humanisme, épuré il est vrai, pénétrait cet enseignement. Les élèves des collèges étudiaient les anciens poètes, Virgile, Ovide, la mythologie, l'histoire romaine, étaient plus familiers avec l'histoire des Horaces et des Curiaces qu'avec les questions touchant les sciences. Il en résulta une curieuse dualité, qui peut servir à expliquer certains aspects de l'art et de la littérature du temps : les élèves de ces collèges recevaient une éducation double, à la fois païenne et chrétienne, un enseignement intellectuel païen et une formation morale chrétienne. Comment donc s'étonner qu'écrivains et artistes aient si souvent vu leur époque à travers les mythes, ou les genres, ou les œuvres de l'antiquité ?

Ce fut d'ordinaire dans les collèges de jésuites qu'au dix-septième et au dix-huitième siècles la jeune élite intellectuelle française fit ses humanités. Les jésuites s'attachaient plus à la connaissance de l'homme qu'à celle du monde, à la « morale » plus qu'à la science. Ils encourageaient l'émulation parmi leurs élèves, ne négligeaient pas l'éducation mondaine. Leur enseignement était fondé sur une pédagogie très sûre, bien qu'un peu trop rigide, et surtout il répondait fort bien aux besoins de leur époque.

Comme le nom l'indique, « l'humanisme dévot » de saint François de Sales fut un essai de fusion des deux traditions, chrétienne et humaniste. L'ascétisme, réel, de son *Introduction à la vie dévote,* se concilie avec le charme et l'esprit de modération, de juste milieu de l'humanisme. Il veut conduire au ciel, non à travers des ronces et des épines, mais par des sentiers fleuris. Tout le monde ne peut pas atteindre d'emblée la perfection de la vie chrétienne, dit-il. La vie religieuse doit être adaptée à la condition de chaque individu : on ne peut pas exiger qu'un père de famille se comporte comme un moine dans un monastère, ni qu'une femme du monde renonce à la vie mondaine pour se consacrer entièrement à Dieu. Pascal ne sera pas d'accord sur ces points avec saint François de Sales.

François de Sales fut aussi le fondateur de l'ordre de la Visitation. Une des manifestations de la Contre-Réforme avait été en effet la fondation d'ordres religieux nouveaux ou la réforme d'ordres déjà existants. De nombreuses maisons religieuses s'établirent à Paris, notamment dans le faubourg Saint-Jacques. La Réforme protestante avait montré que l'instruction du clergé, notamment dans les campagnes, laissait beaucoup à désirer. A Genève, l'Académie protestante préparait soigneusement les pasteurs, au point de vue de la culture humaniste comme de la théologie. Venant évangéliser en France, ces pasteurs avaient souvent un avantage marqué sur leurs adversaires catholiques. L'Église se préoccupa donc de l'instruction des prêtres. Des séminaires furent fondés. A la même époque, le cardinal de Bérulle introduisit en France la congrégation de l'Oratoire, qui donna à l'Église des orateurs et des savants, mais qui ne s'entendit jamais très bien avec les jésuites.

L'activité d'un autre saint français du dix-septième siècle, saint Vincent de Paul, s'orienta dans une autre direction. « Monsieur Vincent » est resté célèbre pour ses œuvres charitables. Il s'occupa des malheureux, des malades des hôpitaux, des prisonniers, des « pauvres honteux ». Pour soigner les malades des hôpitaux, dont le sort était déplorable, il fonda les « Filles de la Charité ». Pour s'occuper des petits abandonnés, il fonda les « Enfants trouvés ». Avec les meilleures intentions du monde, il prit part aussi à des entreprises plus discutables, la « Compagnie du Saint-Sacrement de l'autel », par exemple. C'était une espèce de société secrète, dont les membres appartenaient à toutes les conditions sociales, qui se donna pour mission de restaurer la foi et les bonnes mœurs. Cette Cabale des dévots étendit son influence, et elle rendit un peu partout la vie dure aux protestants par des persécutions individuelles plus ou moins ouvertes, jusqu'au jour où Colbert la supprima. On a dit que Molière, dans *Tartuffe,* avait voulu se venger des dévots en mettant en scène un des leurs. Mais les jansénistes ont dit aussi que Tartuffe était un jésuite, et les jésuites que Tartuffe était un janséniste.

L'Abbaye de Port-Royal

Jansénius

Nulle question ne fut plus débattue au dix-septième siècle que celle du jansénisme. Elle passionna les honnêtes gens, qui d'ordinaire prirent parti, soit pour soit contre Port-Royal. Au début du siècle, Port-Royal était un petit couvent de femmes, situé dans un agréable vallon non loin de Versailles. A la fin du siècle, les polémiques faisaient encore rage autour de ce nom connu de tous. La grande raison en fut sans doute que Port-Royal soulevait des questions touchant la vie religieuse et surtout la vie morale, à laquelle les honnêtes gens s'intéressaient passionnément.

Le débat s'ouvrit à propos de la question théologique de la grâce. La nature humaine est déchue. Depuis le péché originel, l'homme est en proie à la concupiscence, qui lui fait rechercher la jouissance des biens terrestres. Abandonné à ses propres forces, il ne peut vaincre cet amour de soi, cet *amour-propre* d'autant plus dangereux qu'il se déguise de mille manières, prenant même l'aspect du désintéressement. Le salut ne peut donc être accompli que par la grâce que Dieu accorde ou refuse souverainement. Le Christ n'est pas mort pour tous les hommes, mais seulement pour quelques-uns d'entre eux, sans que nul puisse jamais être certain d'être parmi les élus. Même si ce point de vue semble voisin de la prédestination de Calvin, les jansénistes n'ont pas l'assurance des calvinistes. La grâce est incertaine, précaire. « Il faut trembler toujours », car l'homme, dont la volonté n'est pas libre, est néanmoins responsable de ses actes.

A cette conception négative et désespérante du rôle de la volonté humaine dans la grande question du salut, les jésuites opposaient une théorie qui faisait une place bien plus grande au libre arbitre. Dieu, disaient-ils, donne à tous une grâce suffisante. Il appartient à chaque homme de rendre cette grâce fructueuse ou stérile. L'homme est responsable, certes. Mais sa volonté est libre.

L'*Augustinus*,[1] de l'évêque d'Ypres Jansénius, dont le nom a servi à désigner la doctrine, parut en 1640. Cette doctrine trouva des adeptes en France, dans le couvent de Port-Royal, qui avait alors à sa tête une jeune abbesse,

---

[1] Jansénius donna ce titre à son livre parce que saint Augustin avait professé des idées semblables sur le rôle de la grâce.

la mère Angélique, de la famille des Arnauld, vieille famille de gens de justice, graves, instruits, et qui n'aimaient pas les jésuites. Le frère de la mère Angélique, celui qu'on appelle le grand Arnauld, groupa autour de lui, à Port-Royal, des parents, des amis, des gens qui partageaient ses vues. Ce furent les « solitaires » ou « messieurs » de Port-Royal, gens parfois querelleurs, mais aussi admirables par leur persistance, leur résistance à l'adversité et surtout peut-être par leur bonté d'âme, tels Monsieur Nicole, Monsieur Lancelot, qui apprit si bien le grec au petit Racine, et beaucoup d'autres.

Ce sont eux qui menèrent de longues polémiques avec les jésuites, sur la question de la grâce, sur la question de la « fréquente communion ». Dans le traité qu'il avait composé sur cette dernière question, Arnauld avait osé soutenir que la communion était un acte si grave, qui exigeait un état de grâce si assuré, que le fidèle ne devait s'approcher de la table sainte que rarement, avec une révérence craintive. Certes, Port-Royal, à la différence des protestants, ne rejetait rien des sacrements ou des pratiques de l'Église. Pas de conflit non plus au sujet du dogme. Les gens de Port-Royal reconnaissaient sur ce point l'autorité de l'Église, ne discutaient pas, comme l'avaient fait les protestants, sur la nature du sacrement de l'eucharistie. Eux et les jésuites représentaient plutôt deux conceptions différentes de la vie religieuse et de la vie morale, que Pascal a mises en lumière dans ses *Provinciales :* les jésuites cherchent à accommoder Dieu et le monde, se contentent, si l'on ose dire, d'une moindre perfection. Pour Pascal, pas de compromis possible : on est à Dieu ou au monde, et être à l'un est renoncer complètement à l'autre. Tout ou rien. C'est ainsi que Pascal a contribué à préciser les valeurs morales chrétiennes, l'amour de Dieu, l'esprit de charité et d'humilité. La confusion n'est désormais plus possible entre ces valeurs morales et celles de l'antiquité païenne, comme avec les principes de la morale du monde, fondée sur la connaissance des hommes et sur une sage économie des passions.

Pascal

Les traité d'Arnauld sur la fréquente communion, puis son *Apologie de M. Jansénius* avaient fort déplu aux jésuites. Ils obtinrent du pape la condamnation de cinq propositions résumant la doctrine de l'*Augustinus*. Quelques années plus tard, à la suite de divers incidents, Antoine Arnauld fut exclu de la faculté de Théologie dont il était membre. Blaise Pascal vint alors à la défense de ses amis de Port-Royal par ses *Lettres provinciales,* pamphlets anonymes, clandestins, qui par leur éloquence, leur ton d'indignation contenue, leur ironie mordante et la suprême habileté de Pascal polémiste, portèrent un rude coup à la cause des jésuites et à leur compagnie tout entière. Les jésuites eurent leur revanche plus tard, au temps de Louis XIV.

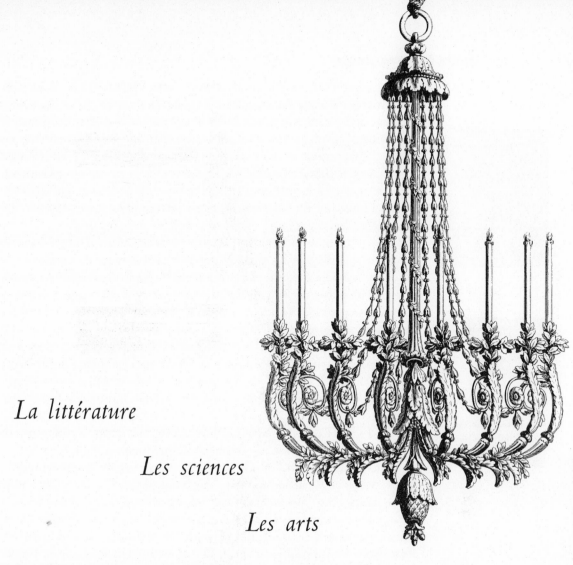

La littérature

Les sciences

Les arts

Au dix-septième siècle, la profession littéraire nourrissait d'ordinaire mal son homme, et les quelques auteurs plus ou moins arrivés se moquaient volontiers de l'indigence de leurs confrères moins fortunés. Le « poète crotté » était un type du temps, dont plus tard Boileau fera encore des gorges chaudes. L'explication de cet état de choses est simple : un ouvrage rapportait très peu à son auteur. Ceux qui lisaient constituaient un public restreint. Ceux-là même étaient d'ordinaire des gens de peu de livres, qui s'intéressaient aux ouvrages de morale et de piété peut-être plus qu'à toute autre lecture. S'il s'agissait d'une œuvre dramatique, la situation de l'auteur n'était guère plus favorable. Le public des théâtres était également un petit public, à peu près toujours le même, de sorte que, pour une pièce de théâtre, une suite de trente représentations était considérée comme une heureuse réussite.

Pour ajouter aux malheurs des gens de lettres, leurs droits étaient très mal protégés. Pour publier un livre, il fallait obtenir du roi un privilège, qui était octroyé après examen de l'ouvrage par les censeurs. En principe, ce privilège garantissait les droits de l'auteur; en fait, il ne garantissait rien du tout. La piraterie littéraire était de pratique courante. C'étaient même d'ordinaire des libraires qui la pratiquaient. S'ils pouvaient se procurer la copie d'un ouvrage manuscrit, ils prenaient un privilège et publiaient le livre à l'insu de l'auteur. L'aventure est arrivée deux fois à Molière. Le Grand Siècle était à certains égards un siècle de grande liberté.

Dans ces conditions, l'homme de lettres n'avait guère qu'une ressource : se placer sous l'égide de quelque puissant personnage, de préférence le roi, dont la libéralité assurerait son existence. La haute société du temps était encore plus féodale qu'on ne le croit parfois, chaque grand seigneur étant une espèce d'astre autour duquel gravitaient de nombreux satellites de toutes les dimensions. Ces grands eux-mêmes avaient des ennemis qui les attaquaient dans des libelles diffamatoires. Un poète pouvait donc être utile pour y répondre, sans compter que tout grand seigneur devait avoir quelque auteur à son service, comme il avait des valets et des cochers. Question de prestige. Faute de mieux, un écrivain pouvait essayer de dédier son livre à un riche financier, en lui adressant un éloge dithyrambique, comme l'a fait Corneille dans sa dédicace de *Cinna*. Mais l'opération était d'un profit limité, puisqu'elle était difficilement renouvelable.

L'Académie française est née, en partie au moins, de ces coutumes du temps. Lorsque Richelieu apprit que des gens de lettres avaient l'habitude de se réunir chez l'un d'entre eux, Valentin Conrart, il comprit le parti qu'il pourrait tirer de ces réunions. Il proposa donc à ces messieurs de se réunir sous sa protection. L'Académie lui décerna bien entendu le titre de Protecteur. Et comme on s'intéressait alors passionnément à la langue française, à sa pureté et son excellence, la compagnie nouvelle fut chargée de la rédaction d'un Dictionnaire, d'une Grammaire, d'une Rhétorique et d'une Poétique. La composition du Dictionnaire lui prit une soixantaine d'années, puisque la première édition, en deux volumes, parut en 1694. Depuis, une nouvelle édition, qui tient compte des changements survenus entre-temps dans l'usage, a été publiée à des intervalles d'environ cinquante ans.

La poésie du temps fut abondante, mais pauvre en grandes œuvres. Par réaction contre la poésie savante et quelquefois grandiloquente de la Pléiade, Malherbe, au moins dans sa période de maturité, institua une poésie qu'il voulait moins prétentieuse et plus compréhensible. Il entend soumettre la fureur poétique chère aux disciples de Ronsard, la passion si l'on veut, au contrôle de la raison. Il veut une langue poétique que tout le monde puisse comprendre, même les « crocheteurs du Port-au-Foin » : ce sont, disait-il avec une exagération voulue, les maîtres pour le langage. A côté de ses grandes odes, souvent adressées au roi, Malherbe écrivit, comme tout le monde, des œuvres de circonstance, des sonnets galants. La société mondaine a produit un nombre énorme de ces poésies fugitives, qui appartiennent plus à l'histoire des mœurs qu'à celle de la littérature.

Cette société mondaine fut un moment grande lectrice de romans. Au cours des vingt-cinq premières années du siècle, un gentilhomme ancien ligueur, Honoré d'Urfé, publia un roman qui eut un très grand succès. Son *Astrée* était une pastorale, où sous le couvert de bergers et de bergères, la société du temps put s'initier aux beaux sentiments, aux belles manières, au beau langage. A travers les aventures sentimentales d'innombrables bergers et bergères, en particulier la bergère Astrée et le berger Céladon, l'analyse des sentiments, de l'amour surtout, y était conduite avec finesse, quelquefois avec une subtilité un peu pédante. Le public était encore en train de faire son apprentissage dans l'étude du cœur humain. Le roman de d'Urfé était long, cinq mille pages environ, mais ces mondains du grand siècle avaient des loisirs.

L'époque était romanesque, et la société aristocratique trouvait dans l'*Astrée* de quoi satisfaire son goût de l'amour et son goût de la gloire, déjà au sens cornélien du mot. Beaux seigneurs et belles dames qui conspiraient contre Richelieu ou qui se révoltaient contre Mazarin ne faisaient guère que vivre la vie des héros et des héroïnes de leurs rêves. C'est pourquoi *le Cid* de Corneille, sa valeur littéraire mise à part, eut tant d'admirateurs. L'héroïsme cornélien, la grandeur d'âme, la magnanimité étaient des vertus très prisées par les nobles d'autrefois.

Au commencement du siècle, le théâtre n'appartenait guère à la littérature. Il y avait alors une seule salle à Paris, la salle de l'hôtel de Bourgogne, qui était l'ancien théâtre des confrères de la Passion. Des troupes françaises et italiennes y jouaient des pièces assez frustes, qui pouvaient plaire au public populaire du temps : pastorales dramatiques toujours préparées selon la même recette — un berger aime une bergère qui ne l'aime pas, mais qui aime un autre berger, etc. — ou tragi-comédies, d'ordinaire histoires romanesques d'un amour contrarié, et riches en incidents d'autant plus surprenants qu'ils étaient moins vraisemblables. Mais, vers 1625, la société mondaine parisienne commença à s'intéresser au théâtre, qui devint rapidement un de ses divertissements favoris. Une troupe d'acteurs s'installa dans le nouveau quartier du Marais. C'est au théâtre du Marais que fut représentée, au début de 1637, la première grande tragédie de Corneille, *le Cid,* qui eut un succès inouï.

Corneille avait d'abord appelé sa pièce une tragi-comédie, sans doute

parce qu'elle se terminait par un mariage qui était le dénouement habituel de la tragi-comédie. Mais l'intérêt principal n'est plus dans les incidents de l'intrigue. Les sentiments des personnages, le conflit intérieur qu'ils doivent résoudre, la nécessité où ils se trouvent placés de choisir entre des obligations contradictoires, voilà ce qui fait le grand attrait de la pièce. Les contemporains de Corneille ont goûté l'originalité de cette œuvre, qui avait d'ailleurs tout pour leur plaire : le sentiment de l'honneur, le souci de la gloire, la jactance de Rodrigue, la jeunesse de Chimène et son sens du « devoir ».

Après le grand succès du Cid, Corneille s'engagea dans la voie de la tragédie romaine. Dans les annales de Rome, il rechercha de grandes actions, qui permettaient au héros ou à l'héroïne d'affirmer sa force, son individualité. Son théâtre finit par y perdre quelque chose de sa vérité humaine. Héros et monstres se confondirent parfois dans son esprit. Mais l'auteur d'*Horace,* de *Cinna,* de *Polyeucte* est le grand fondateur de la tragédie classique française.

Les valeurs morales du héros cornélien ont trouvé en Blaise Pascal un adversaire déterminé. Faisant violence à sa nature volontaire, dominatrice, Pascal, dans ses *Pensées,* dénonce inlassablement le « moi », l'amour-propre, prêche l'humilité, la charité et les autres humbles vertus chrétiennes. Les *Pensées* sont ce qui nous reste d'une Apologie de la religion à laquelle travailla Pascal dans les dernières années de sa vie et que sa mort prématurée vint interrompre. Il voulait forcer ses contemporains, les libertins et surtout les tièdes en matière de religion, à réfléchir sur le grand problème de l'existence, de la vie présente et de la vie future. Son argumentation passionnée, son analyse de la condition humaine, de ce qu'il considère comme la grandeur et la faiblesse de l'homme, et son style admirable, font de Blaise Pascal une des personnalités les plus puissantes de son époque si riche en saints et en héros.

La Rochefoucauld, dans ses *Maximes,* voit lui aussi dans l'amour-propre le mobile secret de la plupart de nos actes. Mais la grâce a manqué à ce grand seigneur désabusé. Sinon amer — à quoi bon l'être ? — il est sans illusions sur la nature humaine. Observateur souvent perspicace, parfois un peu systématique, il connaît « le prix des choses », selon l'expression qu'on employait alors. « L'intérêt parle toutes sortes de langues et joue toutes sortes de personnages, écrit-il, même celui de désintéressé ». Bien que ses *Maximes* aient paru dans les premières années du règne de Louis XIV, en 1665, le duc de La Rochefoucauld, l'ancien frondeur, était un homme de la génération de Corneille et de Pascal.

Corneille, par Le Brun

Descartes, par Franz Hals

DISCOUR**S**

DE LA METHODE

Pour bien conduire ſa raiſon, & chercher
la verité dans les ſciences.

*Si ce diſcours ſemble trop long pour eſtre tout leu en vne fois, on le pour-
ra diſtinguer en ſix parties. Et en la premiere on trouuera diuerſes
conſiderations touchant les ſciences. En la ſeconde, les principales regles
de la Methode que l'Autheur a cherchée. En la 3. quelques vnes de
celles de la Morale qu'il a tirée de cete Methode. En la 4. les raiſons
par leſquelles il prouue l'exiſtence de Dieu, & de l'ame humaine, qui
ſont les fondemens de ſa Metaphyſique. En la 5. l'ordre des queſtions
de Phyſique qu'il a cherchées, & particulierement l'explication du
mouuement du cœur, & de quelques autres difficulteʒ qui appartie-
nent a la Medecine, puis auſſi la difference qui eſt entre noſtre ame &
celle des beſtes. Et en la derniere, quelles choſes il croit eſtre requiſes
pour aller plus auant en la recherche de la Nature qu'il n'a eſté, &
quelles raiſons l'ont fait eſcrire.*

LE bon ſens eſt la choſe du monde la **PREMIERE
PARTIE.** mieux partagée : car chaſcun penſe en
eſtre ſi bien pouruû, que ceux meſme qui
ſont les plus difficiles a contenter en toute autre choſe, n'ont point couſtume d'en
deſirer plus qu'ils en ont. En quoy il n'eſt pas vray ſem-
blable que tous ſe trôpent : Mais plutoſt cela teſmoigne
que la puiſſance de bien iuger, & diſtinguer le vray
d'auec le faux, qui eſt proprement ce qu'on nomme le
bon ſens, ou la raiſon, eſt naturellement eſgale en tous
les hommes; Et ainſi que la diuerſité de nos opinions ne
vient pas de ceque les vns ſont plus raiſonnables que les

a 2 autres,

Dans les sciences, le grand nom du dix-septième siècle français est celui de Descartes. Descartes n'a pourtant pas fait de découverte scientifique considérable. S'il a vu juste et s'il a pris le bon parti dans des controverses de son temps, en ce qui concerne notamment les idées de Copernic et de Galilée sur le mouvement de la terre et celles de Harvey sur la circulation du sang, il s'est souvent trompé. Les explications qu'il donne des phénomènes ne dépassent guère l'hypothèse. L'important est que, dans son *Discours de la méthode,* il ait essayé de poser les principes d'une méthode scientifique fondée sur l'évidence, n'admettant comme vrai dans les sciences que ce qui satisfait pleinement la raison.

L'univers de Descartes est un univers purement mécaniste, où l'homme au fond n'est qu'un accident et dont il n'est plus la raison d'être. Beaucoup croyaient encore que l'intervention constante de la Providence était nécessaire à l'existence même de notre monde, assemblage d'éléments hostiles, l'eau et le feu par exemple, qui n'étaient maintenus en paix que par la main de Dieu. Bien différent est le monde de Descartes. Descartes est toujours à la recherche d'une explication rationnelle de la Nature et des phénomènes naturels. Si son mécanisme n'en exclut pas entièrement la Providence, il en exclut la finalité.

Malgré les efforts de Descartes, la science restait encore incertaine. Le progrès des sciences expérimentales était gêné par l'absence d'une méthode rigoureuse de recherche et par d'autres obstacles, dont le moindre n'était pas la tradition reçue et l'autorité acceptée. En médecine, les grandes autorités étaient Aristote et Galien, et la « très salubre » Faculté de Paris était généralement hostile à toute nouveauté, qu'il s'agisse des idées sur la circulation du sang ou de l'introduction de remèdes nouveaux. Guy Patin, doyen de la Faculté, a voué une haine extrême aux « circulateurs ». Homme de beaucoup d'esprit, c'est aussi le plus borné des hommes quand il parle de médecine. Ses grands remèdes sont la purgation et surtout la saignée. Il se vante dans une de ses lettres d'avoir soigné « d'une grande pleurésie » un enfant de sept ans. « Il fut saigné treize fois, écrit-il, et fut guéri en quinze jours comme par miracle ». C'était un miracle, en effet.

Mais tous ne guérissaient pas, malgré la saignée. Les maladies contagieuses, la variole, le typhus, le choléra, la peste, faisaient d'effrayants ravages, surtout chez les jeunes. Dans les familles, les naissances se succédaient, mais la plupart des enfants mouraient en bas âge, de sorte que la durée moyenne de la vie ne dépassait guère une vingtaine d'années. Quelques rares progrès furent pourtant accomplis ; l'introduction du quinquina péruvien vers le milieu du dix-septième siècle permit de contrôler la fièvre tierce et la fièvre quarte, fièvres palustres alors fort communes.

Molière s'est beaucoup moqué des médecins et de leurs remèdes — « clysterium donare, postea seignare, ensuitta purgare » — thérapeutique d'une valeur douteuse, pour ne rien dire de celle de la poudre de cloportes, à la vertu de laquelle croyait Mme de Sévigné. Et pourtant, parmi toutes ces erreurs, les médecins du temps de Molière eurent des idées justes sur l'importance du régime alimentaire et de l'exercice au point de vue de la santé. Mais c'était bien peu de chose. Les pauvres gens en particulier ne commettaient pas d'excès de table et prenaient tout l'exercice désirable, ce qui ne les empêchait pas d'être des vieillards à quarante ans, lorsqu'ils arrivaient jusque là.

Au temps de Louis XIII, un style nouveau s'introduisit dans la construction des églises, le style jésuite ou baroque, né à Rome. Ce qui le caractérise est la richesse de la décoration, et surtout l'indépendance de cette ornementation vis-à-vis de l'architecture. L'art baroque tend à dissimuler la fonction sous l'exubérance des formes. Les colonnes se tordent, cachant ainsi leur rôle de support. Ou bien les éléments architecturaux sont employés à des fins purement décoratives : colonnes qui ne supportent rien, excepté des enroulements et des volutes, frontons sans raison d'être dans la structure de l'édifice, parfois entassés les uns sur les autres, parfois brisés et ornés de figures en mouvement qui ont l'air de faire des acrobaties sur la façade de l'édifice. Ornementation purement gratuite, goût de l'inattendu, amour du décor, tels sont les caractères de ce style illogique. A une époque où les protestants préconisaient la sévérité du culte et condamnaient les images, il semble que les jésuites aient fait appel à toutes les ressources de l'art — marbre, or, tableaux — pour plaire et pour charmer les yeux.

Saint-Pierre de Rome et surtout l'église romaine de Gesù, celle de l'ordre des jésuites, furent les modèles dont s'inspirèrent les bâtisseurs d'églises de l'époque de la Contre-Réforme. La façade de l'église de la Sorbonne est imitée de celle du Gesù. L'église du Val-de-Grâce, à Paris, est très représentative du style jésuite : un portique de deux étages, avec frontons décoratifs, le tout surmonté d'un dôme imité de Saint-Pierre. Les arcs-boutants qui soutiennent la voûte sont soigneusement dissimulés : les bâtisseurs des cathédrales gothiques, eux, n'avaient nullement cherché à cacher leurs arcs-boutants et avaient même su tirer un bel effet décoratif de ces éléments architecturaux d'origine utilitaire. En somme, l'art jésuite n'est pas un art très original, ni même un art très religieux. Il faut dire toutefois qu'en France il est resté relativement sobre, pas trop théâtral, peut-être grâce au génie du temps qui avait le goût de la mesure.

La même remarque pourrait s'appliquer à la peinture. L'Italie exerçait toujours un grand attrait sur les peintres français. Poussin et Le Lorrain

L'église du Val-de-Grâce

Poussin: Les Bergers d'Arcadie

passèrent presque toute leur vie artistique à Rome et ils y moururent. Certes, la peinture italienne n'était plus ce qu'elle avait été à la grande époque, au temps de Jules II et de Léon X. Elle tombait trop souvent dans le maniérisme et la recherche de l'effet facile. Mais sa conscience d'artiste et son culte de l'antiquité sauvèrent de la contagion le grand Poussin.

Poussin aime représenter des scènes empruntées à l'histoire ou à la légende antique, aux mythes d'autrefois, et il dégage de chaque scène tout le sentiment humain qu'elle comporte. Les êtres, les objets, les admirables paysages, composés suivant l'habitude du temps, s'associent étroitement dans ses tableaux, qui laissent ainsi une étonnante unité d'impression, d'ordinaire une impression de calme, de beauté sereine, avec une pointe de regret de ce qui n'est plus. « Et moi aussi j'ai vécu en Arcadie », tel est le commentaire qu'on a fait de son tableau, les « Bergers d'Arcadie », maintenant au Louvre. Le sujet en est simple : des bergers, penchés sur un tombeau, s'efforcent de déchiffrer une inscription effacée par le temps. Poussin croyait que l'art devait être une méditation sur la vie. Ce fut un moraliste, au sens que son siècle donnait à ce terme. Avec sa magnifique ordonnance, son génie de la composition dans l'espace, Poussin reste le peintre classique par excellence.

Claude Gellée, qu'on avait surnommé Le Lorrain et qu'on appelait tout simplement Claude — comme on appelait Lulli par son prénom de Baptiste — fut un paysagiste. Mais suivant la coutume de son temps, il peignait des « paysages historiques », c'est-à-dire animés par des personnages qui occupent le premier plan du tableau. Ce ne sont pas ces personnages qui intéressaient Claude : il les dessinait et les groupait assez mal et laissait souvent à un autre le soin de les peindre. Mais Claude fut un grand peintre de la lumière, des aubes et des crépuscules. Les ports de mer l'attiraient. De chaque côté du tableau, il aimait représenter des tours, des arbres, des palais de marbre, souvent en ruines, paysages irréels, composés dans l'atelier. Au centre du tableau, un étonnant soleil dont les rayons se jouent sur la crête des vagues glauques, éclairent de leur chaude lumière la façade des palais. Sur un ciel lumineux, parfois voilé de brume, se détache la silhouette de lourds navires, avec leurs agrès délicats. Si les premiers plans de ses tableaux sont de peu d'intérêt, les lointains sont fort beaux et la gradation des teintes très habile. Malgré des différences évidentes qui tiennent à la diversité des temps, Claude est une espèce de précurseur lointain de Corot et des impressionnistes.

Alors que Poussin poursuivit son rêve antique et Le Lorrain son rêve lumineux, les Le Nain furent des peintres de la réalité. Ils étaient trois frères. Bien qu'il soit difficile de déterminer ce qui revient à chacun d'eux dans des œuvres qu'ils signaient seulement Le Nain, Louis était le plus grand des trois. Ce fut le peintre des humbles, des paysans surtout, qu'il a représentés avec une fidélité et une sympathie rares en son temps. Il choisit d'ordinaire une pause au milieu des labeurs de la vie journalière, le moment où la « Famille des paysans » est réunie autour de la table et où

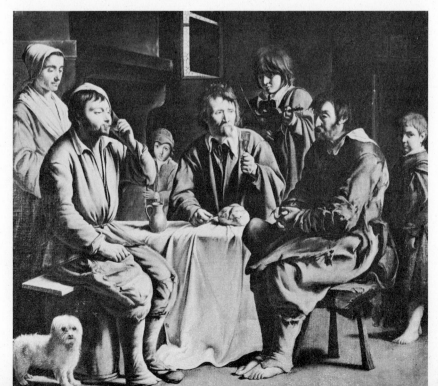

Le Nain: Repos de paysans

le père s'apprête à distribuer aux siens le pain quotidien, ou bien l'instant où le forgeron devant sa « Forge » interrompt son travail. Il a donné de la dignité à ces gens au corps las et au visage fatigué. Ils vous regardent fixement, sereinement, acceptant la vie avec ses joies et ses peines. Leurs vêtements peuvent être grossiers : ce ne sont pas des haillons, et ils les portent avec une noblesse presque biblique.

A la fin du siècle, au temps où triomphaient la grandeur et la pompe, les Le Nain étaient oubliés. Leur contemporain Georges de La Tour eut le même sort. Sa peinture rappelle celle des Le Nain, celle aussi des Espagnols, et ce n'est que de nos jours que beaucoup de ses tableaux, attribués à un autre, lui ont été restitués. En son temps, Georges de La Tour était connu pour ses tableaux nocturnes. Ses personnages sont habituellement éclairés par une source lumineuse, torche, lanterne, veilleuse, chandelle surtout, dont la flamme est souvent cachée, ou demi cachée, par un bras étendu ou par une main levée. L'inspiration religieuse, mystique est plus marquée chez lui que chez les Le Nain. Même lorsqu'il représente « Saint Joseph charpentier », c'est sous l'aspect d'un humble artisan à son travail. Sa « Madeleine au miroir » est une méditation sur la mort. Les doigts de la sainte touchent légèrement le crâne dont le miroir renvoie l'image, et elle le regarde avec sérénité — ou le miroir lui renvoie-t-il sa propre image ? Peinture pathétique, peut-être. En tout cas, l'âge de Louis XIV, avec sa splendeur, n'aura pas, en peinture, l'inspiration originale et forte de l'âge précédent.

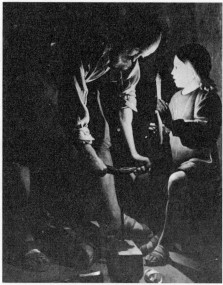

Georges de La Tour: Saint Joseph charpentier

Claude le Lorrain: Cléopâtre à Tarus

160

Georges de La Tour: Diseuse de bonne aventure

Le règne de Louis XIV

Mazarin mourut en 1661, ayant passé paisiblement les dernières années de sa vie au milieu des trésors, artistiques et autres, qu'il avait accumulés dans son magnifique palais et qu'il regrettait fort de quitter. Quand l'archevêque de Rouen vint demander à Louis XIV, alors âgé de vingt-trois ans, à qui il fallait s'adresser maintenant que le cardinal n'était plus, le roi fit une réponse historique : « A moi, monsieur l'archevêque ». On en sourit. Mais on ne sourit plus quelques mois plus tard, quand on apprit l'arrestation de Foucquet.

Foucquet, créature de Mazarin, était surintendant, c'est-à-dire ministre des finances. Comme Mazarin et beaucoup d'autres, il puisa plus ou moins directement dans le trésor public pour subvenir à ses besoins, qui étaient grands. A Vaux, près de Melun, il se fit bâtir un beau palais, où il recevait magnifiquement. Il protégeait les artistes et les écrivains, notamment La Fontaine. Bref, il étala si maladroitement sa splendeur que le jeune roi, d'ailleurs poussé par Colbert qui détestait Foucquet, résolut de faire un exemple. Le surintendant fut arrêté et accusé de toute sorte de crimes, malversations dans la gestion des finances, dans l'administration des impôts, complot contre la sûreté de l'État. Son procès devant une commission spéciale présidée par le chancelier Séguier, qui n'était pas son ami, dura longtemps. Finalement, les juges se contentèrent de condamner Foucquet au bannissement; mais Louis XIV, de sa propre autorité, changea cette peine en celle de l'emprisonnement perpétuel. Le roi avait le droit de le faire, puisqu'il était souverain justicier dans son royaume et que toute justice émanait de lui. Foucquet finit ses jours dans une prison d'État.

Cette affaire Foucquet fit sensation et contribua à accroître le respect que l'on portait au jeune roi. Il y a des hommes qu'on vénère, peut-être parce qu'ils incarnent les goûts et les aspirations de leur temps. Tel fut Louis XIV. Il avait fort belle mine et une noblesse naturelle qui faisait l'admiration de tous. Il connaissait le monde de la cour, avec ses désirs, ses ambitions, ses rivalités, ses haines. Il sut admirablement tirer parti de ces passions. De la moindre attention, d'une simple parole, il réussit à faire une faveur immense. Nous avons peine à nous imaginer maintenant ce qu'était un roi de France. L'idée nationale se confondait alors avec l'idée monarchique; ce qu'on appela plus tard le service de la Nation était alors le service du Roi. La France du dix-septième siècle, consciente de sa puissance et de sa gloire, trouva en Louis XIV le monarque de ses rêves, au moins durant les vingt premières années du règne. Après, l'éclat se ternit. Les temps difficiles, les guerres, la misère publique causèrent bien des ressentiments, des colères même. Néanmoins, la mystique monarchique restait intacte. Quand Louis XIV mourut, après soixante-douze ans de règne, il fut peu regretté. Mais tout l'amour se portait sur son successeur : « Le roi est mort, vive le roi ».

La vérité est que le règne de Louis XIV fut glorieux, mais dur, de moins en moins glorieux et de plus en plus dur. La responsabilité n'en incombe pas tout entière au roi, mais il en eut sa part, sa lourde part. Lui-même l'a reconnu lorsque sur son lit de mort, il recommanda à son successeur, le petit Louis XV alors âgé de cinq ans, de ne pas l'imiter dans le goût qu'il avait eu pour les bâtiments et pour la guerre, et de vivre en paix avec ses voisins.

Louis XIV fut un très mauvais voisin. Dès le début de son règne, il inaugura cette politique orgueilleuse, conquérante, parfois sans scrupules, qui lui valut tant d'ennemis et qui éventuellement lui causa bien des déboires. Il commença par annexer des villes de la Flandre espagnole. Puis il attaqua la Hollande, république dont son ministre Colbert enviait la prospérité commerciale. Les Hollandais se défendirent en inondant leur pays et la victoire de Louis XIV fut moins complète qu'il ne l'espérait.

La politique royale ne pouvait manquer d'inquiéter les autres puissances européennes. Une coalition se forma contre la France. Louis XIV en profita pour conquérir la Franche-Comté, ancienne possession de Charles le Téméraire et qui appartenait alors à l'Espagne. Le roi dirigea en personne les opérations du siège de Besançon, avec l'aide, il est vrai, de Vauban, le grand ingénieur militaire du temps. Besançon capitula. Louis XIV s'était fait une espèce de spécialité de cette guerre de sièges, qui n'engageait pas trop sa gloire. Le siège d'une place forte suivait d'ordinaire une procédure bien réglée. Les défenses qui protégeaient la ville, bastions et ouvrages avancés, avaient surtout pour but de retarder les progrès de l'ennemi. Mais une fois investie, c'est-à-dire entourée de tranchées par l'assiégeant dont les travaux d'approche l'enserraient de plus en plus près, une place forte n'était pas censée résister indéfiniment. On comptait qu'il fallait exactement quarante-huit jours pour s'en emparer, neuf jours pour telle opération, quatre pour telle autre, etc., les deux derniers jours étant réservés aux négociations en vue de la capitulation — car tout était prévu. Louis XIV adorait ce genre de guerre. Une plume blanche à son chapeau, suivi d'une brillante escorte de cavaliers et de carrosses pleins de dames, il faisait une entrée triomphale dans la ville conquise.

Pour les batailles rangées, plus hasardeuses, le roi comptait sur ses généraux, sur le grand Condé, « Monsieur le Prince », l'illustre vainqueur de Rocroi, sur l'habile et prudent Turenne, dont le tombeau est maintenant dans la chapelle des Invalides. Malheureusement pour Louis XIV, ses grands généraux durèrent moins longtemps que ses guerres. M. de Turenne fut tué d'un boulet de canon, et M. le Prince, toujours impétueux bien que perclus de goutte, se retira dans son beau domaine de Chantilly.

En 1679, Louis XIV, encouragé par Louvois, son ministre de la guerre, eut une idée singulière : celle de réunir au royaume des territoires sur lesquels des villes ou des régions cédées précédemment à la France pouvaient revendiquer quelque droit, même si celui-ci remontait à un passé lointain. L'art d'interpréter les textes conduisit à des annexions en pleine paix, comme celle de Strasbourg, qui provoquèrent en Europe stupeur et indignation. Louis XIV n'en eut cure. Mais quelques années

Entrée du Chancelier Séguier à Paris 1660, par Le Brun

plus tard, la Révocation de l'Édit de Nantes fit déborder l'urne trop pleine. Une formidable coalition, qui groupait presque tous les États de l'Occident — l'Empire, l'Espagne, les Provinces-Unies, l'Angleterre, le Danemark, la Savoie, des principautés allemandes — se forma contre la France. La guerre fut difficile. Toutefois la France royale était si forte qu'elle tint tête à ses ennemis. Impitoyablement, Louvois ordonna la destruction du Palatinat, et certains Allemands n'ont pas oublié l'incendie de Heidelberg par les Français, ni la ruine du château, bien qu'eux-mêmes, au cours des siècles, aient fait bien pire en France. Mais cette guerre fut l'occasion de quelques beaux sièges, comme celui de la ville de Namur, dans les Pays-Bas. Sur mer, les affaires allèrent mal. La flotte française fut anéantie par les forces navales combinées des Provinces-Unies et de l'Angleterre, et dès lors la France n'eut plus sur mer que des corsaires.[1]

---

[1] Il ne faut pas confondre corsaire et pirate. Alors que le pirate était un bandit de haute mer, le corsaire agissait en vertu de pouvoirs parfaitement réguliers, de « lettres de marque » octroyées par son gouvernement et qui l'autorisaient à s'emparer des navires de commerce de l'ennemi, en représailles des vaisseaux confisqués par ce dernier au moment de la déclaration de guerre.

Lorsque la paix fut enfin conclue, Louis XIV dut renoncer à ses annexions, tout en gardant Strasbourg. En somme, il se tira assez bien d'affaire, car il était encore puissant et redouté.

La guerre presque désastreuse fut la dernière, la guerre de Succession d'Espagne. Là encore, l'orgueil et l'ambition de Louis XIV furent des facteurs importants. Depuis plus de cinquante ans, des hommes d'État français rêvaient de l'union des deux couronnes, la couronne de France et celle d'Espagne. C'est sans doute pour cela que le rusé Mazarin avait arrangé le mariage entre Louis XIV et l'infante. L'occasion attendue se présenta en l'année 1700. Sous la pression de la France, le roi d'Espagne, qui n'avait pas d'enfants, choisit comme héritier le duc d'Anjou, deuxième petit-fils de Louis XIV. Le grand roi hésita, car il prévoyait les conséquences probables d'une acceptation. Il finit par accepter, tout en refusant de priver le nouveau roi d'Espagne de ses droits éventuels à la couronne de France. Les puissances européennes, alarmées, conclurent alors contre Louis XIV une « grande alliance » qui groupait ses ennemis habituels, les Impériaux, les Anglais, les Hollandais et d'autres. La France eut à combattre sur toutes ses frontières. Elle connut quelques succès et de nombreux revers. Grâce aux excellentes défenses de Vauban qui protégeaient ses frontières, elle échappa à peu près à l'invasion. Mais ce fut une époque de grandes souffrances, augmentées encore par le terrible hiver de 1709, un des pires hivers de mémoire d'homme. Une fois encore pourtant, la fortune sourit au vieux roi. Diverses circonstances, une petite victoire des troupes royales, une crise ministérielle en Angleterre lui permirent de négocier une paix acceptable. La France restait territorialement intacte, mais l'Angleterre préparait son hégémonie future. Elle gardait Gibraltar, occupé pendant la guerre, et elle obtenait des territoires dans l'Amérique du Nord. Pour la France, les traités d'Utrecht (1713) détruisaient la prépondérance que lui avaient assurée les traités de Westphalie.

Tout ce qu'on peut dire en défense de la grande politique du grand roi, c'est qu'elle rattacha au royaume des régions de langue et de tradition françaises, la Franche-Comté et des villes des Flandres. Si Louis XIV aima trop la guerre, il y fut poussé par d'autres, par Louvois, par tous ceux qui célébraient en lui le conquérant, qui le comparaient inlassablement à Alexandre, à César, à Mars, à Hercule, à Jupiter tonnant. — « Grand Roi, cesse de vaincre, ou je cesse d'écrire », s'écriait Boileau. Une quinzaine d'années plus tard, dans un moment de « sainte ivresse », ce même Boileau composa et adressa au roi son « Ode sur la prise de Namur », qui n'est pas un chef-d'œuvre. Loué en prose, en vers, en couleur, dans le marbre, enivré de sa gloire, aveuglé par les rayons de son propre soleil, est-il étonnant que Louis XIV, lorsqu'il s'agissait de guerres et de con-

Boileau

quêtes, ait perdu son bon sens habituel ? Quand on se considère comme le représentant de Dieu sur la terre, il est difficile de ne pas se prendre au sérieux.

A d'autres égards, notamment au point de vue économique et financier, le règne de Louis XIV fut une époque très difficile. Les métaux précieux d'Amérique, qui avaient été un grand stimulant à l'activité économique du seizième et du début du dix-septième siècle, n'arrivaient plus. L'économie française souffrait grandement de la rareté du numéraire. Les Pays-Bas et l'Angleterre devaient leur prospérité actuelle au commerce maritime, et aussi à une excellente organisation du crédit. La banque hollandaise était en plein essor. L'Angleterre venait de créer The Bank of England, qui contribua tant à sa prospérité économique. Rien de tel en France où le crédit, considéré et non sans raison avec méfiance, se confondait encore trop souvent avec l'usure et autres pratiques louches.

C'est dans ces conditions alors existantes qu'il faut replacer l'œuvre de Colbert. Colbert, fils d'un drapier de Reims, fut pendant une vingtaine d'années, sinon le premier ministre — car Louis XIV gouvernait lui-même et ne tolérait pas de premier ministre — du moins le premier « commis » du grand roi. C'était un travailleur infatigable, qui s'occupa de presque tout, même des beaux-arts, mais surtout des questions touchant l'économie et les finances du royaume. Sa politique économique, le colbertisme, était essentiellement protectionniste. L'idée était d'attirer en France l'or et l'argent des autres nations, ce numéraire dont il sentait le besoin urgent, en réduisant autant que possible la valeur des importations et en favorisant les exportations. Le danger était qu'une telle politique n'amenât des représailles : de fait, la guerre de tarifs entre la France et la Hollande fut une sorte de prélude à l'invasion des Pays-Bas par Louis XIV. Quoi qu'il en soit, Colbert fit de grands efforts pour développer la fabrication de produits pour lesquels la France était encore tributaire de l'étranger. C'étaient d'ordinaire des produits coûteux, des produits de luxe. Pour éviter d'acheter des glaces à Venise, Colbert créa la manufacture royale de glaces de Saint-Gobain. Les Gobelins, à Paris, devinrent manufacture royale des meubles de la couronne. D'autres manufactures fabriquèrent les tissus qu'on importait auparavant des Flandres ou d'Angleterre.

Colbert

Ces manufactures royales étaient des entreprises d'État, en dehors des métiers traditionnels. Loin de supprimer les corporations, qui condamnaient pourtant l'industrie à l'artisanat, Colbert s'efforça de généraliser le régime corporatif et de rendre plus stricts encore les règlements des métiers. Dans son esprit, les manufactures royales étaient des entreprises conçues en fonction du commerce international. Mais les corporations de métiers lui paraissaient répondre aux besoins de l'économie intérieure du royaume.

Le commerce lointain, avec l'Amérique, l'Asie, l'Afrique retint également l'attention de Colbert. C'était à leur commerce maritime que la Hollande et l'Angleterre devaient leur prospérité. Colbert créa donc des compagnies de commerce, qui eurent le privilège exclusif des relations avec telle ou telle partie du monde. C'est ainsi que la Compagnie des Indes occidentales reçut le monopole du commerce entre la France et l'Amérique. Afin d'encourager le grand commerce, Colbert fit même décider qu'un noble pourrait s'y livrer sans déroger.

Malgré des réussites de détail, les efforts de Colbert produisirent peu de résultats durables. Les dépenses publiques grandissantes, les guerres de Louis XIV ruinèrent bientôt ces efforts, qui n'étaient d'ailleurs pas toujours à l'abri de toute critique. Lorsque la maîtrise des mers fut passée à la Hollande et à l'Angleterre, que restait-il de son rêve de faire de la France une grande puissance maritime et commerciale ?

La situation financière, elle aussi, alla toujours en se détériorant, et un peu pour les mêmes raisons. L'ancienne monarchie eut toujours un mal extrême à faire face à ses dépenses. Le produit des impôts était insuffisant. Or, il était difficile d'augmenter ces impôts déjà bien lourds si l'on considère la rareté de l'argent et le peu de marge qui existait entre le revenu de la masse de la population et ce qui était absolument indispensable à son existence. De là cette haine de l'impôt, particulièrement de l'impôt royal qui se superposait aux redevances dues au seigneur et à l'Église. Cet impôt était très injustement réparti et très mal administré. Les nobles y échappaient presque complètement et l'Église se tirait d'affaire en votant périodiquement un « don gratuit », qui était sa contribution volontaire aux dépenses publiques. Tout le poids de l'impôt retombait donc sur les roturiers, particulièrement sur les paysans.

La *taille* était une espèce d'impôt direct sur le revenu, réparti parmi les habitants de chaque paroisse selon les signes extérieurs de la prospérité, si l'on peut dire, de chacun d'eux. Naturellement, chacun d'eux s'efforçait de dissimuler tout signe extérieur de prospérité, de cacher soigneusement jusqu'aux quelques victuailles qu'il pouvait posséder. Mais les agents du fisc étaient impitoyables, et le ressentiment contre eux profond. Les plus détestés étaient les « gabelous », les agents de la *gabelle,* l'impôt honni sur le sel et dont le taux variait d'ailleurs beaucoup d'une région à l'autre.

Si encore ces impôts avaient été perçus directement par l'administration royale, les abus auraient été moins criants et le ressentiment populaire moins violent. Au lieu de cela, la plupart des impôts, notamment les impôts indirects, étaient affermés à des groupes de financiers qui achetaient du roi, moyennant une somme forfaitaire, le droit de lever les impôts et se chargeaient du recouvrement par l'intermédiaire de leurs agents. Les quarante fermiers-généraux, comme on les appelait, avaient eux-mêmes des sous-fermiers. On devine aisément les abus incroyables qu'engendrait un tel système, les exactions de toute sorte commises par les agents de la ferme, les fortunes scandaleuses des gens de finances.

Vers la fin du règne de Louis XIV, le trésor public était vide. Le vieux roi fit fondre sa vaisselle d'or et d'argent pour en faire des pièces de monnaie — une goutte d'eau dans la mer. Il établit l'impôt de la capitation, qui devait être payé par tous, mais auquel les privilégiés échappèrent, par exemption ou par rachat. Il eut de plus en plus recours aux expédients financiers, en particulier à la vente des offices. Car, sous l'ancien régime, de nombreuses fonctions maintenant exercées par des fonctionnaires payés par l'État, étaient alors aux mains d'officiers, c'est-à-dire de gens qui avaient acheté leur charge et qui en étaient propriétaires. Ces charges comportaient l'exemption de la taille, avantage non négligeable. Certaines d'entre elles étaient surtout honorifiques. D'autres, notamment dans les finances, permettaient à leur titulaire de s'enrichir rapidement, sinon toujours très honnêtement. Le roi y trouvait aussi son compte. Pressé d'argent, il créait de nouveaux offices, parfois en concurrence avec des offices déjà existants. Les acheteurs ne manquaient pas. C'étaient parfois des titulaires d'offices désireux d'éviter la concurrence de nouveaux venus dans la profession. A l'intérieur même des métiers, le roi créait parfois des charges nouvelles, celles d'inspecteur de quelque chose par exemple, que bon gré, mal gré, rachetait la corporation. Ce jeu était souvent ruineux pour elle, mais elle n'avait guère le choix.

Les affaires religieuses furent une autre source de difficultés graves, et elles eurent des conséquences politiques, sociales et même économiques, parfois considérables.

Tout d'abord, l'affaire du jansénisme. Les *Provinciales,* en discréditant quelque peu les jésuites, n'avaient rien fait pour arranger les choses entre

Port-Royal et la Compagnie. Louis XIV n'aimait pas les jansénistes. Leur rigorisme lui déplaisait, et surtout il ne tolérait pas les dissensions, religieuses ou autres. En 1660, il ordonna à une Assemblée du clergé d'extirper « la Secte ». A la suite de quoi cette Assemblée invita tous les ecclésiastiques du royaume à signer un « formulaire » déclarant que les propositions condamnées étaient bien dans l'*Augustinus*. Les religieuses de Port-Royal refusèrent de signer.

C'est alors que les choses, qui allaient déjà mal, se gâtèrent encore davantage. Louis XIV demanda au pape de nommer des commissaires pour juger l'affaire. Un certain nombre d'évêques, farouchement gallicans, refusèrent d'accepter cette ingérence de Rome dans les affaires de l'Église de France. Les jansénistes, qui avaient déjà des amis dans le parlement traditionnellement hostile aux jésuites, trouvèrent ainsi de nouveaux et puissants alliés dans l'épiscopat.

La question janséniste se compliquait maintenant de celle du gallicanisme. Louis XIV, qui ne voulait pas que le pape profitât de la situation pour affirmer son autorité sur l'Église de France, fit arranger l'affaire du Formulaire. Les choses s'apaisèrent donc, et pendant une dizaine d'années, une paix relative régna dans l'Église de France.

La querelle se ranima aux environs de 1680, et cette fois Louis XIV sévit durement. C'était l'époque de la conversion du roi. On mit des jansénistes à la Bastille. Arnauld, Nicole s'enfuirent en Hollande, refuge des opposants. Les religieuses de Port-Royal furent dispersées. Sur l'ordre du roi, on détruisit les bâtiments de Port-Royal. L'année suivante, le cimetière de l'abbaye fut rasé et les restes de ceux qui y étaient enterrés furent remis à leurs familles ou jetés dans une fosse commune. Cet acharnement semble incompréhensible. Mais l'abbaye était en train de devenir un lieu de pèlerinage pour les amis religieux et politiques de Port-Royal. Les scènes bizarres qui auront lieu une dizaine d'années plus tard sur la tombe du diacre Pâris, au cimetière Saint-Médard, peuvent aider à comprendre les efforts du roi pour anéantir toute trace de l'abbaye rebelle.[2]

La conduite de Louis XIV envers les protestants fut encore plus brutale. Il voulait l'unité de religion dans son royaume. De plus en plus, les dispositions de l'Édit de Nantes furent interprétées dans un sens défavorable à la R.P.R. (Religion Prétendue Réformée). Puisque l'Édit ne disait pas formellement qu'un protestant serait enterré en plein jour, on en conclut par exemple qu'il ne pourrait l'être que la nuit. Après la conversion du roi, les mesures prises contre les protestants furent encore plus rigoureuses. Ils ne purent être avocats, médecins, libraires. On imagina divers

---

[2] Voir p. 206.

Audience du Légat du Pape, par Le Brun

moyens d'enlever les enfants des huguenots à leurs familles pour les élever dans la religion catholique. Afin d'encourager les conversions, Louvois eut l'idée de loger des dragons chez les protestants récalcitrants. Quand on connaît les mœurs des gens de guerre d'autrefois, on comprend l'efficacité des « dragonnades » de Louvois.

Enfin, en 1685, par l'édit de Fontainebleau, Louis XIV révoqua purement et simplement l'Édit de Nantes. Les protestants perdirent le droit d'exercer publiquement leur culte, leurs écoles furent fermées, leurs temples détruits. Défense fut faite aux réformés de quitter le royaume, sous peine des galères.[3] Cela n'empêcha pas un grand nombre d'entre eux, au moins deux cent mille, de chercher refuge en Allemagne, en Angleterre, en Hollande. Ces exilés étaient souvent des gens actifs, laborieux, des artisans habiles qui portèrent à l'étranger leur industrie et leur habileté professionnelle. Vers la fin du siècle, un quart de la population de Berlin — qui, il est vrai, était alors une petite ville — était composé de réfugiés français.

La Révocation ne mit d'ailleurs pas fin au protestantisme, pas plus que la destruction de Port-Royal ne mit fin au jansénisme. Les réformés célébrèrent leur culte en cachette, à la campagne, « au désert » comme on disait alors. Un véritable « maquis » protestant s'organisa dans des régions montagneuses, peu accessibles, les Cévennes par exemple, où les réformés réussirent à tenir tête aux troupes royales envoyées contre eux.

Un des résultats de la Révocation fut de redoubler la vigueur des attaques dirigées, de l'étranger, contre la France et son roi. En Hollande surtout, où les réfugiés étaient nombreux, paraissaient quantité d'ouvrages en français, souvent de violentes diatribes contre la Monarchie et l'Église. Le pasteur Jurieu y publiait *Les Soupirs de la France esclave*, dont le titre révèle l'esprit. En 1697, Bayle y publiait son *Dictionnaire historique et critique*. Beaucoup de ces ouvrages imprimés en Hollande ou ailleurs entraient clandestinement dans le royaume. Les libraires hollandais y trouvaient leur compte, car l'opération était profitable, et en même temps ils contribuaient à répandre des idées destructrices de l'ordre que représentait Louis XIV. La tradition politique et religieuse était de plus en plus menacée par le rationalisme, par le sentiment que l'absolutisme avait fait son temps, que les institutions ne répondaient plus aux besoins nouveaux. Imperturbable, Louis XIV continuait à régner comme il le faisait depuis cinquante ans, mais tout était en train de changer autour de lui.

---

[3] Les galères étaient des navires de la Méditerranée, originairement destinés à la chasse des pirates maures. Elles ne servaient plus guère au temps de Louis XIV, excepté à des fêtes nautiques. Les rameurs étaient des condamnés, et en mer surtout, la vie des galériens, constamment exposés au fouet de leurs gardes, était atroce.

Le gouvernement, la cour et la société sous Louis XIV

« Si veut le roi, si veut la loi ». Jamais le vieux dicton ne fut plus vrai qu'au temps de Louis XIV. Il n'y a pas alors de séparation des pouvoirs législatif, exécutif et judiciaire. Les édits royaux sont les lois du temps. L'autorité du roi est limitée seulement par la tradition, par la coutume, par l'existence de droits et de privilèges sociaux, régionaux, locaux ou individuels auxquels le roi lui-même n'ose toucher. Mais en principe il est maître absolu dans son royaume. Il n'est responsable de ses actes qu'envers Dieu, dont il est le représentant sur la terre. Responsabilité très réelle d'ailleurs. Comme les prédicateurs le lui rappellent dans leurs sermons, c'est sa vie éternelle qui est engagée, et Louis XIV redoutait cette responsabilité.

Louis XIV commit bien des fautes au cours de son règne, mais au moins il prit très sérieusement ce qu'il appelait son « métier de roi ». Il assista toujours avec une extrême régularité aux réunions de ses conseils, qui avaient lieu quotidiennement. A ses ministres, il laissait une autonomie considérable. C'est à lui toutefois qu'appartenaient les grandes décisions. Fort jaloux de son autorité, il eut soin de choisir ses auxiliaires immédiats dans la bourgeoisie, comme Colbert, ou dans la petite noblesse, comme Louvois. Il n'avait pas oublié le rôle qu'avait joué la haute aristocratie à l'époque de la Fronde. Il la tint donc soigneusement à l'écart des affaires. Même dans l'armée, profession noble par excellence, il nomma parfois des généraux, des maréchaux de France qui n'étaient pas de naissance illustre. Saint-Simon, duc et pair, n'avait donc pas tout à fait tort lorsqu'il appelait le règne de Louis XIV un règne de « vile bourgeoisie ».

On dit d'ordinaire que sous l'ancien régime la France était divisée en provinces. En réalité, le royaume était divisé en circonscriptions différentes — gouvernements militaires, intendances, diocèses, etc. — qui correspondaient plus ou moins aux provinces. Mais la province elle-même est une division géographique, un grand fief d'autrefois. Ce qui caractérise la France de l'ancien régime, c'est l'extrême diversité régionale et même locale. Chaque province a ses traditions et ses droits consacrés par l'usage. Certaines, comme la Bretagne, ont conservé leurs États provinciaux, composés des représentants des trois ordres; et même si ces États sont sans pouvoirs réels, ils représentent au moins un vestige d'indépendance régionale. En droit civil, les « coutumes » varient d'une région à l'autre, parfois d'une ville à l'autre : Paris a sa coutume, Beauvais, à soixante-quinze kilomètres de là, a la sienne. Il en est de même pour les poids et mesures, très variables d'un lieu à un autre, et pour les impôts. La taille est diversement répartie. Il y a des pays de « grande gabelle », des pays de « petite gabelle », d'autres où la gabelle n'existe pas. Bref, la diversité et par conséquent la complexité de l'administration est extrême.

Dans chaque région, l'intendant est chargé de mettre un peu d'ordre dans ce chaos. Nommé par le roi, choisi d'ordinaire dans la bourgeoisie de robe ou dans la petite noblesse, en correspondance suivie avec les ministres, notamment avec Colbert, l'intendant est le grand administrateur royal dans les provinces. Comme les ministres, il exerce les pouvoirs qu'il plaît au roi de lui donner. Il s'occupe de tout, de la justice, des impôts, des travaux publics, et bien entendu il est fréquemment en conflit avec les autorités régionales. Néanmoins, les intendants d'autrefois accomplirent du bon travail. Ce sont eux notamment qui, au dix-huitième siècle, firent construire ces belles routes de France qu'admiraient les visiteurs étrangers.

Louis XIV avec sa famille

Dès le commencement de son règne, Louis XIV fit entreprendre les travaux à Versailles. Le nouveau palais, encore à ses débuts, est en 1664 le théâtre de fêtes splendides. Peu à peu, les bâtiments s'ajoutent aux bâtiments, les jardins aux jardins. La ville de Versailles se construit dans le voisinage du palais. Bientôt la cour devient un monde, le splendide décor où se déroule le faste royal. Elle groupe plusieurs milliers de courtisans, hommes et femmes. Quelques favorisés vivent dans le palais, où ils sont d'ailleurs très mal logés ; d'autres s'installent dans la ville neuve de Versailles ; beaucoup viennent de Paris, qui n'est pas très éloigné, assister aux divertissements de Versailles. Presque toute la grande aristocratie française se presse dans les galeries du palais, se promène dans les jardins de Versailles. Et à ces aristocrates il faut ajouter peut-être dix mille domestiques et serviteurs de toute espèce, depuis les musiciens du roi jusqu'aux valets d'écurie.

On connaît le cérémonial étrange qui accompagne les moindres actes du grand roi. Il se lève et se couche en public, et assister au lever ou au coucher du roi, l'aider en particulier à se vêtir est un honneur insigne. Toute sa vie ou presque se déroule ainsi, au milieu de rites qui sont un curieux mélange de pompe et d'extrême familiarité. Il mange en public, généralement assis seul à une petite table qu'on dresse n'importe où, car à Versailles comme ailleurs la salle à manger est une pièce inconnue. Tous les coins du palais sont pleins de mendiants, qui s'introduisent jusque dans les appartements royaux.

Si Louis XIV fit tout ce qu'il put pour attirer la haute noblesse à sa cour, c'est qu'il y trouvait son compte. La présence de cette noblesse rehaussait l'éclat de sa couronne. C'était aussi un moyen de tenir la noblesse sous sa dépendance. Elle dépendait de lui pour obtenir des emplois profitables, pour recevoir ces mille faveurs qu'il réservait à ses courtisans. « Je ne le connais pas », répondait-il lorsqu'on sollicitait quelque chose pour quelqu'un qui ne hantait pas Versailles. Enfin la vie de cour avait des charmes tels que la pire disgrâce qui pût frapper un courtisan était « l'exil », c'est-à-dire l'éloignement de la cour, la retraite dans un château de province. Les grandes fêtes de Versailles, celles de 1664 par exemple, restées célèbres sous le nom de « Plaisirs de l'île enchantée », étonnèrent par leur magnificence. Trois jours durant, ce fut une succession de spectacles inoubliables : défilé des chevaliers vêtus de splendides vêtements, bals et collations dans le parc du château, représentations de pièces par Molière et sa troupe, musique par Lulli et ses violons. A l'extrémité du grand bassin était le château où la magicienne Alcine gardait prisonniers le chevalier Roger et ses compagnons, le thème général des fêtes ayant été emprunté à un épisode du *Roland furieux* de l'Arioste.

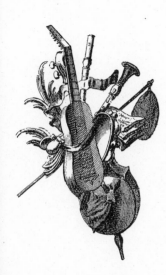

Une représentation à Versailles

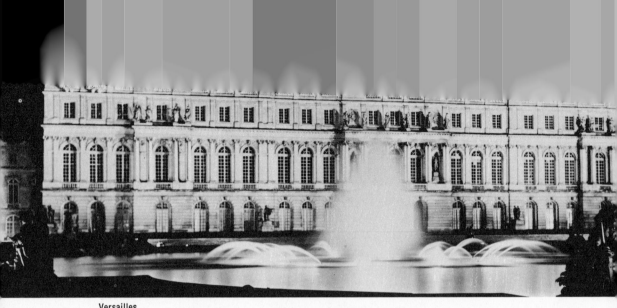

Versailles

Car le goût italien et quelque peu baroque est souvent présent dans les fêtes de Versailles. Florence connaissait déjà ces spectacles nautiques, et tel le grand bassin de Versailles à l'occasion des fêtes de l'île enchantée, l'Arno avait déjà vu ses flots couverts de monstres marins... Ce furent de belles fêtes. Elles se terminèrent par un magnifique feu d'artifice au cours duquel, après la délivrance des chevaliers de l'Arioste, le château de la magicienne disparut dans les flammes. L'eau et le feu, les enchantements étaient des thèmes baroques par excellence.

La cour a ses plaisirs, mais elle a aussi ses angoisses et ses déceptions. C'est le pays des intrigues, des médisances et des haines cachées. La noblesse s'y ruine et achève ainsi de se placer sous la dépendance du roi. Car il faut paraître, mener grand train, avoir chevaux, carrosses, une nuée de domestiques. Il faut porter de beaux vêtements, être « propre » comme on disait alors, bien que le mot s'appliquât seulement à l'apparence et nullement à la propreté corporelle, qui laissait beaucoup à désirer. On jouait à la cour un jeu d'enfer, souvent avec l'espoir d'étayer une fortune croulante. La plupart s'y ruinaient. Ceux qui exceptionnellement s'y enrichissaient étaient des habiles, presque des professionnels, qui n'étaient pas toujours de grands seigneurs. Il y avait d'ailleurs un moyen plus sûr de refaire une fortune menacée. C'était d'épouser la fille d'un riche financier. Vers la fin du siècle, les mésalliances devinrent de plus en plus fréquentes. Comme le disait Mme de Sévigné, il fallait bien quelquefois mettre du fumier pour engraisser ses terres.

Même si la noblesse était un des trois « états » du royaume, elle ne constituait nullement un groupe social homogène. Il y avait un monde entre les courtisans de Versailles et les petits nobles des campagnes. Certains de ces derniers, presque aussi pauvres que leurs paysans, ne vivaient guère mieux qu'eux. Parfois, ne pouvant arriver à joindre les deux bouts, ils renonçaient volontairement à leurs titres et prenaient un métier. Dans la noblesse de cour elle-même existaient des distinctions marquées. Ce qui faisait l'importance d'un noble était moins son titre que le nom qu'il portait. Saint-Simon, duc et pair — titre très élevé dans la hiérarchie nobiliaire — était un moindre personnage qu'un simple chevalier de Rohan, dont la famille était bien plus illustre que la sienne. Et c'est peut-être parce qu'il avait conscience de cette infériorité relative qu'il défendait avec tant d'âpreté ce qu'il considérait comme les droits et privilèges de sa dignité de duc et pair.

Les anoblis, dont la noblesse récente était souvent due à la faveur ou à l'acquisition de quelque charge, étaient peu considérés par la noblesse d'épée ou de race, comme on disait alors. Entre cette dernière et la noblesse de robe existait une guerre ouverte. La noblesse de robe était constituée par de grandes familles parlementaires, les Séguier, les D'Aguesseau, les Molé et maints autres.[1] Sous Henri IV, l'Édit de la Paulette, en consacrant le principe de l'hérédité des charges judiciaires, avait assuré leur transmission dans ces familles. Même si les familles de « robins » s'alliaient souvent par mariage à la noblesse d'épée, les deux noblesses se méprisaient et se haïssaient du fond du cœur.

Le pire est que la noblesse de race était trop souvent condamnée à l'oisiveté. La seule carrière qui lui fût facilement accessible était celle des armes ; et encore, dans un temps où la vénalité des charges était la règle, il fallait souvent acheter un grade dans l'armée. Quelques officiers il est vrai, notamment les généraux et les lieutenants-colonels, étaient nommés par le roi. Mais le colonel achetait son régiment et le capitaine sa compagnie, ou plutôt, fréquemment, son père l'achetait pour lui. C'est ainsi qu'il y eut des colonels de moins de vingt ans. Et le système amenait d'étranges abus. Si l'effectif d'une compagnie avait été fixé à cinquante hommes, le capitaine recevait une subvention pour l'entretien de ces cinquante hommes. Mais s'il n'en avait que quarante, il pouvait s'octroyer la différence. Les jours d'inspection, on donnait fusil à quelque « passe-volant », on lui mettait sur le dos un uniforme, et, un jour au moins, la compagnie était au complet. Louvois, ministre de la guerre, décida de faire couper le nez et les oreilles à tout passe-volant découvert, sans réussir pourtant à supprimer cet abus. Il aurait peut-être eu plus de succès s'il avait décidé de faire couper le nez et les oreilles au capitaine.

Les soldats étaient recrutés par engagement volontaire, ou plus ou moins volontaire, les sergents-recruteurs ayant recours à mille ruses, et

---

[1] A ces parlementaires, il faut joindre les membres des autres cours souveraines, Cour des comptes, Cour des aides, etc., en tout quelque deux ou trois mille.

parfois à la violence, pour se procurer les hommes dont ils avaient besoin. A une époque où tant de pauvres diables souffraient de la faim, on voyait ces sergents-recruteurs parcourir les rues avec des jambons et des oies grasses enfilés sur des piques, suggérant ainsi les excellents repas que l'on faisait au service du roi. Ils emmenaient parfois leur recrue éventuelle au cabaret, l'enivrait quelque peu, à la suite de quoi le malheureux signait d'une croix son acte d'engagement. Quand il se repentait, il était trop tard. On comprend que dans ces conditions, l'armée n'était pas composée de la fleur de la population. Les désertions étaient fréquentes et, changeant à peine de profession, les déserteurs devenaient fréquemment bandits de grand chemin.

L'armée comprenait d'abord la « Maison du roi », régiments de cavalerie composés de jeunes nobles, notamment les corps de mousquetaires gris ou noirs selon la couleur de leurs chevaux, et régiments d'infanterie, y compris celui des gardes-françaises. Outre ceux-ci, l'armée permanente se composait d'un certain nombre de régiments d'infanterie et de cavalerie, soit français soit étrangers, car le roi de France avait alors de nombreux étrangers à son service, Suisses, Allemands, Irlandais, Croates, etc. De tous les régiments, les plus recherchés, donc les plus coûteux pour leurs officiers, étaient les régiments de cavalerie, dragons entre autres, et les vieux régiments d'infanterie, les « six vieux » comme on les appelait, qui portaient le nom de provinces, Auvergne, Champagne, Picardie. Pour compléter cette armée professionnelle, le tirage au sort fournissait une milice, à raison d'un milicien par paroisse.

En temps de guerre, on formait, pour la durée des opérations militaires, de nouveaux régiments, qui portaient le nom de leur propriétaire. C'est ainsi qu'à l'âge de dix-neuf ans, le futur duc de Saint-Simon, auteur des célèbres *Mémoires,* se trouva être colonel d'un régiment de cavalerie, le régiment de Saint-Simon. Il faut dire d'ailleurs que ces officiers nobles se faisaient tuer à la guerre avec une désinvolture extrême, le courage étant une valeur morale à laquelle ils attachaient un très haut prix.

Pendant les vingt ou vingt-cinq premières années du règne, la vie de cour fut très brillante. Le roi était jeune, avide de plaisir, et sa vie privée n'avait rien d'austère. Vers 1680, un grand changement eut lieu. Louis XIV avait dépassé la quarantaine et surtout, discrètement, Mme de Maintenon exerçait sur lui son influence. Par un jeu de mot facile, on l'appelait « Madame de Maintenant », mais cette Mme de Maintenant était fort différente des dames du temps jadis, les Montespan et autres. Elle se considérait, elle aussi et à sa façon, comme une représentante de Dieu sur la terre, comme un ange gardien chargé de veiller sur le salut du roi. C'était une femme de beaucoup d'esprit, instruite et très pieuse. Elle convertit le roi, qui était inquiet, non sans raison, de ses erreurs passées. Elle prit sur lui un certain ascendant, bien que le roi ne se laissât gouverner par personne.

La vie de Versailles changea après la conversion du roi. Les temps devenaient de plus en plus difficiles. Certes, les rites quotidiens — lever, coucher, réunions de la cour dans les galeries du palais — continuaient comme par le passé, mais le roi vieillissait et le temps des plaisirs était révolu. La mode allait maintenant à la dévotion. Les dernières années de Louis XIV furent assombries par une série de deuils dans la famille royale. Il vit mourir son fils, son petit-fils, héritiers du trône, deux de ses arrière-petits-enfants, et lorsqu'il mourut lui-même en 1715, à l'âge de soixante dix-sept ans, son héritier, le futur Louis XV, était un enfant. Dans un temps où la vie humaine était généralement brève, le vieux roi avait vécu trop longtemps.

Mme de Maintenon

Sous Louis XIV, Paris comptait peut-être 500.000 habitants. Bien que son attention fût de plus en plus accaparée par Versailles, Louis XIV y fit construire quelques-uns des monuments du Paris actuel, la colonnade du Louvre, les Invalides, les beaux bâtiments qui entourent la place Vendôme. Son lieutenant de police réalisa certaines améliorations, aménagea des quais, éclaira quelque peu les rues obscures. Mais le Paris populaire restait un assemblage de rues étroites, de maisons mal construites. La misère y était grande. Traditionnellement, l'Église et la charité privée s'efforçaient

Vues de Paris: Le Louvre   Place de Grève

de soulager un peu cette misère, en ce qui concerne en particulier les pauvres malades. Or, en 1656, le gouvernement prit des mesures radicales, qui ne donnèrent pas les résultats espérés, parce que le problème n'était pas, comme on le pensait, un simple problème de police. On commença par interdire la mendicité. On nettoya les « cours des miracles ». Mendiants, vagabonds, prostituées, fous et folles furent envoyés dans un des cinq établissements qui constituaient l'« Hôpital général ». Dans ces maisons, moitié hospices, moitié prisons, le régime était dur. Selon l'habitude du temps, chaque lit était occupé par plusieurs malades ou internés. On envoyait les femmes à la Salpêtrière, les hommes à Bicêtre. De nos jours, la Salpêtrière est encore un hospice pour les femmes âgées, où l'on soigne aussi les maladies mentales, et Bicêtre est toujours une maison pour les vieillards et les malades mentaux. Il va sans dire que les conditions s'y sont beaucoup améliorées depuis l'époque du grand roi.

Le régime des prisons était encore plus dur, sauf dans quelques prisons privilégiées, comme la Bastille, prison d'État, où les prisonniers de marque et simplement ceux qui avaient les moyens financiers d'adoucir leur sort jouissaient d'avantages surprenants. Tel prisonnier pouvait amener son domestique, faire venir ses repas du dehors si l'ordinaire de la prison ne lui convenait pas. Mais d'autres prisons étaient cruelles. La justice criminelle du temps était d'une barbarie étonnante. La torture, la question comme on disait, était encore employée pour arracher les aveux du criminel, puis pour le forcer à dénoncer ses complices. Les exécutions étant publiques, les bonnes gens venaient y assister en masse. « Jamais il ne s'est vu tant de monde », écrivait Mme de Sévigné à propos de l'exécution, qui eut lieu en place de Grève, d'une célèbre empoisonneuse. On dit que les gens d'autrefois étaient moins sensibles que nous à la douleur physique et au spectacle de la souffrance. Espérons-le du moins.

Il y avait des spectacles plus plaisants, par exemple le fameux carrousel qui eut lieu en 1662, dans l'espace compris entre le palais du Louvre et celui des Tuileries. On y vit le roi et les princes chevaucher à la tête de brigades

Palais du Luxembourg

composées de Romains, de Persans, de Turcs, d'Indiens et de sauvages
américains. La magnificence des costumes, tous ces grands de la terre
empanachés et emplumés impressionnèrent tant les Parisiens que, de nos
jours encore, le nom « place du Carrousel » rappelle le souvenir de cet
événement mémorable. Chaque année, en février et en mars, avait lieu la
foire Saint-Germain, fondée par les religieux de Saint-Germain-des-Prés.
Les commerçants y vendaient leurs marchandises, et surtout on s'y
amusait. Rien de plus divertissant que les spectacles de la foire. Malheureusement, on y jouait furieusement et les rixes y étaient fréquentes. Lieu de
débauche et de perdition, disaient les moralistes.

Les Parisiens vivaient beaucoup dehors, la promenade étant une de
leurs distractions favorites. C'est dans les lieux de promenade, aux
Tuileries, au Cours-la-Reine, qu'on apprenait les nouvelles. Les journaux
étaient rares. La *Gazette* ne donnait que peu de nouvelles, et de caractère
officiel. Le *Mercure galant,* fondé en 1672, était surtout un journal mondain.
Dans les lieux publics, on trouvait donc des « nouvellistes » qui gagnaient
leur vie à propager les nouvelles du jour et à distribuer des écrits clandestins, souvent scandaleux.

Les gens de justice et les détenteurs d'offices continuaient d'occuper le
premier rang dans la bourgeoisie parisienne. Les marchands et chefs de
métiers venaient ensuite. A coups de règlements, Colbert étatisa les corporations, dans lesquelles le fossé qui séparait patrons et ouvriers, maîtres et
compagnons, était devenu pratiquement infranchissable. La maîtrise était
donc à peu près héréditaire. Or, un ouvrier parisien qui gagnait vingt sous
par jour était un ouvrier bien payé. Même si la viande ne coûtait que cinq
sous la livre, il ne pouvait pas en manger bien souvent, surtout s'il avait
une famille à nourrir.

Le sort de beaucoup de paysans n'était pas plus enviable. Étrangement,
ce sort était meilleur dans les régions pauvres que dans les régions riches,
car dans les premières le paysan était souvent propriétaire du sol qu'il
cultivait, par conséquent plus affranchi de redevances. La principale

culture était celle des céréales, du « blé », mot qui désignait alors les grains en général et non le froment en particulier. Le pain blanc, qu'aimaient tant les Parisiens, était un luxe, ce que nous nommons maintenant le blé étant alors une culture très aléatoire. Quelle que soit d'ailleurs la plante cultivée, le rendement était déplorablement faible. Le fumier était rare. La pratique de la jachère rendait chaque année un tiers ou la moitié des terres cultivables inutilisées. Certes, les redevances que le paysan devait à son seigneur, à son curé et à son roi étaient pour lui une lourde charge, mais la principale cause de sa misère était l'insuffisance de la technique agricole. L'homme des champs ne savait pas exploiter profitablement la terre qu'il cultivait. La nature le tyrannisait. Les premiers à souffrir d'une mauvaise récolte étaient les paysans, bien plus que les habitants des villes, lesquelles avaient au moins quelques réserves dans leurs greniers. Lorsque les éléments s'en mêlaient, comme au cours de l'hiver de 1709, les souffrances, particulièrement du peuple des campagnes, devenaient intolérables. Pour le bien ou pour le mal, nous avons appris à mettre la nature à notre service. Au dix-septième siècle, les ressources naturelles étaient encore en grande partie inutilisées. A Paris, sur la Seine, il y avait bien des moulins à eau, et des moulins à vent sur les hauteurs de Montmartre. Mais la houille n'était guère employée que dans les forges, et ça et là pour le chauffage. Bref, l'homme était encore si dépendant du milieu où il vivait que, malgré le grand nombre des naissances, la population n'augmentait pas. La France de Louis XIV, pays considéré comme peuplé et prospère, avait tout au plus vingt millions d'habitants.

Lorsque les temps devenaient trop difficiles, le peuple exaspéré se révoltait. Tout au long du siècle, il y eut de temps à autre des soulèvements dans les provinces, en Gascogne, en Bretagne. Le manque de pain, la disette en était parfois la cause. Plus souvent, ces troubles avaient pour cause les impôts. Les paysans acceptaient de payer l'impôt à leur seigneur ou à leur curé, gens qu'ils connaissaient, qui leur rendaient service à l'occasion.[2] Mais l'impôt royal rencontrait de fortes résistances, presque traditionnelles depuis l'époque de Philippe le Bel. Si l'établissement d'un impôt, même très faible, sur le papier timbré provoqua le soulèvement de la Bretagne, en 1675, il faut se souvenir que l'introduction d'un impôt nouveau ou l'augmentation d'un impôt déjà existant, comme la gabelle, paraissait insupportable à une époque où la marge était fort mince entre le revenu d'un paysan ou d'un ouvrier et ce qui était absolument indispensable à son existence.

---

[2] C'était le curé par exemple qui était chargé de l'instruction des enfants. Là encore, l'insuffisance de la technique, c'est-à-dire des méthodes d'enseignement, avait des résultats fâcheux, puisque la grande majorité des hommes, et encore plus des femmes ne savaient même pas signer leur nom.

La littérature et
les arts sous le règne du Grand Roi

Les quinze ou vingt premières années du règne personnel de Louis XIV marquent l'apogée de la littérature classique française. C'est au cours de cette période que Molière, Racine, La Fontaine écrivirent presque toutes leurs œuvres. A certains points de vue, cette littérature continue celle de l'âge précédent. L'étude de l'homme, de ses sentiments, de ses passions, la « connaissance du cœur humain », reste l'objet principal des écrivains, qu'il s'agisse de moralistes purs comme La Rochefoucauld ou d'auteurs dramatiques comme Molière et Racine.

A d'autres égards pourtant, la littérature du temps de Louis XIV diffère de celle de l'âge de Louis XIII et de la Fronde. L'époque précédente avait été romanesque et héroïque. Précieux et précieuses, frondeurs et frondeuses aimaient les grandes aventures, les beaux sentiments, aspiraient à se distinguer par leurs actes héroïques, par leur force d'âme, par leur vertu. Au temps de Louis XIV, les auteurs semblent avoir moins conscience de la grandeur de l'homme que de sa faiblesse. Parlant de Corneille et de Racine, La Bruyère dit que « celui-là peint les hommes comme ils devraient être, celui-ci les peint tels qu'ils sont ». Même s'il est contestable que Corneille ait peint les hommes tels qu'ils devraient être, car un monde composé de ses héros et de ses héroïnes serait un monde très particulier, il n'en est pas moins vrai que La Bruyère a saisi la différence entre l'idéalisme de Corneille et le réalisme de Racine.

Tout le siècle s'est beaucoup occupé de ce qu'il appelait d'une façon un peu vague la « passion » et la « raison ». La volonté est l'organe de la raison. Mais cette volonté peut-elle dominer les passions, de sorte que l'homme est libre de choisir, ou bien est-elle elle-même dominée par les passions ?

Corneille affirme la toute puissance de la volonté. « Je suis libre de moi comme de l'univers », déclare Auguste dans *Cinna*. Pour Racine au contraire, la volonté est sans force contre la passion. « Je me livre en aveugle au destin qui m'entraîne », dit Oreste qui sent la vanité de tout effort pour résister à son fatal amour pour Hermione.[1] Et Phèdre illustre la même impuissance de la volonté. Évidemment, toute généralisation à propos de deux auteurs dramatiques isolés est dangereuse. Néanmoins, il y a de l'un à l'autre un changement notable dans les idées morales, qui est sans doute caractéristique d'une époque où le jansénisme, en insistant sur les vertus chrétiennes, s'opposait aux vertus héroïques de l'âge précédent.

L'héroïsme n'a pas de place dans la comédie, qui vit de la réalité, qui met en scène types et situations de la vie quotidienne. Les pièces de Molière nous présentent une étonnante galerie de portraits du grand siècle. Paysans, domestiques et servantes, médecins, gens du monde comme Alceste et Célimène, petits marquis ridicules, femmes précieuses ou savantes, un grand seigneur méchant homme comme Dom Juan, tous paraissent dans ses pièces, avec leurs manières, leur langage, leurs défauts ou leurs vices. Mais ses types habituels sont des bourgeois comme Orgon, l'aveugle victime du faux dévot Tartuffe, comme M. Jourdain, le « Bourgeois gentilhomme », comme l'hypocondriaque Argan, le « Malade imaginaire ». On a dit que la sagesse de Molière est une sagesse bourgeoise. C'est bien plutôt la sagesse des « honnêtes gens », faite de raison, de juste milieu et fondée sur l'expérience du monde. Molière est contre tout excès, même de vertu. La Fontaine, dans ses merveilleuses *Fables*, expose cette même morale pratique, sans illusions, morale d'adaptation, d'acceptation des hommes et de l'ordre de choses existant. Le règne de Louis XIV, sauf vers la fin, n'est pas encore l'âge des réformateurs.

En 1688 parut un livre qui, bien qu'il ne fût nullement révolutionnaire, annonçait des préoccupations nouvelles. L'auteur, La Bruyère, était un honnête bourgeois qui avait passé une bonne partie de sa vie parmi les grands, à la cour du prince de Condé à Chantilly. Ses *Caractères* sont à la fois une description des mœurs et une présentation de types de son temps. Mais il ne se contente pas de faire, à la façon de Molière, la satire des ridicules. Sa critique va plus loin. Il considère ses personnages, courtisans, grands seigneurs, financiers, etc., en fonction de la société à laquelle ils appartiennent. Il leur reproche de ne penser qu'à eux-mêmes, de manquer trop souvent d'humanité, de tout sentiment d'obligation envers ceux que le sort a moins favorisés. Certes, La Bruyère accepte l'ordre social existant comme étant voulu par la Providence. Il souhaite une réforme de l'homme plutôt qu'une réforme des institutions. Son point de vue est au fond celui

---

[1] Dans *Andromaque*, tragédie de Racine.

des prédicateurs religieux qui, avant lui et en son temps, ne manquaient pas de rappeler leurs devoirs aux grands de ce monde. On les écoutait, car les sermons étaient fort suivis à la cour et à la ville, mais ce qu'ils disaient entrait souvent par une oreille et sortait par l'autre. L'insistance de La Bruyère, moraliste laïque, sur des questions touchant même indirectement à l'ordre social et politique annoncent des temps nouveaux.

Au temps de Louis XIV, les honnêtes gens s'intéressaient toujours aux choses morales, et c'est dans les réunions mondaines qui avaient lieu chez Mme de Sablé que La Rochefoucauld élabora ses *Maximes*. Mais le théâtre, « la comédie » comme on l'appelait, restait leur divertissement favori. Les grands faisaient donner, dans leurs résidences, des représentations privées. Chez le prince de Condé, à Chantilly, la troupe de Molière représenta *Tartuffe,* alors interdit à Paris. Elle joua aussi à Versailles, à Chambord. Mais d'ordinaire Molière et ses comédiens jouaient au Palais-Royal,[2] dans la salle aménagée par Richelieu et qu'ils partageaient avec les Italiens. A Paris aussi étaient les « grands comédiens » de l'hôtel de Bourgogne et la troupe du Marais. Par une étrange coutume qui remonterait, paraît-il, au grand succès du Cid, certains spectateurs de marque prenaient place sur la scène même des théâtres, à côté des acteurs pour qui ce voisinage illustre était souvent gênant. Les représentations, qui avaient lieu l'après-midi, comportaient d'ordinaire une tragédie et une comédie.

A côté de ces genres traditionnels, le public aimait beaucoup les pièces à grand spectacle, les « pièces à machines » dont le sujet était emprunté à la mythologie. Dans *Andromède* de Corneille, par exemple, on voyait représentés les lieux les plus divers, un « palais magnifique », un « jardin délicieux » avec statues, jets d'eau, berceaux de verdure, puis le rivage de la mer couvert de « rochers affreux » — c'est là que Persée tuait le monstre qui allait dévorer Andromède — et d'autres lieux encore, une salle du palais royal, un temple orné de colonnes et couvert d'un « superbe dôme ». Par le jeu de machines compliquées, Vénus, Persée, Jupiter paraissaient et disparaissaient dans les airs; sur les flots arrivait le char de Neptune tiré par des chevaux marins. C'était un beau spectacle, agrémenté par des chants, par des chœurs de nymphes.

---

[2] Le Palais-Royal actuel n'est pas le Palais-Cardinal, qu'avait fait construire Richelieu, et dont il ne reste presque rien, l'ancien palais ayant été détruit par le feu au dix-huitième siècle.

Molière lui-même a composé, à l'occasion de fêtes à la cour, plusieurs pièces où la musique, le chant et la danse occupaient une place importante. Lulli composait la musique de ces divertissements, du moins jusqu'à la brouille qui survint entre Molière et lui. Ce Lulli, excellent musicien, était un individu assez peu estimé. Très ambitieux, sans scrupules, ne supportant pas la moindre atteinte à ce qu'il considérait comme son monopole musical, il en voulait à Molière de composer des comédies-ballets et autres pièces lyriques, même avec sa collaboration. A la mort du comédien, il s'arrangea pour occuper la salle du Palais-Royal. Vers la même époque, le roi ordonna la fusion de la troupe de Molière avec celle du Marais, et sept ans plus tard, en 1680, la Comédie-Française naquit de la fusion de ce théâtre avec celui de l'hôtel de Bourgogne. C'est pourquoi on appelle toujours la Comédie-Française la « maison de Molière », bien qu'elle ne l'ait été que pour un tiers. Le nouveau théâtre s'installa dans la rue qui porte encore le nom de « rue de l'Ancienne Comédie ».

Quant à Lulli, il parvint à mettre la main sur l'Académie des opéras qu'avait fondée Perrin en 1671. Il en fit l'Académie royale de musique, dont il prit bien entendu la direction, et au cours d'une quinzaine d'années il y représenta une vingtaine d'opéras dont Quinault écrivait les paroles.

Même si Louis XIV semble avoir fini par prendre le parti de Lulli contre Molière, il protégea le grand comédien et cette protection lui fut utile. Surtout après *Tartuffe,* Molière eut des ennemis attachés à sa perte, et la faveur que lui témoignait ouvertement le roi le mit sans doute à l'abri de bien des persécutions.

Brissart d. · *J. Sauvé f.*

L'IMPOSTEUR

Le mécénat de Louis XIV eut ses bons et ses mauvais côtés. La protection royale était capricieuse. Le roi témoigna d'abord beaucoup de faveur à Racine, d'ailleurs excellent courtisan. Puis un jour vint où pour diverses raisons cette faveur se refroidit, et selon Louis Racine, ce changement hâta la mort de son père. Comme Richelieu, Colbert accorda des pensions à ceux des écrivains et savants qui, à son avis, les méritaient. Bien que les noms de la plupart des grands auteurs du temps aient été inscrits sur la « feuille des pensions », il y eut pas mal d'arbitraire dans la répartition des subsides royaux. D'ailleurs, les pensions furent abrogées en 1690. Les temps devenaient difficiles, Louis XIV s'intéressait maintenant à son salut. L'éloge du roi était devenu une espèce de dette dont s'acquittait régulièrement tout auteur respectable, Molière, Boileau et maint autre. Cet éloge était peut-être sincère, mais Louis XIV lui-même s'en lassa. N'avait-il pas été déjà comparé mille fois à Alexandre et à Jupiter, à tous les héros et à tous les dieux ?

Cette glorification du roi est partout présente à Versailles, et le palais lui-même est un monument à sa grandeur. Dès le commencement de son règne, Louis XIV eut l'idée de se faire bâtir un château hors de Paris, dont il se méfiait depuis la Fronde, et qui fût pourtant à proximité de la capitale. Son choix s'arrêta sur l'emplacement du château actuel, où Louis XIII avait un pavillon de chasse que, par respect pour la mémoire de son père, Louis XIV fit incorporer dans les bâtiments de son propre palais. Les travaux durèrent, avec des intermittences, aussi longtemps qu'il vécut. Peu à peu se forma un magnifique ensemble de bâtiments, de bassins, de fontaines, de statues, de parterres de fleurs, d'allées, d'arbustes taillés, de rideaux de verdure, de bosquets, de grands arbres, dont le Versailles tel que nous le voyons ne donne qu'une idée bien amoindrie. Ce Versailles, vacant depuis si longtemps, paraîtrait sans doute misérable aux contemporains du grand roi. Mais, comme dirait Pascal, c'est « une misère de roi dépossédé ».

Louis XIV n'eut pas de peine à trouver les artistes qu'il lui fallait. Il s'assura les services de ceux que l'infortuné Foucquet avait employés à la construction de son château de Vaux : l'architecte Le Vau, le décorateur Le Brun, le jardinier Le Nôtre, et d'autres. Plus tard, Mansard fut chargé de la direction des travaux. Il ajouta des ailes, fit aménager la galerie des glaces, construire la chapelle qui ne fut achevée qu'en 1710. C'est lui aussi qui édifia, dans le parc du château, ce « palais de jardin » qu'est le grand Trianon, charmant édifice sans étage, orné de colonnes et donnant sur de magnifiques parterres.

Lorsqu'on entre dans la cour d'honneur du palais de Versaille, on éprouve une impression mêlée. Les bâtiments, imposants certes mais un peu tristes, ressemblent trop à une auguste caserne — c'est d'ailleurs dans cette partie du château qu'au temps de Louis XIV étaient installés les bureaux de l'administration royale. Du côté des jardins, l'impression est bien différente. Les longs bâtiments, dorés l'après-midi par les rayons du soleil, sont de nobles exemples d'architecture classique. Ils comprennent, selon l'usage habituel, un rez-de-chaussée, un premier étage et un attique. Le premier étage est l'étage monumental, l'étage noble. C'est dans ses galeries, éclairées par de hautes et larges fenêtres séparées à l'extérieur par

Versailles

Triomphe de Louis XIV

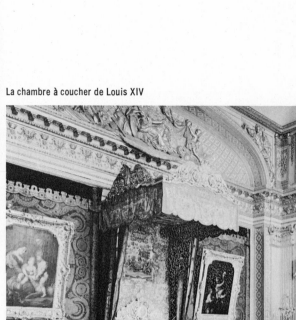

La chambre à coucher de Louis XIV

des colonnes, qu'avaient lieu les réunions et solennités de la cour. Comme dans le Louvre de Lescot, des avant-corps rompent heureusement la monotonie des lignes horizontales. Le château de Vaux avait encore une haute toiture à la française. Dans les ailes de Versailles construites par Mansard, les toits sont invisibles du sol. Au sommet, des statues et trophées d'armes se détachent sur le ciel.

L'ordonnance des jardins est l'œuvre du célèbre Le Nôtre. Le Nôtre voyait grand. Il aimait les vastes espaces, les grands bassins, les larges allées rectilignes continuant en quelque sorte l'architecture des bâtiments. Dans le voisinage immédiat du palais, il eut soin de ménager une immense terrasse dont les ornements à fleur de terre — parterres et bassins — ne gênaient en rien la vue, ni celle des lointains pour celui qui était près du château, ni celle du château pour celui qui le voyait du fond du parc. Il profita très heureusement de la configuration du terrain pour disposer ses jardins sur plusieurs plans, auxquels on accède par des escaliers monumentaux — celui qui descend à la cour de l'Orangerie par exemple — donnant ainsi plus de variété à l'ensemble. Au delà des jardins s'étend le parc, la

forêt percée de larges allées convergentes, menant à des ronds-points ornés de bassins, décorés de statues. Enfin Le Nôtre utilisa très habilement l'eau qu'aimait tant le grand siècle — du moins pour l'ornementation des châteaux et des palais.[3] Le Nôtre et Mansard travaillèrent en harmonie parfaite. Ce qu'il y a peut-être de plus remarquable à Versailles, c'est l'unité d'inspiration, l'accord complet entre les bâtiments, les jardins et le parc.

Cependant, tout n'était pas parfait à Versailles au temps du grand roi. Les commodités les plus élémentaires de l'existence, pour ne rien dire des commodités tout court, étaient étrangement négligées. En été surtout, le château ne sentait pas bon, malgré les orangers. On gelait l'hiver dans ses vastes galeries, impossibles à chauffer. Mais les courtisans et le roi lui-même y étaient habitués. Ils entassaient les vêtements les uns sur les autres, tout comme le faisaient les bourgeois parisiens.

---

[3] Pour amener l'eau à Versailles, on construisit sur la Seine la fameuse « machine de Marly », faite de quatorze grandes roues mues par le courant du fleuve et qui actionnaient plus de deux cents pompes.

Le peintre Le Brun fut le grand décorateur de Versailles. Sous sa direction travaillait toute une équipe de peintres, d'ébénistes, de tapissiers, d'orfèvres. Les Gobelins fabriquaient, comme aujourd'hui, des tapisseries ; mais ils faisaient aussi des meubles et quantité d'autres objets destinés aux bâtiments royaux. Le Brun travailla à Versailles pendant près de vingt ans, et si ce ne fut pas un très grand peintre, ce fut un très grand entrepreneur de peinture. Toute cette peinture est bien entendu consacrée à la gloire du roi, à travers l'allégorie mythologique et historique alors en vogue. Lorsque Le Brun représente la « Conquête de la Franche-Comté », il place au centre de son tableau Louis XIV vêtu d'un costume assez fantaisiste d'empereur romain, la main appuyée légèrement sur la canne qu'il portait habituellement. Derrière lui, Hercule, la massue levée, attaque le lion espagnol abrité par le rocher de Besançon, tandis qu'à droite l'aigle impérial pousse des cris perçants. A gauche, la Victoire s'apprête à couronner le roi vainqueur. Au premier plan, vaincus, captifs, femmes éplorées, armes brisées rappellent discrètement les misères de la guerre. Tout ceci est très noble et très bien composé. La même remarque s'applique à la Galerie d'Apollon, au Louvre, œuvre du même Le Brun. Là encore, l'allusion est très claire. Apollon, c'est le dieu de la Lumière et Louis XIV est le Roi-Soleil, l'astre resplendissant qui éclaire l'univers.

192

Les jardins, les bassins et les allées de Versailles sont ornées de statues en marbre, en bronze ou en plomb d'un art assez inégal. Certaines, notamment les nombreuses statues d'enfants qui s'ébattent dans l'eau des bassins, sont charmantes. Coysevox décora pièces d'eau et fontaines de figures allégoriques représentant la Seine, la Marne et autres fleuves et rivières de France. Coustou, son élève, est l'auteur des « chevaux de Marly »[4] placés actuellement à l'entrée des Champs-Elysées.

Pendant une grande partie du règne, les travaux de Versailles et de Marly occupèrent presque tous les artistes. On dit que Louis XIV n'aimait pas Paris. Il fit néanmoins construire deux monuments parisiens bien connus : la colonnade du Louvre et l'hôtel des Invalides.

La construction du Louvre tel que nous le voyons dura trois siècles. François 1er l'avait commencé et Napoléon III le termina. Au début de son règne et sur les instances de Colbert, Louis XIV décida d'embellir sa capitale en ajoutant aux constructions du Louvre. Ce fut toute une affaire. On fit venir d'Italie le célèbre Bernini, « le chevalier Bernin », qui avait bâti le portique de Saint-Pierre de Rome. Il présenta ses plans. On le renvoya comblé d'honneurs ; mais le projet adopté fut celui d'un médecin parisien, Claude Perrault — « qui de méchant médecin devint bon architecte », dit méchamment Boileau. De fait, sa colonnade est un noble monument. Avec son étage monumental garni de colonnes, elle inaugura un style, celui de Versailles. Tout ce qu'on peut lui reprocher est de ne pas s'harmoniser parfaitement avec le reste de l'édifice.

En 1670, le roi eut l'idée de faire construire une maison de retraite pour les soldats invalides de guerre, qui jusqu'alors étaient logés dans les monastères. Le Brun, puis Mansard furent chargés de la direction des travaux. C'est ainsi que fut bâti l'imposant hôtel des Invalides, dont la façade régulière, donnant sur une vaste esplanade, est un beau monument de l'époque classique. A l'arrière de l'édifice, l'église, surmontée d'un dôme, est parfaite dans ses proportions. L'intérieur est un peu théâtral, comme le voulait le goût du temps, encore sous l'influence de l'art jésuite. Trop de marbre, trop de peintures, trop de dorures. Et l'impression est encore aggravée par le plus théâtral de tout, le tombeau de Napoléon que Louis-Philippe fit descendre au fond d'un trou sous la coupole, au beau milieu de l'église Saint-Louis.

Colbert, ministre presque universel, s'occupait des beaux-arts. Il mit

---

[4] Marly était une résidence qu'avait fait bâtir Louis XIV non loin de Versailles. Il y allait en villégiature avec des personnes choisies de sa cour, de sorte qu'être invité aux « marlys » du roi était un honneur fort recherché. Toujours par allusion à l'emblème royal, le château se composait d'un Pavillon du Soleil, où descendait le roi, et de douze pavillons plus petits représentant les signes du zodiaque. L'ensemble, avec ses beaux jardins et ses fontaines, était charmant. Mais la Révolution n'avait pas besoin de châteaux : elle fit raser Marly.

Le Brun à la tête de l'Académie de peinture et de sculpture qu'avait fondée Mazarin. Comme d'une part l'idée des académies, avec le contrôle qu'elles impliquent, plaisait à Colbert, et que d'autre part un séjour à Rome était de rigueur pour tout artiste digne de ce nom, il créa, en 1665, une Académie de France à Rome. Quelques années plus tard, il fonda une Académie d'architecture. Si l'on ajoute à cela l'Académie française, l'Académie royale de musique, l'Académie des inscriptions,[5] fondée aussi par Colbert, on arrive à la conclusion que les beaux-arts et les belles lettres étaient bien gardés. Trop bien peut-être. L'« académisme », avec son culte de l'antiquité, sévit trop longtemps, produisant ses Hercules de foire et ses Vénus grasses, à la mode italienne.

---

[5] L'Académie des inscriptions et belles-lettres est une académie savante, qui s'occupe de travaux d'érudition historique et archéologique. Elle était chargée de composer les inscriptions, d'ordinaire latines, sur les monuments royaux et les médailles frappées à l'occasion d'événements heureux. D'où son nom d'Académie des inscriptions.

5

LE DIX-HUITIÈME SIÈCLE

Le Siècle des Lumières

La Régence

LOUIS XIV mourut le 1er septembre 1715. Son héritier était son arrière-petit-fils, le futur Louis XV, alors âgé de cinq ans. En attendant la majorité royale, fixée à treize ans, Philippe, duc d'Orléans et neveu du roi défunt, exerça la régence. Louis XIV, qui n'avait pas confiance en lui, l'avait pourvu d'un conseil de régence, un peu comme on pourvoit un incapable d'un conseil judiciaire. Mais un chien vivant vaut mieux qu'un lion mort : le parlement cassa le testament du grand roi et Philippe se trouva seul maître du royaume.

Le Régent n'a pas laissé une trop bonne réputation. Il avait pourtant toute sorte de bonnes qualités. Il était travailleur, intelligent, affable, instruit, tolérant, libéral. Malheureusement, la volonté et la persévérance lui faisaient gravement défaut. Ses premiers mouvements étaient d'ordinaire justes ; mais il était facile de le faire changer d'opinion, et les gens ne manquaient pas qui cherchaient à l'influencer. De plus, sa vie privée laissait beaucoup à désirer. Le Palais-Royal, sa résidence, était un lieu dont parlaient beaucoup les Parisiens. C'était là qu'en joyeuse compagnie, le Régent donnait ses « petits soupers » qui duraient toute la nuit — lorsqu'il ne la passait pas à essayer d'évoquer le diable dans les carrières de Vaugirard. Son médecin lui disait que, gras et « court de cou » comme il l'était, l'apoplexie le menaçait. Mais Philippe n'en avait cure. L'apoplexie le tua pourtant en 1723, ce qui prouve que les médecins de Molière n'avaient pas toujours tort.

Du vivant même de Louis XIV, on parlait tout bas de réformes, de changements dans l'État, et Philippe d'Orléans était, si l'on ose dire, le centre de ralliement des réformateurs. L'absolutisme royal mécontentait bien des gens, surtout ceux que le grand roi tenait à l'écart des affaires.

Ces mécontents préparaient gravement des projets de réforme et attendaient avec impatience la mort du vieux roi. Certains parlaient de donner
des pouvoirs étendus aux États, généraux et provinciaux, et de rendre
leurs assemblées régulières. La haute noblesse surtout, excédée par le long
règne de « vile bourgeoisie », voulait jouer un rôle dans l'État, occuper
les hautes fonctions. Louis XIV disparu, on supprima les secrétaires
d'État, ces ministres comme Colbert, comme Louvois, sortis de rien et qui
prétendaient faire la loi aux grands, aux ducs et pairs de France comme
Saint-Simon. On les remplaça donc par des conseils composés de la fleur
de l'aristocratie française. C'est ainsi qu'on eut un conseil des finances,
un conseil de la guerre, etc. — en tout sept conseils de dix membres
chacun, « soixante-dix ministres », comme disait la chanson. Bien entendu,
ce système de gouvernement par comités, cette « polysynodie », fonctionna
mal. Elle ne décidait rien, et en 1718, on rétablit les secrétaires d'État.

La seconde initiative du Régent eut des résultats infiniment plus graves.
Louis XIV avait laissé les finances publiques en très mauvais état. La
pénurie du trésor royal était aussi vieille que la monarchie, et être un
grand roi s'était révélé fort coûteux. Le crédit, surtout royal, était douteux. Lorsque Louis XIV était trop pressé d'argent, il avait recours aux
expédients financiers habituels — vente d'offices et autres — ou, en
désespoir de cause, aux financiers qui devenaient ses créanciers, ce qu'il
n'aimait guère. Un certain John Law,[1] écossais, lui avait bien proposé un
moyen infaillible d'amortir la dette publique et de fournir au royaume le
numéraire dont il avait si grand besoin par la création d'une banque à
Paris : Louis XIV, qui se méfiait des innovations, ne l'avait pas écouté.

Le Régent, plus ouvert aux changements, l'écouta. En 1716, Law
ouvrit, à titre d'essai, sa banque à Paris. Les résultats furent merveilleux.
Sa banque émit des billets payables à vue, et cette institution du crédit,
dans un pays à court d'argent, fut un grand stimulant à l'activité économique. C'était la première fois que le crédit, dont avaient tant bénéficié les
Pays-Bas et l'Angleterre, était organisé en France d'une façon rationnelle.
Malheureusement, Law manqua de prudence et son ambition le perdit.
Tout d'abord, par désir d'étendre de plus en plus ses opérations, il mêla
les finances de sa banque à celles de l'État, absorbant la ferme des impôts,
se chargeant de convertir la dette publique. Surtout, « le Mississippi » fut
la cause principale de sa perte.

Au temps de Louis XIV, un jésuite, le Père Marquette, avait exploré la
région des Grands-Lacs et le cours supérieur du Mississippi. Un peu plus
tard, Cavelier de La Salle descendit le fleuve jusqu'à son embouchure et il
nomma la région explorée par lui la Louisiane, en l'honneur de son roi.

---

[1] On prononçait alors son nom « Lass », on ne sait trop pourquoi.

En 1699, Bienville, gouverneur de la nouvelle colonie, s'établit à Biloxi, sur le golfe du Mexique, d'où les communications avec la France étaient relativement aisées.

En 1717, Law, récemment établi à Paris, fut séduit par les perspectives qu'offrait l'exploitation de la Louisiane. Il créa une Compagnie d'Occident, dont le nom devint bientôt la Compagnie des Indes, qui reçut le privilège exclusif du commerce dans la région du Mississippi. Law rêvait de développer la nouvelle colonie en y introduisant la culture du riz, du tabac et surtout l'élevage du ver à soie. En 1719, fut fondée la ville de la Nouvelle-Orléans, ainsi nommée en l'honneur du Régent.

On fit de la publicité en faveur de ce qu'on appelait le Mississippi. On parlait de mines d'or et d'argent. Bientôt le public s'arracha les actions et la Compagnie et les cours montaient sans cesse. Après les actions « mères », on émit des « filles », des « petites-filles » tout aussi attrayantes. Hélas! le Mississippi n'était pas le Pérou. Les mines d'or et d'argent étaient imaginaires, le sol marécageux, le climat insalubre. Pour peupler la colonie, on ramassa ce qu'on pouvait trouver dans les rues de Paris, filles publiques ou plus ou moins privées comme Manon Lescaut, vagabonds, mendiants qu'on embarquait au Havre ou à la Rochelle, à destination de Biloxi. L'Hôpital général, Bicêtre, la Salpêtrière fournirent d'autres recrues forcées. Bien entendu, ces procédés sommaires n'augmentaient pas la popularité de Law, et lorsque vint la débâcle, le malheureux financier eut toutes les peines du monde à échapper à la colère des Parisiens. Il réussit pourtant à s'enfuir et à gagner éventuellement Venise, où il mourut quelques années plus tard, pauvre et oublié. Bien avant Law et son « Système », La Bruyère avait écrit : « Si un financier manque son coup, les courtisans disent de lui : « C'est un bourgeois, un homme de rien, un malotru »; s'il réussit, ils lui demandent sa fille ».

La débâcle vint lorsque des gens habiles commencèrent à avoir des doutes sur la valeur des actions de la Compagnie. Aussitôt qu'ils exigèrent d'être payés en argent, la panique s'empara des souscripteurs, et les coffres de la banque furent bientôt vides. En tout cas, cette affaire de Law ruina des quantités de gens. Elle en enrichit quelques-uns, qui étalèrent souvent leur richesse avec une ostentation de parvenus. Les chansonniers s'en mêlèrent :

Lundi, j'achetai des actions, Jeudi, je pris un équipage,
Mardi, je gagnai des millions, Vendredi, je m'en fus au bal,
Mercredi, j'ornai mon ménage, Et samedi, à l'hôpital.[2]

---

[2] Il s'agissait naturellement de l'Hôpital général, asile des miséreux.

Les mœurs du temps en souffrirent, les gens au pouvoir également. La banqueroute de Law ne fit que stimuler ce cynisme moqueur, cet esprit d'irrévérence qui inspira à Montesquieu ses *Lettres persanes*.

Les *Lettres persanes* parurent en 1721 et elles eurent un grand succès. Leur auteur, Montesquieu, était un grave président du parlement de Bordeaux, ce qui ne l'empêchait pas de badiner fort agréablement avec les choses sérieuses telles que la religion, le gouvernement, etc. Il s'agit dans son livre d'une correspondance imaginaire entre deux Persans qui sont à Paris, Usbek et Rica, et leurs amis à Ispahan, à Smyrne, à Venise. Les affaires de son sérail préoccupent beaucoup Usbek : toutes ces histoires de femmes, d'eunuques, intéressaient manifestement les lecteurs français de la Régence. Mais la France, Paris, la cour, l'Eglise, les mœurs contemporaines sont surtout l'objet de cette correspondance, qui est censée couvrir les années 1711 à 1720. Rica et Usbek observent tout, avec un détachement apparent et une feinte naïveté dont Montesquieu tire de grands effets. Ayant étudié le caractère de Louis XIV, Rica y trouve toutes sortes de contradictions. « Par exemple : il a un ministre qui n'a que dix-huit ans, et une maîtresse qui en a quatre-vingts ;[3] il aime sa religion, et il ne peut souffrir ceux qui disent qu'il la faut observer à la rigueur ».[4] Le roi est d'ailleurs un grand magicien, qui fait penser ses sujets comme il veut. Il y a pourtant un autre magicien plus fort que lui. « Ce magicien s'appelle le Pape. Tantôt il fait croire que trois ne sont qu'un, que le pain qu'on mange n'est pas du pain, ou que le vin qu'on boit n'est pas du vin, et mille autres choses de cette espèce »... On saisit le ton du livre. L'ironie, accidentelle chez La Bruyère, est le procédé habituel de Montesquieu dans ses *Lettres persanes*. Sous son apparence frivole, l'ouvrage de Montesquieu, comme son auteur, était plus sérieux qu'il n'en avait l'air.

Les dernières années du règne de Louis XIV avaient été moroses. Versailles était lugubre. On s'amusait quand on pouvait le faire, mais en cachette, à huis clos, comme dans la joyeuse société que le grand-prieur de Vendôme réunissait au Temple. Le roi mort, le masque tomba. Le Régent lui-même donnait l'exemple de la licence en son Palais-Royal, et il eut pas mal d'imitateurs. La gastronomie date de cette époque. Auparavant, on mangeait beaucoup, mais mal. On couvrait le « rôti » d'essences parfumées, peut-être pour la même raison que les gens du monde se couvraient alors de parfums. Le « bouilli », où l'on cuisait pêle-mêle viande de boucherie et oiseaux, bouillait quinze heures de suite. Louis XIV dévorait. Les « petits soupers » du Régent furent, culinairement, d'une qualité bien

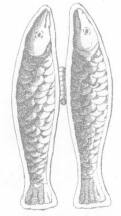

---

[3] Allusion à un des fils de Louvois, qui devint ministre de la guerre à 23 ans, puis à Mme de Maintenon.

[4] les jansénistes.

Watteau: L'Embarquement pour Cythère

supérieure. Lui-même ne craignait pas de mettre la main à la pâte. On s'imagine difficilement le grand roi faisant la cuisine, même à Marly. C'est que les temps avaient bien changé. Dans la décoration des appartements, dans les meubles, ce qu'on appelle le « style Régence » recherche l'élégance, l'agrément plutôt que la noblesse et la splendeur. On aime les palmettes, les coquilles, les lignes sinueuses. Aux angles des glaces, aux pieds des tables on met de charmants petits bustes de femmes coiffées de plumes. Ce n'est plus Minerve, c'est Aphrodite qui règne.

Aphrodite avait son temple dans l'île Cythère. C'est cette île heureuse qui fournit à Watteau le thème de son « Embarquement pour Cythère ». Il existe deux versions de ce fameux tableau, l'une au Louvre, l'autre en Allemagne qui possède tant d'œuvres du grand peintre. Sur un tertre, à l'ombre de grands arbres dorés par les rayons du soleil, dans cette atmosphère enchanteresse si propre à Watteau, de jeunes hommes vêtus de soie aident les jeunes femmes à former le gracieux cortège qui descend lentement jusqu'au navire pavoisé, entouré d'un essaim d'amours, qui va les mener au rivage de l'île fortunée. L'allégorie est charmante, l'exécution merveilleuse. Watteau fut le grand peintre des « fêtes galantes », ce mélange de désir et de mélancolie où les amants échangent des propos tendres dans un beau parc, en écoutant parfois les notes grêles d'une mandoline.

Watteau: Mezzetin

200

Le pauvre Watteau mourut jeune, en 1721. Mais il était déjà si bien dans le goût de son siècle qu'il eut plus tard de nombreux imitateurs, Boucher, Fragonard, le bon « Frago ». Aucun d'entre eux ne le vaut. Tout ce que le dix-huitième a de charmant et pour nous de nostalgique se trouve dans l'œuvre de Watteau, sans rien de la polissonnerie qui produira plus tard les « Hasards heureux de l'escarpolette » et œuvres d'inspiration semblable.

Watteau: L'Indifférent

Louis XV

Louis XIV avait régné soixante-douze ans. Son arrière-petit-fils et successeur, Louis XV, régna soixante ans. A part la longue durée de leur règne, les deux rois eurent peu en commun. Monarque très ferme, Louis XIV gouverna son royaume aussi longtemps qu'il vécut. Sauf peut-être pendant les dernières années de son règne, Louis XV, bien que très autoritaire à ses heures, montra peu de fermeté. Il avait pourtant des qualités appréciables chez un roi. Le pastelliste Quentin La Tour a laissé de lui un portrait « parlant », dirait Saint-Simon : le visage aux traits réguliers a de la noblesse, avec quelque chose de hautain et de dédaigneux. Malheureusement, « le métier de roi », que Louis XIV jugeait « délicieux », déplaisait à Louis XV, si accessible à l'ennui. La vie de Versailles, cette vie de représentation perpétuelle qu'avait aimée le grand roi, était presque insupportable, même dans ses divertissements, à son successeur. Il cherchait à échapper autant qu'il le pouvait à cette implacable ritournelle. On connaît par exemple le cérémonial qui accompagnait le lever et le coucher du roi. Louis XV dut s'y soumettre, puisque telle était la tradition. Ainsi, tous les matins et tous les soirs, il se rendait à la chambre de parade, où avait lieu la cérémonie. Mais il dormait dans une petite chambre qu'il s'était fait aménager, et où il était chez lui.

Ce besoin d'intimité, de vie privée avec des personnes de son choix explique bien des aspects, souvent discutables, de la conduite du roi. Pour lui Marly, que Louis XIV appelait son ermitage, ressemblait trop à Versailles. L'étiquette s'y relâchait à peine. Louis XV acheta donc le château de Choisy, et au lieu de Marly-le-Roi, on eut Choisy-le-Roi. Il s'y rendait fréquemment pour la chasse et pour ses amours, car il y avait là une « chambre bleue », qui n'avait rien à voir avec celle de la marquise de Rambouillet. C'est, en partie au moins, ce même besoin de vie privée, qu'il ne trouvait guère dans le monde officiel de Versailles — sauf peut-être dans la compagnie de ses filles qu'il aimait à sa façon, c'est-à-dire sans trop se préoccuper de leur avenir — qui explique la place que les femmes, sauf la sienne, occupèrent dans la vie de Louis XV, Don Juan royal, avec tout l'égoïsme et aussi le désenchantement que comporte le caractère du personnage. La plus illustre de ses favorites fut Mme de Pompadour. Gracieuse, vive, intelligente, cultivée, la marquise charma le roi, amusa « l'homme de France le moins amusable ». Elle était bonne actrice. Le roi fit donc construire pour elle, à Versailles, un petit théâtre où elle jouait la comédie devant lui et quelques familiers — toujours ce même besoin d'intimité. Lorsqu'elle mourut, jeune encore, le roi la regretta. Puis le grand désabusé qu'il était chercha d'autres amours.

On ne sait quel malin plaisir pouvait trouver Louis XV à contrecarrer la politique de ses propres ministres. Le fait est qu'il avait son « Secret », c'est-à-dire ses propres agents qui poursuivaient leurs intrigues à l'insu de la diplomatie officielle. Les résultats d'une telle pratique ne pouvaient être que déplorables. Mais Louis XV, qui était fin et d'ailleurs très bien renseigné, trouvait une espèce de satisfaction à voir aller ainsi les choses. Elles allaient mal, et il le savait. Il comprenait parfaitement que cela ne pouvait durer. On lui a prêté le mot si souvent cité « Après moi, le déluge », mot qui a d'ailleurs été souvent mal interprété, dans le sens que le roi ne se souciait aucunement de ce qui arriverait après sa mort. Il voulait seulement dire qu'aussi longtemps qu'il serait là, il n'y aurait pas de révolution, mais que lui disparu, tout pouvait arriver. Il est revenu bien souvent sur cette idée, qui le hantait. Son bon et faible successeur, Louis XVI, était un roi fait exprès pour une révolution : c'est donc lui qui en fit les frais. Quant à Louis XV, il n'était pas d'humeur à tolérer le moindre attentat à la royauté ou à la personne royale. En 1757, un déséquilibré, nommé Damiens, attenta à la vie du roi, qu'il blessa d'un coup de couteau. La blessure était insignifiante, une simple écorchure, mais le supplice de Damiens fut atroce. On eut recours aux procédés les plus barbares que pouvait employer la justice du temps. Finalement, Damiens fut écartelé en place de Grève, et les détails de l'exécution ont de quoi faire dresser les cheveux sur la tête. Personne depuis n'attenta à la vie du roi.

Mme de Pompadour,
par Quentin de La Tour

Marie Leczinska

La politique étrangère de la France, sous le règne de Louis XV, fut généralement désastreuse. A la suite des intrigues d'une femme bien en cour et qui ne se souciait pas de voir son crédit compromis par la présence d'une reine qui fût trop grande princesse, le roi se maria, ou plutôt on le maria, alors qu'il avait quinze ans, à la bonne Marie Leczinska. Elle était fille d'un roi sans importance et d'ailleurs sans royaume, le vieux Stanislas Leczinski, ancien roi de Pologne. Louis XV se crut obligé, lorsque l'occasion se présenta, de revendiquer pour son beau-père le trône de Pologne. Il envoya un petit corps expéditionnaire à Dantzig et envahit le duché de Lorraine, alors partie de l'Empire. Cette guerre de Succession de Pologne n'aurait eu aucune importance si elle n'avait conduit à l'annexion éventuelle de la Lorraine à la France. En effet, au traité de paix qui la termina, le vieux Stanislas reçut, au lieu du trône de Pologne, celui de la Lorraine, promue royaume pour l'occasion. Stanislas fut un bon roi d'Yvetot.[1] Il embellit la ville de Nancy, sa capitale, qui conserve encore pieusement le souvenir de son ancien roi.

L'Empereur avait cédé la Lorraine à condition que la France, qui devait en hériter à la mort de Stanislas, reconnût le choix qu'il avait fait de sa fille aînée Marie-Thérèse pour lui succéder. La France accepta, comme l'avaient déjà fait d'autres puissances européennes. Mais lorsqu'à la mort de son père Marie-Thérèse devint impératrice, des prétendants, signataires ou non de la Pragmatique, surgirent de tous côtés, revendiquant la totalité ou une partie de son héritage. Le plus dangereux de tous était le jeune roi de Prusse, Frédéric II, aussi remarquable par ses qualités

---

[1] Au XVe siècle, la petite ville d'Yvetot, en Normandie, était une espèce d'État indépendant, qui avait à sa tête un roi. L'expression « roi d'Yvetot » s'emploie maintenant pour désigner un souverain sans puissance.

d'organisateur que par son absence complète de scrupules. Il faut bien admettre que le gouvernement de Louis XV n'en eut guère plus que lui. Il voulut prendre part à la curée et envoya un corps expéditionnaire en Bohême. Sur ces entrefaites Frédéric II, allié de la France, conclut avec l'Empire une paix séparée : il avait obtenu de Marie-Thérèse la Silésie, qu'il convoitait, et la guerre ne l'intéressait plus. L'armée française, laissée seule en face des Impériaux, parvint à revenir à travers mille difficultés et au prix de mille souffrances.

Ce n'était pas tout. L'Angleterre, la vieille ennemie de la France, avait pris fait et cause pour l'Impératrice, la Hollande également, et une armée anglo-austro-hollandaise menaçait maintenant la frontière du Nord. Cette armée fut vaincue à Fontenoy par l'armée française commandée par le maréchal de Saxe. Fontenoy fut la dernière grande victoire militaire de la vieille France. Un incident, qui n'est peut-être qu'une légende, l'a immortalisée. On dit qu'au moment où la bataille allait s'engager, un capitaine aux gardes anglaises aurait crié : « Messieurs les gardes-françaises, tirez les premiers ». A quoi un officier français aurait répondu : « Nous ne tirons jamais les premiers, tirez vous-mêmes ». Quelqu'un tira, et l'armée des coalisés fut vaincue.

Malgré Fontenoy et d'autres succès militaires sur le continent, la France ne gagna rien à cette guerre de la Succession d'Autriche, si ce n'est le ressentiment de plus en plus profond de l'Angleterre. Cette dernière eut sa revanche, et une revanche complète, une dizaine d'années plus tard, au cours de la guerre de Sept Ans. La guerre fut précédée de ce qu'on appelle le « renversement des alliances », indication des incertitudes de la politique étrangère de la France. Celle-ci en effet se trouvait maintenant l'alliée de son ancienne ennemie, l'impératrice Marie-Thérèse, contre son ancien « ami » le roi de Prusse. Frédéric II passa, il est vrai, quelques mauvais moments dans sa lutte contre les Français, contre les Impériaux et contre les Russes. Mais il était homme de ressource, et il réussit, par une ruse de guerre, à écraser une armée franco-allemande à la bataille de Rosbach.

Bien plus graves encore furent les conséquences de la lutte contre l'Angleterre. Nation énergique, entreprenante, rapace, comme elle le sera encore au siècle suivant, l'Angleterre, maîtresse des mers, convoitait les possessions françaises lointaines. Dans l'Inde, Dupleix, directeur de la Compagnie française des Indes, avait établi des comptoirs commerciaux et acquis par négociations des territoires qu'il avait déjà eu de la peine à défendre contre les entreprises anglaises au cours de la guerre de Succession d'Autriche. La débâcle vint pendant la guerre de Sept Ans. L'Inde fut perdue en même temps que les possessions françaises d'Amérique. Le marquis de Montcalm avait amené quelques maigres secours au Canada,

qu'on appelait alors la Nouvelle-France. En 1759, une flotte anglaise remonta le Saint-Laurent, et le général Wolfe remporta dans les plaines d'Abraham, sous les murs de Québec, une victoire qui lui coûta la vie, ainsi qu'à Montcalm. La capitulation de Montréal, l'année suivante, consomma la perte du Canada.

Le traité de Paris, qui mit fin à la guerre, fut désastreux. La France abandonnait à l'Angleterre le Canada et la rive gauche du Mississippi. Elle cédait la Louisiane à l'Espagne. Ces pertes furent acceptées légèrement par le public français. On connaît le fameux mot de Voltaire sur les « quelques arpents de neige » du Canada. Quant au peuple de Paris, il ne connaissait guère la Nouvelle-France et la Louisiane que pour les maudire. Les procédés souvent brutaux employés pour peupler ces possessions lointaines — déportations de gueux, de filles, enlèvements d'enfants, disait-on même — l'exaspéraient, le poussaient parfois à la révolte. Si on parla de la perte des colonies, c'est surtout parce que tout ce que faisait — ou ne faisait pas — le gouvernement était sûr d'attirer des critiques.

Si les affaires étrangères de la France allaient mal, la situation intérieure était encore pire. La dissension était partout. Les jansénistes haïssaient les jésuites. Le parlement, tenu bien moins étroitement en bride qu'au temps de Louis XIV, faisait une opposition systématique au gouvernement. Inlassablement, les philosophes dénonçaient les abus. Le plus étrange est que dans cette société où il y avait tant de mécontents, ces mécontents eux-mêmes admettaient qu'il faisait assez bon vivre. Voltaire, qui trouvait que le monde allait si mal, n'avait pas à se plaindre de son sort, et il le savait. La vérité est qu'une espèce de psychologie révolutionnaire, dont la genèse est très complexe, était en train de prendre corps, et cette psychologie n'était pas nécessairement liée à la dureté des temps. Si les temps avaient été plus durs, peut-être même auraient-ils été moins agités.

Vers 1730, l'agitation janséniste prit une forme bizarre. Quelques années plus tôt était mort en odeur de sainteté un janséniste notoire, le diacre Pâris, qu'on avait enterré au cimetière parisien de Saint-Médard. Le bruit courut bientôt que des miracles avaient lieu sur sa tombe. En tout cas, il s'y passait des scènes étranges. Des gens se couchaient sur sa sépulture, ils étaient pris de convulsions violentes, au point, disait-on, que leur corps ne touchait plus la pierre. La police ferma le cimetière. Le lendemain, on trouva à la porte l'inscription suivante, qui en dit long sur l'état des esprits :

> Par ordre du roi, défense est faite à Dieu
> De faire des miracles en ce lieu.

Chassés de Saint-Médard, les « convulsionnaires » allèrent ailleurs continuer leurs opérations. Des gens appartenant à l'élite sociale se réunissaient dans une maison privée, pour assister à une scène au cours de laquelle une personne, généralement une femme, se croyait en proie à des forces occultes. Le « siècle des lumières » en était encore à des pratiques qui ressemblent étonnamment à celles du vaudou, et cela non parmi des populations ignorantes, mais parmi les plus avertis et les plus raffinés des gens du monde.

C'était maintenant le tour des jésuites et de leurs sympathisants d'être persécutés par les jansénistes, ou tout au moins par ceux qui, par haine des jésuites, se montraient favorables à la cause janséniste. Le parlement de Paris était alors engagé dans une lutte, non seulement contre les jésuites, mais contre une bonne partie du haut clergé à propos de la bulle « Unigenitus », qui, en 1713, avait renouvelé la condamnation des doctrines jansénistes. Lorsqu'un curé parisien refusait les sacrements à une personne suspecte de jansénisme, le parlement le faisait mettre en prison, et l'affaire s'aggravant par l'intervention de l'archevêque de Paris, il adressait des remontrances au roi. Outre le parlement et les jansénistes, les jésuites avaient contre eux les philosophes, soutenus par Mme de Pompadour et ses amis.

En 1758, un incident fournit à leurs adversaires l'occasion cherchée. Le Père de La Valette, supérieur général des missions françaises de l'Amérique du Sud, fit banqueroute. Il s'était engagé dans des opérations commerciales, et la guerre de Sept Ans le ruina. La Compagnie de Jésus, à laquelle il appartenait, refusa d'assumer la responsabilité de la banqueroute. Le parlement de Paris fut saisi de l'affaire et il en profita pour faire le procès de la Compagnie tout entière. Un arrêt ordonna que les jésuites seraient exclus de royaume « irrévocablement et sans retour »; et deux ans plus tard, en 1764, un édit royal annonça la suppression de l'Ordre dans le royaume. Les philosophes exultèrent. Quant à Louis XV, il se consola philosophiquement de voir son confesseur obligé de changer son costume ecclésiastique, en disant : « Je ne serai pas fâché de voir le Père Desmarets en abbé ».

Malgré tout, la patience du roi avait ses limites. L'opposition du parlement de Paris devenait de plus en plus vive, et plus cette opposition était vive, plus le parlement était populaire. Il se posait en « patriote », en protecteur du peuple, comme il l'avait fait au temps de la Fronde. Alors que la plupart des « robins » songeaient surtout à protéger leurs intérêts et à jouer dans l'État un rôle de plus en plus grand, à les entendre les motifs de leur conduite étaient les plus désintéressés du monde — et peut-être le croyaient-ils. « Bigot, stupide », disait Diderot à propos du parlement de Paris. Ce dernier songeait maintenant à s'unir avec les parlements de province pour former une espèce de « Front parlementaire », et il adressait au roi remontrances sur remontrances.

Tant et si bien qu'un jour Louis XV perdit patience. En 1771, il annonça la dissolution du parlement de Paris et, mesure bien plus importante, l'abolition, avec indemnité aux titulaires, de la vénalité des offices. Désormais, la justice serait gratuite. Les présidents et conseillers seraient choisis par le chancelier, qui était alors un certain Maupeou. On admet généralement que cette « réforme Maupeou » était une excellente mesure. Elle promettait de mettre fin à de graves abus dans l'administration de la justice. Cela ne l'empêcha pas de se heurter à une résistance considérable, à commencer naturellement par celle des parlementaires privés de leurs charges. Louis XV tint bon, et on a dit avec quelque justice que c'est seulement trois ans avant sa mort — il mourut en 1774 — qu'il se montra vraiment roi. Son successeur, le débonnaire Louis XVI, n'eut pas la même fermeté. A son avènement, cédant à toute sorte de sollicitations, il rappela le parlement et rétablit l'ancien ordre de choses. Les parlementaires revinrent. Aigris, ils firent dès lors une opposition violente aux réformes proposées par le gouvernement.

Tous ces conflits avaient leurs répercussions parmi le peuple. Les impôts augmentaient, et bien que quelques efforts aient été faits pour les rendre plus équitables, ces efforts n'eurent qu'un demi succès. Vers le milieu du siècle, on établit un impôt général sur le revenu, l'impôt du « vingtième », qui remplaçait celui du « dixième ». Le clergé y échappa. Les impôts levés par les fermiers-généraux étaient plus impopulaires que jamais. De nos jours encore, quelques endroits de Paris portent encore le nom de « barrières » — la barrière de La Villette, la barrière du Trône. C'était là qu'autrefois se trouvaient les bureaux pour la perception des impôts sur les marchandises entrant dans la capitale. Quatre ans avant la Révolution fut créé le « mur des fermiers-généraux », sorte de mur fiscal autour de Paris. Les Parisiens grondèrent. On connaît le jeu de mots : « Le mur murant Paris rend Paris murmurant ». En 1789, ces murmures devinrent des clameurs.

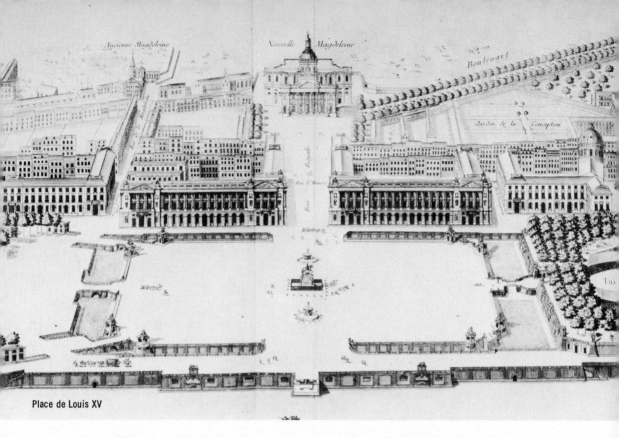

Place de Louis XV

Paris et la province au dix-huitième siècle

On estime que vers l'époque de la Révolution, la population du royaume était voisine de vingt-cinq millions. Cela représentait une augmentation considérable et sans précédent, puisqu'à la mort de Louis XIV la France n'avait guère plus de quinze millions d'habitants, chiffre qu'elle atteignait sans doute déjà au Moyen Age, sauf aux époques de grandes calamités. Cette augmentation avait bien des causes. Au point de vue agricole, le dix-huitième siècle fut une époque de progrès techniques, et bien qu'il y eût parfois des disettes, la production s'accrut. Les populations rurales, surtout, vécurent un peu plus à l'aise. Dans les villes, l'hygiène devint meilleure. Évidemment, elle laissait encore beaucoup à désirer. Il suffit néanmoins de considérer Paris pour se rendre compte des progrès accomplis.

Paris comptait alors plus de cinq cent mille habitants. C'était une ville énorme pour l'époque, ville surpeuplée et à bien des égards encore médiévale. Et pourtant des changements notables étaient en train de s'accomplir. A l'extrémité du Jardin des Tuileries, Louis XV fit aménager une belle place, appelée place Louis XV, qui est maintenant la place de la Concorde. Jamais Paris n'avait eu une place aussi vaste; et cette place n'était pas entourée de maisons comme l'étaient les autres. De l'autre côté de la Seine, il fit bâtir l'École militaire, qui donnait elle aussi sur un vaste terrain découvert, le Champ-de-Mars, où vingt mille soldats pouvaient manœuvrer à l'aise. La place de la Concorde et le Champ-de-Mars, où est maintenant la tour Eiffel, ont certes été bien transformés depuis l'époque de Louis XV. C'est pourtant à lui que nous sommes redevables, originairement au moins, de ces deux endroits si impressionnants du Paris moderne.

Au temps de Louis XVI en particulier, la salubrité publique s'améliora. Les philosophes, les gens éclairés déploraient certaines vieilles habitudes relatives aux inhumations, notamment celle d'enterrer les gens dans les églises. Les cimetières étaient encore pires. Au cœur même de Paris, à côté des Halles, existait encore ce terrible cimetière des Innocents, entouré de charniers où s'entassaient les ossements des générations disparues, et qui répandait son odeur de mort dans tout le voisinage. On ferma les Innocents, on fit transporter les restes de ce cimetière et d'autres cimetières dans des carrières souterraines.

Les vieux ponts de Paris, ceux qui reliaient la ville à l'île de la Cité, étaient encore encombrés de maisons et de boutiques. Les unes et les autres disparurent. Dans une ville qui manquait d'eau, car les fontaines publiques étaient rares, on installa une « machine à feu », c'est-à-dire une pompe à vapeur, avec des conduites qui distribuaient l'eau dans les divers quartiers de la ville. Des porteurs d'eau amenaient toujours l'eau dans les maisons, mais ils n'étaient plus obligés d'aller la chercher dans la Seine.

À la campagne

La vie parisienne restait à peu près ce qu'elle était au siècle précédent. L'aristocratie vivait toujours dans ses hôtels particuliers — y compris de fort élégantes constructions du dix-huitième siècle, notamment dans le faubourg Saint-Germain — et elle menait la même vie sociale. Les gens de justice et les titulaires d'offices constituaient toujours la crème de la bourgeoisie. La rive droite, particulièrement la rue Saint-Denis, était toujours le centre du commerce parisien, alors que la rive gauche était le quartier des écoles, des maisons religieuses et des résidences des nobles et des riches bourgeois. Le quartier de la Bastille restait le quartier populaire par excellence, quartier de petits artisans, d'ouvriers qui vivaient péniblement de leurs salaires. La journée de travail restait longue et ce travail mal rétribué. Aussi le monde ouvrier était-il facile à émouvoir et prompt à l'émeute. On ne peut évidemment pas encore parler d'un mouvement ouvrier. Néanmoins les compagnonnages, ces associations secrètes d'aide mutuelle, celle des « Compagnons du Devoir » par exemple, s'organisaient de plus en plus. De plus en plus, les ouvriers des divers métiers entreprenaient leur « tour de France ». Ils trouvaient presque partout sur leur route des initiés, souvent des aubergistes ou cabaretiers, qui les aidaient à trouver du travail et les secouraient de mille manières.

La province comptait peu de villes importantes, et une ville de trente ou quarante mille habitants constituait alors un centre urbain notable. Beaucoup de ces villes, où résidait une bourgeoisie de plus en plus prospère, s'embellirent au cours du siècle. On y construisait de belles habitations, des monuments, surtout on y aménageait des parcs et des jardins publics. Là, comme à Paris, une espèce d'urbanisme commençait à apparaître.

Une bonne part de ces améliorations était due aux intendants des provinces. Surtout, ces intendants dirigèrent la construction des routes de France qui, aux approches de la Révolution, faisaient l'admiration des étrangers.

Ces belles routes ne furent pas construites sans de gros sacrifices. En 1738, on organisa la corvée royale, qui remplaçait la corvée seigneuriale. Elle obligeait les paysans à fournir chaque année une douzaine de jours ou davantage de travail non rétribué. Le procédé était discutable; mais c'est en partie grâce à lui que fut aménagé ce réseau de routes relativement larges, droites et bien entretenues qui, jusqu'au pullulement des automobiles, pouvait servir de modèle à l'Europe.

Voyager était autrefois une entreprise pénible et hasardeuse. Les chemins étaient souvent des fondrières. Il fallait passer les rivières à gué, faute de ponts assez nombreux, éviter les forêts, refuges de bandits, en particulier celles dans le voisinage de Paris et dans les régions isolées. On

ne voyageait pas la nuit. On devait la passer dans quelque hôtellerie ou auberge, où d'ordinaire la nourriture ne valait pas mieux que le logement. Enfin, les voitures étaient lentes et inconfortables, mal suspendues, et les voyageurs entassés à l'intérieur étaient cahotés impitoyablement. C'est pourquoi on employait le coche d'eau chaque fois qu'on pouvait le faire. Le voyage était encore plus long, mais il était plus doux, et il n'y avait pas de pirates sur les rivières. Il n'y avait guère que le Rhône qui fût très redouté à cause de son courant rapide.

La construction des routes au dix-huitième siècle améliora les choses. Les messageries devinrent plus rapides. La grosse diligence à quatre roues était encore bien lente, mais l'introduction des « turgotines » — du nom de Turgot, le ministre réformateur de Louis XVI — diminua de presque moitié la durée des voyages.[1] On put ainsi aller de Paris à Amiens, à 130 kilomètres, en une seule journée.

Dans la seconde moitié du siècle en particulier, sauf au cours des années qui précédèrent immédiatement la Révolution, la situation agricole devint plus favorable. Les philosophes s'intéressaient à l'agriculture. Un groupe d'économistes, les physiocrates,[2] déclaraient qu'elle était, avec l'industrie extractive, la seule occupation humaine vraiment productrice de richesse. Un peu partout se créaient des sociétés agronomiques. Enfin, les intendants des provinces, dont l'activité fut alors si grande, encourageaient les cultures, et surtout les méthodes de culture nouvelles.

[1] Turgot réorganisa le service des Messageries, qu'il plaça sous le contrôle royal. Les *turgotines* étaient des voitures légères, suspendues sur des ressorts et qui faisaient 8 kilomètres à l'heure, tandis que la diligence ordinaire avait bien de la peine à en faire 4, et qu'elle maltraitait fort ses passagers. Un voyage, même en turgotine, était toutefois une épreuve qu'on n'abordait pas sans appréhension.
[2] Voir p. 221.

La jachère, cette habitude de laisser le sol se reposer une année sur deux ou sur trois, était encore pratiquée, mais moins communément. Maintenant, la culture du « blé » alternait de plus en plus avec celle des plantes fourragères, trèfle, sainfoin, luzerne. On ne savait pas encore que les bactéries qui forment des nodules sur les racines de ces plantes rendent à la terre l'azote nécessaire aux céréales. Mais l'expérience avait appris que c'était là un moyen de remédier à l'appauvrissement du sol.

D'autre part, grâce aux plantes fourragères, on avait de quoi nourrir plus de bestiaux, d'où plus de viande et de produits laitiers. Ces animaux donnaient plus de fumier. L'espèce de cercle vicieux — mauvaises récoltes, pauvres semences, manque d'engrais, appauvrissement du sol, mauvaises récoltes — commençait à être rompu.

En même temps se développaient des cultures nouvelles, celle du maïs dans la région du Sud-Ouest, celle de la betterave qui servait à nourrir le gros bétail. La culture de la pomme de terre, déjà pratiquée au temps de Louis XIV dans la vallée du Rhône, s'accrut lentement, car elle se heurtait à toute sorte de préjugés. Un agronome, Parmentier, fit beaucoup pour l'encourager. Il eut même la collaboration du roi Louis XVI, qui pour populariser la plante, parut un jour portant une fleur de pomme de terre à sa boutonnière.

Contrairement à ce qu'on croit parfois, la propriété paysanne était déjà considérable avant la Révolution; mais bien entendu cette propriété était très morcelée, ayant été acquise morceau par morceau. Le paysan propriétaire cultivait mieux sa terre que le métayer, qui partageait ses récoltes avec le possesseur du sol. Il avait toujours l'espoir d'arrondir son domaine, car les seigneurs mouraient ou éprouvaient des revers de fortune, et leurs terres étaient mises en vente. Par contre, les terres d'Église restaient terres d'Église. Les paysans furent donc très heureux lorsque la Révolution annonça la confiscation et la mise en vente des biens du clergé.

Aux approches de la Révolution, les conflits et les procès devenaient de plus en plus fréquents entre les seigneurs et leurs paysans. Un grand nombre de droits seigneuriaux — taxes, servitudes, etc. — étaient tombés en désuétude au cours des siècles. Ceux qui existaient encore rapportaient peu, et le loyer de la terre, basé sur d'anciens contrats, était de moins en moins profitable. Beaucoup de seigneurs, que la ruine ou la gêne menaçait, essayèrent de faire revivre des droits depuis longtemps oubliés. Ils firent donc examiner les archives familiales par des gens de loi pour voir quelles prérogatives ils pourraient revendiquer. Les paysans goûtèrent peu le procédé. Aussi furent-ils très satisfaits quand la Révolution déclara abolis tous les droits féodaux.

Repas de noce au village, par Lancret

Dans une France encore si diverse, la vie des paysans variait beaucoup d'une région à l'autre. Ils connurent encore des temps difficiles, mais dans l'ensemble les paysans furent plus heureux au dix-huitième siècle qu'au dix-septième. Il semble que les hivers aient été moins rigoureux. Les étrangers qui voyagent en France au temps de Louis XVI remarquent d'ordinaire l'air de bonheur qui règne dans les campagnes. Sauf quelques riches « laboureurs », les paysans vivent encore assez pauvrement de ce qu'ils produisent, y compris le porc qu'on tue vers Noël et dont on mange la viande salée pendant une bonne partie de l'année. Mais leur existence est plus assurée, et le bonheur est relatif.

A l'exception des ouvriers des villes, dont le sort reste très peu enviable, la population du royaume vit mieux qu'autrefois. Des produits comme le sucre, si rare au temps de Louis XIV, sont d'une consommation plus courante. L'usage du café se répand, aussi celui de l'alcool. C'est de l'époque de Louis XV que date vraiment l'art culinaire français. Le roi, comme le Régent son prédécesseur, excelle à préparer d'excellents petits plats. La gastronomie devient un art. Auparavant, on buvait du vin dans les tavernes, on mangeait dans les auberges ou dans les cabarets. Sous Louis XV s'ouvre le premier restaurant parisien. Pendant la guerre de Sept Ans, le maréchal duc de Richelieu, ou plutôt son cuisinier, invente la mayonnaise au siège de Fort-Mahon, dans les Baléares. La viande était, dit-on, si mauvaise, que le maréchal, espèce de Don Juan raffiné et délicat, demanda à son cuisinier de créer une sauce qui la rendît mangeable. Ce fut ce qu'on appela d'abord la « mahonnaise ».

Le dix-huitième siècle a laissé la réputation d'une époque de grande liberté, presque de licence dans les mœurs. Dans la société mondaine en particulier, les liens du mariage étaient souvent assez lâches. Mais il faut dire que ce mariage était d'ordinaire une affaire de famille, arrangée par les parents de conjoints qui se connaissaient à peine et qui parfois ne s'étaient jamais vus avant la cérémonie nuptiale. Étrangers ils étaient, et étrangers ils restaient. La vie mondaine faisait souvent le reste... Tout cela évidemment n'était pas nouveau. Peut-être l'époque avait-elle seulement moins de retenue, moins de souci du décorum que d'autres. D'autre part, l'exemple est contagieux, et la mode n'était pas à la fidélité conjugale.

Il ne faudrait d'ailleurs pas généraliser. C'était en somme un petit groupe de gens qui faisaient parler d'eux, ou d'elles, et la société légère, spirituelle du temps adorait les potins et la médisance. Dans l'ensemble, la famille restait forte. Avec le développement de la sensibilité, on découvrit les charmes de l'enfance. La mode alla aux bons parents. Lorsque Mme Vigée-Lebrun peignait Marie-Antoinette, c'était en mère aimante, entourée de ses enfants. La Révolution les sépara.

La vie de société et la vie intellectuelle

Au temps de Louis XIV, Versailles avait été le centre incontesté de la vie sociale. Sous Louis XV et sous Louis XVI, la vie de cour continue, moins pompeuse peut-être qu'elle ne l'était au temps du grand roi. Toutefois l'étiquette y est toujours strictement observée. Les distractions restent les mêmes. Aux bals de la reine, qui sont très recherchés, seuls les nobles sont admis. Versailles semble déjà appartenir au passé.

Bien plus animées sont les réunions parisiennes. Le dix-septième siècle avait eu ses cercles, ses ruelles; le dix-huitième a ses « Salons ». La société y est beaucoup plus nombreuse et beaucoup plus mêlée qu'autrefois. Chez la marquise de Rambouillet se réunissaient quelques personnes appartenant au même monde, et à part quelques invités d'occasion, toujours les mêmes. Au dix-huitième siècle, on se presse en foule chez Mme Geoffrin. Certes l'entrée du lieu n'est pas absolument libre, mais toute personne tant soit peu distinguée peut aspirer à y être admise, qu'il s'agisse d'un littérateur, d'un artiste, d'un savant, d'un économiste, d'un compositeur, ou simplement d'un homme d'esprit. La naissance importe peu. Il faut seulement être de bonne compagnie, intéresser les autres, les distraire. La bonne « maman Geoffrin », qui d'ailleurs contrôlait sa « famille » avec une grande fermeté, recevait chez elle d'illustres visiteurs étrangers, qui se faisaient un honneur d'être reçus dans son salon. Le lundi, elle accueillait les artistes. Le mercredi, elle donnait un dîner littéraire, où passèrent Montesquieu, Voltaire, Marivaux, D'Alembert et bien d'autres. Ses réunions étaient célèbres dans l'Europe entière. Le roi de Pologne, qui avait autrefois fréquenté son salon, l'invita à venir à Varsovie. Quand elle fit le voyage, bien qu'elle eût alors 67 ans et qu'un tel voyage à son âge et en son temps fût toute une affaire, il la reçut en reine, elle, une simple bourgeoise. La même vanité poussa plus tard Voltaire, tout décrépit, à venir de Ferney à Paris assister à la représentation de sa tragédie *Irène* et faire une entrée quasi-princière dans la capitale.

« Le royaume de la rue Saint-Honoré », comme on appelait le salon de Mme Geoffrin, était peut-être plus aimable et plus facilement accessible que le salon « philosophe » de sa grande rivale, Mme du Deffand. Mais quelles que fussent les tendances propres à chaque réunion, on y discutait, avec plus ou moins d'audace, tous les sujets. Au dix-septième siècle, un mondain comme La Rochefoucauld écrivait, à propos du plaisir de la conversation : « J'aime qu'elle soit sérieuse, et que la morale en fasse la plus grande partie ». Le goût a bien changé au siècle suivant. On parle maintenant de politique — à laquelle le grand siècle ne s'intéressait guère — de questions touchant les croyances, les religions, de questions sociales, économiques, scientifiques, etc. Dans les réunions « philosophiques » particulièrement audacieuses, le diable est déchaîné. Pas chez Mme Geoffrin pourtant. Lorsque la conversation devient un peu trop osée, elle arrête le discoureur. « Voilà qui est bien », disait-elle.

Dans cette société si vivante l'esprit règne en maître, cet esprit moqueur, piquant, dans lequel le siècle excella. L'art subtil d'établir des rapports inattendus et plaisants entre les êtres et entre les choses prenait mille formes, tantôt douces et tendres, comme dans les comédies de Marivaux, tantôt âprement satiriques, comme souvent chez Voltaire. On a reproché au siècle d'avoir parlé légèrement des choses sérieuses, et sérieusement des bagatelles. Il ne faut pas oublier pourtant que l'esprit a été une arme redoutable, entre les mains de gens qui savaient s'en servir. On connaît le fameux mot de Mme du Deffand sur *L'Esprit des lois* : « c'est de l'esprit sur les lois ». Le mot lui-même est spirituel, et en partie justifié. On ne peut pas dire pourtant que *L'Esprit des lois* soit un ouvrage frivole.

Cette société avait des goûts intellectuels très vifs, sinon toujours très profonds. Les gens de finances eux-mêmes partageaient ces goûts. La Popelinière, fermier-général, réunissait chez lui une société brillante et était un protecteur éclairé des lettres et des arts. Un autre fermier-général, le grand Lavoisier, fut le fondateur de la chimie moderne. Les gens du monde, les écrivains se passionnaient pour les sciences — physique, chimie, sciences naturelles — et pour ce que nous appellerions maintenant la technologie. L'Encyclopédie a de très nombreux articles concernant les sciences appliquées, les arts mécaniques, les métiers. Si l'on songe que la première édition du Dictionnaire de l'Académie française, celle de 1694, omettait tous les termes techniques, excepté ceux du blason et de quelques occupations nobles, telles que la chasse et la guerre, on se rend compte du chemin parcouru d'un siècle à l'autre. Le dix-huitième siècle bourgeois mettait le travail, même manuel, en honneur.

La province participa activement au mouvement social et intellectuel du temps. Au siècle précédent, elle avait été quelque peu effacée par la Cour et par la Ville, et Molière pouvait se moquer agréablement des pecques provinciales qui singeaient la bonne société parisienne. Au dix-huitième siècle, des Académies savantes se fondent dans les villes, et dans ces Académies on discute toutes les questions qui intéressent alors le public lettré. En 1749, l'Académie de Dijon mit au concours le sujet suivant : « Si le progrès des sciences et des arts a contribué à corrompre ou à épurer les mœurs ». Ce sujet semblait fait exprès pour Jean-Jacques Rousseau, et il remporta le prix qui le rendit célèbre.

En province comme à Paris, bibliothèques et salons de lecture se multiplient, car on lit davantage qu'au siècle précédent, et surtout les lectures ne sont pas les mêmes. La vogue est passée des traités de morale, et encore plus des livres de piété. On se passionne maintenant pour les ouvrages d'information, pour ceux qui donnent des renseignements précis sur les sujets les plus divers, histoire politique, histoire des religions, histoire des mœurs, géographie, économie politique, techniques. De là la vogue des « dictionnaires », des encyclopédies, et en particulier de *L'Encyclopédie,* la grande, celle de Diderot et de D'Alembert.

Les autres nations, les autres peuples sont aussi l'objet d'une très vive curiosité. Leurs mœurs, leurs habitudes, leurs institutions sont étudiées en détail, comparées à celles de la France d'alors. Parfois, et même souvent, la comparaison n'est pas favorable à cette dernière. Les Indiens d'Amérique ont leur heure de célébrité, et sous l'influence de Rousseau en particulier, le « bon sauvage » devient un type populaire. On ne saurait jurer que Benjamin Franklin n'ait pas quelque peu profité de cette vogue lorsqu'il vint à Paris, au temps de Louis XVI, négocier l'aide de la France dans la guerre de l'Indépendance américaine. Mais de tous les pays, c'est l'Angleterre qui retient le plus l'attention. Dans ses *Lettres philosophiques,* parues en 1734, Voltaire décrit le gouvernement de l'Angleterre, sa religion, ses mœurs, son économie, et il profite de l'occasion pour défendre les idées qui lui sont chères — la liberté de penser et d'écrire, le rationalisme, le sensualisme de Locke — et pour attaquer ce qu'il déteste : la tyrannie, les religions. Montesquieu admire le régime parlementaire anglais. Aux approches de la Révolution, même après la guerre de Sept Ans et celle de l'Indépendance américaine, l'Angleterre et la France, un instant réconciliées, ont des relations presque cordiales. A Paris, c'est une véritable

218

anglomanie : on admire tout ce qui est anglais. De nombreux voyageurs anglais, cossus, bien nourris — après tout ils sont en train de fonder l'Empire britannique, malgré la perte de l'Amérique — viennent visiter la France. Certains d'entre eux font l'éloge de la France où presque tout leur plaît, mais la plupart bien entendu préfèrent de beaucoup l'Angleterre.

Voltaire Rousseau

Le dix-huitième siècle français est le siècle de la « philosophie ». Le terme a alors un sens très particulier, car cette philosophie est moins spéculative que militante. Les philosophes sont avant tout des réformateurs. Ils veulent contribuer au progrès de l'humanité en général et de la France en particulier. La France, déclarent-ils plus ou moins ouvertement, souffre de toutes sortes d'abus d'ordre politique, religieux, social, économique. Il s'agit de dénoncer ces abus et d'y remédier. Pour atteindre ces fins, la raison doit servir de guide.

Considérons par exemple, disent les philosophes, l'absolutisme religieux. Dans les plus vieilles sociétés humaines existaient déjà des castes religieuses qui ont profité de la crédulité des hommes pour établir sur eux leur empire. Les religions particulières ne sont que l'histoire des efforts des prêtres pour perpétuer leur domination par tous les moyens, par la crainte qu'ils inspirent et par la contrainte, s'il le faut. Toutes les religions sont donc intolérantes. Voltaire, même s'il a défendu la cause du protestant Calas,[1] est contre toutes, bien qu'il soit toujours prêt à se servir de l'une contre l'autre, à opposer les quakers ou les mahométans aux catholiques romains. Cette hostilité aux religions ne veut pas dire pourtant que Voltaire soit athée. Sa raison lui dit qu'il y a un Être suprême, un Dieu créateur, car elle ne peut concevoir une horloge sans un horloger. Elle lui dit aussi qu'une religion est nécessaire au peuple : autrement, comment

---

[1] Calas, négociant calviniste de Toulouse, fut accusé d'avoir étranglé son fils pour l'empêcher d'abjurer le protestantisme. Il fut condamné à mort et exécuté. En fait, le fils s'était suicidé. Voltaire, après de longs efforts, obtint la réhabilitation de la mémoire du père en 1765.

le maintenir dans le devoir ?, aurait dit Richelieu. Ce qu'il veut donc, c'est une religion rationnelle, débarrassée des croyances et des superstitions accumulées au cours des âges, et cette religion « naturelle », forme voltairienne du déisme, il prétend l'établir et la défendre par des arguments purement rationnels.

. Quand, au lieu de considérer les idées religieuses de Voltaire, on examine les idées sociales de Jean-Jacques Rousseau, on retrouve le même point de vue, le même effort pour expliquer rationnellement comment les choses se sont passées — ou comme elles ont dû se passer. Au moment où les hommes commencèrent à vivre en commun, dit Rousseau, chacun d'eux aliéna volontairement une partie de sa liberté, soumit sa volonté particulière à la volonté générale. Tous ayant fait le même sacrifice par ce « contrat social », à l'origine l'égalité régnait parmi les hommes. Malheureusement, cet état de choses ne dura pas. Certains individus, certaines collectivités parvinrent à opprimer d'autres hommes, et c'est alors que l'inégalité apparut dans la société humaine. Depuis, les abus engendrés par l'inégalité n'ont fait qu'aller en s'aggravant.

Rousseau, le solitaire, était bien différent de Voltaire, le mondain. L'antipathie, réelle, entre les deux hommes était fondée sur de profondes différences de tempérament. Et pourtant, la ressemblance dans leur façon de penser et de raisonner est frappante.

Si les philosophes étaient généralement d'accord dans les critiques qu'ils adressaient à l'ordre de choses existant, ils étaient loin de l'être lorsqu'il s'agissait des réformes, des changements à accomplir, de ce qu'il faudrait substituer à ce qu'il fallait détruire. Jusqu'alors, la religion chrétienne était considérée comme la base de la morale. Si l'on écarte cette religion, que reste-t-il de la morale ? Les philosophes étaient partagés. Ceux qui pensaient que le sentiment religieux était inné dans l'homme disaient que son guide moral est sa conscience, qui lui permet de distinguer le bien d'avec le mal. D'autres croyaient que la morale est une donnée rationnelle, fondée sur l'utilité sociale, et qu'à cet égard les intérêts de l'individu et ceux de la communauté coincident. « Le bien est tout ce qui tend à conserver l'homme ou à le perfectionner; le mal est tout ce qui tend à le détruire ou à le détériorer », proclameront plus tard les théophilanthropes,[2] disciples des philosophes d'avant la Révolution.

L'ascétisme est contraire à la nature. Voltaire raille la vie monastique, qu'il ne comprend pas et qui, selon lui, ne peut conduire qu'à la fornication ou au dérangement mental. Voltaire et les philosophes n'admettent pas qu'il puisse y avoir quelque chose au-delà des limites de la raison.

En ce qui concerne les idées politiques, même accord entre les philoso-

---

[2] Voir p. 261.

phes dans la partie critique de leurs œuvres, et même incertitude quand il s'agit de la forme de gouvernement qu'ils préconisent. Ils sont tous contre l'absolutisme, contre le droit divin des rois. Ils cherchent des garanties contre la tyrannie et l'arbitraire. La constitution anglaise, avec sa séparation et son équilibre des pouvoirs, plaît à Montesquieu et à Voltaire. Mais ni l'un ni l'autre n'est au fond démocrate. Le dix-septième siècle avait assimilé le gouvernement populaire à l'anarchie. Voltaire incline parfois à penser que le meilleur gouvernement est celui d'un « despote éclairé », d'un roi autoritaire et philosophe à la façon de Frédéric II.

Le plus démocrate de tous est Jean-Jacques Rousseau, qui n'est pas à proprement parler un philosophe. La démocratie implique la croyance en la bonté foncière de la nature humaine, et à la différence de Voltaire qui n'y croyait guère, Jean-Jacques proclame que l'homme est naturellement bon — vue alors très révolutionnaire. Toutefois, il reste prudent dans ses idées politiques. Il croit même que le gouvernement républicain n'est possible que dans un petit État, comme Genève. Et quand on lui demande d'écrire des « Considérations sur le gouvernement de la Pologne », il comprend parfaitement qu'il doit préparer une constitution pour les Polonais du dix-huitième siècle, et non pour des hommes frais émoulus des mains de la Nature.

Le principe auquel Rousseau reste irrévocablement attaché est celui de l'égalité. Si, comme on l'a dit, la Révolution s'est faite au nom de l'égalité plus qu'au nom de la liberté, c'est Jean-Jacques qui lui a montré le chemin.

La philosophie eut aussi ses économistes, les physiocrates, bien que ces derniers aient été à l'occasion attaqués par Diderot et par Voltaire. Le plus en vue du groupe des physiocrates fut sans doute Quesnay, médecin de Mme de Pompadour. Du Pont de Nemours en est un autre. Ils furent les précurseurs de l'économiste écossais Adam Smith.

Colbert avait suivi une politique étroitement protectionniste. Les physiocrates prennent le contre-pied de cette politique et se déclarent en faveur d'un libéralisme économique total. Leur formule est : « Laissez faire, laissez passer », c'est-à-dire qu'ils réclament la liberté de l'industrie et celle du commerce. L'économie d'une nation, disent-ils, est régie par des lois naturelles, essentiellement bonnes et dont on ne doit pas contrarier le libre exercice. Les corporations s'efforcent de contrôler la production. Erreur, pensent-ils. La production doit être réglée par la loi de l'offre et de la demande, qui agit au mieux des intérêts de tous. Pour prévenir les disettes, on prend des mesures réglant la circulation des grains. Autre erreur. Si le blé manque dans quelque province, les prix monteront, de sorte que naturellement les grains viendront là d'une autre région; si par contre il y a surabondance, les prix baisseront et les producteurs chercheront des débouchés ailleurs, précisément là où le blé manque. Il faut donc supprimer tout obstacle à la circulation des grains, se débarrasser des douanes intérieures qui gênent l'agriculture, tout comme l'existence des corporations gêne le libre développement de l'industrie et du commerce.

Des diverses activités humaines, les physiocrates favorisent l'agriculture. Si un paysan sème un grain de blé et qu'il en récolte six, il y a là une création de richesse correspondant à cinq grains de blé. A l'exception des industries extractives et de la pêche, l'agriculture est donc seule vraiment productrice de richesse, car elle seule donne un « produit net ».

Les physiocrates ont fait de louables efforts pour résoudre le problème du blé, qui était encore le grand problème économique du temps. Ils ne pouvaient prévoir la révolution industrielle. Malheureusement, au cours des années qui précédèrent la Révolution, il y eut plusieurs récoltes déficitaires, dues aux intempéries. Et ces mauvaises récoltes ne furent pas sans influence sur la venue de la Révolution.

La littérature

Au dix-huitième siècle, l'écrivain ou l'artiste n'est plus le « domestique » des grands, comme il l'était souvent au siècle précédent. Ce sont eux maintenant qui le recherchent, le flattent, l'adulent, et c'est lui qui se montre exigeant et difficile. La réputation du pastelliste Quentin de La Tour est telle que le fameux portraitiste peut en toute impunité se montrer quinteux et parfaitement insupportable. La même observation pourrait s'appliquer à Jean-Jacques Rousseau. Quant à Voltaire vieillissant, il vit dans l'opulence et en grand seigneur dans sa terre de Ferney, pratiquant consciencieusement l'humanité et la bienfaisance pour servir de modèle aux autres. François Arouet est maintenant M. de Voltaire : « Noblesse oblige », après tout.

Tous ces gens-là sont devenus des puissances et la « République des lettres » n'est pas une expression vaine, mais un État dans l'État. Même si les tirages d'œuvres littéraires ne sont pas considérables, les éditeurs sont plus généreux et bien moins sans-gêne qu'autrefois dans leur traitement des gens de lettres. Les auteurs, et les artistes peut-être encore davantage, trouvent sans difficulté des bienfaiteurs à la cour et à la ville, parmi les grands et parmi les financiers comme La Popelinière, qui héberge chez lui à Passy savants, musiciens et artistes. Mme de Pompadour, qui compte tant sur ses charmes d'actrice, de chanteuse, de musicienne pour plaire au roi, protège les lettres et les arts, et c'est une des meilleures clientes de Boucher, le peintre des Amours et des Vénus roses, dont le génie répond si bien à ses goûts et à ses besoins.

Les écrivains ont grandement bénéficié de cette protection et aussi de la sympathie qu'ils trouvaient parmi les puissants. Sans la complicité de Mme de Pompadour, amie des philosophes, et surtout celle de Malesherbes, directeur de la librairie,[1] Diderot aurait eu de la peine à mener à bien la

---

[1] Le directeur de la librairie était chargé de la surveillance des ouvrages imprimés. La tolérance dont Malesherbes fit alors preuve ne le sauva pas de l'échafaud : il fut guillotiné sous la Terreur pour avoir été l'avocat très courageux de Louis XVI au cours du procès du roi devant la Convention.

publication de l'*Encyclopédie,* dont les deux premiers volumes avaient été supprimés. La censure existait toujours. Parfois les autorités sévissaient contre l'auteur d'un écrit un peu trop audacieux. Après avoir brûlé publiquement son livre, elles l'envoyaient passer quelque temps à la Bastille. Mais la Bastille elle-même n'était plus redoutée. On n'y était pas mal du tout, et c'était un excellent moyen de publicité : un séjour, même bref, à la Bastille assurait la célébrité à sa victime.

La réputation des écrivains et des artistes français était internationale. Frédéric II invitait Voltaire à venir s'installer chez lui à Potsdam, où les deux amis ne tardaient pas à se chamailler. A Saint-Pétersbourg, l'impératrice de Russie Catherine II avait avec le loquace et fougueux Diderot de longues conférences. Frédéric II se constitua une admirable collection d'œuvres de Watteau, y compris la dernière version de l'« Embarquement pour Cythère ». Le fait est que le Grand Frédéric était on ne peut plus francophile, excepté en politique, et qu'il parlait le français plus volontiers et peut-être mieux que l'allemand. L'impératrice Marie-Thérèse correspondait fréquemment en français, de sa grande écriture anguleuse riche en fautes d'orthographe, qui d'ailleurs était alors peu considérée parmi les grands du monde.

La mode allait en tout aux Français et aux choses françaises. Cuisiniers, coiffeurs parisiens étaient fort recherchés. Le planteur du Mississippi ornait sa résidence d'objets importés de France, meubles, candélabres, tableaux. Les souverains voulaient avoir un palais sur le modèle de celui de Versailles, car le Siècle de Louis XIV jouissait d'un immense prestige. Potsdam était le Versailles des rois de Prusse, et non loin de là Frédéric II avait son Marly, le château et le parc de « Sans-Souci ». C'est au dix-huitième siècle que fut construit le palais classique de Shoenbrunn, près de Vienne, résidence des Habsbourg. Dans les théâtres de l'Europe, on représentait des pièces de Corneille, de Racine, de Molière, et bien entendu des tragédies ou des comédies plus récentes, françaises ou de goût français. Plus tard, avec l'éveil du nationalisme en Allemagne et ailleurs, la réaction inévitable eut lieu, et le romantisme mit fin à la domination classique ou néo-classique de la France.

La littérature du dix-huitième siècle est avant tout une littérature militante, une littérature de polémique et de propagande. La dénonciation de l'ordre de choses existant, la recherche d'un ordre nouveau apparaissent dans les ouvrages les plus divers. Les auteurs du siècle précédent s'en tenaient plus ou moins à un genre : il y avait des écrivains moralistes comme La Bruyère, des auteurs tragiques ou comiques, des auteurs de romans comme Mme de La Fayette. Au dix-huitième, Voltaire et Diderot cultivent presque tous les genres — essais, romans, contes, théâtre, lettres, ouvrages de vulgarisation, dictionnaires, etc. — et la philosophie envahit tout. *Mahomet,* tragédie de Voltaire, dénonce le fanatisme religieux. La célèbre comédie de Beaumarchais, le *Mariage de Figaro,* critique l'inégalité sociale. Toute l'œuvre de Diderot n'est qu'un plaidoyer passionné en faveur de son naturalisme et de ses idées, généralement négatives, sur la morale, la religion et la société telles qu'elles existent en son temps.

Voltaire a laissé une œuvre immense. Il a tout essayé, la poésie, y compris l'épopée, l'histoire, la tragédie et la comédie (où il s'est arrangé pour être ennuyeux, lui le plus divertissant des humains). Dans la tragédie, il suit péniblement et de très loin les traces de Corneille et de Racine ; mais comme la passion de l'amour l'agite peu, il essaie de donner du mouvement à ses pièces en y introduisant plus d'action extérieure, en en faisant, sinon des pièces à thèse, du moins des pièces « à idées », philosophiques et autres. Au fond, la tragédie n'est pas son genre, pas plus que l'épopée ou que la poésie, même descriptive. Là où il excelle, c'est dans la prose vive, légère, spirituelle, qui est restée comme la marque de son génie. Ses contes, *Candide* et autres, fines satires des hommes et des choses, du monde comme il va, sont de petits chefs-d'œuvre. Sa vaste correspondance, presque européenne, est une merveille de grâce et d'élégance, souvent d'ironie et parfois de méchanceté. A part ces écrits, on ne le lit plus guère. Trop de ses ouvrages ont été inspirés par les préoccupations du moment. Les idées pour lesquelles il a combattu ont triomphé, mais son œuvre a un peu payé la rançon de ce triomphe. Il a lutté pour la tolérance, ce qui lui fait honneur. Mais nous acceptons tous maintenant le principe de la tolérance.

Voltaire

Diderot, lui aussi, a mis trop de son œuvre « en viager », si l'on ose dire. Ce fut le philosophe par excellence, l'âme de la grande entreprise qu'il dirigea : l'*Encyclopédie, ou Dictionnaire raisonné des Sciences, des Arts et des Métiers.* On a beaucoup parlé de cet ouvrage, dont la publication s'échelonna de 1751 à 1780. Il est certain que malgré des divergences de vues dues aux nombreux collaborateurs, l'*Encyclopédie* exprime les idées des philosophes, leurs points de vue sur un grand nombre de sujets que la nature même de l'ouvrage leur permet d'aborder. Si en politique l'*Encyclo-*

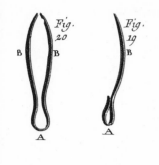

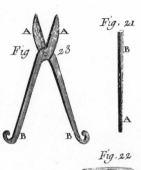

pédie est prudente et modérée, elle montre moins de réticence en matière de religion, bien qu'on y trouve à la fois des articles audacieux et des articles parfaitement orthodoxes. Diderot lui-même a composé l'article sur le « christianisme ». Sous prétexte de le défendre contre ses détracteurs, il passe en revue les critiques adressées à la religion chrétienne. Il prétend les réfuter, mais sa réfutation est faible. « Par cet esprit d'abnégation, direz-vous, et de renoncement à toute vanité, il (le christianisme) introduit à sa place la paresse, la pauvreté, l'abandon de tout, en un mot la destruction des arts »... « La religion chrétienne, nous objecterez-vous, est intolérante »; sur quoi Diderot, l'apôtre de la tolérance, a l'air de justifier l'intolérance. Puis il poursuit : « Mais pour connaître jusqu'à quel point le christianisme doit être réprimant dans les pays où il est devenu la religion dominante, voyez, dans l'Encyclopédie, Liberté de Conscience ».[2] Conclusion : « Vous me direz peut-être que le meilleur remède contre le fanatisme et la superstition serait de s'en tenir à une religion qui, prescrivant une morale pure, ne commanderait pas à l'esprit une créance aveugle de dogme qu'il ne comprend pas (cette religion serait le déisme)... Mais raisonner ainsi, c'est bien peu connaître la nature humaine; un culte révélé est nécessaire aux hommes; c'est le seul frein qui puisse les arrêter ». En d'autres termes, la religion révélée est nécessaire aux masses; mais les esprits éclairés peuvent aisément s'en passer.

Diderot fit, pour l'Encyclopédie, un travail énorme. Il dirigea non seulement la publication si difficile de l'ouvrage; mais il composa lui-même un très grand nombre d'articles, en particulier ceux relatifs aux métiers. C'est néanmoins la partie un peu caduque de son œuvre, car elle présente un intérêt surtout historique. La vraie originalité de Diderot apparaît dans d'autres de ses écrits comme le *Neveu de Rameau,* sorte de dialogue intérieur où il donne libre cours à sa verve endiablée et irrespectueuse.

[2] Ce procédé de renvoi d'un article à l'autre a été couramment employé par les encyclopédistes. Du rapprochement des articles se dégageait souvent la véritable pensée de l'auteur, qu'il n'osait pas formuler ouvertement.

Illustration de l'Encyclopédie de Diderot

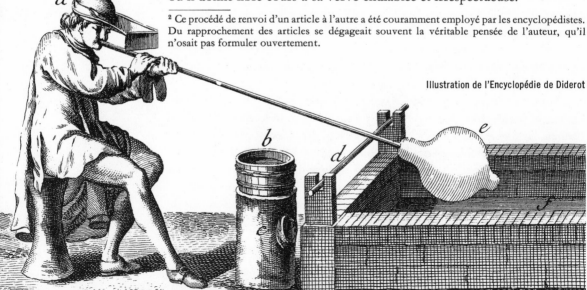

Maison de Jean-Jacques Rousseau

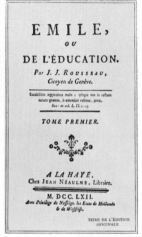

EMILE,
ou
DE L'ÉDUCATION.
Par J. J. Rousseau,
Citoyen de Genève.

Sanabilibus aegrotamus malis : ipsique nos in rectum natura genitos, si emendari velimus, juvat. Sen : de ira L. II. c. 13.

TOME PREMIER.

A LA HAYE,
Chez Jean Néaulme, Libraire.

M. DCC. LXII.
Avec Privilège de Nosseign. les Etats de Hollande & de Westfrise.

TITRE DE L'ÉDITION
ORIGINALE

L'influence politique de Jean-Jacques Rousseau fut grande. Au temps de la Révolution — qui ordonna le transfert de son cœur au Panthéon — il servit d'inspiration aux rédacteurs de la « Déclaration des Droits », et plus tard Robespierre fut son disciple fidèle. Son influence littéraire fut tout aussi considérable. Contre l'intellectualisme des philosophes, il proclama les droits du sentiment, et ce fut là sans doute une des causes de son désaccord avec eux. Il est déiste, comme Voltaire, mais alors que le déisme de Voltaire est une donnée de la raison, celui de Rousseau est une révélation intérieure. Il est religieux, ce que Voltaire n'était guère. Cette même sensibilité lui fit trouver dans la Nature une inspiration nouvelle. Il découvrit la beauté des montagnes, des torrents, des forêts profondes. Loin d'être sensible au charme de cette Nature, le dix-septième siècle n'y voyait que des dangers « affreux », et il la redoutait, goûtant bien mieux la campagne de l'Île-de-France, davantage à l'échelle de l'homme dont on sentait partout la présence. Rousseau par contre aime la solitude, l'homme seul, ou en compagnie de la femme aimée, en présence de la Nature qu'il contemple dans sa pleine et entière majesté. Bref, dans le domaine du sentiment, Rousseau fut un précurseur de la révolution romantique, comme il le fut, dans l'ordre politique, de l'idéologie jacobine.

Son influence fut grande, même sur les mœurs. Dénonçant la corruption de son époque, prêchant le retour à la vie simple et à l'ingénuité des sentiments, aux vertus familiales — bien qu'à cet égard sa conduite ait laissé quelque peu à désirer — il encouragea les mères à aimer leurs enfants et à les allaiter jusqu'à un certain âge, les pères à exercer avec bonté, bien qu'avec fermeté, l'autorité paternelle. Il renouvela ainsi le vieux rêve de la vie pastorale, qu'en son temps le peintre Boucher interprétait d'une manière fort différente. Si la reine Marie-Antoinette joua à la fermière dans le hameau du Trianon, c'est un peu « la faute à Rousseau ».

Ce retour aux sentiments simples, aux vertus familiales trouva aussi son expression au théâtre. Diderot essaya de fonder un « drame bourgeois ». Son *Père de famille,* selon l'expression d'un critique, « porte sa paternité comme un sacerdoce ». Mais à côté de ce théâtre moral, et surtout moralisateur, il y avait la comédie mondaine, spirituelle, celle de Marivaux et plus tard celle de Beaumarchais.

Jamais la vogue du théâtre n'avait été plus grande. Les comédiens italiens, chassés à la fin du dix-septième siècle pour avoir médit de Mme de Maintenon,[3] revinrent à Paris après la mort de Louis XIV — et les personnages de la comédie italienne, Arlequin, Pierrot, Colombine, furent parmi les sujets préférés de Watteau. Alors qu'autrefois acteurs et actrices étaient tenus à l'écart de la bonne société, au dix-huitième siècle les actrices de la Comédie-Française, les danseuses de l'Opéra jouissent d'une grande faveur. Quentin La Tour, si difficile sur le choix de ses modèles, a laissé une série de portraits au pastel d'artistes dramatiques et lyriques de son temps. La chronique scandaleuse parlait d'elles, bien entendu, ce qui ne nuisait pas à leur renommée, car le siècle était indulgent.

C'est au théâtre des Italiens que Marivaux donna ses gracieuses comédies. Le *Jeu de l'amour et du hasard* (1730) est représentatif du genre auquel l'auteur a laissé son nom, le « marivaudage ». C'est l'analyse subtile des sentiments dans l'esprit de jeunes amoureux, des débuts de l'amour, avec ses inquiétudes, ses petites ruses, ses jalousies, ses jolis manèges. Il s'agit généralement d'amener une jeune fille à avouer son amour pour un jeune homme, le tout se terminant, comme faire se doit, par un mariage. Mais cet aveu est si pénible, l'amour se heurte à tant d'amour-propre, de timidité, de méfiance, de préjugés sociaux! Avec l'aide de spirituels valets et d'habiles soubrettes, l'amour finit pourtant par triompher de tous les obstacles.

Marivaux

[3] Le « théâtre de la Foire » — celui de la Foire Saint-Germain et de la Foire Saint-Laurent — profita du départ des Italiens, et il eut de l'importance tout au cours du dix-huitième siècle.

Comédiens de Watteau

L'amour chez Marivaux n'est évidemment pas l'amour-passion des tragédies de Racine. C'est plutôt l'amour-goût, amour délicat, où les amants prennent plaisir à aimer et, au fond, aiment sincèrement. Les comédies de Marivaux font penser aux « Fêtes galantes » de Watteau : même légèreté gracieuse, même pointe de mélancolie, même impression laissée de jeunesse éphémère.

Le théâtre de Beaumarchais est bien autre chose. Esprit caustique, quelque peu philosophe, Beaumarchais fit du théâtre une tribune. Le *Barbier de Séville*, le *Mariage de Figaro* sont des pièces fort spirituelles, très divertissantes et originales, même si l'intrigue suit les données habituelles de la comédie. Le héros, Figaro, est un homme du peuple, un barbier débrouillard au service du comte Almaviva, et il ne manque jamais l'occasion de dire à son maître ses quatre vérités. Les valets de Molière en faisaient autant, mais ils ne disaient pas à leurs maîtres les mêmes vérités. « Parce que vous êtes un grand seigneur », dit Figaro au sien, « vous vous croyez un grand génie!... Noblesse, fortune, un rang, des places; tout cela rend si fier! Qu'avez-vous fait pour tant de biens? Vous vous êtes donné la peine de naître, et rien de plus; du reste, homme assez ordinaire! Tandis que moi, morbleu! perdu dans la foule obscure, il m'a fallu déployer plus de science et de calculs pour subsister seulement, qu'on n'en a mis depuis cent ans à gouverner toutes les Espagnes!... » Le *Mariage de Figaro* fut joué, avec un grand succès, en 1784 — cinq ans avant le commencement de la Révolution — et la « foule obscure » de Figaro sera celle des « vainqueurs de la Bastille ».

Beaumarchais

Les arts

Les sciences

Au dix-huitième siècle, l'ordonnance extérieure des constructions reste classique, mais — et c'est là une tendance générale de l'art du temps — on recherche alors la grâce, l'élégance plutôt que la grandeur. Les deux beaux bâtiments de la place de la Concorde, que sépare la rue Royale, ont été construits sous Louis XV, par Gabriel. Leur architecture rappelle celle de la colonnade du Louvre. Pourtant, l'impression ici est fort différente : alors que l'œuvre de Perrault est imposante, grandiose, celle de Gabriel frappe par l'équilibre et l'harmonie des proportions. Par ces mêmes qualités et par leur charme, les constructions les plus caractéristiques du dix-huitième siècle sont peut-être ces gracieuses retraites, ces « ermitages » dont le Petit Trianon de Versailles, bâti lui aussi par Gabriel, est le modèle parfait.

C'est qu'en effet le goût, les habitudes changent. Les nobles jardins à la façon de Le Nôtre plaisent moins qu'autrefois. On leur reproche de tyranniser la Nature. La mode va au « jardin anglais », avec sa simplicité et sa rusticité factices, à la façon de Jean-Jacques Rousseau. Car un jardin est après tout une œuvre d'art. Il s'agit donc maintenant d'imiter avec art la Nature. On trace çà et là quelque sentier sinueux, grimpant jusqu'au sommet d'un monticule surmonté d'un temple artificiellement ruiné, car grande est alors la vogue des ruines gréco-romaines. Au fond d'un vallon coule un ruisseau, que franchit un pont tremblant, vermoulu avant l'âge.

Plus d'arbres taillés, mais « quelques pins, fiers sans orgueil, quelques peupliers d'Italie, élevés, sans faste, un saule-pleureur ». Plus de bassins aux formes régulières, où trône Neptune, mais des fontaines aux eaux limpides. « Que les canards fassent partout des nids. Que l'on rencontre jusqu'à des oies. Que les pigeons chassés de tous côtés viennent se réfugier sur les toits »... C'est dans ce milieu rustique que se plaisaient bon nombre de gens du monde aux approches de la Révolution, qui allait si brutalement mettre fin à leur rêve lyrique et pastoral.

Le changement dans les goûts et habitudes est encore peut-être plus remarquable quand on considère la disposition intérieure des bâtiments. Dans le Versailles de Louis XIV, tout était sacrifié à la vie de cour, et les habitants du château se logeaient comme ils pouvaient, d'ordinaire assez mal. Le dix-huitième siècle, par contre, recherche l'intimité et le confort. La mode va maintenant aux petits appartements, aux salons élégamment décorés où l'on cause avec quelques amis. Les vastes salles du temps de Louis XIV avaient une décoration somptueuse, un peu lourde, avec sa profusion d'ornements en relief, ses stucs, ses grands tableaux historiques ou mythologiques, ses cheminées monumentales. Au dix-huitième siècle, la décoration s'allège. Les murs sont couverts d'une suite de panneaux rectangulaires ou arrondis au sommet, chacun d'eux bordé d'un léger et gracieux encadrement de fleurs ou de feuillages. Au centre de chaque panneau, un médaillon sculpté ou peint. La variété des motifs dont les artistes se plaisent à décorer panneaux, dessus de porte et plafonds est très grande. Outre les thèmes et personnages habituels de la mythologie et de l'histoire, « turqueries », « chinoiseries », « singeries » sont des inventions gracieuses et amusantes des décorateurs du temps de Louis XV.

Disparues aussi sont les cheminées monumentales d'autrefois. Les salles étant moins vastes, par conséquent plus faciles à chauffer, la mode est maintenant aux petites cheminées « à la prussienne ». Les meubles, comme le reste, deviennent plus légers et plus confortables. Ils perdent l'aspect solide, rigide du mobilier Louis XIV pour prendre des formes contournées, gracieuses et fragiles. Les pieds et les bras des fauteuils s'incurvent, et sur la tapisserie qui orne les dossiers et les sièges figurent les motifs habituels de décoration, guirlandes de feuillage, scènes rustiques. Les mêmes motifs se retrouvent sur les autres meubles — commodes, consoles, etc. — avec ça et là des traces de rocaille.[1]

Ce goût de l'élégant et du joli, qui a produit tant d'œuvres charmantes, eut de funestes effets sur l'art religieux. Abbés et chanoines du dix-huitième siècle, souvent mêlés au monde, essayèrent parfois d'accommoder leur

---

[1] Le nom de *rocaille* est parfois donné au décor Louis XV, à cause de l'emploi, comme motif de décoration, de formes à la fois incurvées et déchiquetées rappelant celles de certains coquillages. Toutefois les décorateurs français n'ont pas abusé de la rocaille.

église ou leur cathédrale au goût du temps. Ils firent démolir les jubés qui, en clôturant le chœur, gênaient leur vue. Ils firent descendre les vitraux aux images naïves et aux couleurs trop crues qui assombrissaient l'intérieur de l'édifice. Ils modernisèrent les autels en les ornant de marbre, de dorures, de peintures représentant des anges qui ressemblaient comme des frères aux Cupidons de Boucher. On a dit, non sans raison, que certains ecclésiastiques du dix-huitième siècle auraient volontiers mis du rouge et des mouches à la Sainte Vierge. Ce furent en somme de grands vandales, avant les sans-culottes de 93.

Les œuvres des meilleurs peintres français du dix-huitième siècle furent très recherchées. Boucher était le peintre favori de Mme de Pompadour. La Tour a laissé d'elle un portrait célèbre, ainsi que celui de Louis XV. Toutefois, peintres et décorateurs ne dépendaient plus presque uniquement de la clientèle royale, comme au temps du grand roi. Seigneurs, financiers, actrices en renom, tous voulaient maintenant des tableaux et des peintures murales dans leurs demeures. Il ne s'agissait évidemment pas de la grande peinture historico-mythologique de Le Brun, de celle des galeries de Versailles, de héros et de divinités guerrières, Alexandre, Mars, Hercule, Junon et autres. Si Boucher représente les héros et les dieux, c'est dans leurs amours, les amours de Jupiter et de Léda, l'histoire de Persée et d'Andromède. Même lorsqu'il peint « Vulcain présentant à Vénus les armes d'Enée », son tableau n'a rien d'épique. L'épisode n'est pour lui qu'un prétexte à la représentation du beau corps de Vénus, sa déesse préférée, celle dont il a peint toute l'histoire, et malgré son sujet héroïque, ce tableau ressemble fort aux autres toiles de Boucher.

Nymphes et déesses au corps rose et nacré, dieux à peau brune dans un beau ciel lumineux où flottent des nuages légers et où voltigent des essaims, des guirlandes d'Amours, tel est le motif habituel de la peinture mythologique de Boucher. Il a peint d'autres scènes, des scènes pastorales, des scènes de la vie domestique, de la vie rustique, même des décors d'Opéra. Peut-être a-t-il trop sacrifié à son temps. Sa peinture gracieuse, sensuelle, n'a ni la profondeur ni le charme mélancolique de celle de Watteau.

La même observation pourrait s'appliquer à Fragonard, qui lui aussi s'est inspiré de Watteau. Comme Boucher, il a peint d'élégantes nudités. Toutefois, la mythologie l'attire peu. Ce qu'il aime représenter, ce sont des « surprises », des scènes piquantes, parfois avec une légère intention grivoise, comme dans les « Hasard heureux de l'escarpolette ». Dans ses scènes pastorales, même dans ses serments d'amour, Fragonard fut le peintre du désir plus que le peintre de l'amour.

Fragonard: La lecture

Boucher: Le sommeil interrompu

Un jour vint où son art, comme celui de Boucher, se démoda. Le bon « Frago » vécut trop longtemps. La Révolution et l'Empire n'avaient que faire de ses élégances et de ses mignardises. La mode allait maintenant aux Gréco-Romains civiques, patriotes, aux Léonidas, aux Horaces, aux Brutus. Bien avant cette époque, Diderot et Greuze avaient critiqué l'art de Boucher pour son manque de sérieux, son amour du bric-à-brac et son indifférence envers la morale.

L'art de Greuze, qu'admirait tant Diderot,[2] fut moral à souhait, en apparence, car il est moins moral que moralisant. Greuze, comme Diderot, prétend rendre l'art utile, le faire servir à prôner les douceurs de la vie domestique, à montrer la vertu récompensée et le vice puni; et ce faisant, il est encore plus insupportable que Jean-Jacques dans ses pires moments. L'« Accordée de village » nous montre un vieux père tout impotent qui « accorde » la main de sa fille à un jeune villageois. Il faut voir la mine de tous ces gens-là : le père dramatique, la mère douloureuse et attendrie, la fille rougissante... D'ailleurs, chez Greuze, le loup montre parfois l'oreille. Lui, le peintre des vertus domestiques, fut aussi celui de jolies petites paysannes à l'air éploré, saintes nitouche de la « Cruche cassée » ou de l'« Oiseau mort », tableaux dont le symbolisme est en somme assez clair.

---

[2] A partir de 1735 se tint tous les deux ans, dans le grand Salon du Louvre, une exposition de peinture. Auparavant, les jeunes peintres exposaient leurs tableaux en plein air, place Dauphine, le jour de la Fête-Dieu. Diderot, dans ses « Salons », commenta les expositions du Louvre au cours des années 1765 à 1767. Malgré des critiques injustes et des enthousiasmes inconsidérés, il eut le mérite d'intéresser le grand public aux œuvres des artistes.

Greuze: L'accordée de village

Greuze: Petite fille

Chardin: Nature morte

Chardin: La pourvoyeuse

Bien plus honnête et plus vrai est l'art de Chardin. Sa peinture sans prétention représente d'humbles scènes de la vie quotidienne, de la vie bourgeoise : une blanchisseuse, une mère de famille qui revient du marché et dépose ses provisions dans sa cuisine, une autre qui récite le « Bénédicité » avant que la petite famille, où le père manque, ne se mette à table. Ces scènes nous plaisent par leur simplicité et par leur naturel. Les personnages ne posent pas, comme ceux de Greuze. Ils concentrent toute leur attention sur l'acte qu'ils accomplissent. Et les admirables natures mortes de Chardin ont quelque chose du même charme discret. Qu'il peigne des fruits, une raie, ou un lièvre mort déposé au bord d'une table, Chardin a le don d'évoquer tout un milieu, tout un ensemble d'habitudes. Ce fut aussi un remarquable coloriste, qui eut à un très haut degré l'art de la gradation et de la fusion des couleurs. Chardin a été le peintre, le grand peintre de la vie sérieuse, laborieuse, dans un siècle dont on ne veut voir trop souvent que la légèreté.

Maurice Quentin de La Tour fut le grand portraitiste du temps. Ses « têtes au pastel », où les lèvres ébauchent souvent un sourire et où les yeux brillent toujours d'un éclat extraordinaire, donnent l'illusion complète de la vie. Elles forment une belle galerie de la société mondaine de l'époque de Louis XV, depuis le roi lui-même, noble et ennuyé, la séduisante Mme de Pompadour, si lasse du rôle accablant qu'elle doit jouer

Quentin de La Tour: Portrait de d'Alembert

constamment, jusqu'à des ecclésiastiques lettrés, comme l'abbé Huber, et de piquantes chanteuses, comme Mlle Fel. La Tour était convaincu que le visage de toute personne porte la trace des fatigues de son état. « Ils croient que je ne saisis que les traits de leurs visages, disait-il en parlant de ses modèles, mais je descends au fond d'eux-mêmes et je les emporte tout entiers ». Ce désir insatiable de pénétrer la personnalité des autres fut un des tourments de sa vie inquiète. Jamais satisfait, il retouchait ses œuvres, cherchait de nouveaux procédés de fixation du pastel. Sa raison finit par sombrer dans cet effort vers une impossible perfection.

L'époque de la Révolution et de l'Empire fut trop pauvre en grands artistes pour qu'on lui enlève David. C'est pourtant aux années antérieures à 1789 que remontent les débuts du peintre et les origines de son art. Depuis longtemps, pour les peintres français, tous les chemins menaient à Rome. Pour Poussin, le grand modèle était Raphaël. Au temps de Louis XV, les Vénitiens, Tiepolo en tête, intéressaient davantage. Mais en Italie, David découvrit la Rome antique, telle que l'avaient révélée les fouilles récentes à Pompéi et à Herculanum. L'Allemand Winckelmann avait déjà composé son *Histoire de l'art chez les Anciens*. De là, dans les œuvres « romaines » de David, le souci du détail archéologique exact, qu'il s'agisse de l'architecture des habitations, de leur ameublement, du costume des personnages, des visages même, parfois copiés sur des monuments anciens. Enfin, aux approches de la Révolution, on admirait le patriotisme des vieux Romains, leurs vertus civiques. Ces tendances nouvelles apparaissent dans le tableau que David peignit à Rome même, en 1785, le « Serment des Horaces ». Le coloris en est assez pauvre. Les attitudes de statue des personnages, leurs gestes peu naturels, ce jeune Horace qui se tord le poignet afin de poser davantage, ces faibles femmes dans le plus profond désespoir, tout cela nous paraît forcé, froid, et quelque peu déclamatoire. Le « Serment » fut pourtant très discuté et admiré. La raison en était que l'agréable et le joli avaient cessé de plaire à certaines gens, en particulier à l'austère David, le futur jacobin, le futur disciple de Marat et de Robespierre.

Le dix-huitième siècle a beaucoup aimé la musique. Toute sa grâce légère se trouve déjà chez François Couperin, qui a laissé de charmants morceaux pour le clavecin. Mais le grand compositeur français de l'époque fut Rameau, auteur d'opéras d'une poésie si évocatrice, comme *Castor et Pollux*.

Non seulement le dix-huitième siècle aima la musique, mais il se passionna pour elle. En 1752, une grande querelle éclata entre partisans de l'étincelante musique italienne, laquelle s'intéressait avant tout à la mélodie, et partisans de la musique française, représentée par Rameau. Ce fut la célèbre « guerre des Bouffons », nommée d'après la troupe italienne des Bouffons, qui joua à Paris la *Serva Padrona* de Pergolèse. Jean-Jacques Rousseau prit violemment à partie l'opéra français dans sa *Lettre sur la musique*. Il a d'ailleurs laissé lui-même une espèce d'opéra-comique qui eut un grand succès, *le Devin du Village*.

Quelques années plus tard, une autre « guerre » éclata, cette fois entre Piccinistes, partisans de l'art italien, et Gluckistes, qui opposaient à la virtuosité italienne la profondeur tragique de la musique de Gluck.

Rameau

David: Le serment des Horaces

Le ballon des frères Montgolfier

Tout ce qui touchait aux sciences éveillait alors beaucoup d'intérêt, même parmi les profanes. La vogue des encyclopédies en est une preuve. Voltaire, mathématicien à ses heures — c'est lui qui fit connaître Newton au public français — se livra quelque temps à des expériences de physique, en compagnie de Mme du Châtelet, sa protectrice. Ils furent même tous deux lauréats de l'Académie des sciences. Rousseau, lui, herborisa. Étant homme de la Nature, cela était tout naturel.

Au temps de Louis XV, de Louis XVI surtout, le public se passionna pour des découvertes ou pour des inventions qui paraissaient alors merveilleuses. L'étude des phénomènes électriques devint très populaire. On s'amusa à jouer avec la foudre, ce qui, symboliquement parlant, était d'ailleurs assez conforme aux habitudes du temps. En 1752, pour se distraire, Louis XV assista à une expérience au cours de laquelle un savant tira des étincelles d'une longue tige de fer. Et quand il vint à Paris plaider la cause des Insurgents d'Amérique, le « bonhomme Franklin » dut son immense popularité non seulement à son bâton et à ses bésicles, mais aussi à sa réputation d'électricien.

L'année 1783 fut, pour les Parisiens, une année mémorable. Cette année-là, les deux frères Montgolfier gonflèrent d'air chaud un ballon de papier qui s'éleva dans les airs, la première « montgolfière ». Puis on remplaça l'enveloppe de papier par une enveloppe de soie huilée, l'air chaud par de l'hydrogène. On dit qu'à la fin de l'année, lorsqu'un ballon ayant trois passagers à bord quitta majestueusement le jardin des Tuileries, 400.000 Parisiens, massés tout autour, assistèrent à cet événement mémorable. Pendant la guerre de l'Indépendance américaine, les dames avaient porté des « coiffures à la frégate » pour célébrer la renaissance de la flotte française. En 1783, elles se mirent à porter un ballon sur la tête — et un autre au bas du dos.

Les frontières entre la science et la magie étaient encore fort incertaines. Le « magnétisme animal » de l'Allemand Mesmer trouva de nombreux adeptes dans la France de Louis XVI. Mesmer croyait à l'existence d'un fluide, semblable au fluide magnétique, qui pouvait être transmis par des passes et des attouchements. Il prétendit employer ce fluide à la guérison des maladies. Sa clientèle devint bientôt si nombreuse qu'il imagina un traitement collectif, un baquet plein d'eau, dont le fond était couvert de limaille de fer et de verre pilé et d'où sortaient des tiges métalliques. Il suffisait d'appliquer la partie malade contre une des tiges de fer, en touchant en même temps le pouce de son voisin pour que le fluide opérât. Mesmer fut-il un charlatan, ou un précurseur dans l'étude des phénomènes psychiques? En tout cas, son baquet eut un succès considérable.

A côté de cette science douteuse, le dix-huitième siècle français produisit de vrais savants. Intendant du Jardin du Roi — maintenant le Jardin des Plantes — Buffon composa une vaste *Histoire naturelle,* où il traite des quadrupèdes, des oiseaux, des minéraux. Bien qu'il fût un observateur consciencieux, il souffrit du manque d'une méthode scientifique rigoureuse. Il montra aussi une tendance, souvent critiquée, à ramener à l'homme toute la création. Il appelait le lion le roi des animaux, ce à quoi un de ses anciens collaborateurs, devenu jacobin, répliquait qu'il n'y a pas de roi dans la nature! Buffon eut pourtant des idées intéressantes — il entrevit le mécanisme de la sélection naturelle et de l'évolution — et même si son œuvre est maintenant périmée, ce fut en son temps une œuvre fort distinguée.

Le grand homme de science français du siècle fut Lavoisier, le fondateur de la chimie moderne. L'oxygène venait d'être découvert. Lavoisier reconnut le rôle que jouait ce gaz dans la composition des acides et des oxydes, montra que l'eau se composait d'oxygène et d'hydrogène, l'air d'oxygène et d'azote. Il comprit que la respiration était une lente combustion de carbone et d'oxygène. Surtout, il mit de l'ordre dans des connaissances jusqu'alors éparses en établissant la nomenclature chimique.

Lavoisier était fermier général. Riche et humanitaire, il faisait un excellent emploi de sa fortune. Néanmoins, en 1794, pendant la Terreur, il fut compris dans la « fournée » des fermiers généraux. Condamné à mort par le tribunal révolutionnaire, il fut guillotiné avec ses collègues.

Louis XVI et les débuts

de la Révolution

Marie-Antoinette

Louis XVI

Louis XV étant mort de la petite vérole en 1774, son petit-fils lui succéda sous le nom de Louis XVI. C'était alors un jeune homme assez lourd de corps et d'esprit. Bon, honnête, rangé, Louis XVI avait toute sorte de bonnes qualités, dont malheureusement très peu étaient indispensables à un roi. Le *Télémaque* était sa lecture favorite.[1] Il était donc plein d'excellentes intentions envers son peuple, mais parfaitement incapable de les réaliser. Se rendant compte que les choses allaient de mal en pis, il espérait toujours qu'elles finiraient par s'arranger, que faute de résoudre les problèmes, on les contournerait. En attendant, il allait à la chasse ou fabriquait ses serrures dans son atelier, et il se couchait de bonne heure.

Sa femme, la gracieuse Marie-Antoinette, fille de Marie-Thérèse, était jeune, gaie, pleine de vie, et elle n'aimait pas se coucher si tôt. Elle avait dix-neuf ans lorsqu'elle devint reine. C'était une charmante personne aux

---

[1] *Télémaque*, récit des voyages imaginaires de Télémaque à la recherche de son père Ulysse, avait été écrit, vers la fin du XVIIe siècle, par Fénelon, précepteur du duc de Bourgogne, petit-fils de Louis XIV. Par son insistance sur les devoirs et les terribles responsabilités d'un roi, l'éducation que reçut le jeune duc risquait de former un souverain plus scrupuleux que ferme.

yeux bleus, aux cheveux blonds, et elle ne manqua ni d'admirateurs ni surtout de flatteurs. Sérieuse au fond, elle donna prise à la critique par son insouciance, son dédain de l'étiquette; et la calomnie, d'autant plus dangereuse qu'elle était sournoise, la suivit jusqu'à l'échafaud. Une reine de France n'avait pas le droit de jouer à la fermière dans le hameau du Trianon.

Louis XVI et Marie-Antoinette, ces deux êtres si peu faits l'un pour l'autre, avaient des ennemis secrets jusque dans la famille royale. Les frères du roi — les futurs Louis XVIII et Charles X — le considéraient comme un sot, et ils le suggéraient volontiers. Le duc d'Orléans, le futur Philippe-Égalité, était encore pire. On connaît le passage du *Barbier de Séville,* où Figaro parle de la calomnie qui commence par un murmure à peine perceptible et finit en clameur. Le roi et la reine furent victimes de ce jeu cruel et sinistre.

Sentant la gravité de l'heure, Louis XVI résolut, à son arrivée au pouvoir, de « se barricader d'honnêtes gens ». Des réformes étaient nécessaires. Il choisit donc comme ministre des finances Turgot, un physiocrate, qui essaya d'accomplir des réformes conformes aux idées physiocratiques. Un édit de 1774, rendu sur son initiative, établit la liberté absolue de la circulation du « blé » à l'intérieur du royaume, de façon à remédier à l'inégalité des récoltes dans les différentes régions. Il se trouva malheureusement que, cette année-là, la récolte fut mauvaise et l'hiver très rigoureux. On en rendit Turgot responsable.

Il n'eut pas plus de chance lorsque, deux ans plus tard, il tenta d'accomplir d'autres réformes. La corvée, cette très ancienne obligation féodale, était très impopulaire parmi les populations rurales. Au temps où il était intendant à Limoges, Turgot avait avec grand succès remplacé le travail forcé des paysans sur les routes par un travail rémunéré. Il essaya d'en faire autant pour tout le royaume. Un édit de 1776 décida que l'ancienne corvée serait financée par un impôt levé sur tous les propriétaires des terres. Ce fut un beau concert de protestations de la part du clergé, de la noblesse et du tiers-état. Évidemment, les paysans ne protestèrent pas, puisqu'ils avaient tout à gagner au changement. Mais le parlement bourgeois, toujours défenseur en apparence des intérêts du peuple, protesta pour eux.

La même année, Turgot proposa l'abolition des corporations de métiers et l'établissement du travail libre. La mesure, bonne à certains égards, était discutable, car elle risquait de laisser les ouvriers sans protection. Ce ne furent pourtant pas les ouvriers, mais les chefs de métiers qui protestèrent. Turgot démissionna. Le pauvre Louis XVI, qui avait dit : « Il n'y a que M. Turgot et moi qui aimions le peuple », accepta sa démission sans dire un mot.

Outre celui des échecs répétés de toute tentative de réforme, le règne de Louis XVI fut celui de la guerre d'Amérique. La cause des colonies révoltées contre la domination anglaise fut tout de suite populaire en France. Ces Américains étaient évidemment vertueux, exempts de la corruption et des vices de la civilisation. A Paris, Franklin eut un succès énorme. Certains voyaient, dans l'appui donné aux Insurgents, une occasion de se venger sur l'Angleterre des désastres de la guerre de Sept Ans. Une guerre contre l'Angleterre était cependant chose sérieuse. Turgot hésitait, mais Vergennes, aux Affaires étrangères, pressait Louis XVI d'intervenir. En attendant, de jeunes nobles comme La Fayette et Rochambeau mettaient leur épée au service des révoltés, et puisque ces épées ne suffisaient pas, Beaumarchais envoyait secrètement des canons, des fusils et de la poudre aux Insurgents d'Amérique. Finalement la France intervint ouvertement dans la guerre, la dernière de l'ancienne monarchie. Le traité de Versailles, en 1783, fut accueilli avec enthousiasme et attendrissement en Amérique comme en Europe, sauf bien entendu en Angleterre.

La France profita peu de cette guerre, qui lui coûta cher. Les dépenses militaires et navales aggravèrent le déficit financier. D'ailleurs, les années qui précédèrent la Révolution furent à beaucoup d'égards des années difficiles. Après la guerre d'Amérique, des relations, sinon cordiales du moins économiques, se rétablirent entre la France et l'Angleterre. En 1786, fut conclu entre les deux pays un traité de commerce dont les résultats furent heureux pour l'Angleterre et malheureux pour la France. On abaissa les droits de douane entre les deux pays. Or, Pitt avait bien calculé son coup. L'industrie textile anglaise étant plus développée que celle de la France, les manufacturiers anglais inondèrent le marché français de tissus de laine et de coton. Il y eut du chômage dans les centres textiles, à Sedan, à Amiens, à Lyon surtout, et des émeutes graves.

Pour comble de malheur, le royaume souffrait en même temps d'une série de mauvaises récoltes. Qu'il y eût un long et rude hiver, ou un printemps pluvieux, ou un été trop sec, et la vie redevenait pénible pour les habitants des campagnes, dont le sort s'était amélioré au cours du siècle. Les seigneurs, à court d'argent, essayaient de faire revivre des droits anciens, au grand mécontentement des paysans. C'est pourquoi les campagnes comme les villes vivaient dans un état de nervosité et d'agitation latente, encore aggravée par l'opposition que le gouvernement rencontrait de la part des privilégiés, des philosophes et du parlement.

L'ancien parlement, dont Louis XV s'était débarrassé, était intraitable depuis que Louis XVI avait commis la faute de le rappeler. Après s'être opposé à tout, il réclamait maintenant la convocation des États généraux qui ne s'étaient pas réunis depuis 1614, avant Richelieu. Louis XVI céda,

comme d'habitude, et il fixa au 5 mai 1789 la date d'ouverture des États.

Selon l'usage, l'assemblée devait se composer des représentants des trois états du royaume, le clergé, la noblesse et le tiers état.[2] Au moment des élections, des « cahiers » furent rédigés, qui contenaient les vœux et désirs des électeurs. Ces cahiers constituent donc des documents précieux sur l'état des esprits à la veille de la Révolution.

Tout le monde est sincèrement royaliste. Les cahiers abondent en protestations de dévouement au roi. Presque tous affirment leur foi catholique, tolérant pourtant le protestantisme, comme on le faisait alors en dépit de la révocation de l'Édit de Nantes. Mais tous veulent des réformes plus ou moins profondes dans l'administration de l'État, en ce qui concerne notamment les impôts. On réclame l'abolition du système de la ferme générale, de la gabelle détestée; on pose en principe que l'impôt doit être consenti par les représentants des trois ordres et qu'il doit être proportionnel à la richesse. L'organisation corporative est condamnée : le travail doit être libre.

La justice était d'une complexité extrême. Dans les campagnes, le seigneur conservait toujours des droits de justice, qu'il exerçait par l'intermédiaire d'un agent nommé par lui. Dans les villes, il y avait la justice de l'évêque et, à Paris notamment, un grand nombre de juridictions particulières. Partout siégeait aussi la justice royale. Quant au parlement, il prétendait être juge de toute cause qu'il lui plairait de juger. Les cahiers réclamaient, non sans raison, la simplification de la justice, et aussi l'abolition de pratiques barbares telles que la torture, encore employée par la justice criminelle.

---

[2] Le tiers état, ou troisième ordre, était composé des représentants des habitants du pays qui n'appartenaient ni au clergé ni à la noblesse. Groupant bourgeois des villes et paysans des campagnes, il représentait l'immense majorité de la population.

Les paysans, eux, voulaient surtout la disparition des droits féodaux, banalités, droit de chasse du seigneur, etc., et en général, comme tout le tiers état, l'abolition des privilèges et inégalités sociales. C'est bien au nom de l'égalité que fut faite la Révolution.

Dès les premières réunions, à Versailles, de l'assemblée des États généraux, les dissensions commencèrent, conflit entre le tiers état et les ordres privilégiés, le clergé et la noblesse, conflit entre le tiers état et le gouvernement royal. « La cour », comme on disait alors, aurait voulu limiter le rôle des États à l'étude de la situation financière, cause immédiate de la convention, alors que le tiers état entendait bien donner une constitution au royaume. Des épisodes dramatiques ou mélodramatiques eurent lieu. Un jour que Louis XVI envoya son grand-maître des cérémonies prier Messieurs du tiers de vouloir bien lever leur séance, le gros Mirabeau lança de sa voix de tonnerre l'apostrophe célèbre : « Allez dire à votre maître que nous sommes ici par la volonté du peuple et que nous n'en sortirons que par la force des baïonnettes ».

Ce Mirabeau était un noble démocrate qui s'était fait élire député du tiers état. Méridional souvent éloquent, toujours grandiloquent et combatif, il joua un rôle important au cours des premières années de la Révolution. Un jour vint pourtant où les événements le dépassèrent. Il mourut en 1791, déclarant avec quelque regret : « J'emporte avec moi le deuil de la monarchie. Les factieux s'en partageront les lambeaux ». Il ne pouvait mieux dire.

En 1789, c'est lui surtout qui assura le triomphe du tiers état à l'assemblée des États généraux. Cette dernière prit alors le nom d'« Assemblée nationale constituante », parce qu'elle devait donner au royaume la constitution dont on parlait tant.

Paris suivait avec passion les événements de Versailles. Dans les lieux publics, aux Tuileries et ailleurs, des orateurs haranguaient la foule. Des rumeurs circulaient, bruit que la cour était en train de préparer « une Saint-Barthélemy des patriotes », bruit que des brigands massés aux portes de la capitale allaient la mettre à feu et à sang. C'est dans cette atmosphère de fièvre qu'eut lieu un événement dont les conséquences allaient être énormes : la prise de la Bastille, le 14 juillet 1789. Ce jour-là, une foule armée marcha sur la vieille forteresse qui servait de prison d'État. Le gouverneur capitula, à la suite de quoi on lui coupa la tête qu'on promena triomphalement au bout d'une pique. Les « vainqueurs de la Bastille » n'y trouvèrent que sept prisonniers, d'ailleurs peu dignes d'intérêt. Puis la municipalité de Paris ordonna la démolition, pierre par pierre, de ce vestige de la tyrannie. La prise de la Bastille fut le premier

Mirabeau

DÉMOLITION DE LA BASTILLE

OUVRIER

Prise de la Bastille

triomphe populaire, le premier triomphe parisien, et, pour la cause royale, une défaite dont elle ne se releva pas.

De Paris, l'agitation gagna la province. Là aussi on parlait de bandes de brigands. La poussière soulevée dans le lointain par un troupeau de moutons suffisait parfois à alarmer les habitants du bourg ou du village, et ils prenaient les armes. Cette « grande peur » était d'ailleurs un vieux phénomène, déjà commun pendant la guerre de Cent Ans. Çà et là, les paysans se portèrent contre les châteaux et les brûlèrent, brûlant aussi parfois le châtelain. Ils se contentèrent souvent de massacrer le gibier seigneurial. Jamais on n'avait vu pareille hécatombe de lièvres et de chevreuils.

L'Assemblée constituante prit peur, et, dans un esprit d'apaisement, elle décida d'abolir les droits seigneuriaux. Cela fut accompli dans la célèbre « nuit du 4 août » 1789, au milieu des applaudissements et des pleurs de joie de tous les députés — car à ce temps-là la Révolution avait volontiers la larme à l'œil — y compris les députés de la noblesse qui se trouvaient dépouillés de leurs privilèges. Car en même temps l'Assemblée, en veine de réformes et de sacrifices, vota le rachat des dîmes et des banalités, l'abolition des corporations, la suppression de la vénalité des offices, l'admission des Français à tous les emplois. Le matin du 5 août, le soleil se leva sur une France nouvelle. On crut la Révolution finie, puisque l'égalité régnait. Et l'Assemblée décerna à Louis XVI le titre de « Restaurateur de la liberté française ».

La nuit du 4 août avait détruit l'ancien régime. La *Déclaration des droits de l'homme et du citoyen,* votée quelques semaines plus tard, énonça les principes du régime nouveau. L'article premier : « Les hommes naissent et demeurent libres et égaux en droit » proclamait ses deux principes essentiels, la liberté et l'égalité. La Déclaration continuait en stipulant que « la liberté consiste à pouvoir faire tout ce qui ne nuit pas à autrui », que « la loi est l'expression de la volonté générale », que tout homme est

« présumé innocent jusqu'à ce qu'il ait été déclaré coupable », que « nul ne doit être inquiété pour ses opinions, même religieuses », que tout citoyen peut « parler, écrire, imprimer librement », enfin que « la propriété étant un droit inviolable et sacré, nul ne peut en être privé, si ce n'est lorsque la nécessité publique... l'exige évidemment... »

Cette Déclaration était fort belle, comme exposé des principes d'une société de petits propriétaires terriens dominés par une bourgeoisie libérale. Malheureusement, elle ne fut guère appliquée. Les événements contraignirent la Révolution à se faire intolérante, à renier ses propres principes, et, ironie du sort, les fameux « principes de 89 » ne reçurent un commencement d'exécution que vingt-cinq ans plus tard, au temps de la Restauration des Bourbons.

C'est que les réformes accomplies par l'Assemblée n'apaisèrent pas les esprits et ne mirent pas fin à l'agitation populaire. La cour, bien entendu, n'aimait pas ce qui se passait. D'autre part, dès les premiers mois de la Révolution, des « clubs » se formèrent à Paris, chacun d'eux représentant une certaine idéologie politique, « aristocrate » — aussi longtemps que la chose fut tolérée — ou « patriote ». Ils choisirent volontiers pour lieu de leurs réunions le réfectoire d'un couvent abandonné. De là le nom des clubs, Club des Feuillants, Club des Cordeliers, et du plus fameux de tous, le Club des Jacobins.[3] Ces clubs n'avaient pas d'existence officielle. Ils eurent pourtant une influence souvent considérable sur les décisions de la Constituante et des autres assemblées révolutionnaires, car les chefs des partis aux assemblées étaient en même temps les chefs et les grands orateurs des clubs. Le Club des Jacobins surtout, grâce à son empire sur la population parisienne et à ses filiales dans la France entière, posséda longtemps une très grande puissance.

En octobre 1789 eut lieu un événement dont les causes restent quelque peu mystérieuses et dont les conséquences furent graves. Paris manquait de pain. On accusait la reine, la pauvre reine, d'affamer le peuple. Une foule d'hommes et de femmes s'assemblèrent, et, portant des piques et traînant des canons, le long cortège se dirigea sur Versailles. La Fayette accourut avec sa garde nationale. Son intervention fut loin d'être efficace. Bref, la foule ramena à Paris le roi, la reine et le jeune dauphin — « le boulanger, la boulangère et le petit mitron ». On installa Louis XVI aux Tuileries. Il se trouvait ainsi au cœur de ce Paris qu'avait fui le puissant Louis XIV, et à la merci d'une nouvelle émeute.

Un jour vint, quelques mois plus tard, où Louis XVI en eut assez, malgré toute sa patience. L'Assemblée constituante venait de voter la

---

[3] Les *cordeliers* étaient des moines de l'ordre de saint François, les *feuillants* appartenaient à l'ordre de saint Bernard, et les *jacobins* à l'ordre de saint Dominique. L'Assemblée ordonna la suppression des ordres religieux au commencement de 1790.

« Constitution civile du clergé » qui, consommant la rupture avec Rome, faisait de l'Église de France une Église nationale. Le roi, blessé dans sa conscience, décida de s'enfuir. La nuit du 20 juin 1790, déguisé en marchand, il quitta avec sa famille le palais des Tuileries pour se rendre en Lorraine, où il y avait une armée qui lui était restée fidèle. L'entreprise, mal préparée, échoua. Le roi fut reconnu en cours de route et arrêté à Varennes, bourg de Champagne. Le retour fut lamentable. La populace, massée sur le chemin que devaient suivre les prisonniers, les couvrait d'injures au passage. A Paris, l'accueil de la foule fut silencieux, mais hostile. L'Assemblée suspendit temporairement le roi de ses fonctions, et la masse du peuple, qui lui était encore un peu attachée, acheva de se séparer du pauvre monarque.

Arrestation de Louis XVI
à Varennes

Toutefois, en 1791, lorsque la Constituante vota la Constitution qu'elle préparait depuis longtemps, on décida qu'on ne pouvait pas se passer d'un roi. Louis XVI fut donc rétabli dans ses fonctions. Ceci fait, l'Assemblée se sépara pour faire place à une autre, aux termes de la constitution qui organisait une monarchie constitutionnelle. L'assemblée nouvelle, élue pour deux ans, prit le nom d'« Assemblée nationale législative ».

Au cours des vingt-cinq années qui suivirent, la France eut huit constitutions différentes. Le régime organisé par la Constituante fut donc éphémère. D'autres mesures prises par elle ne furent pas plus durables, notamment celles concernant l'Église.[4] La Constituante accomplit pourtant une œuvre considérable. Elle vota la Déclaration des droits. Elle réorganisa toute l'administration du royaume, commençant ainsi la centra-

[4] Voir p. 258.

lisation administrative qui devait triompher plus tard avec Bonaparte. A cet égard, la réforme fondamentale fut la division du pays en « départements ».

La France de l'ancien régime jouissait encore d'une grande autonomie régionale et locale. Chaque province avait sa vie propre. La Constituante résolut de briser les anciens cadres. A cet effet, elle fragmenta, d'une façon arbitraire, chaque province en départements. Les noms mêmes des anciennes provinces disparurent. Chacun des 83 départements reçut un nom géographique, d'ordinaire le nom d'une rivière ou d'une montagne. L'ancienne province de Champagne forma les départements de l'Aube, de la Haute-Marne, de la Marne et des Ardennes. Même là triompha le principe égalitaire, puisque tous les départements avaient une administration semblable et à peu près la même superficie.

Rouget de l'Isle chante la Marseillaise pour la première fois

Au temps de la Législative, le conflit entre les tendances centralisatrices parisiennes et les traditions autonomistes des anciennes provinces fut un des aspects de la lutte sans merci entre Girondins et Montagnards, et l'origine de l'accusation de « fédéralisme » dirigée par les seconds contre les premiers. Girondins et Montagnards étaient des députés à l'Assemblée législative, et ils appartenaient au même club, le Club des Jacobins. La plupart des députés girondins, y compris leur leader Vergniaud, venaient de la région de Bordeaux, de celle de la Gironde, nom de l'estuaire de la Garonne. On appelait leurs rivaux les Montagnards, parce qu'ils occupaient les sièges les plus élevés dans l'Assemblée.

Le conflit entre les deux groupes était au fond un conflit entre la démocratie et la dictature. Les Girondins, qui s'appuyaient sur la province, avaient le souci de la légalité. Fidèles aux principes de la Déclaration des droits et aux dispositions constitutionnelles, ils voulaient que l'Assemblée gouvernât démocratiquement le pays. Les Montagnards par contre, dont les chefs furent plus tard Marat, Danton, puis Robespierre, étaient les autoritaires, les partisans d'un gouvernement dictatorial, s'appuyant sur le peuple de Paris, prêt à avoir recours à toutes les mesures nécessaires au salut de la Révolution.

La guerre étrangère fut l'épisode décisif dans la lutte entre les deux partis, celui qui amena la dictature montagnarde et la chute de la royauté. Les monarques européens suivaient avec alarme le développement de la Révolution française. Celle-ci, d'autre part, n'entendait pas rester un phénomène français. Elle prétendait libérer tous les peuples de l'oppression et de la tyrannie, prétention fort commune chez les révolutionnaires, mais en même temps fort dangereuse. Au printemps de 1792, elle déclara donc la guerre à l'Empereur.

C'est à ce moment qu'un jeune officier en garnison à Strasbourg, Rouget de l'Isle, composa les paroles et la musique d'un hymne qui reçut d'abord le nom de « Chant de guerre de l'armée du Rhin ». Quelques mois plus tard, des volontaires venus de Marseille amenèrent ce chant dans la capitale, sans qu'on sache exactement comment il était allé de Strasbourg à Marseille. Quoi qu'il en soit, ce chant est devenu ainsi « la Marseillaise ».

La guerre, sur les frontières du Nord et de l'Est, commença mal. La Prusse avait joint ses forces à celle des Autrichiens, et les armées révolutionnaires, mal encadrées puisque les officiers nobles avaient presque tous émigré, se débandèrent parfois aux premiers coups de canon. Mais la Révolution prit des mesures énergiques. On décréta « la Patrie en danger ». Les jeunes gens s'enrôlèrent en masse. Ce sont ces volontaires de 1792 qui, au mois de septembre, arrêtèrent l'invasion prussienne à Valmy, en Champagne. Cette bataille de Valmy fut un petit combat, une simple canonnade, mais grandes furent ses conséquences. Valmy fut, pour les armées révolutionnaires, ce qu'avait été la prise de la Bastille pour le peuple de Paris, la première victoire.

En attendant, la guerre avait à Paris des répercussions graves. Le 10 août 1792, une foule armée, composée surtout des ouvriers des faubourgs et des volontaires marseillais récemment arrivés dans la capitale, attaqua le palais des Tuileries où résidait la famille royale. Des défections eurent lieu parmi les défenseurs, notamment dans la garde nationale et parmi les gardes-françaises. Les gardes suisses résistèrent presque seuls, jusqu'au moment où le roi leur fit donner l'ordre de cesser le feu. Aussitôt, les malheureux Suisses furent égorgés par la foule.

Les spectacles de ce genre devenaient, hélas, trop fréquents. Trois semaines plus tard, des bandes d'égorgeurs se mirent à parcourir les prisons parisiennes et à massacrer les prisonniers que la Révolution y avait entassés. Quantité de vieillards, de femmes, de prêtres furent assommés, sabrés, égorgés par une centaine de « tape-dur », la lie de la populace. Ni l'Assemblée, ni la masse de la population parisienne n'osèrent s'opposer à ces massacres, qui continuèrent pendant quatre jours et quatre nuits.

La « journée du 10 août » mit fin à la monarchie. Le roi et sa famille furent emprisonnés dans le donjon du Temple, le vieux château parisien des Templiers, que Louis XVI ne devait quitter que pour l'échafaud. Le petit dauphin y mourut quelques années plus tard de misère et mauvais traitements. Quant à Marie-Antoinette, elle ne le quitta que pour la prison de la Conciergerie, qui fut pour elle l'antichambre de l'échafaud.

Exécution de Marie-Antoinette

La Première République

La France n'ayant plus de roi, la constitution de 1791 était caduque. On élit donc une nouvelle assemblée, la « Convention nationale », qui fut la première assemblée révolutionnaire élue au suffrage universel. Le premier acte de cette assemblée fut de proclamer la République, la première, le 21 septembre 1792. Puisque, selon les paroles d'un des conventionnels, « Les rois sont dans l'ordre moral ce que les monstres sont dans l'ordre physique », exactement quatre mois plus tard Louis XVI fut guillotiné place de la Révolution, l'ancienne place Louis XV, nommée depuis place de la Concorde pour effacer de mauvais souvenirs.

Lorsque la Convention jugea Louis XVI, les députés girondins votèrent la mort du roi. Ils sentaient que pour eux la partie était perdue, que les Montagnards triomphaient, et peut-être essayèrent-ils de les apaiser. La direction du Club des Jacobins, qu'ils avaient jusqu'alors exercée, passa à leurs ennemis. Les Girondins furent exclus du Club, excommuniés. Marat, le sinistre Marat, dans son journal *L'Ami du peuple*, l'infect Hébert dans le sien, *Le Père Duchesne*, ameutaient tous les jours contre eux la populace parisienne. Le dénouement ne se fit pas attendre. En juin 1793, la Convention, terrorisée, décréta l'arrestation de 29 députés girondins. Quelques-uns s'enfuirent. La plupart d'entre eux furent exécutés quelques mois plus tard. Manon Roland, femme d'un député girondin qui s'était suicidé, monta sur l'échafaud avec les autres. C'est de là que, s'adressant à la statue de la Liberté qui ornait alors la place de la Révolution, elle s'écria : « Ô liberté, que de crimes on commet en ton nom ! »

Rien ne pouvait désormais arrêter la dictature montagnarde. Les événements eux-mêmes assurèrent son triomphe. La guerre allait mal. Après Valmy, les armées révolutionnaires, poussant en avant, avaient occupé la Belgique, la rive gauche du Rhin, la Savoie, le comté de Nice. On parlait bien toujours de la libération des peuples opprimés, mais on parlait aussi des « frontières naturelles de la France », ce qui impliquait le désir de garder les régions conquises. Au fond, la République montagnarde suivait une politique d'annexions. Une formidable coalition se forma contre elle — qui groupait l'Empire, la Prusse, l'Angleterre, la Hollande, l'Espagne, la Russie — et la France eut à combattre sur toutes ses frontières. Les armées révolutionnaires durent abandonner la Belgique. Les Prussiens s'emparèrent de Mayence, en Rhénanie, les Autrichiens de Valenciennes, dans le Nord de la France.

A Paris, les Montagnards organisaient leur dictature. Le pouvoir réel appartenait maintenant au « Comité de salut public », composé de neuf membres, mais dominé par Robespierre. Sa mission était claire — sauver la République — et son autorité illimitée. Un « Comité de sûreté générale » fut chargé de la police, en particulier de la recherche et de l'arrestation des « suspects » — suspects étaient tous ceux qui n'avaient « pas constamment manifesté leur attachement à la Révolution ». Après leur arrestation, les inculpés étaient traduits devant le « tribunal révolutionnaire ». Là, l'accusateur public requérait presque toujours la peine de mort, et un jury de 12 membres les envoyait à la guillotine. On a vu depuis, avec des variantes, des dictatures procéder de la même façon.

La Convention prit des mesures énergiques pour tenir tête aux ennemis de la République. Elle ordonna la levée en masse. Grâce à la conscription — c'était la première fois que celle-ci était instituée — elle mit sur pied une armée de presque 600.000 hommes, chiffre inouï à l'époque. Le commandement fut réorganisé. L'honnête et capable Lazare Carnot, membre du Comité de salut public et ministre de la guerre, institua une tactique nouvelle, la seule qui pût convenir à une armée jeune aux prises avec les vétérans de la coalition : l'attaque. Cette tactique porta ses fruits. A la fin de 1794, les armées révolutionnaires étaient presque partout victorieuses et elles occupaient une fois de plus la Belgique. La flotte hollandaise, bloquée par les glaces, fut capturée par un régiment de cavalerie, et la Hollande devint la « République batave ».

La dictature montagnarde n'avait pas seulement des ennemis au dehors. A l'instigation des Girondins fugitifs, des insurrections contre elle eurent lieu en France même, en Normandie, à Bordeaux, en Provence. Mais de beaucoup la plus sérieuse fut la guerre de Vendée. Dans toute la région de l'Ouest, la Constitution civile du clergé avait été très mal accueillie par les

Vainqueur de la Bastille

252

paysans, fort attachés à leurs prêtres. Ils étaient aussi fort attachés à leur terre natale, et lorsque la Convention ordonna la levée en masse, les paysans vendéens prirent les armes, mais ce fut contre les troupes républicaines — les *blancs* contre les *bleus*.[1] Armés de faux, de piques et chaussés de sabots, les Vendéens, sous la conduite de chefs appartenant d'ordinaire à la noblesse locale, s'emparèrent de quelques canons. Ils constituèrent bientôt une véritable armée, qui remporta d'abord sur les bleus d'étonnants succès. L'« Armée catholique et royale » finit par être écrasée, sur la Loire, par les troupes de la Convention. Dès lors la région de l'Ouest, la Bretagne surtout, devint le centre de la *chouannerie,* guerre de partisans, de catholiques et royalistes convaincus et aussi de hors-la-loi. Napoléon lui-même ne parvint jamais à mettre fin aux opérations des chouans.[2]

Robespierre

Les Montagnards pensaient que la fin justifie les moyens. En face des dangers qui menaçaient la République, ils résolurent de « terroriser » leurs adversaires. Les insurrections furent impitoyablement réprimées par des représentants du Comité de salut public envoyés dans les régions révoltées, à Lyon par exemple, où Fouché alignait ses victimes à la bouche des canons. La Convention mit « la Terreur à l'ordre du jour ». A Paris, les exécutions se succédèrent. Près de quatorze cents personnes périrent sur l'échafaud pendant la Grande Terreur, en juin et juillet 1794. Le pire est qu'à cette époque rien ne justifiait cette orgie sanglante, si quelque chose avait jamais pu la justifier. Les armées de la République étaient partout victorieuses, en Vendée comme sur les frontières. Mais un homme dirigeait tout : Maximilien Robespierre.

Ce petit avocat d'Arras était un type que l'on retrouve fréquemment parmi les révolutionnaires, politiques ou religieux : le fanatique intègre et inexorable. A le voir, il n'avait rien de sinistre. Son visage n'était pas dépourvu de douceur, et sa mine, très soignée, n'avait rien du débraillé cher à tant de patriotes, car ce « sans-culotte » portait culotte de soie et perruque poudrée, à la façon des gens de l'ancien régime. Sa vie privée était simple et digne. Il avait une petite chambre pauvrement meublée dans le logis d'un artisan. Affectation ? A peine. On l'appelait L'Incorruptible, et il l'était. Disciple de Rousseau, qu'il connaissait par cœur, il était vertueux, humanitaire, ce qui ne l'empêchait pas d'envoyer froidement à la guillotine ceux qui avaient été autrefois ses meilleurs amis.

Danton, le Montagnard, fut l'un d'entre eux. Un jour vint où Danton, las des exécutions ineptes, osa penser et dire que la Terreur était devenue

---

[1] Le blanc était la couleur d'un des drapeaux de la monarchie, le bleu celui de l'uniforme de l'infanterie révolutionnaire.
[2] Le mot a pour origine le surnom d'un des chefs du soulèvement, Jean Chouan, ainsi appelé parce qu'il avait donné pour signal de ralliement à ses hommes un cri imitant le ululement de la chouette.

inutile, se faire le porte-parole du groupe des « Indulgents ». Au Club des Jacobins, Robespierre le dénonça, ou plutôt dirigea contre lui une de ces menaces voilées qui lui étaient coutumières. On avertit Danton que sa vie était en danger. « Ils n'oseraient », répondit-il. Il se trompait : ils osèrent. Danton, le patriote, l'homme du 10 août, fut accusé de conspirer contre la République. Il se défendit furieusement devant le tribunal révolutionnaire — mais à quoi bon? Il monta sur l'échafaud. Là, dramatique jusqu'au bout, il dit au bourreau : « Tu montreras ma tête au peuple. Elle en vaut la peine ».

Trop de têtes tombaient. Bon nombre de conventionnels tremblaient pour la leur, et les discours de Robespierre, comme ses actes, ne faisaient rien pour les rassurer. La terreur les rendit braves. Une conspiration se forma contre « le tyran ». Le 9 thermidor an II (27 juillet 1794), lorsque Robespierre monta à la tribune de la Convention, il fut accueilli par une tempête de vociférations. Il voulut parler, se défendre. « Le sang de Danton t'étouffe! », lui cria un conventionnel. Cette journée du 9 thermidor fut une des plus dramatiques de la Révolution. Décrété d'arrestation, mis en prison, Robespierre fut délivré par la garde nationale. Pendant la nuit, les troupes de la Convention envahirent l'hôtel de ville, où il s'était réfugié. Il fut blessé d'un coup de pistolet à la machoire. Le lendemain, lui et une vingtaine de ses « complices » étaient conduits à l'échafaud.

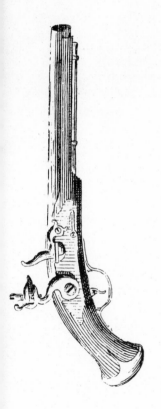

Paris respira. Une réaction eut lieu, la « réaction thermidorienne ». Comme il arrive souvent, une période d'extrême tension fut suivie par une époque de relâchement, presque d'anarchie. On dansait partout, dans les jardins publics, sur des places où quelques jours plus tôt se dressait l'échafaud. Ce fut l'époque des « bals des victimes » réservés à ceux qui avaient eu des parents guillotinés pendant la Terreur, et où, raffinement étrange, des danseurs portaient un petit liséré rouge autour du cou. On voyait circuler dans les rues des jeunes gens bizarrement accoutrés, la tête disparaissant presque à l'intérieur d'un immense col orné d'une grosse cravate, le corps serré dans un habit à longues basques et à vastes revers, les jambes prises dans une culotte en tire-bouchons qui menaient à des bottes largement évasées. Ils se donnaient l'allure de vieillards, marchaient voûtés, affectaient de ne rien voir sans l'aide de bésicles et zézayaient en parlant. On les appelait les « Incroyables », « Ma paole d'honneu, c'est incoyable » étant une des expressions favorites de leur langage, d'où ils avaient banni tous les R.[3]

Ils n'avaient toutefois pas banni la politique de leurs préoccupations. Ils portaient un gourdin, appelé joliment le « pouvoir exécutif » et destiné

[3] Les Incroyables avaient leur contrepartie féminine, les « Merveilleuses ». C'étaient de jeunes personnes, vêtues à la Grecque, c'est-à-dire fort peu, et d'étoffes fort transparentes.

à rosser les Jacobins, car le jacobinisme n'était plus en honneur. La Convention avait fort à faire pour se défendre contre « la queue de Robespierre », c'est-à-dire les anciens Jacobins, et contre la génération nouvelle, dans laquelle il était de bon ton d'afficher des sentiments royalistes. Elle se sépara, en octobre 1795, après avoir, dans un esprit d'apaisement, donné son nom actuel à la place de la Concorde. Malheureusement, il ne suffisait pas, pour assurer la Concorde, de donner son nom à une place. La Convention laissa au Directoire, qui lui succéda, un bien lourd héritage.

Même en dehors de son rôle politique, qui fut grand, elle avait accompli une œuvre considérable. La création par Napoléon de l'Université de France ne doit pas faire oublier que c'est la Convention qui prépara l'organisation nouvelle de l'enseignement, comme c'est elle aussi qui décréta la rédaction du Code civil. Sous l'ancien régime, chaque région avait son droit particulier. Elle avait aussi des poids et mesures qui lui étaient propres, et même lorsque le nom de l'un ou de l'une était commun à des provinces différentes, sa valeur n'était pas partout la même. La Convention mit de l'ordre dans ce chaos. Elle prit comme unité de base le mètre, mesuré d'après le méridien terrestre, et dont les multiples 10, 100, 1000 et les fractions 1/10, 1/100, 1/1000 furent utilisés comme mesures universelles des longueurs, des surfaces et des volumes. Ce système métrique s'est révélé si pratique qu'il a été depuis adopté par tous les pays civilisés, en ce qui concerne au moins la recherche scientifique.

Les Incroyables

Le Directoire, qui succéda à la Convention, eut une vie assez courte, mais très agitée. On l'appelait ainsi parce que le pouvoir exécutif était confié à cinq Directeurs, alors que le pouvoir législatif était exercé par deux assemblées, le Conseil des Anciens et le Conseil des Cinq-Cents. Ce fut un pitoyable gouvernement, corrompu, sans prestige, qui ne se maintint au pouvoir que par une série de coups d'État dirigés tantôt contre les royalistes tantôt contre l'opposition jacobine. Si bien qu'il finit par être lui-même victime d'un coup d'État.

La guerre continuait. La Prusse et l'Espagne, il est vrai, avaient abandonné la lutte et les armées révolutionnaires avaient conquis la Hollande, mais ni l'Autriche ni l'Angleterre n'avaient déposé les armes. Le Directoire confia le commandement de l'armée d'Italie à un général de 26 ans, Napoléon Bonaparte. En moins de rien, remportant sur les Autrichiens victoire sur victoire, Bonaparte ajouta le Piémont, la Lombardie aux autres conquêtes de la Révolution. Les Directeurs n'étaient pas sans inquiétude au sujet de la gloire grandissante de ce jeune Corse aux cheveux plats, dont ils redoutaient l'ambition. Ainsi, lorsque Bonaparte proposa d'attaquer l'Angleterre par la voie de l'Égypte, peut-être avec l'intention d'aller jusqu'aux Indes, ils furent charmés de le voir partir.

Leur plaisir fut de courte durée. Après une campagne d'Égypte qui fut un demi-succès, car les Anglais dominaient la Méditerranée, Bonaparte, apprenant que les affaires du Directoire allaient de mal en pis, revint à Paris préparer son coup d'État. Le 18 brumaire an VIII (9 novembre 1799),[4] il obtint le transfert des deux Conseils à Saint-Cloud. Le lendemain, après un moment d'hésitation qui faillit le perdre, il fit disperser par ses troupes les membres du Conseil des Cinq-Cents. C'est alors que le Conseil des Anciens déféra le pouvoir exécutif à trois « consuls », dont Bonaparte. Même si le terme de « République » subsista sur les actes officiels, qui continuèrent d'être datés de l'an X ou XII « de la République », car il fallait bien sauver les apparences, cette dernière était bien morte — et, en somme, la Révolution terminée.

---

[4] Date du calendrier révolutionnaire. Voir p. 258.

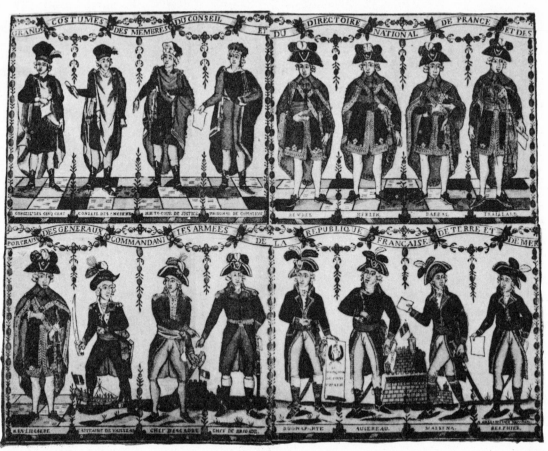

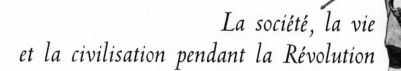

La société, la vie
et la civilisation pendant la Révolution

La Révolution ne se fit pas uniformément sentir dans tout le pays. Alors qu'elle fut violente dans certaines régions, dans d'autres elle passa presque inaperçue. Là, les nobles continuèrent à vivre paisiblement dans leurs châteaux, toujours pourtant à la merci d'une dénonciation, d'une accusation d'incivisme. A Paris, durant les « journées » révolutionnaires, les habitants d'un quartier ne savaient pas toujours ce qui se passait dans le quartier voisin. Les habitudes journalières agissaient comme une espèce de gyroscope qui ramenait très vite la vie à son axe, lorsqu'elle s'en était un instant écartée.

L'Église fut très atteinte par la Révolution. Dès les premiers mois de son existence, l'Assemblée constituante décréta que les biens du clergé séculier étaient propriété nationale, de même que ceux du clergé régulier, dont elle ne reconnaissait plus l'existence. Et comme la Révolution, ayant un besoin immédiat d'argent, ne pouvait attendre jusqu'à ce que ces biens aient été vendus au profit de la nation, on émit des « assignats », qui devinrent bientôt une espèce de papier-monnaie garanti par les « biens nationaux ». On vendit donc les propriétés de l'Église. Ces propriétés, auxquelles on ajouta plus tard les biens des émigrés, furent d'ordinaire achetées par des spéculateurs, qui avaient plus que les paysans les moyens de les acquérir. C'est ainsi, raconte Balzac, que le père Grandet commença sa fortune, car les bourgeois acquéreurs de biens nationaux les revendirent plus tard avec profit aux paysans, heureux d'acheter des terres d'Église jusqu'alors pratiquement inaliénables.

Les assignats ne tardèrent pas à se déprécier affreusement. Au temps du Directoire, leur valeur était tombée à rien, et, pour ruiner plus sûrement la République, des navires anglais débarquaient secrètement sur les côtes de France des cargaisons de faux assignats. Avant la dernière guerre, on trouvait encore à Paris, le long des quais, d'énormes registres d'assignats non émis que les bouquinistes découpaient avec des ciseaux et vendaient pour quelques francs aux amateurs.

Un an après le décret nationalisant les biens du clergé, l'Assemblée constituante passa une mesure beaucoup plus grave, car il ne s'agissait plus d'intérêts économiques, mais ni plus ni moins que de l'abolition du Concordat de 1516 et de la création d'une Église nationale, indépendante de Rome : la Constitution civile du clergé. Aux termes de cette Constitution, le pape cessait de prendre part à la nomination des évêques. L'Église de France affirmait son indépendance complète de Rome, sinon de l'Église romaine. Évêques et curés étaient désormais élus à vie, à raison d'un évêque par département, par les citoyens, tout comme les représentants de la Nation. Peu importait que les électeurs fussent catholiques ou non : ils élisaient tout de même leur curé.

On demanda à tous les membres du clergé français de prêter serment à la Constitution civile. Certains acceptèrent, car il y avait des prêtres gallicans, d'autres qui étaient très attachés aux principes de 1789 et même quelque peu jacobins, d'autres enfin qui n'avaient pas la vocation du martyre. On les appela « prêtres assermentés » ou « prêtres jureurs ». Ils furent encouragés à prendre femme. La majorité des prêtres, moindre toutefois qu'on ne l'a dit, refusa de prêter le serment exigé. On les nomma « prêtres réfractaires ». Célébrant la messe en cachette, vivant eux-mêmes cachés chez des personnes dévouées, traqués pendant la Terreur, bon nombre d'entre eux furent déportés ou périrent sur l'échafaud.

Après que la conduite de la Révolution eut passé aux extrémistes, certains Jacobins résolurent de « déchristianiser » la République. Ils firent donc d'abord changer le calendrier : le meilleur moyen de supprimer la messe n'était-il pas de supprimer le dimanche ? Le 22 septembre 1792 commença l'an I de la République. Désormais l'année était divisée en 12 mois de 30 jours chacun, manifestation nouvelle de l'esprit d'égalité qui doit régner partout. Les mois nouveaux reçurent de bien jolis noms, rappelant les caractéristiques ou les travaux des mois. Les mois d'automne s'appelèrent *vendémiaire* (le mois des vendanges), *brumaire* (des brumes), *frimaire* (des frimas) ; les mois d'hiver, *nivôse* (le mois des neiges), *pluviôse* (des pluies), *ventôse* (des vents) ; les mois de printemps, *germinal* (le mois de la germination), *floréal* (celui des fleurs), *prairial* (celui des prairies) ; les mois d'été, *messidor* (le mois des moissons), *thermidor* (le mois de la chaleur), *fructidor* (celui des fruits). Chaque mois fut divisé en trois décades, et, pour les noms des jours, on ne se mit pas en frais d'imagination : on les appela tout simplement *primidi, duodi, tridi,* etc., jusqu'au dernier, le *décadi,* consacré à une fête civique. Comme cette division de l'année en 360 jours en laissait 5 dont on ne savait trop que faire, on décida qu'ils seraient

TEMPS

ÉTÉ

FLORÉAL 8me Mois	Mois de l'Ère Vulgaire	PRAIRIAL 9me Mois.	Mois de l'Ère Vulgaire	MESSIDOR 10me Mois.	Mois de l'Ère Vulgaire	THERMIDOR 11me Mois.	Mois de l'Ère Vulgaire	FRUCTIDOR 12me Mois.
D.Q. le 3. N.L. le 10 P.Q. le 17. P.L. le 25	Année 1794	D.Q. le 2. N.L. le 0. P.Q. le 17. P.L. le 25	Année 1794	D.Q. le 2. N.L. le 8. P.Q. le 16. P.L. le 24	Année 1794	D.Q. le 1. N.L. le 8. P.Q. le 16. P.L. le 23 D.Q. le 30	Année 1794	N.L. le 8. P.Q. le 16. P.L. le 23. D.Q. le 20

1re Décade.

		1re Décade.		1re Décade.		1re Décade.		1re Décade.
Primedi 1 Rose	M. 20	Primedi 1 Luserne	J. 19	Primedi 1 Seigle	S. 19	Primedi 1 Epautre	L. 18	Primedi 1 Prune
Duodi 2 Chêne	M. 21	Duodi 2 Hémérocale	V. 20	Duodi 2 Avoine	D. 20	Duodi 2 Bouillon blā	M. 19	Duodi 2 Millet
Tridi 3 Fougère	J. 22	Tridi 3 Trèfle	S. 21	Tridi 3 Oignon	L. 21	Tridi 3 Melon	M. 20	Tridi 3 Licoperde
Quartidi 4 Aubépine	V. 23	Quartidi 4 Angélique	D. 22	Quartidi 4 Véronique	M. 22	Quartidi 4 Ivroie	J. 21	Quartidi 4 Escourgeon
Quintidi 5 Rossignol	S. 24	Quintidi 5 Canard	L. 23	Quintidi 5 Mulet	M. 23	Quintidi 5 Belier	V. 22	Quintidi 5 Saumon
Sextidi 6 Ancolie	D. 25	Sextidi 6 Mélisse	M. 24	Sextidi 6 Romarin	J. 24	Sextidi 6 Prèle	S. 23	Sextidi 6 Tubéreuse
Septidi 7 Muguet	M. 26	Septidi 7 Fromental	M. 25	Septidi 7 Concombre	V. 25	Septidi 7 Armoise	D. 24	Septidi 7 Sucrion
Octidi 8 Champign	M. 27	Octidi 8 Martagon	J. 26	Octidi 8 Echalottes	S. 26	Octidi 8 Carthame	L. 25	Octidi 8 Apocyn
Nonidi 9 Hyacinte	M. 28	Nonidi 9 Serpolet	V. 27	Nonidi 9 Absynthe	D. 27	Nonidi 9 Mûres	M. 26	Nonidi 9 Réglisse
Décadi 10 RATEAU	J. 29	Décadi 10 FAULX	S. 28	Décadi 10 FAUCILLE	L. 28	Décadi 10 ARROSOIR	M. 27	Décadi 10 ECHELLE

2me Décade.

		2me Décade.		2me Décade.		2me Décade.		2me Décade.
Primedi 11 Rhubarbe	V. 30	Primedi 11 Fraise	D. 29	Primedi 11 Coriandre	M. 29	Primedi 11 Panis	J. 28	Primedi 11 Pastèque
Duodi 12 Sainfoin	S. 31	Duodi 12 Béloine	L. 30	Duodi 12 Artichaut	M. 30	Duodi 12 Salicor	V. 29	Duodi 12 Fenoüal
Tridi 13 Bâton d'or	D. 1	Tridi 13 Pois	M. 1	Tridi 13 Giroflée	J. 31	Tridi 13 Abricot	S. 30	Tridi 13 Epine-vinette
Quartidi 14 Chamévie	L. 2	Quartidi 14 Acacia	M. 2	Quartidi 14 Lavande	V. 1	Quartidi 14 Basilic	D. 31	Quartidi 14 Noix
Quintidi 15 Ver-à-Soie	M. 3	Quintidi 15 Caille	J. 3	Quintidi 15 Chamois	S. 2	Quintidi 15 Brebis	L. 1	Quintidi 15 Truite
Sextidi 16 Consoude	M. 4	Sextidi 16 Œillet	V. 4	Sextidi 16 Tabac	D. 3	Sextidi 16 Guimauve	M. 2	Sextidi 16 Citron
Septidi 17 Pimprenelle	J. 5	Septidi 17 Sureau	S. 5	Septidi 17 Groseille	L. 4	Septidi 17 Lin	M. 3	Septidi 17 Cardière
Octidi 18 Corbeil dor	V. 6	Octidi 18 Pavot	D. 6	Octidi 18 Gesse	M. 5	Octidi 18 Amande	J. 4	Octidi 18 Nerprun
Nonidi 19 Arroche	S. 7	Nonidi 19 Tilleul	L. 7	Nonidi 19 Cerise	M. 6	Nonidi 19 Gentiane	V. 5	Nonidi 19 Tagette
Décadi 20 SARCLOIR	D. 8	Décadi 20 FOURCHE	M. 8	Décadi 20 PARC	J. 7	Décadi 20 ECLUSE	S. 6	Décadi 20 HOTTE

3me Décade.

		3me Décade.		3me Décade.		3me Décade.		3me Décade.
Primedi 21 Statice	L. 9	Primedi 21 Barbeau	M. 9	Primedi 21 Menthe	V. 8	Primedi 21 Carline	D. 7	Primedi 21 Eglantier
Duodi 22 Fritillaire	M. 10	Duodi 22 Camomille	J. 10	Duodi 22 Cumin	S. 9	Duodi 22 Caprier	L. 8	Duodi 22 Noisette
Tridi 23 Bourrache	M. 11	Tridi 23 Chèvre-feuille	V. 11	Tridi 23 Haricots	D. 10	Tridi 23 Lentille	M. 9	Tridi 23 Houblon
Quartidi 24 Valériane	J. 12	Quartidi 24 Caille-lait	S. 12	Quartidi 24 Orcanète	L. 11	Quartidi 24 Aunée	M. 10	Quartidi 24 Sorgho
Quintidi 25 Carpe	V. 13	Quintidi 25 Tanche	D. 13	Quintidi 25 Pintade	M. 12	Quintidi 25 Loutre	J. 11	Quintidi 25 Ecrevisse
Sextidi 26 Fusain	S. 14	Sextidi 26 Jasmin	L. 14	Sextidi 26 Sauge	M. 13	Sextidi 26 Myrthe	V. 12	Sextidi 26 Bigarade
Septidi 27 Civette	D. 15	Septidi 27 Verveine	M. 15	Septidi 27 Ail	J. 14	Septidi 27 Colza	S. 13	Septidi 27 Verge d'or
Octidi 28 Buglose	L. 16	Octidi 28 Thym	M. 16	Octidi 28 Vesce	V. 15	Octidi 28 Lupin	D. 14	Octidi 28 Mais
Nonidi 29 Sénevé	M. 17	Nonidi 29 Pivoine	J. 17	Nonidi 29 Blé	S. 16	Nonidi 29 Coton	L. 15	Nonidi 29 Marron
Décadi 30 HOULETTE	M. 18	Décadi 30 CHARIOT	V. 18	Décadi 30 CHALÉMIE	D. 17	Décadi 30 MOULIN	M. 16	Décadi 30 PANIER

FÊTES SANCULOTIDES.

M. 17	Primedi 1	de la Vertu
J. 18	Duodi 2	du Génie
V. 19	Tridi 3	du Travail
S. 20	Quartidi 4	de l'Opinion
D. 21	Quintidi 5	des Récomp

...rties égales appelées Décade, ...és par, Primedi, Duodi, Tridi, ...Octidi, Nonidi et Décadi. Les ...par les nombres ordinaux 1, 2, ...rrespondant chacun avec le ...medi, au 1, 11 et 21. Duodi, au 2, 12 ...rs restant pour compléter l'année ... Nationales et Républicaines ...lé de ces cinq jours, le Peuple ...u. Le Duodi, la Fête du Génie. ...h, la Fête de l'Opinion. Le quintidi, ...de quatre ans est appelée La ..., la dernière année qui termine ...mémoire de la Résolution, le ...ade, les Français célèbreront la ...es 5 Sanculotides et sera la 6me

A chaque Quintidi, c'est à dire, à chaque demi-Décade, les 5, 15, et 25, de chaque mois, est inscrit un animal domestique, avec rapport précis entre la date de cette inscription et l'utilité réelle de l'animal inscrit. Chaque Décadi, est marqué par le nom d'un instrument aratoire qui sert à l'agriculture au temps précis où il est placé, de sorte que par sa position l'agriculteur, le jour de son repos, retrouvera consacré dans le Calendrier l'instrument qu'il doit reprendre le lendemain. Le Décadi de chaque Décade est le jour de repos des Fonctionnaires publics, les autres Citoyens ont la liberté de choisir celle jour de la Décade qu'ils jugeront convenable de prendre pour leurs délassemens et leur repos. D'après la nouvelle composition du Calendrier, bien des Citoyens très instruits dans plus d'une science, et même tous les Citoyens seront insensiblement et sans s'en appercevoir, une étude élémentaire de l'Economie rurale, les noms de ses vrais trésors, sont les Arbres, Fleurs, Fruits, Racines, Graines, Plantes et Paturages, de sorte que la place que chaque production occupe, désigne le jour précis que la nature nous en fait présent.

Ce Calendrier que nous offrons à nos Concitoyens, est tel qu'il a été décrété par la Convention Natle et pour en rendre l'usage plus facile, nous avons ajouté à chaque nouveau mois une colonne renfermant le mois de l'ère vulgaire avec son quantième et dont les jours sont désignés seulement par les Lettres initiale de chaque nom, qui correspondent avec chaque nouveaux jours de la Décade.

Calendrier révolutionnaire

réservés à des fêtes patriotiques, fête du Génie, fête de l'Opinion, fête du Travail, etc., car la Révolution a cultivé les fêtes, les immenses manifestations capables d'entretenir, quelque temps au moins, l'exaltation des masses.

Les « hébertistes » — comme on les appelait, du nom de leur chef Hébert, le « Père Duchesne » — allèrent plus loin dans leur tentative de déchristianisation. Ils imaginèrent un culte nouveau, le culte de la Raison, qui fut inauguré à Notre-Dame, devenue temple de la Raison, vers la fin de 1793. Une actrice de l'Opéra, drapée aux couleurs nationales et armée d'une pique, car elle figurait la Liberté, prit la place de la « ci-devant Sainte Vierge ». Ce fut une belle cérémonie, qui malheureusement se termina en orgie et en grosse rigolade.

Robespierre, toujours compassé et bon déiste, n'aima pas cela. Il envoya Hébert et ses amis à la guillotine. Puis il institua sa propre fête, celle de « l'Être suprême ». Le 20 prairial an II, il alla en grande pompe, à la tête de la Convention, dans le Jardin des Tuileries, où il mit le feu à une statue des monstres de l'Athéisme. De là le cortège se rendit au Champ-de-Mars, où l'on avait dressé une Montagne symbolique, surmontée de l'Arbre de la Liberté. Tel Moïse, Robespierre, enveloppé d'encens, gravit lentement la Montagne. Il prononça un discours. Le peuple l'acclamait, lui et l'Être suprême. Ce fut son dernier triomphe. Quelques semaines plus tard, il était guillotiné.

Le culte de l'Être suprême ne disparut pas avec Robespierre. Au temps

La fête de l'Être suprème

du Directoire, il reprit une nouvelle vigueur, grâce à la faveur que lui montra l'un des directeurs, très hostile au catholicisme. On appela cela du nom bizarre de « théophilanthropie », mot qui a du moins l'avantage de résumer la doctrine assez vague des nouveaux déistes : Aimez Dieu et les autres. La théophilanthropie s'installa dans les églises, y compris Notre-Dame. On partagea : de telle heure à telle heure, l'église appartenait au clergé constitutionnel ; ensuite, les théophilanthropes venaient y célébrer leur culte. Culte d'ailleurs très simple. Aux murs quelques inscriptions comme : « Adorez Dieu, chérissez vos semblables, rendez-vous utiles à la patrie », ou : « Le bien est tout ce qui tend à conserver l'homme ou à le perfectionner ; le mal est tout ce qui tend à le détruire ou à le détériorer », car la morale théophilanthropique n'est pas très relevée : la vertu se justifie par l'utilité, et du moment qu'on ne détériore ni soi-même ni les autres, on est l'enfant chéri du Père des humains. Sur un autel en forme de colonne, une corbeille de fleurs, généralement artificielles, « comme au sein de la Nature ». L'officiant, vêtu d'abord d'une robe blanche, plus tard d'un costume tricolore, prononce un discours sur l'existence de Dieu, sur l'immortalité de l'âme, ou bien développe une idée morale. Puis on chante quelques hymnes, et tout est dit.

Le culte théophilanthropique prit une certaine extension, sans pourtant pénétrer profondément dans les masses. Au fond, on ne le respectait guère. Il vécut pourtant tant bien que mal jusqu'au Concordat (1801), qui le liquida.

Dès les premiers temps de la Révolution, quelques membres de la famille royale émigrèrent à l'étranger. A mesure que la Révolution se fit plus violente, nombreux nobles se réfugièrent en Angleterre et surtout dans les villes de la région du Rhin, en particulier à Coblence. La plupart menèrent en exil une vie misérable. Sans ressources, ils exerçaient un peu tous les métiers, y compris celui de porteur d'eau ou de cireur de bottes. Certains prirent du service dans des régiments français au service des puissances étrangères en guerre contre la Révolution. Les nobles restés en France eurent à souffrir de cette conduite peu patriotique. Même si, dans des régions peu troublées par la Révolution, ces derniers menèrent une existence relativement calme, dans d'autres les « ci-devant » — on appelait ainsi les anciens, ou ci-devant nobles — furent traités en ennemis et réduits à s'enfuir, à se cacher. N'osant rester à Paris, ils se terraient là où ils pouvaient, menant souvent une vie errante et toujours menacée.

La Convention prononça la confiscation, au profit de la République, des biens des émigrés, ainsi que ceux des victimes de la justice révolutionnaire. Lorsque les émigrés rentrèrent, après vingt ans d'exil, ils trouvèrent leurs propriétés vendues, dispersées — ce qui n'améliora pas leur disposition d'esprit envers les ex-Jacobins.

La Révolution alla loin dans son désir de faire disparaître tout ce qui

La femme du sans-culotte

Un sans-culotte

rappelait l'ancien régime. Abolies, les appellations « Monsieur », « Madame » ou « Mademoiselle » : on s'appelle désormais *citoyen* ou *citoyenne*. Aboli, le « vous » aristocratique. Dès 1792, le tutoiement est d'un usage courant chez les patriotes. Il fut question de le rendre obligatoire. La Convention évita de se prononcer, malgré les arguments de l'orateur qui défendit devant elle la cause du « tu » : « Nous distinguons, expliqua-t-il, trois personnes pour le singulier et trois pour le pluriel ; et, au mépris de cette règle, l'esprit de fanatisme, d'orgueil et de féodalité nous a fait contracter l'habitude de nous servir de la seconde personne du pluriel lorsque nous parlons à un seul. Beaucoup de maux résultent de cet abus... »

Les patriotes n'ont pas seulement leur langage, ils ont aussi leur costume. Le Jacobin bien habillé a sur la tête un bonnet de laine rouge orné d'une cocarde tricolore, ce bonnet rouge que portaient à Rome les esclaves affranchis ; aux pieds, des sabots. Le pantalon long, souvent à rayures tricolores, remplace la culotte et les bas de soie considérés comme vestiges de l'ancienne tyrannie — d'où le nom de « sans-culotte » donné au patriote. Ainsi vêtu, ayant au postérieur les couleurs nationales, il se croit le plus beau des hommes aux yeux des femmes, et peut-être l'est-il. Le vrai citoyen porte aussi la *carmagnole,* veste courte et qui recouvre d'ordinaire un gilet rouge. Cette carmagnole, dont le nom vient de la petite ville de Carmagnole, en Italie, est aussi le nom de la féroce chanson qui fut si souvent hurlée autour de l'échafaud :

> Dansons la Carmagnole,
> Vive le son, vive le son,
> Dansons la Carmagnole,
> Vive le son du canon !

Au temps de la Révolution, Paris comptait environ 600.000 habitants. Le peuple tenait maintenant le haut du pavé, bien qu'une espèce de vie mondaine ait subsisté jusqu'à la Terreur. Tout ce qui rappelait, même de loin, la féodalité ou la superstition avait disparu. La place Royale était maintenant la place des Fédérés, la rue Madame — la rue des Citoyennes ; la rue Saint-Antoine, décanonisée, était devenue la rue Antoine, et Notre-Dame — le Temple de la Raison. Les couleurs nationales[1] flottaient sur les bâtiments publics, décorés de l'inscription « La Liberté, l'Égalité ou la Mort ». La Révolution ayant institué le mariage civil et le divorce, on allait pour se marier ou pour divorcer à l'Hôtel de Ville. Les ci-devant maisons religieuses étaient vides, occupées par l'administration révolutionnaire, ou transformées en prisons.

---

[1] La Révolution commençante adopta le drapeau tricolore, dans lequel le blanc, couleur du roi, était placé entre le bleu et le rouge, les deux couleurs de Paris.

Curieux spectacle que celui des prisons de Paris sous la Terreur. On y maintient une apparence de vie élégante. Lorsqu'on apprend que Mme X est malade, vite on lui envoie un billet pour lui souhaiter un prompt rétablissement. A travers les grilles de la cour, des intrigues amoureuses se nouent. Faisant contre mauvaise fortune bon cœur, on affecte de traiter la Révolution comme une mauvaise plaisanterie. De jeunes nobles s'amusent à parodier la justice révolutionnaire : l'un deux comparaît devant les autres, constitués en tribunal; il est condamné à mort, naturellement; et un banc renversé fait l'office de guillotine.[2]

Un jour, les prisonniers sont traduits devant le tribunal révolutionnaire, le vrai, non pas un par un, mais par groupes de cinq, quinze, trente accusés. Quand l'un d'eux veut se défendre, le président lui ferme la bouche : « Tu n'as pas la parole! » La plupart d'ailleurs ne savent pas de quoi il s'agit, tant est vague l'accusation. L'accusateur public prononce son réquisitoire. Puis les jurés votent, condamnant souvent à la peine capitale, acquittant parfois, dans un moment d'attendrissement, un accusé qu'ils auraient guillotiné la veille.

Vers la fin de l'après-midi, les charrettes transportant les condamnés s'acheminent lentement vers la place de la Révolution, où est dressé l'échafaud. A l'heure où le soleil se couche, les têtes tombent, au milieu des vociférations de la populace. Sauf de rares exceptions, le courage des victimes est admirable. A un homme du peuple qui lui crie : « Tu trembles, Bailly!», l'ancien président de la Constituante répond : « Oui, mon ami, mais c'est de froid ».

On a beau se dire que le peuple était alors grossier, que les supplices faisaient partie de ses distractions traditionnelles, qu'à l'époque de thermidor il avait cessé de goûter ce genre de spectacle — peut-être d'ailleurs plus par lassitude, par perte d'intérêt que par un sentiment de révulsion pour toutes ces horreurs — on éprouve une espèce d'inquiétude sur les possibilités de la nature humaine. Cette Révolution, qui était nécessaire et qui fut à tant d'égards bienfaisante, fut un étrange amalgame du sublime, du grotesque et de l'infâme.

[2] La sinistre invention du médecin Guillotin fut employée pour la première fois en 1792.

L'appel des condamnés

Une prison de Paris sous la Terreur

Une période aussi violente ne pouvait guère être favorable aux lettres et aux arts. Toute la littérature, si on peut l'appeler ainsi, était alors une littérature militante, inspirée par l'occasion et les besoins du moment. Mirabeau, Danton furent d'excellents orateurs. Robespierre lui-même a laissé des discours soignés, tout comme l'était sa personne, et parfois presque éloquents, malgré leur pédanterie.

Le théâtre prit alors une grande extension, car il servit à la propagande. Les pièces révolutionnaires sont d'ordinaire le triomphe de la sottise et du mauvais goût. Un seul exemple. *Le Jugement dernier des rois* nous montre tous les souverains de l'Europe, sauf Louis XVI qui vient d'être guillotiné, exilés sur une île déserte et se battant pour un morceau de pain noir. Le pape lance sa tiare à la tête de l'impératrice de Russie, qui répond à coups de sceptre. Heureusement, une montagne voisine et symbolique — la Montagne — entre en éruption et met fin au pugilat en engloutissant les derniers des tyrans. La pièce ne manquait pas d'action, et son idée directrice était facile à saisir.

On « sans-culottisait » même les grands classiques. Molière avait écrit dans *Tartuffe:* « Nous vivons sous un prince ennemi de la fraude ». Or, les patriotes ne vivent plus sous aucun prince. C'est pourquoi on substitua : « Ils sont finis, ces jours d'injustice et de fraude ». Et à une représentation de *Cinna,* un sans-culotte, mécontent de Corneille, s'écria : « A la guillotine, l'auteur ! »

Mirabeau

265

André Chénier

S'ils ne pouvaient pas envoyer à la guillotine Corneille, mort depuis plus de cent ans, ils y envoyèrent le plus grand poète français du siècle, André Chénier, comme, avec Lavoisier, ils y envoyèrent le plus grand chimiste. C'est par accident qu'André Chénier, ce poète qui avait retrouvé dans ses vers la grâce et la douceur athénienne, fut arrêté, à la place d'un ami qu'il était allé voir. Conduit devant le comité révolutionnaire de la section, on lui fit subir un interrogatoire qui serait cocasse s'il était moins tragique : clairement, l'interrogateur était stupide, ou il avait bu. Dans la prison Lazare — ci-devant Saint-Lazare — André Chénier composa son beau poème *La Jeune Captive*. Il mourut sur l'échafaud le 7 thermidor, quelques heures avant la chute de Robespierre, laquelle l'aurait sauvé.

La Révolution ne laissa guère aux artistes le temps de travailler à des œuvres durables. Le grand peintre du temps était David, dont la vie fut alors trop agitée pour qu'il pût consacrer son temps à son art. Peintre de l'antiquité romaine et des vertus civiques à la Brutus, David devait être Montagnard. Il le fut. En 1792, il fut élu député à la Convention, vota la mort de Louis XVI. Grand admirateur de Robespierre et de Marat, l'assassinat de ce dernier par Charlotte Corday lui inspira son tableau de « Marat assassiné », où le peintre s'est élevé à la hauteur tragique de son modèle. En qualité d'ordonnateur des fêtes de la Révolution, David passa une bonne partie de son temps à préparer la mise en scène de ces solennités éphémères. La période plus calme du Consulat et de l'Empire lui permit de réaliser la grande peinture historique dont il rêvait.

La Révolution, hélas, a détruit beaucoup de monuments du passé, considérés alors comme des « restes de féodalité et de fanatisme ». Un peu partout, des bandes de patriotes exaltés prirent l'initiative des destructions et saccagèrent avec entrain châteaux, cathédrales, bibliothèques, collections de tableaux. Versailles fut pillé et son mobilier dispersé, Marly incendié. Bien d'autres résidences royales ou princières, comme Chantilly, le château des Condé, eurent le même sort. La Convention elle-même s'inquiéta. Pour les sauver du pillage, elle fit réunir ce qu'elle put des œuvres d'art des anciennes collections royales. C'est l'origine du Musée du Louvre, qui fut ouvert au public en 1794.

Églises et cathédrales eurent aussi à souffrir des destructions révolutionnaires. En 1793, les tombeaux de la ci-devant église abbatiale de Franciade, nouveau nom donné à Saint-Denis, furent ouverts et les restes des anciens rois jetés dans une fosse commune. A Paris, des patriotes abattirent en tirant sur des cordes les statues sur la façade de Notre-Dame. Elles ont été refaites depuis. Mais les portails de nombreuses églises et cathédrales françaises, vides de leurs statues brisées en 93, restent des témoignages du vandalisme révolutionnaire.

6

LE DIX-NEUVIÈME SIÈCLE

Bonaparte, par Ingres

Le Consulat et l'Empire

ORSQU'IL devint premier consul, Bonaparte avait trente ans. Ce n'était pas alors le César ventripotent qu'il fut plus tard, vers la fin de l'Empire.[1] Maigre, actif, ambitieux, son activité était inlassable. Enfant de la Révolution, comme il aimait le répéter, général victorieux, il savait qu'il ne devait son pouvoir qu'à lui-même, et à ce qu'il appelait son étoile. On le craignait, car il était capable de tout, ou presque, lorsque les circonstances l'exigeaient. Louis XVI, disait-il, avait été « pendu » parce qu'il était bonhomme. Lui n'était pas disposé à se

---

[1] Il est d'usage de l'appeler Bonaparte pendant la durée du Consulat, et Napoléon au temps de l'Empire, puisqu'il régna sous le nom de Napoléon Ier.

laisser « insulter comme un roi ». Un soulèvement, il le traitait à coups de canon. De sorte qu'on ne se révolta pas contre lui.

C'était un remarquable calculateur, à la paix comme à la guerre, et ses actes étaient mûrement réfléchis, même lorsqu'ils semblaient spontanés. Volontiers cynique, il ne croyait pas au désintéressement. Ses principaux serviteurs, il chercha à se les attacher par l'intérêt, en les gorgeant d'argent et d'honneurs. Il savait d'ailleurs qu'il pouvait attendre d'eux des services, non un dévouement à toute épreuve, car ceux qu'il ralliait à sa cause étaient des habiles, comme Talleyrand et Fouché, prêts à servir tous les régimes. Il se méfiait des gens à principes, ex-Jacobins incorruptibles ou royalistes intransigeants. Mais il méprisait les libéraux, comme Mme de Staël, qui pour lui n'étaient que des « idéologues », des « métaphysiciens » des « avocats ».

Il avait un sens étonnant de la publicité, de tout ce qui pouvait frapper l'imagination des masses. Habits chamarrés et uniformes rutilants — sauf le sien, très simple, qui faisait que ses soldats l'appelaient affectueusement « le petit caporal » — fêtes et réceptions aux Tuileries, revues de la garde au Carrousel, coups de canon pour annoncer ses victoires et magnifiques *Te Deum* à Notre-Dame pour les célébrer, il employa tous les moyens de propagande politique connus à une époque où la télévision n'existait pas. Mais son chef-d'œuvre en ce genre fut le *Mémorial* qu'il dicta à Sainte-Hélène et qui laissa de lui à la postérité une image si favorable. De sorte que, vénéré après sa mort, il a encore aujourd'hui ses fervents admirateurs.

Cet homme d'esprit si net et si ferme fut un grand organisateur. Au début du Consulat, le pays était dans un état lamentable. La corruption était partout. On élisait tout le monde, depuis les juges jusqu'aux curés, et le système avait abouti à d'effrayantes collusions entre les électeurs et les élus. L'administration était aux mains de bureaux, de comités, et rien ne marchait, sauf les affaires des escrocs. L'industrie et le commerce étaient dans le marasme. Les routes, laissées à l'abandon depuis la disparition des intendants de provinces, étaient des fondrières, et les moins sûres des fondrières, car des bandes armées terrorisaient la campagne, arrêtant les voyageurs, pillant les diligences. C'était l'époque où des « chauffeurs » arrivaient la nuit dans quelque ferme isolée et « chauffaient » à l'âtre les pieds du propriétaire, jusqu'à ce que le malheureux leur ait dit où il avait caché son argent — s'il avait de l'argent caché.

Bonaparte mit fin à cette anarchie. Dans chaque département, il envoya un « préfet », nommé par lui et responsable envers lui de tout ce qui se passait dans son département. Les préfets de l'Empire, assistés dans chaque département d'une assemblée élue, accomplirent une œuvre considérable. Ils furent les grands agents de la centralisation gouvernementale, et par

conséquent du despotisme impérial. Mais ce sont eux aussi qui remirent les routes en état, construisirent des ponts et modernisèrent les villes.

Qu'il s'agisse de l'administration proprement dite, de la justice ou des finances, c'est dans le cadre du département que fut organisé tout le système nouveau. L'administration de la France actuelle est évidemment différente de ce qu'elle était alors. Et pourtant, les lois fondamentales de son organisation administrative remontent presque toutes à la période du Consulat et de l'Empire.

A l'arrivée au pouvoir de Bonaparte, le Trésor était vide. La valeur des assignats était tombée à rien. « Nous en prendrions si les chevaux voulaient en manger », disaient les paysans. Afin de restaurer la confiance et d'assurer la stabilité monétaire, Bonaparte créa un nouveau franc, le « franc germinal ». En même temps, il établit la « Banque de France », qui n'a cessé de jouer un rôle important dans la vie économique et financière du pays. La Banque de France reçut le privilège exclusif de l'émission des billets de banque, que le public ne tarda pas à préférer à l'or, malgré l'expérience récente des assignats. Bref, les affaires prospérèrent, la Bourse monta, et tout le monde, particulièrement le monde bourgeois, fut fort reconnaissant de ses bienfaits au premier Consul.

Il fallait aussi régler la question religieuse. C'est là surtout qu'apparaît la politique de conciliation et de compromis qui fut celle de Bonaparte. L'Église était toujours divisée en clergé assermenté et en clergé réfractaire. Or, artisans des villes et paysans des campagnes restaient attachés à leurs habitudes, à leurs traditions, à leurs « bons prêtres », c'est-à-dire à ceux qui avaient refusé le serment, et à la messe du dimanche, même lorsqu'ils n'y allaient pas. Tout doucement, on oublia le « citoyen Décadi », on revint à « Monsieur Dimanche » et même si le calendrier révolutionnaire subsista quelques années encore dans les actes officiels, il n'était plus employé ailleurs. Bonaparte jugea donc que le moment était venu d'engager des négociations avec Rome, et ces négociations aboutirent, en 1801, à la conclusion du Concordat.

La Révolution avait vendu les propriétés de l'Église. Il était impossible, matériellement et encore plus moralement, de les rendre à leurs anciens possesseurs. En compensation, le Concordat décida que les membres du clergé seraient désormais payés par l'État. Cette solution leur assurait des moyens d'existence, et elle avait l'immense avantage, aux yeux de Bonaparte, de les transformer en fonctionnaires. Même si plus tard le clergé se révéla moins docile qu'il ne le pensait, le premier Consul croyait bien alors avoir les évêques sous la main, puisqu'aux termes du Concordat c'était à lui qu'appartenait leur nomination.

En ce qui concernait les deux clergés alors en existence, Bonaparte, d'ac-

cord avec le pape, procéda à un véritable amalgame. On décida que les nouveaux évêques seraient choisis également parmi les évêques assermentés, les réfractaires, et d'autres que choisirait le premier Consul. La solution était ingénieuse, même si elle était un peu empirique. Le pape et Bonaparte en furent satisfaits, et les relations entre eux demeurèrent excellentes, jusqu'au jour où Napoléon, devenu empereur, se montra si autoritaire, si tyrannique, que la rupture se produisit.

Quelques mois après son arrivée au pouvoir, Bonaparte nomma une commission de quatre juristes chargée de préparer une législation civile applicable à tout le pays. Il prit une part active aux travaux de cette commission, et le Code civil, promulgué en 1804, porta d'abord le nom de Code Napoléon. C'est un recueil de plus de deux mille articles, généralement brefs, qui traitent des questions touchant la condition des personnes et leurs relations juridiques. Ainsi, le Code s'occupe de l'état civil:[2] de l'adoption, de la tutelle, du mariage, des droits du mari et de ceux de la femme sur les propriétés acquises par les conjoints avant ou durant le mariage, de l'héritage, du partage des successions, et en général de tous les contrats passés entre particuliers, contrats de mariage, contrats de vente, donations, baux, etc.

CODE CIVIL DES FRANÇAIS.

ÉDITION ORIGINALE ET SEULE OFFICIELLE.

À PARIS,
DE L'IMPRIMERIE DE LA RÉPUBLIQUE.
An XII. 1804.

Une préoccupation domine tout le Code civil : celle de protéger la famille et aussi la propriété. Napoléon, Corse de naissance et comme tel très attaché aux siens, pensait qu'une solide organisation familiale était nécessaire à la stabilité du pays. Or, la famille avait beaucoup souffert de la Révolution, qui avait admis le divorce par consentement mutuel et sur simple déclaration, de sorte qu'on allait devant l'officier municipal pour se marier et qu'on y retournait pour divorcer. Le Code civil ne reconnaissait plus le divorce. Il posait le principe du partage égal entre les enfants, à condition qu'ils fussent légitimes, car les enfants naturels étaient considérés comme des étrangers à la famille. Il protégeait la propriété familiale, confiait normalement au mari, sauf disposition contraire, l'administration des biens de sa femme, même ceux de sa dot.

Ce Code portait donc la marque des conditions existantes à l'époque de sa rédaction. Comme d'autres institutions napoléoniennes, il a été depuis modifié, adapté à des conditions nouvelles. Il a pourtant survécu. Des pays l'ont adopté, d'autres l'ont imité. « Ma vraie gloire n'est pas d'avoir gagné soixante batailles : Waterloo effacera le souvenir de tant de victoires. Ce que rien n'effacera, ce qui vivra éternellement, c'est mon Code civil », disait-il un jour à Sainte-Hélène. A ce moment-là, Napoléon tenait

---

[2] On entend d'ordinaire par état civil l'enregistrement obligatoire, à la mairie, des actes affectant l'existence ou la condition juridique des individus - essentiellement la naissance, le mariage et la mort. C'est en qualité d'officier de l'état civil que le maire procède au mariage civil, qui précède obligatoirement le mariage religieux.

beaucoup à laisser le souvenir d'un monarque pacifique et bienfaisant — ce qu'il n'avait pas toujours été. Il n'avait cependant pas tort d'être fier de son Code civil.

Napoléon en Egypte

Ce fut, en son temps, un très remarquable homme de guerre. Il avait hérité de la Révolution une armée puissante, aguerrie, habituée à la victoire, et qui le vénérait. Il excellait à parler aux soldats. « Du haut de ces pyramides, quarante siècles vous contemplent », aurait-il dit à son armée d'Égypte au moment où, près des Pyramides, elle s'apprêtait à livrer bataille aux Égyptiens et aux Turcs. Les siècles ne contemplaient rien du tout, mais chaque soldat, entendant ces paroles, pouvait avoir l'illusion d'appartenir à l'histoire, se croire un instant presque immortel.

Il avait sous son commandement d'excellents officiers, des généraux vainqueurs, puisque la Révolution avait guillotiné les autres. Lui-même était un grand stratège, habile à profiter des fautes de l'ennemi, livrant bataille lorsqu'il avait les chances de victoire de son côté. Il fut longtemps invincible, et ce n'est qu'après la désastreuse campagne de Russie, qui épuisa son armée déjà affaiblie, qu'il connut les premiers revers.

S'il avait hérité de la Révolution une armée incomparable, il avait aussi hérité de ses conquêtes, et celles-ci pesèrent lourdement sur sa destinée. La France occupait toujours la Belgique, la Hollande et la rive gauche du Rhin. Or, l'Angleterre ne pouvait pas accepter la présence des Français à Anvers et leur domination des côtes de la Mer du Nord, face à leur île. Bonaparte, de son côté, ne pouvait pas renoncer à ces conquêtes, qui constituaient, avec quelque supplément, les « frontières naturelles ».

C'était donc, à moins d'un miracle, une lutte à mort entre la France et l'Angleterre — et les deux pays le savaient.

Une trêve fut pourtant conclue en 1802, la seule qui ait interrompu plus de vingt ans de guerre. Elle ne dura guère qu'un an. Bonaparte se rendit si bien compte que cette paix était éphémère qu'il vendit alors la Louisiane aux États-Unis, de peur qu'elle ne tombât aux mains des Anglais. Vers la même époque, les Français perdirent l'île de Saint-Domingue, dont les noirs s'étaient révoltés, sous la conduite de Toussaint-Louverture. Mais sur le continent européen, les armées françaises étaient partout victorieuses. Après une prestigieuse campagne en Italie, et sa victoire de Marengo contre les Autrichiens, Bonaparte avait annexé le Piémont et mis la main sur la République helvétique.

La guerre reprit contre l'Angleterre. Celle-ci n'eut aucune peine à décider l'Autriche et la Russie à se joindre à elle contre la France, que les coalisés voulaient réduire à ses anciennes frontières. Napoléon — car il avait changé de nom dans l'intervalle — résolut d'en finir avec sa vieille ennemie. Il rassembla à Boulogne, sur la Manche, une forte armée qui devait envahir l'Angleterre. Mais la défaite de la flotte française à Trafalgar, en 1805, mit brusquement fin à ses projets d'invasion.

La bataille de Marengo

La reprise de la guerre contribua à l'établissement de l'Empire héréditaire. Le « citoyen premier Consul » prenait de plus en plus des allures de souverain. Seul le titre lui manquait. Il choisit celui d'*empereur,* parce que Rome était à la mode, et que la République française, comme l'ancienne République romaine, n'aimait pas les rois. Le passage du Consulat à l'Empire se fit sans violence. Napoléon eut soin de faire proposer l'établissement de l'Empire par le Sénat et de le faire confirmer par un plébiscite, moyen classique qu'emploient les dictateurs pour assurer leur pouvoir personnel. Le plébiscite, bien entendu, fut un triomphe. Napoléon était alors très populaire. A l'exception de quelques vieux républicains, de nobles qui boudaient dans leurs châteaux de province et des chouans qui tenaient toujours la campagne bretonne et arrêtaient les diligences, le pays était solidement derrière lui.

Le nouvel empereur fut sacré en grande pompe à Notre-Dame, en présence du pape venu à Paris pour l'occasion. Le grand tableau de David, le « Couronnement de l'Empereur », donne une idée du faste de la cérémonie, malgré le costume un peu trop fantaisiste que portait ce jour-là Napoléon.[3] Dans ce Paris où dix ans plus tôt la « déchristianisation » était à la mode, le pape eut un très grand succès. On lui trouva l'air bon et paternel. David lui-même, l'ex-conventionnel régicide, fut conquis. « C'est un vrai prêtre », disait-il, après que le pape eut consenti à poser pour lui.

« Napoléon commence à me gâter Bonaparte », déclarait un jour un vieux littérateur. Devenu empereur, Napoléon eut avant tout le souci de consolider son pouvoir et d'en assurer la perpétuité dans sa famille. Ils se rendait compte qu'il était un parvenu, que les rois de l'Europe le considéraient comme un usurpateur, que son empire était à la merci d'une première défaite. Son divorce fut un acte dicté par la politique. Au début du Directoire, à la veille de la campagne d'Italie qui le rendit célèbre, il avait épousé une Créole, Joséphine, veuve du vicomte de Beauharnais, guillotiné·pendant la Terreur. Malgré des deux côtés quelques écarts de conduite, elle et Napoléon étaient sincèrement attachés l'un à l'autre. Cinq ans après l'établissement de l'Empire, leur union restait stérile. Or, Napoléon voulait un héritier. A la fin de 1809, il fit donc prononcer la dissolution de son mariage, puis il se mit en quête d'une princesse qui lui donnerait le fils qu'il désirait. Il songea d'abord à la sœur du tsar; mais,

---

[3] Le tableau représente en réalité le couronnement de l'impératrice. Au moment où le pontife s'apprêtait à poser la couronne sur sa tête, Napoléon la lui prit des mains et se couronna lui-même. Puis il couronna Joséphine.

L'Impératrice Joséphine, par Gérard

Napoléon, par Gérard

trouvant que l'affaire n'allait pas assez vite, il se rabattit sur l'archiduchesse Marie-Louise, fille de l'empereur d'Autriche. Le mariage eut lieu, par procuration. L'année suivante naquit un fils, qui reçut à sa naissance le titre de « roi de Rome ». Il repose maintenant à côté de son père, dans la chapelle des Invalides.[4]

Au temps de la naissance du roi de Rome, Napoléon était maître d'un immense empire. La France comptait alors cent trente départements, au lieu des quatre-vingt-quatorze qui existent à présent, et les marches de l'Empire étaient constituées par des États satellites, les royaumes d'Espagne, d'Italie, de Naples, les États allemands de la Confédération du Rhin. Napoléon eut l'idée de confier le gouvernement de ces États à des membres de sa famille. Son frère Louis devint roi de Hollande, son frère Jérôme roi de Westphalie, son frère Joseph roi d'Espagne, son beau-frère Murat roi de Naples. Il était sans grandes illusions sur la fidélité de tous ces gens-là; mais bien qu'il les tyrannisât à l'occasion, il se montrait envers eux d'une extrême indulgence. Tous l'abandonnèrent dans les mauvais jours. Quand ils virent que l'édifice impérial s'écroulait, ils cherchèrent à sauver leurs meubles. La plupart de ses principaux serviteurs civils et militaires en firent autant, même ses maréchaux qui lui devaient tout. Presque les seuls qui lui restèrent obstinément fidèles furent ses vieux soldats, et, parmi les nations étrangères, la pauvre Pologne, si fréquemment et si vilainement abandonnée par ses alliés du jour, qui jugèrent trop souvent expédient de la sacrifier à ses puissants voisins.

Napoléon se rendait parfaitement compte de l'importance qu'avait l'éducation de la jeunesse pour la continuité de son régime et de sa dynastie. Reprenant des idées de la Convention, il créa, en 1808, sous le nom d'Université de France, un enseignement public à trois degrés, dont les membres étaient des fonctionnaires : l'enseignement primaire, donné dans les écoles primaires, l'enseignement secondaire, donné dans les « lycées » et collèges, et l'enseignement supérieur, donné dans les facultés universitaires. L'enseignement primaire l'intéressait peu. C'était à ses yeux un enseignement essentiellement populaire, le peuple en savait toujours assez pour se battre et pour payer les impôts, et Napoléon était tout disposé à laisser cet enseignement aux curés des paroisses et aux Frères des écoles chrétiennes.[5] A part les études de droit et de médecine,

---

[4] Après la chute de son père, le roi de Rome, « l'Aiglon », vécut à la cour de l'empereur d'Autriche, son grand-père, sous le nom de duc de Reichstadt. Il mourut de la tuberculose à l'âge de vingt ans et fut enterré à Vienne. Le « retour des cendres » du fils de Napoléon eut lieu dans des circonstances étranges : en 1940, après l'occupation de Paris par les Allemands, Hitler, sentimental à ses heures, ordonna le transfert des restes du roi de Rome aux Invalides.
[5] Cet ordre religieux, fondé en France sous Louis XIV par saint Jean-Baptiste de La Salle, se consacrait à l'intruction des garçons. Il est connu aux États-Unis sous le nom de *Christian Brothers*.

l'enseignement supérieur n'intéressait qu'un petit nombre de spécialistes. Toute la sollicitude de l'empereur alla donc à l'enseignement secondaire, qui devait former l'élite de la nation et fournir au régime les cadres, administratifs et autres, dont il avait besoin. Déjà sous l'ancienne monarchie, les collèges des jésuites, et, après l'expulsion des jésuites, les collèges des oratoriens avaient préparé la bourgeoisie au rôle considérable qu'elle jouait, même avant la Révolution. La Révolution consacra le triomphe politique de la bourgeoisie. L'empire consolida la position qu'elle avait acquise, au moins dans l'administration de l'État, car c'était bien sur elle que Napoléon comptait pour assurer son régime. Les élèves des lycées napoléoniens portaient l'uniforme, étaient soumis à un régime rigoureux et à une discipline presque militaire. Les études y restèrent dans la tradition humaniste des vieux collèges, notamment des collèges d'Oratoriens qu'admirait Napoléon au point qu'il pensa, dit-on, à imposer le célibat à tous les membres de son Université nouvelle. Mais il recula devant l'inhumanité et surtout l'impraticabilité de la mesure.

Entre l'impérialisme napoléonien et l'impérialisme britannique, le conflit était inévitable. Napoléon avait hérité de l'empire que la Révolution avait créé sur le continent au nom de la libération des peuples opprimés, alors que l'Angleterre était en train de fonder un immense empire colonial et maritime. La puissance de l'Angleterre reposait sur sa flotte, celle de Napoléon sur l'armée que lui avait léguée la Révolution. Si la guerre, à notre époque, est l'affaire de jeunes soldats, il n'en était pas de même au temps de Napoléon. Les vieux soldats tenaces, débrouillards, sûrs d'eux-mêmes, constituaient l'élite de son armée. La légende a popularisé le grenadier à moustache grise et au grand bonnet de fourrure de la vieille garde, cette garde impériale que Napoléon tenait en réserve dans ses batailles et qu'il n'engageait que dans les moments critiques.

Ces batailles étaient extrêmement meurtrières. La portée des armes d'alors nous paraît aujourd'hui bien faible : le feu de l'artillerie n'était efficace qu'à 600 mètres, et dans l'infanterie, on comptait qu'à 200 mètres un tireur d'habileté moyenne manquait deux fois sur trois une maison à deux étages. Mais on se battait de très près. Pour résister aux charges de la cavalerie, l'infanterie manœuvrait en masses profondes, et malgré le manque de précision des armes, les coups portaient. Les batailles contre les Russes étaient particulièrement acharnées. Au cœur de l'hiver de 1807, Napoléon engagea les Russes à Eylau, en Prusse orientale. Ceux-ci perdirent 30.000 hommes, les Français 10.000. Une colonne russe qui arriva jusqu'au cimetière d'Eylau, où était massée la garde impériale, fut anéantie.

Eylau était déjà une de ces batailles coûteuses qui devinrent de plus en

La bataille d'Eylau, par Gros

plus fréquentes. Les premières campagnes militaires de l'Empire furent marquées par des victoires éclatantes et relativement faciles. Au temps où Napoléon préparait à Boulogne l'invasion de l'Angleterre, celle-ci réussit à former une coalition contre lui. Napoléon, renonçant à l'invasion projetée, se tourna contre les Autrichiens et contre les Russes. En 1805, il força une armée autrichienne à capituler à Ulm, et il écrasa, à Austerlitz, une armée austro-russe. L'année suivante, à Iéna, il mit en déroute une armée prussienne.

Ces défaites sur le continent ne découragèrent pas l'Angleterre, qui d'ailleurs en souffrait peu. Inlassablement, elle forma de nouvelles coalitions, groupant contre la France d'anciens et de nouveaux ennemis. Peu à peu ces guerres continuelles épuisèrent l'armée impériale. L'Angleterre, elle, restait toujours invulnérable dans son île, et elle dominait les mers. Comme elle avait institué un blocus maritime qui interdisait aux navires neutres l'accès des ports français et des ports de la Mer du Nord sous le contrôle de la France — Anvers, Brême et autres — Napoléon répondit par le Blocus continental. En 1806, il signa le décret de Berlin, qui interdisait « tout commerce et toute correspondance avec les îles Britanniques ».

Il espérait ainsi ruiner le commerce de l'Angleterre, et il y réussit en partie. Mais le commerce de la France et celui des autres nations européennes souffrit aussi du Blocus continental. Pour appliquer efficacement ce blocus, il fallait que Napoléon fût maître des ports du continent européen, et le désir d'interdire l'Europe aux navires anglais et aux marchandises anglaises ne fut pas étranger à l'aventure d'Espagne, qui lui réservait de si désagréables surprises.

En 1808, il se fit céder le trône d'Espagne, pour le donner à son frère Joseph. Là, il se heurta à une résistance populaire fanatique et à un genre de guerre auquel ni ses généraux ni ses soldats n'étaient habitués, la guérilla, guerre d'embuscades, guerre au couteau, que l'on pourrait appeler une guerre d'assassinats si, après tout, les Espagnols n'avaient lutté pour leur indépendance. On trouvait le long des routes des corps mutilés de soldats français, des cadavres crucifiés sur les portes des granges. Les femmes, les prêtres, tous faisaient aux étrangers une guerre inexorable. Jusqu'à la fin de son règne, Napoléon traîna comme un boulet au pied cette terrible guerre d'Espagne, qui commença la désorganisation de son armée.

La campagne de Russie acheva cette désorganisation. Après avoir une fois encore triomphé des Russes, à Friedland en 1807, Napoléon avait essayé de se rapprocher du tsar, et il avait conclu avec lui une alliance contre l'Angleterre. « Je déteste les Anglais autant que vous », lui dit le tsar Alexandre en termes peut-être équivoques. Mais la duplicité russe était au moins égale à la sienne. Comme tant d'autres tsars, Alexandre avait des vues sur Constantinople et sur la Pologne, que soutenait Napoléon. Le commerce russe souffrait du Blocus continental. Bref, la rupture eut lieu en 1812. Napoléon réunit une armée de près de 700.000 hommes, chiffre énorme pour l'époque, et il se mit en marche vers Moscou.

Cette Grande-Armée n'était plus celle d'Austerlitz. Les étrangers — Polonais, Allemands, Prussiens, Italiens, Croates, Suisses, Espagnols même — y étaient aussi nombreux que les Français. Beaucoup de ces gens n'avaient pas grande envie de se battre, et même chez les Français, las de la guerre, les désertions étaient nombreuses. Les Russes évitèrent de livrer bataille, se contentant de dévaster le pays à mesure que la Grande-Armée s'engageait plus profondément dans leur territoire. C'est à peine s'ils essayèrent de défendre leur capitale. En septembre 1812, Napoléon entra à Moscou et s'installa au Kremlin. Les Russes incendièrent la ville. Isolé, prisonnier dans sa conquête, Napoléon décida de battre en retraite avant l'arrivée de l'hiver. Mais il était trop tard lorsque son armée se mit en route. Dans le triste cortège qui s'acheminait interminablement dans la neige sans fin, tous les rangs de l'armée étaient confondus. Le maréchal Ney, un fusil à la main, faisait à l'arrière-garde le coup de feu contre les cosaques, et son héroïsme sauva ce qui pouvait être sauvé de la Grande-Armée. Lorsque celle-ci arriva enfin aux rives de l'Elbe, des 700.000 hommes du début, il en restait à peine 40.000.

Ce désastre fut le signal d'une nouvelle coalition. Tous ses vieux ennemis — la Russie, l'Angleterre, l'Autriche, l'Espagne, la Prusse qui avait réarmé secrètement — joignirent leurs forces contre Napoléon. Les États allemands, où le nationalisme était alors en plein essor, envoyèrent en masse leurs volontaires dans l'armée prusienne. Le maréchal Bernadotte passa au camp ennemi, en récompense de quoi il devint roi de Suède quelques années plus tard.

De retour en France, Napoléon leva hâtivement une armée composée en grande partie de jeunes recrues, les « Marie-Louise » de 1813. C'est avec cette armée improvisée qu'il livra aux coalisés la bataille de Leipzig, sa première défaite dans une grande bataille. Il se replia sur la France. Les Alliés l'y suivirent. La campagne de France, au cours de l'hiver de 1814, fut l'une des plus brillantes des campagnes militaires de Napoléon. Avec une armée bien inférieure en nombre à celle de ses adversaires, il réussit d'abord à leur tenir tête, gagnant contre eux bataille après bataille. Mais la partie était trop inégale. Tandis que Napoléon leur disputait encore pied à pied la terre champenoise, les Alliés entrèrent à Paris, car l'empereur ne pouvait être partout. Il abdiqua, nommant vainement son fils pour

La retraite de Russie

successeur : le frère de Louis XVI, après vingt ans d'exil, revint à Paris sous le nom de Louis XVIII. Ce fut le tour de Napoléon d'aller en exil dans une petite île dont la souveraineté lui fut accordée, l'île d'Elbe, proche de la côte italienne de la Méditerranée.

Il est pénible d'être un roi d'Yvetot après avoir été Charlemagne. Napoléon eut une fin bien plus grandiose, et aussi plus coûteuse pour lui et pour la France, que celle que lui présageait la souveraineté ridicule de l'île d'Elbe. En mars 1815, il débarqua clandestinement sur la côte de Provence, et de là il rentra à Paris, acclamé sur son passage, tant la monarchie restaurée était déjà impopulaire. Immédiatement l'Europe s'ameuta contre lui, malgré ses déclarations pacifiques. Il réunit en hâte une armée, bouscula les Prussiens à Ligny, en Belgique, et deux jours plus tard fut vaincu à la furieuse bataille de Waterloo par une armée anglo-prussienne qui était le double de la sienne.[6]

Comme si elle désirait placer sur un piédestal cet homme dont la destinée avait été si singulière — ce qu'elle ne désirait nullement — l'Angleterre l'envoya sur son rocher de Sainte-Hélène, île perdue dans l'Atlantique-Sud, à presque 2000 kilomètres de la côte africaine. Il y subit une captivité assez dure, qu'il exploita habilement. C'est là qu'il mourut en 1821, âgé de cinquante-et-un-ans, d'un cancer, dit-on.

De ses immenses conquêtes, il ne restait rien. Pourtant, Napoléon eut, sur les destinées de la France et sur celles de l'Europe, une influence profonde. Il fut pour le continent « la Révolution incarnée ». Dans les régions administrées directement par la France, celles du Rhin et de l'Italie du Nord par exemple, de grandes réformes, agraires et autres, furent accomplies, conformément au principe révolutionnaire d'égalité, sinon de liberté, que Napoléon confondait volontiers avec l'anarchie. Les pays dominés par un clergé puissant ou par une forte aristocratie restèrent hostiles aux idées nouvelles. On sait à quelle résistance se heurta, en Espagne, l'occupation française. Dans l'Italie du Sud, la *mafia* fit aux envahisseurs une guerre sans merci. Et en Allemagne surtout, la domination française amena, par réaction, un éveil du sentiment national qui, joint au militarisme prussien, eut plus tard pour la France de si tragiques conséquences.

---

[6] La période du 20 mars 1815, jour du retour de Napoléon à Paris, jusqu'au 22 juin, date de sa seconde abdication, est connue sous le nom des Cent-Jours.

La société et la civilisation
sous le Consulat et l'Empire

Devenu premier consul, Napoléon Bonaparte s'installa aux Tuileries. A son arrivée, il ordonna de faire disparaître les inscriptions et emblèmes dont la Révolution, après la journée du 10 août, avait orné les murs de l'édifice : il n'aimait pas « ces cochonneries ». Devenu empereur, il continua de résider aux Tuileries, ou à Fontainebleau, lorsqu'il n'était pas sur les chemins de l'Europe. Peu à peu il se constitua une espèce de cour, revint tout doucement aux usages de l'ancien régime, rétablit partiellement l'étiquette, eut comme Louis XIV ses grandes entrées et son grand couvert, bien qu'il n'eût pas le solide appétit du grand roi et qu'il mangeât d'ordinaire en dix minutes.

La société qu'il groupa autour de lui était fort hétéroclite. Une partie de la haute noblesse avait émigré, et, malgré les ouvertures de Napoléon, la plupart des émigrés refusaient de rentrer en France aussi longtemps que l'usurpateur « Buonaparte » serait au pouvoir. Quelques membres des grandes familles, il est vrai, s'étaient ralliés à lui. Le plus beau spécimen du genre était Talleyrand, son ministre des Relations extérieures, c'est-à-dire des Affaires étrangères. La Révolution, qui le trouva évêque d'Autun, fit de lui un sans-culotte. Puis Napoléon l'employa, sans avoir pourtant confiance en lui : mais il était compétent, et Napoléon avait le culte de la compétence. L'empereur tombé, avec l'aide de Talleyrand, Talleyrand servit les Bourbons. Ce grand seigneur était admiré dans le monde, car il avait conservé les belles manières d'autrefois. Il était toujours et partout à l'aise. N'ayant aucune espèce de conscience, il n'avait, pas plus que le sot, de quoi rougir.

Bien différent de Talleyrand était le ministre de la Police impériale, l'ex-citoyen Fouché, maintenant duc d'Otrante. C'était lui qui, envoyé à Lyon — alors Commune-Affranchie — au temps de la Terreur, avait imaginé de placer les condamnés en ligne devant la bouche des canons pour hâter les exécutions. Avec de tels antécédents, c'était un merveilleux ministre de la Police. Napoléon, d'ailleurs, n'avait pas plus confiance en lui qu'en Talleyrand. Mais, comme l'autre, Fouché était compétent. Et comme l'autre, il trahit l'empereur dans les mauvais jours.

Talleyrand et Fouché, ces deux hommes dont l'origine sociale et le passé étaient si divers, font entrevoir ce qui manquait à la société impériale. Les fêtes aux Tuileries étaient fort brillantes et les bals splendides. Les jours du débraillé sans-culotte étaient bien finis. Les hommes portaient maintenant culotte courte et bas de soie, un habit étroit au collet très haut, des souliers à boucles d'argent; les femmes, des robes légères, à la taille très haute, et leur chevelure était souvent ornée de diamants. Mais les invités étaient trop différents par leur genre de vie et par leurs habitudes pour que l'aisance régnât parmi eux. L'empereur avait beau ordonner à ses maréchaux de paraître, non dans leur uniforme pourtant si brillant, mais en habit de soie couleur de pigeon par exemple, ils restaient des militaires qui n'avaient pas grand-chose à dire aux hauts fonctionnaires civils, aux membres de l'Institut et aux femmes du monde qu'ils y rencontraient. Napoléon lui-même était peu mondain. Sa parole brusque, sa voix assez déplaisante jetaient un froid parmi ses invités. On le craignait plus qu'on ne l'aimait.

Napoléon eut toujours le souci de l'élite, sociale et autre. La plupart des nobles restés en France refusaient de se rallier à lui et boudaient dans leurs châteaux de province. Devenu premier consul, Napoléon sentit le besoin de créer une aristocratie nouvelle, fondée non sur la naissance mais sur le mérite, et qui serait toute dévouée à sa personne. Il institua donc, en 1802, l'ordre national de la Légion d'honneur, qui récompensait les services civils et militaires, et il établit dans l'ordre toute une hiérarchie de rangs, avec lui au sommet, bien entendu. « La croix », comme on l'appelait, fut en son temps une distinction rare et fort recherchée, surtout parmi les soldats de son armée.

Après l'établissement de l'Empire, Napoléon pensa à assurer non plus seulement son pouvoir personnel, mais l'avenir de la dynastie qu'il comptait établir. Il créa en Europe des royaumes, des principautés, des duchés héréditaires qu'il distribua aux membres de sa famille et à ses principaux serviteurs, maréchaux et autres. Il créa une noblesse nouvelle, purement honorifique, dont les membres reçurent, selon l'importance de leurs fonctions, le titre de prince, de duc, de comte ou de baron d'Empire. Afin de garantir la transmission des propriétés appartenant à cette nouvelle aristocratie, il ne craignit pas de faire un accroc aux dispositions du Code civil réglant l'héritage : alors que le Code prévoyait le partage égal entre les enfants, il rétablit, dans certaines familles, le droit du fils aîné à la suc-

Talleyrand

cession paternelle, dont l'intégrité était assurée par l'impossibilité de vendre les propriétés familiales. L'application de ces dispositions resta toutefois assez rare, car Napoléon ne voulait pas trop sembler revenir aux usages et aux pratiques de l'ancien régime.

La bourgeoisie, qui avait si grandement profité de la Révolution, fut d'abord un appui solide du nouveau régime. C'est chez elle que Napoléon recrutait la masse de ses administrateurs, de ses juges, de ses préfets. Le commerce allait bien, les affaires prospéraient, du moins avant le Blocus. Puis vinrent le mécontentement, l'inquiétude et la lassitude. Les militaires, ceux de la garde en particulier, affichaient trop souvent le plus grand mépris pour les civils, et même si on admirait leurs exploits en Prusse ou en Pologne, on n'admirait pas toujours leurs exploits parisiens. Surtout, la guerre s'éternisait. On commençait à se demander comment tout cela allait finir. L'annonce des victoires laissait le public de plus en plus indifférent. Quand arrivèrent les grands revers — la débâcle russe, Leipzig, la campagne de France — le public atterré réagit peu, refusa de « chausser les bottes de 93 », comme le proposait l'empereur. On apprit sans joie, sans désespoir non plus, la nouvelle de l'abdication. Le retour des Bourbons promettait au moins la paix, après vingt ans de guerre.

Ce fut peut-être pire encore dans les campagnes. Même si Napoléon y fut longtemps populaire, puisque son régime assurait aux paysans la propriété de la terre si péniblement acquise, les impôts et surtout la conscription finirent par détacher de lui les populations rurales. C'est parmi elles que Napoléon recrutait surtout son armée, en principe par tirage au sort. Mais le besoin d'hommes devint bientôt tel qu'on ne tirait plus que des mauvais numéros. De jeunes paysans, essayant d'échapper à la conscription, se cachaient dans les granges ou dans les forêts, où les gendarmes les pourchassaient. Napoléon avait beau se dire « enfant de la Révolution » : nombre de ceux qui l'avaient faite étaient quelque peu désenchantés, et surtout ils n'aimaient pas voir leurs fils enterrés dans des fosses communes, sur les champs de bataille de l'Europe.

Napoléon voulait que Paris fût une Rome moderne, une capitale digne de son grand empire, et il fit pour elle des plans grandioses que le temps ne le laissa pas exécuter. Si l'arc de triomphe du Carrousel, qu'il fit construire dans la cour des Tuileries, servit aux revues de sa garde, l'arc de triomphe de l'Étoile était à peine commencé à la chute de l'Empire. Son Temple de la Gloire, consacré à la Grande-Armée et dont la Restauration fit pieusement l'église de la Madeleine, était loin d'être achevée. La colonne Vendôme, fondue avec le bronze des canons pris à Austerlitz, connut d'étranges avatars : la statue de Napoléon, au sommet, fut descendue par

L'église de la Madeleine

la Restauration, puis replacée par Louis-Philippe; la colonne elle-même, abattue en 1871, pendant la Commune, fut rebâtie par la Troisième République. L'instabilité de la colonne, et de sa statue, est symbolique de l'instabilité des régimes, au cours du dix-neuvième siècle.[1]

Tous ces monuments ont un caractère commun : ce sont des pastiches de la Rome antique. La colonne Vendôme est imitée de la colonne Trajane, les deux arcs de triomphe sont inspirés par l'arc romain de Septime Sévère, l'église de la Madeleine est une copie d'un temple antique, comme l'est d'ailleurs — étrangement — la Bourse, que Napoléon laissa inachevée. Le néo-classicisme triomphait. Napoléon lui-même se voyait volontiers en empereur romain. N'avait-il pas été consul, et les actes de son Sénat n'étaient-ils pas des senatus-consultes ? David, le peintre du Sacre, n'était-il pas aussi le peintre des Horaces et des Sabines ?

L'empereur rêvait d'ouvrir dans sa capitale une immense Voie impériale. En attendant, dans ce Paris qui était encore à peu près celui de Louis XIV, sinon celui du Moyen Age, il réalisa des améliorations notables : il fit construire des quais, bâtir de nouveaux ponts, notamment le pont d'Austerlitz et ce pont d'Iéna que les Prussiens voulaient faire sauter en 1815, le nom d'Iéna leur rappelant de mauvais souvenirs. C'est de son temps que date une innovation qu'il fallut des siècles à réaliser : au lieu de décrire tant bien que mal la situation des immeubles, on eut enfin l'idée

[1] C'est une des raisons pour lesquelles, en 1836, Louis-Philippe décida de faire placer l'obélisque actuel sur la place de la Concorde, ce monument à la gloire de Ramsès II n'ayant aucune signification politique.

La Colonne Vendôme

Mme Récamier, par David

de numéroter les maisons d'une même rue, avec les nombres pairs d'un côté et les nombres impairs de l'autre.

La Révolution avait songé à démolir Notre-Dame de Paris. Le Concordat la rendit au culte. Mais, comme tant d'autres monuments d'autrefois, elle était alors en bien triste état. Napoléon fit raser des édifices abandonnés qui menaçaient ruine, par exemple, à Paris, la maison du Temple, où avait été emprisonné Louis XVI, et dont le nom d'un quartier parisien, le quartier du Temple, rappelle encore le souvenir. Une grande partie des bâtiments de l'illustre abbaye de Cluny, en Bourgogne, furent abattus, et l'on traça une rue au beau milieu de l'église abbatiale. Les trésors artistiques dispersés par la Révolution et par l'Empire passèrent dans les mains de spéculateurs, connus sous le nom de « la bande noire ».

Le grand peintre français du temps fut bien entendu David, qui eut la faveur de Napoléon et qui continua à peindre ses grands tableaux d'histoire romaine et d'histoire contemporaine. Sa peinture, d'ailleurs d'une forte inspiration, resta proche de la statuaire. David avait à un tel point le souci de la correction des attitudes que, même dans ses scènes d'histoire contemporaine, il dessinait volontiers ses personnages nus avant de les couvrir de leurs vêtements. Il est curieux de voir ainsi les députés des trois ordres paraître dans l'état d'innocence dans les dessins que David préparait pour son tableau du « Serment du Jeu de Paume ».[2] Et il procéda de même pour la grande scène du sacre de Napoléon. Comme Fouché, et pour les mêmes raisons, David, l'ex-conventionnel régicide, mourut en exil à Bruxelles, discrédité à la fois par la politique et par la révolution romantique.

David peignit aussi le beau portrait de Mme Récamier, cette femme distinguée qui tint salon à Paris pendant et après l'Empire. Le mobilier de la chambre de Mme Récamier est néo-classique, avec sa couche en forme de bateau et son luminaire qui semble provenir des fouilles de Pompéi. Le style Empire est le dernier des grands styles historiques. On aime alors les meubles d'acajou ornés de sculptures, de ciselures, de dorures, de figures évoquant l'antiquité gréco-romaine, ou bien l'ancienne Égypte mise à la mode par l'expédition de Bonaparte, sphinx, lotus, sans compter l'aigle et l'abeille, emblèmes de Napoléon. Les pieds des meubles sont souvent ornés de têtes de lions ailés ou de bustes de femmes. Victoires, Renommées, trophées d'armes complètent cette décoration Empire, un peu froide peut-être, mais non dépourvue de grandeur.

Mme Récamier, par Gérard

---

[2] Il s'agit d'une scène des débuts de la Révolution, au cours de laquelle les députés des trois ordres jurèrent de ne pas se séparer avant d'avoir donné une constitution au royaume.

Les distractions ne manquaient pas dans le Paris du Consulat et de l'Empire. Revues militaires, fêtes à l'occasion des victoires étaient chose commune. Outre les promenades traditionnelles — le Palais-Royal, les Tuileries, le Luxembourg — les femmes du monde prirent alors l'habitude d'aller à Longchamp, près du Bois de Boulogne, arborer leurs toilettes d'été. Le Café Frascati, où l'on servait des glaces, le Jardin de Tivoli, avec ses bals, ses feux d'artifice, et son gigantesque mannequin, nommé Gargantua, qui avalait à pleine gueule les victuailles que lui présentaient une foule de cuisiniers, étaient alors des endroits à la mode. Mais le divertissement le plus apprécié était peut-être le théâtre, qui permettait de passer agréablement les longues soirées d'hiver. Napoléon aimait la tragédie, surtout lorsqu'elle était jouée par son grand acteur Talma, et de tous les tragiques il préférait Corneille, parce que Corneille était héroïque, et qu'il célébrait des gens comme Auguste, dont l'empereur se sentait assez proche parent. Le grand public, lui, préférait les mélodrames de Pixérécourt. La Révolution avait habitué les gens aux émotions fortes. Ils avaient vu du sang sur la scène. On allait au théâtre pour être bouleversé, pour y pleurer tout à son aise. Napoléon lui-même, avec son amour d'Ossian, montrait parfois une espèce de sentimentalité assez surprenante chez un esprit si positif.

Déjà apparaissaient des signes de la révolution romantique. C'est en 1802, sous le Consulat, que Chateaubriand publia son *Génie du Christianisme,* si important dans l'histoire du romantisme. L'auteur était un jeune vicomte qui, dans son livre, se faisait le défenseur de l'esthétique chrétienne, alors assez méconnue. Bonaparte venait de conclure le Concordat. *Le Génie du Christianisme* servait donc à merveille sa politique, et il récompensa Chateaubriand en le nommant secrétaire d'ambassade. Mais un jour vint où, comme tant d'autres royalistes qui s'étaient d'abord trompés sur les intentions de Bonaparte, Chateaubriand se rendit compte que celui-ci ne songeait nullement à restaurer la monarchie. Il émigra alors en Angleterre, où il vécut péniblement, et il resta, jusqu'au retour des Bourbons, l'ennemi acharné de « Buonaparte ». Mais plus importante encore que son sens politique, est la sensibilité nouvelle qu'annonce le *Génie du Christianisme.* L'histoire d'Atala est tirée du livre de Chateaubriand, et le romantisme est déjà tout entier dans cette histoire.

Chateaubriand

Si la littérature de l'époque du Consulat et de l'Empire fut en somme assez pauvre, la science, par contre, brilla d'un vif éclat. Napoléon, qui aurait peut-être été un excellent mathématicien s'il n'avait été empereur des Français, combla d'honneurs le mathématicien Laplace, le géomètre Monge. Dans les sciences naturelles en particulier, la France eut alors des savants illustres, Lamarck, le précurseur de Darwin, Cuvier, un des fondateurs de la paléontologie, et d'autres.

Lamarck observa que les animaux qui vivent dans les montagnes présentent des caractéristiques différentes de ceux qui vivent dans des plaines, où le climat est moins rude et la nourriture plus facilement accessible. Il en tira une théorie de l'évolution progressive des espèces, sous l'influence du milieu, de la température, de l'altitude, et des agents extérieurs. Même si Darwin proposa plus tard une autre explication de l'évolution, celle de la sélection naturelle qui fait par exemple que seules les giraffes au long cou survivent et se reproduisent, Lamarck posa les principes essentiels : la variabilité des espèces et l'unité fondamentale du règne animal.

Les idées de Lamarck passèrent en son temps assez inaperçues. Cuvier fut plus célèbre. L'existence des fossiles était encore un mystère. Au dix-septième siècle, un chirurgien avait déclaré fort sérieusement que des ossements gigantesques que l'on venait de découvrir — sans doute ceux d'un mammouth — étaient les restes du géant Teutobochus, roi des Teutons, et il avait même composé à ce sujet un poème intitulé *Gigantéostologie*. Cuvier mit fin à ces fantaisies. Il établit qu'un rapport constant existe entre les organes, que certaines dispositions de l'organisme résultent nécessairement les unes des autres, alors que d'autres s'excluent. C'est ainsi qu'il put reconstituer, à l'aide de fragments, le squelette entier d'animaux depuis longtemps disparus. Il montra enfin qu'il est possible de dater les couches du sol d'après le genre de fossiles qu'on y trouve.

Les découvertes de Champollion sont postérieures à l'époque napoléonienne, puisque c'est vers 1830 qu'il parvint à déchiffrer les hiéroglyphes de l'ancienne Égypte. Toutefois, Champollion était un des savants qui, sous le Directoire, avaient accompagné Bonaparte dans son expédition d'Égypte. La célèbre « pierre de Rosette » — fragment de stèle découverte en 1799 et qui portait des inscriptions en langues hiéroglyphique, démotique et grecque — lui donna la clef de l'énigme.

La nécessité, dit-on, est mère d'inventions. Le blocus, en privant la France des marchandises anglaises et des produits coloniaux, eut son effet sur l'industrie nationale. On perfectionna les procédés de fabrication de l'acier. L'industrie textile améliora ses méthodes. On apprit à extraire le sucre des betteraves, pour remplacer le sucre de canne qui n'arrivait plus des Antilles. La chirurgie fit aussi des progrès, grâce, hélas, aux sanglantes batailles de l'époque impériale. Larrey, chirurgien en chef de la garde impériale, inventa la méthode d'irrigation pour le traitement des blessures : à l'aide d'un filet d'eau continu, il diminuait l'inflammation des plaies. Et c'est aussi à la guerre que fut inauguré le télégraphe aérien de Chappe, qui transmettait si rapidement les nouvelles. Il est seulement regrettable que, pour installer ses signaux sur des lieux élevés, on n'ait pas hésité à abattre des clochers d'églises, celle de L'Épine par exemple.

Entre les aliénés et les criminels, on ne faisait autrefois guère de différence. Les fous pacifiques étaient laissés en liberté. Les autres étaient enchaînés et enfermés dans des cabanons qui ressemblaient à des cellules de prisons. Sous prétexte de les rendre raisonnables, on les soumettait à toute sorte de mauvais traitements, d'autant plus cruels que les infirmiers qui s'occupaient d'eux étaient d'ordinaire recrutés dans les prisons. Au temps de Napoléon, le célèbre aliéniste Pinel fut le premier à considérer ces malheureux comme des malades qu'il fallait traiter par la douceur. Il obtint d'excellents résultats.

La Restauration et la Monarchie de Juillet[1]

Paris, qui n'avait jamais été occupé par l'ennemi sous l'ancien régime, le fut deux fois à la fin de l'Empire. Prussiens, Russes, Autrichiens, Anglais y entrèrent en 1814, et ils revinrent l'année suivante, après Waterloo. La première occupation fut courte et légère. Beaucoup d'officiers russes appartenaient à l'aristocratie de leur pays, ils parlaient admirablement français, et bon nombre de Parisiennes, surtout dans la noblesse du Faubourg Saint-Germain, les trouvèrent aussi charmants qu'eux trouvèrent Paris agréable. La seconde occupation fut plus longue et plus onéreuse. Napoléon, ayant manqué sa sortie, était rentré en scène, et c'est la France, jugée par l'Europe en état de récidive, qui fit les frais du dénouement. Le roi Louis XVIII, de retour dans sa capitale, se comporta avec une très grande dignité vis-à-vis des Alliés vainqueurs. Néanmoins, aux yeux de beaucoup de Français, il était revenu grâce à la défaite de leur pays, ou, selon l'expression célèbre, « dans les fourgons de l'étranger ».

Louis XVIII, frère de Louis XVI, avait alors une soixantaine d'années. Très corpulent, il ne pouvait marcher, tant il souffrait de la goutte, et ses jambes emmaillotées embarrassaient fort les peintres chargés de faire son portrait. Il ne manquait pourtant pas de dignité, et encore moins d'esprit. Même s'il datait bravement ses premiers actes officiels de la vingt-deuxième année de son règne, il se rendait compte qu'il était impossible d'oublier ce qui s'était passé au cours de ces vingt-deux premières années. Il décida donc de faire des concessions aux idées nouvelles. La Charte qu'il « octroya » à son peuple lorsqu'il rentra en France en 1814 reconnaissait les « principes de 89 » — liberté individuelle, liberté de la presse, etc. — et la plupart des institutions napoléoniennes, telles que le Code civil, la légion d'honneur, le Concordat — ce qui eût été tout naturel si le Concordat n'avait pas sanctionné la vente des biens nationaux.

[1] La période de la Restauration comprend les règnes de Louis XVIII et de Charles X. La Monarchie de Juillet est celle de Louis-Philippe, amené au pouvoir par la révolution de juillet 1830.

Les émigrés n'avaient pas oublié non plus ce qui s'était passé au cours des vingt-deux dernières années, mais leur état d'esprit était bien différent de celui de leur roi. Ils rentrèrent en France pour y trouver leurs propriétés démembrées, vendues pièce par pièce aux paysans qui n'avaient aucune intention de les restituer à leur ancien propriétaire. La Révolution avait souvent tué des membres de leur famille. Aigris par un long et dur exil, ils considéraient la Charte comme une concession criminelle à des idées subversives. « Ils sont plus royalistes que le roi », remarqua un jour Louis XVIII, et le nom leur resta : les ultra-royalistes. Eux d'ailleurs n'avaient pas très bonne opinion de leur « roi jacobin », comme disait Chateaubriand, alors un des chefs du parti ultra, et leur mot d'ordre : « Vive le roi quand même ! » en disait long sur leur état d'esprit.

Les anciens conventionnels régicides, Fouché, David et autres, jugèrent bon de prendre le chemin de l'exil. La Restauration conserva pourtant, dans l'ensemble, le haut personnel civil et militaire, à la fois si mêlé et si compétent, de l'Empire. Les seules victimes furent ceux qui s'étaient trop gravement compromis au cours des Cent-Jours. La plus illustre de toutes fut le maréchal Ney, fusillé, dit-on, sur l'insistance des Anglais, contre lesquels il s'était furieusement battu à Waterloo. Rallié à Louis XVIII pendant la première Restauration, il avait été envoyé par lui pour arrêter Napoléon dans sa marche sur Paris, au retour de l'île d'Elbe. Au lieu de ramener Napoléon dans une cage de fer, comme il l'avait promis, il avait joint ses forces à celles de l'empereur. C'était un cas de défection punissable de mort. Mais, tout de même, le maréchal Ney était le héros de la retraite de Russie, « le brave des braves », même s'il avait plus de cœur que de tête. L'effet produit par son exécution fut déplorable, particulièrement sur l'ancienne armée.

La Restauration avait mis en demi-solde un grand nombre des officiers de l'Empire, pour les remplacer par de jeunes nobles. En conséquence de quoi l'on voyait un peu partout, notamment dans les cafés, des ex-capitaines, des ex-colonels, reconnaissables à leur longue redingote étroitement boutonnée, à leur chapeau à larges bords et à la légion d'honneur qu'ils portaient fièrement à la boutonnière. Désœuvrés, mécontents et redoutables, ces « demi-soldes » passaient leur temps à fronder le gouvernement, ou à se battre en duel contre les officiers de l'armée nouvelle.

Les fidèles de l'Empereur composaient une partie de l'opposition dite « libérale ». L'autre était constituée par ceux que Napoléon traitait d'« idéologues », c'est-à-dire les héritiers de la tradition philosophique du dix-huitième siècle, égalitaires d'esprit, et qui n'entendaient pas laisser la réaction ultra-royaliste regagner le terrain perdu depuis 1789. Ils accusaient les jésuites, revenus en France, et ce qu'ils appelaient la « Congrégation » d'être l'âme de la réaction religieuse. En réalité, cette Congrégation comprenait diverses sociétés d'action catholique, charitables et autres, qui montraient alors une très grande activité. Au bruit du canon annonçant les victoires napoléoniennes succédait maintenant le son des cloches annonçant les cérémonies religieuses, notamment celles dites expiatoires des crimes de la Révolution. Au cours de ces cérémonies, qui eurent lieu dans maintes villes de France, les habitants, clergé en tête, transportaient en procession, sur leurs épaules, une immense croix de bois qu'on plantait à l'endroit où, pendant la Terreur, s'était dressé l'échafaud. Les libéraux ricanaient, ne voyant là qu'une « momerie ».

La monarchie restaurée accepta d'abord l'opposition bien mieux que ne l'avaient fait les gouvernements précédents, ce qui permit à la France de faire vraiment alors son apprentissage du régime parlementaire. La Charte de 1814 avait créé, sur le modèle anglais, deux assemblées législatives : une Chambre des pairs, héréditaires, et une Chambre des députés, élue, non au suffrage universel, mais par les contribuables qui payaient au moins trois cents francs d'impôt direct par an. Le nombre des électeurs n'atteignait pas cent mille. Et cependant, bien que la Chambre ne représentât guère que les propriétaires fonciers du royaume, les débats parle-

Louis XVIII quitte les Tuileries dans la nuit du 19 mars 1815 (par Gros)

mentaires y furent très animés, car les bourgeois libéraux y étaient nombreux. Au temps de Napoléon, les assemblées législatives étaient des assemblées muettes. La Chambre de la Restauration fut tout le contraire d'une assemblée muette. On y parlait longuement, éloquemment, vigoureusement. On y dénonçait les actes du gouvernement avec une violence qui parfois nous étonne. Et les débats à la Chambre n'étaient rien au prix des controverses entre journalistes et polémistes de droite et de gauche, libéraux et ultras. Si le gouvernement proposait, par exemple, d'acheter Chambord par souscription publique pour le donner au duc de Bordeaux, héritier du trône, Paul-Louis Courier, libéral et quinteux, composait un pamphlet expliquant que l'argent du public pourrait être mieux employé, que le duc de Bordeaux, âgé d'un an, n'avait encore rien fait pour mériter ce don, que Chambord ne pouvait que lui donner de mauvaises leçons, et qu'en tout cas la terre devait appartenir à ceux qui la cultivaient.

La tolérance de Louis XVIII décrut avec les années. Des conspirations s'ourdissaient contre lui, notamment dans l'armée. C'était l'époque du romantisme. La mode allait aux sociétés secrètes, aux mots de passe, aux signes particuliers — une épingle noire par exemple — qui permettait aux conjurés de se reconnaître. Sur son lit de mort, Louis XVIII exprima la satisfaction qu'il éprouvait de mourir dans son lit, aux Tuileries, et non pas assassiné dans une rue de Paris, comme son ancêtre Henri IV, dont il avait voulu suivre la politique de conciliation.

Son frère Charles X lui succéda en 1824. C'était un prince d'ancien régime, d'apparence très distinguée, mais malheureusement aussi raide d'esprit que de corps. Selon la vieille coutume royale, il se fit sacrer dans la cathédrale de Reims, au milieu d'une pompe extraordinaire. Il n'y manqua ni les onctions avec l'huile de la sainte ampoule[2] ni le lâcher des colombes à l'intérieur de la cathédrale. Louis XVIII, plus avisé, avait évité de se faire couronner. Mais pour Charles X, le sacre avait la valeur d'un symbole, le symbole de la monarchie absolue et du droit divin des rois.

Les libéraux froncèrent les sourcils. Et ce fut bien pire encore lorsque le roi fit voter par les chambres une indemnité d'un milliard de francs aux émigrés dépossédés par la Révolution, et une loi du sacrilège, d'ailleurs jamais appliquée, qui punissait de mort le vol d'objets sacrés dans les églises. Il licencia la garde nationale, dont il était mécontent parce qu'elle avait accueilli par des cris hostiles des membres de la famille royale. Mécontents de perdre ainsi leur bel uniforme, les gardes nationaux, souvent bourgeois libéraux, protestèrent. Mais plus les libéraux protes-

---

[2] C'était une fiole, conservée à Reims, qui contenait l'huile employée au sacre des rois. La légende la faisait remonter au sacre de Clovis par l'archevêque de Reims.

La révolution de 1830

taient, plus Charles X s'entêtait dans sa politique de réaction. Il finit par dissoudre la Chambre. Quand les élections lui furent défavorables, il eut recours à un véritable coup d'État : le 25 juillet 1830, par ordonnance royale, il prononça la dissolution de la nouvelle Chambre et suspendit la liberté de la presse. Aussitôt Paris prit les armes. On dressa des barricades dans les rues. Après trois journées de lutte entre l'armée royale et les insurgés — les « Trois Glorieuses » — la révolution triompha. Charles X partit pour l'exil. Et pour commémorer ce triomphe, on dressa, place de la Bastille, une colonne surmontée du génie de la Liberté, et qu'on appelle encore la « colonne de Juillet ».

Au cours de cette révolution de 1830, on vit paraître pour la dernière fois sur la scène politique le vieux La Fayette, alors âgé de 74 ans. On lui confia le commandement de la garde nationale, qui venait d'être rétablie. C'était en quelque sorte sa spécialité. Il l'avait déjà commandée quarante ans plus tôt, au temps de la Révolution, la grande. Sur le balcon de l'Hôtel de Ville de Paris, « le héros des deux mondes » présenta le drapeau tricolore au duc d'Orléans, qui l'embrassa, lui et son drapeau. Quelques jours plus tard, ce même duc d'Orléans devint « roi des Français », sous le nom de Louis-Philippe.

Louis-Philippe appartenait, non à la branche aînée, « légitime », des Bourbons, mais à la branche d'Orléans, celle de l'ancien Régent. Aussi l'aristocratie légitimiste du boulevard Saint-Germain le considérait-elle comme un usurpateur. Peu lui importait, d'ailleurs. Il avait une solide réputation de libéralisme. Comme tel, il fut d'abord très populaire dans la grande et dans la petite bourgeoisie parisienne, à qui plaisaient ses manières simples, son habit brun tout uni, ses favoris, et son parapluie.

Daumier: Les gens de justice

Le nouveau roi était un bel homme, intelligent, instruit, qui eut le tort — on l'a dit — de se croire infaillible. Il était moins bonhomme, moins tolérant qu'il n'en avait l'air. Son prédécesseur acceptait la caricature. Les ennemis de Charles X le représentaient volontiers portant l'habit d'un jésuite et sous des traits peu flatteurs, exagérant sa grosse lèvre bourbonienne au point de lui donner l'apparence d'un sot. Sous Louis-Philippe il fut interdit de déformer le visage du roi, de sorte qu'on le représenta de dos, ne révélant qu'un petit coin de son visage, ce qui lui donnait l'air à la fois matois et perfide. Daumier excellait dans ce genre d'exercice, et son dessin « Enfoncé, La Fayette » est le modèle du genre. Ayant découvert que la tête du roi ressemblait à une poire, c'est sous l'aspect d'une poire que les caricaturistes le représentaient volontiers. Le dix-huitième siècle avait employé la chanson pour fronder le gouvernement. Le dix-neuvième eut aussi ses chansonniers, dont le plus illustre fut Béranger. Mais à la chanson politique il ajouta la caricature, l'image, grâce au développement de la presse périodique, grâce aussi à « l'imagerie d'Épinal ». La petite ville d'Épinal, en Lorraine, fut alors le centre d'une industrie prospère, et qui joua un rôle important dans la vie politique française. L'image d'Épinal popularisa Napoléon, envoyant partout, dans les campagnes comme dans les villes, d'innombrables dessins aux vives couleurs représentant l'empereur et ses vieux soldats. Louis-Philippe n'était pas mécontent de cette propagande qui, croyait-il, nuisait à la cause des Bourbons. Grâce à l'image, grâce aussi aux chansons de Béranger, la légende impériale, celle d'un Napoléon pacifique et libéral qu'il n'avait jamais été, prit une telle extension que Louis-Philippe, désireux de plaire aux bonapartistes, oublia que le prétendant Louis-Napoléon, neveu de l'empereur, risquait de leur plaire bien plus encore que lui, le roi des Français. Il négocia avec l'Angleterre le retour du corps de l'exilé de Sainte-Hélène. En décembre 1840, les cendres de l'Empereur furent transportées en grande pompe de la place de la Concorde aux Invalides. Ce qui restait des « vieux de la vieille », des anciens soldats de l'Empire, prirent part à la cérémonie dans leurs uniformes défraîchis qui, trente ans plus tôt, avaient parcouru l'Europe.

Les ennemis de Louis-Philippe ne s'en tinrent pas à la caricature : bon nombre passèrent à l'action directe. Jamais souverain n'eut à faire face à tant de conspirations et ne fut l'objet de si fréquentes tentatives d'assassinat. Ses ennemis essayèrent contre lui toutes les armes possibles, poignards, bombes, machines infernales. « Il n'y a que contre moi que la chasse soit toujours ouverte », constatait un jour avec mélancolie le pauvre roi des Français. Il avait contre lui toute sorte de gens, les légitimistes — la duchesse de Berry essaya de soulever contre lui la Vendée, comme au bon vieux temps, — les bonapartistes — deux fois sous son règne, le prince Louis-Napoléon essaya de rentrer en France par un coup d'État militaire. Bien plus dangereuse encore était l'insurrection de la rue, à Lyon, à Paris surtout. L'agitation était constante parmi les ouvriers parisiens victimes du chômage, résultat des changements dans l'économie du pays, des premiers développements de la grande industrie, de l'accroissement de la population urbaine, notamment de la population parisienne, qui était maintenant proche du million. En outre, ce prolétariat ouvrier était travaillé par la propagande républicaine, et par les idées « socialistes » qui commençaient à se répandre dans le peuple. Il y avait aussi des agitateurs. L'un d'eux, interrogé sur sa profession par la force publique, répondit bravement : « Émeutier ».

Pour maintenir l'ordre public, Louis-Philippe eut d'abord l'appui de la garde nationale bourgeoise, dont il nommait les colonels. La répression était brutale. Daumier, dans un dessin, a immortalisé la triste affaire de la rue Transnonain. En 1834, au cours d'une insurrection parisienne, un détachement de la garde nationale essuya une fusillade partie d'une maison de la rue Transnonain : furieux, les gardes nationaux envahirent l'immeuble et massacrèrent tous ses occupants, y compris les femmes et les enfants.

Daumier: Rue Transnonain, le 15 avril 1834

De tels épisodes ne faisaient rien pour apaiser les esprits. Les bourgeois eux-mêmes se détachaient de leur roi. Ils lui reprochaient de ne pas maintenir le rang de la France en Europe, de céder toujours, de se montrer, en face de l'Angleterre en particulier, d'une faiblesse déplorable. Ils n'avaient pas oublié Waterloo, ni l'humiliation de 1815, ni les gloires de la Révolution et de l'Empire. Ils se plaignaient de n'avoir qu'un roi-soliveau en la personne de Louis-Philippe, pensée que Lamartine exprimait autrement : « Une borne y suffirait », disait-il.

La conquête de l'Algérie, alors en cours, ne satisfaisait pas tous ces rêveurs de gloires passées. Elle avait commencé en 1830, à la suite d'un incident au cours duquel, dit-on, le dey d'Alger frappa de son chasse-mouches le consul général de France. Même l'exposition dans le jardin des Tuileries, en 1844, de la tente de l'empereur du Maroc, capturée à la bataille d'Isly, n'accrut pas sensiblement la popularité du roi.

De plus en plus, l'opposition républicaine accusait Louis-Philippe de s'engager dans les voies de la réaction. Elle réclamait, sinon l'établissement du suffrage universel, du moins une augmentation du nombre des électeurs par la diminution du cens électoral, c'est-à-dire du montant de l'impôt direct requis pour la possession du droit de vote. Lorsqu'une proposition à cet effet fut rejetée par la Chambre, l'opposition républicaine organisa une « campagne de banquets » destinée à rallier l'opinion publique à la cause de la réforme électorale. En février 1848, un banquet projeté dans un quartier de Paris fut interdit par la police. Il y eut des manifestations, effusion de sang. La garde nationale, jusqu'alors fidèle au régime, abandonna son roi pour se joindre aux insurgés. Louis-Philippe abdiqua, et il se réfugia, non sans peine, en Angleterre, où son prédécesseur Charles X était mort en exil douze ans plus tôt.

Ainsi, la révolution de 1848 mit fin à un règne très agité. La mystique monarchique, qui avait soutenu les anciens rois, était à peu près morte. Le Roi n'était plus la France. Dans ces conditions, pourquoi ne pas le remplacer par une République ? Et c'est ce que l'on fit.

La société sous la Restauration
et sous la Monarchie de Juillet

Lorsque Louis XVIII revint en France, il s'installa, non à Versailles, mais aux Tuileries. Bien qu'il prétendît renouer la tradition monarchique, il sentait bien que la Révolution et l'Empire l'avaient rompue. Aux Tuileries, il rétablit l'étiquette, restaura d'anciennes fonctions, celles de la Maison du Roi par exemple. Mais les temps avaient changé, et sa cour n'était qu'un bien pâle reflet de celle de Versailles. Lui-même, souffrant et mûri par une dure expérience, aspirait au repos, trouvait plaisir, le soir, à jouer paisiblement au whist. Même pour ses courtisans, la vie de cour n'était plus qu'une série de rites qu'on accomplissait par tradition.

Surtout au temps de Louis-Philippe, l'ancienne aristocratie tend à s'isoler dans un monde nouveau qu'elle affecte de dédaigner et qu'elle sent hostile. Elle vit repliée sur elle-même, au Faubourg Saint-Germain, menant une vie sociale sans bruit, sinon sans éclat. Dans les campagnes, les nobles s'occupent personnellement, et plus qu'ils ne l'ont jamais fait, de la gestion de leurs propriétés. La noblesse française, si longtemps déracinée, s'attache plus solidement à la terre, alors que celle-ci est en train de lui échapper.

De nouvelles habitudes s'établissent parmi les gens du monde. La mode des courses de chevaux, venue d'Angleterre, mène à la fondation du Jockey-Club, dont les membres appartiennent à la crème de la société parisienne. D'ailleurs, l'anglomanie fait rage. On va en *tilbury* aux courses de chevaux de Chantilly, et les jeunes élégants, les *dandys,* se font habiller par des tailleurs anglais, ou prétendus tels. On fait cadeau à une personne qui vous est chère d'un livre-album, orné de vignettes, qu'on appelle bien entendu un *keepsake*. C'est aussi de cette époque que date l'habitude d'aller passer quelque temps à la plage, pendant la belle saison. Jusqu'alors, la mer n'intéressait guère que les marins et les pêcheurs. On en découvrit l'attrait et la beauté au temps du romantisme. La vogue alla d'abord à la plage de Dieppe, en Normandie, qui fut bientôt reliée à Paris par une ligne de chemin de fer, une des premières qui aient été construites. Plus tard, surtout sous le Second Empire, Biarritz, dans les Basses-Pyrénées, attira la société élégante et fut un lieu de villégiature pour Napoléon III et l'impératrice Eugénie.

Presque inévitablement, sous la pression des forces hostiles à l'idéologie révolutionnaire, la Restauration tendait à rétablir l'alliance traditionnelle du « trône » et de l'« autel », c'est-à-dire de la Monarchie et de l'Église. Les libéraux étaient tout aussi hostiles à la réaction religieuse qu'à la réaction politique. Ils dénonçaient avec force ce qu'ils appelaient les menées des jésuites, qu'ils accusaient de chercher à dominer les consciences, et surtout de s'immiscer dans les affaires publiques. C'est en 1845 qu'Eugène Sue publia son roman-feuilleton, le *Juif errant,* qui fut lu partout, même dans les campagnes, car, si bien des paysans ne savaient pas lire, l'un d'eux, plus instruit que les autres, faisait la lecture à haute voix, au cours des longues veillées d'hiver.[1] Or, Rodin, le principal person-

---

[1] Cette coutume parmi les paysans de se réunir, le soir, chez l'un d'entre eux, était très ancienne. Elle permettait d'économiser à la fois le chauffage et l'éclairage. Elle a à peu près disparu.

nage du livre et suppôt des jésuites, est en vérité un personnage très peu sympathique. Dans l'Université, où les libéraux étaient nombreux, les jésuites avaient mauvaise presse. Bon nombre de bourgeois étaient voltairiens. Le peuple lui-même était loin d'être toujours favorable à l'Église.

On était anticlérical, et toutefois on avait le sentiment religieux, on parlait avec grand respect de Jésus et de l'Évangile. La jeunesse intellectuelle avait lu le *Génie du christianisme* de M. de Chateaubriand, qui était alors un de ses guides spirituels. Au cours de la révolution de 1848, le peuple de Paris saccagea les Tuileries, comme d'habitude. Le mobilier fut jeté par les fenêtres, le trône de Louis-Philippe brûlé place de la Bastille, après avoir été promené triomphalement le long des boulevards. Mais quand la foule envahit la chapelle du palais, un élève de l'École polytechnique déclara : « Respect au Christ et à la religion », et docilement, respectueusement, les insurgés transportèrent en procession le grand crucifix jusqu'à une église voisine.

En présence de l'opposition à tout retour en arrière, de la poussée du peuple vers un avenir qu'il espérait meilleur, quelle devait être la position de l'Église ? Allait-elle poursuivre la vieille politique d'alliance du trône et de l'autel, liant ainsi sa cause à celle de la monarchie, ou allait-elle prendre elle-même la tête du mouvement populaire, « socialiste » comme on commençait à l'appeler ? Alors que la plupart des évêques étaient conservateurs, quelques ecclésiastiques eurent l'audace de préconiser la seconde alternative. Le plus illustre est l'abbé de Lamennais. Condamné par Rome, il finit par rompre avec l'Église. En 1834 parurent les *Paroles d'un croyant,* écrites dans un style inspiré de l'Évangile, et qui sont un éloquent plaidoyer en faveur des opprimés, tout pénétré de l'idéal de charité chrétienne et de fraternité universelle, si caractéristique du temps. Lamennais, âme tourmentée, fut la voix de ce courant libéral, réformateur, moderne, qui a toujours existé et qui existe encore dans l'Église de France.

Les questions sociales se posaient alors avec une urgence extrême. La Révolution française avait abattu la structure de l'ancien régime. Tandis que la bourgeoisie triomphante arrachait le pouvoir aux forces du passé, une autre révolution était en train de s'accomplir, une révolution économique dont profitait aussi la bourgeoisie, du moins celle des affaires. La révolution industrielle, il est vrai, se développait lentement, plus lentement en France que dans d'autres pays. On en sentait pourtant les premiers effets dès l'époque de la Restauration, et malheureusement les méfaits bien plus alors que les bienfaits.

C'est alors que l'emploi de la vapeur, qui n'était pas nouveau — on l'employait déjà çà et là avant la Révolution — commença à se généraliser. Tandis que l'artisanat, le travail à domicile, était auparavant le mode de production habituel, même dans l'industrie textile, le travail à l'aide de machines, dans de grands ateliers, se répandit de plus en plus. A la fin du règne de Louis-Philippe, un tiers peut-être de la population ouvrière travaillait dans des usines ou dans des manufactures.

Il est aisé de prévoir les conséquences sociales d'un tel changement. Surtout dans certaines occupations, le petit producteur, l'artisan, se trouva écrasé par la concurrence du grand fabricant, qui produisait plus économiquement que lui. Que pouvait-il faire, sinon chercher du travail ailleurs, dans une manufacture, et dans une ville, Paris par exemple, s'il habitait la province? C'est ainsi que toute une population d'artisans dépossédés, et aussi de paysans subissant l'attrait de la grande ville, arrivèrent à Paris, à la recherche de travail que souvent ils ne trouvaient pas. Ou, s'ils en trouvaient, c'était à des salaires de misère.

La vie des ouvriers était à tous les égards déplorable. Eux et leur famille vivaient trop souvent entassés dans des taudis sans air, sans lumière. Les heures de travail étaient longues, onze, douze heures par jour, parfois davantage, et cela dans des ateliers mornes, insalubres. Le travail des femmes, des enfants ajoutait parfois quelques sous à leur maigre pitance. Et le chômage était une menace constante. Autrefois, l'artisanat offrait aux ouvriers quelque sécurité. L'existence des « compagnonnages », de ces groupes d'assistance mutuelle entre membres de la même association, leur assurait plus ou moins du travail, même lorsqu'ils faisaient leur « tour de France ». Les compagnonnages étaient maintenant bien incapables de remédier aux maux dont souffrait la population ouvrière. Ils disparurent peu à peu, ainsi que la coutume du tour de France. C'étaient d'ailleurs plutôt des associations d'entraide que des organes des revendications ouvrières. Le syndicalisme sera bien plus agressif.

La construction des lignes de chemin de fer contribua au déplacement graduel de la population des campagnes vers les villes, notamment Paris. Auparavant, le voyage par diligence était lent et coûteux — il fallait trois jours de Paris à Lyon, et le trajet n'était pas des plus confortables. La première ligne de chemin de fer, celle de Paris à Saint-Germain — une vingtaine de kilomètres — fut inaugurée en 1837, au temps de Louis-Philippe et sous les auspices de son ami, le banquier Rothschild. Puis ce fut le tour, six ans plus tard, de la ligne Paris-Orléans. La ligne Paris-Strasbourg ne fut établie qu'en 1850. Le développement des chemins de fer en France fut donc assez lent, peut-être à cause du scepticisme qu'ils rencontraient, même dans les milieux officiels. Le savant physicien

Arago n'y croyait guère, et M. Thiers, historien et homme d'État distingué, ministre de Louis-Philippe, n'y voyait qu'« un joujou pour les Parisiens ».

Même si elle fut lente, la construction des chemins de fer, comme le développement d'entreprises industrielles et commerciales, stimula les affaires. Celles-ci prospéraient, du moins pour les chefs d'entreprises. Des sociétés se constituaient pour l'établissement d'usines et de manufactures. L'accroissement des villes, de Paris surtout, encourageait la spéculation sur les terrains et sur les immeubles. De grands banquiers, tels que Rothschild, Laffitte, finançaient des entreprises nouvelles. Le capitalisme essayait ses forces. On a souvent reproché à Guizot, alors ministre de Louis-Philippe, le fameux conseil qu'il donna, dans un discours, aux gens d'affaires : « Enrichissez-vous » — même s'il ajoutait « par le travail, par l'épargne et la probité ». C'était sans doute le plus bourgeois des conseils, et Guizot oubliait que la presque totalité de la population du pays était bien incapable d'en profiter. Néanmoins, le mot représentait assez bien les aspirations d'une bonne partie des classes dirigeantes, de ceux qui possédaient.

Leur indifférence en présence de la misère navrante des ouvriers et des petits employés nous choque. Ils ne se rendaient souvent même pas compte de cette misère. Elle était dans l'ordre des choses et ils y étaient habitués. D'ailleurs, ils redoutaient ce prolétariat, cause d'agitation sociale constante. Le prolétariat, lui, prenait conscience de sa solidarité et de sa force. Il connaissait sa misère présente. Il ne pouvait prévoir que ce à quoi il attribuait, et non sans raison, cette misère — les machines, le capitalisme, le régime de la libre concurrence — pourrait être un facteur de progrès économique et, éventuellement, de progrès social.

Dès l'époque de la Restauration, certains essayèrent de trouver une solution aux problèmes posés par la destruction de l'ancien ordre économique et les débuts pénibles du nouveau. On les appela les « socialistes », parce que ces problèmes sociaux les préoccupaient. Beaucoup maudissaient les machines, qu'ils rendaient responsables de la misère des ouvriers. Ce ne fut pourtant pas le cas d'un homme dont les idées connurent une grande faveur dans la jeunesse intellectuelle de son temps, l'économiste Saint-Simon, descendant de l'auteur des *Mémoires*.

Loin de maudire les machines, Saint-Simon voit en elles l'espoir de l'avenir. Elles permettront à l'homme de se rendre maître du milieu où il vit. Grâce à elles, Saint-Simon prévoit de vastes travaux dont bénéficieront tous les peuples de la terre — percement d'isthmes, par exemple — des moyens de production et de communication plus complets et plus rapides que ceux qui existaient alors, par conséquent la diffusion des bienfaits de notre civilisation. Ces bienfaits ne peuvent être réalisés que par le travail de tous. Plus de parasites sociaux : « A chacun selon sa capacité, à chaque capacité selon ses œuvres ». L'État doit intervenir pour régler la production, l'adapter aux besoins. Ce sera l'œuvre des économistes, des savants. Ainsi seront évités le gaspillage de la libre concurrence et les abus dont souffrent tant les ouvriers. L'État doit aussi intervenir pour améliorer « sous le rapport moral, intellectuel, physique, le sort de la classe la plus nombreuse et la plus pauvre ».

Car ces idées économiques et sociales s'accompagnaient, selon l'esprit du temps, d'idées d'amour du prochain, de fraternité entre les hommes. Le saint-simonisme était une mystique. Sa religion, le « Nouveau Christianisme », eut son journal, le *Globe*. Cette religion eut ses rites, sa morale, ses initiés, son messie même en la personne du Père Enfantin, successeur de Saint-Simon. Autour de lui se forma une communauté d'hommes bizarrement accoutrés, qui se préparèrent à l'apostolat, tout en professant des idées subversives sur le mariage. Finalement, Enfantin fut traduit devant la cour d'assises. Il arriva, habillé aux couleurs de la Nation et portant sur la poitrine, en grosses lettres, ces mots : « Le Père ». Le tribunal l'acquitta. Mais le procès porta un coup mortel à la secte saint-simonienne.

Il est facile de rire des aberrations du saint-simonisme. Dans son grand roman, l'*Éducation sentimentale,* qui donne une idée si vive et si curieuse de Paris au temps de la révolution de 1848, Flaubert parle du tableau d'un peintre, Pellerin. « Cela représentait, dit-il, la République, ou le Progrès, ou la Civilisation, sous la figure de Jésus-Christ, conduisant une locomotive, laquelle traversait une forêt vierge ». On ne pouvait résumer plus ingénieusement les idées maîtresses des saint-simoniens, leur Nouveau Christianisme, leur foi aux machines, leur désir d'exploiter la planète entière afin d'améliorer le sort de l'humanité. Plus tard, bien des anciens saint-simoniens devinrent des chefs d'entreprises, des ingénieurs distingués, à commencer par Ferdinand de Lesseps. De fait, le percement de l'isthme de Suez fut une idée saint-simonienne.

C'est en 1829 que Fourier publia son *Nouveau Monde industriel et sociétaire,* avec ce sous-titre étrange : *Invention du procédé d'industrie attrayante et naturelle, distribuée en séries passionnées.* La machine, disait-il, assujettit l'homme à un travail forcé et d'une monotonie désespérante. Il est inhumain de passer une vie entière à fabriquer des épingles. Fourier propose un remède : l'organisation de « phalanstères », communautés agricoles ou industrielles, où le travail sera « attrayant », parce que libre et varié. Les membres mettront tout en commun — travail, efforts, profits, femmes même. Fourier se préoccupe de l'hygiène mentale des travailleurs, il prévoit pour eux des distractions, des divertissements de toute sorte.

Le socialisme marxiste, prétendant se fonder sur une étude rigoureuse des faits économiques, établir son système sur la science et non sur la foi, considère avec quelque dédain ces « utopistes », ces rêveurs qui mêlaient la religion aux questions sociales. Ce furent pourtant des âmes généreuses et des agitateurs émérites.

Auguste Comte fut pendant plusieurs années le secrétaire et le disciple de Saint-Simon, et même si un jour il se sépara de lui, il doit beaucoup à son maître. Tout le « positivisme » de Comte est déjà en germe dans Saint-Simon. Ce dernier avait distingué trois étapes, trois « états » dans l'évolution de l'esprit humain, l'état théologique, qui se représente les phénomènes comme produits par l'action d'agents surnaturels, l'état métaphysique, qui remplace les agents surnaturels par des forces abstraites — la notion d'affinité chimique par exemple — enfin l'état positif dans lequel l'esprit, renonçant à découvrir le pourquoi des phénomènes, leurs causes intimes, s'applique à les observer et à en déterminer les lois effectives. Auguste Comte reprend cette distinction. La confusion intellectuelle et morale de notre époque, continue-t-il, provient de ce que certains esprits ont atteint l'état positif, alors que d'autres en sont encore à l'état théologico-métaphysique. Le temps est venu d'assurer le triomphe de l'esprit positif en écartant toute préoccupation métaphysique pour se borner à observer les phénomènes, à dégager les lois qui les régissent, et c'est à cet égard surtout que Comte se sépare de son maître. Mais, comme Saint-Simon, il croit au progrès de l'humanité par la science. Comme lui, il attribue à une aristocratie de savants un rôle important dans l'évolution de l'humanité. Le positivisme de Comte et sa croyance en l'avenir de la Science eurent après lui de nombreux adeptes. Par son insistance sur l'étude des phénomènes sociaux, il fut le fondateur d'une science nouvelle, la sociologie. De Karl Marx jusqu'à Renan et Taine, son influence fut grande sur la pensée de son siècle.

Auguste Comte

Si la vie des ouvriers était devenue plus pénible, celle des paysans s'améliorait. D'ordinaire propriétaires du sol, ils le cultivaient bien mieux qu'autrefois, avant la Révolution, et même durant l'Empire, qui prenait leurs enfants pour en faire des soldats. L'emploi des engrais, des premières machines, augmentait le rendement. Les disettes appartenaient au passé. Le pain blanc, le pain de froment, autrefois pain de luxe, devenait de consommation plus courante.

La vie restait pourtant difficile dans certaines provinces pauvres, surtout dans les régions montagneuses. Beaucoup d'Auvergnats venaient à Paris, où ils exerçaient quelque petit métier, celui de chiffonnier, d'étameur, de porteur d'eau — car l'eau courante à domicile n'existait pas encore, et le porteur d'eau, avec ses deux seaux, montait toujours les étages. De petits Savoyards barbouillés se spécialisaient dans le ramonage des cheminées.

Paris était alors la ville dont Balzac donne tant d'aperçus pittoresques, la ville de la pension Vauquer et de l'inquiétant Vautrin, la ville des boutiquiers comme César Birotteau et celle de la haute finance, celle du baron Nucingen. Le romancier dénonce les laideurs de la capitale, les ignobles bâtisses qui, en son temps encore, encombraient la cour du Louvre.

Notre-Dame de Paris

Toutes ces rues étroites et tortueuses du centre de la ville étaient éminemment favorables aux émeutes, aux révolutions. Sous Louis-Philippe, on commença à démolir quelques coins du vieux Paris, à bâtir de nouvelles maisons, dans le quartier des Champs-Élysées par exemple. Les premiers de ce que l'administration municipale appelle maintenant les « transports en commun » s'organisèrent. Jusqu'alors, les Parisiens devaient fournir leurs propres moyens de locomotion, ou avoir recours aux voitures de louage, depuis qu'avait échoué l'essai de Pascal, deux siècles plus tôt, pour organiser un service de voitures publiques. En 1828 fut créée la première compagnie d'omnibus parisiens, une centaine en tout, et bien entendu tirés par des chevaux. C'était peu, pour une ville dont la population approchait du million.

Jamais peut-être la vie du Quartier latin ne fut plus animée, plus pittoresque, et Murger, dans ses *Scènes de la vie de Bohême,* a transmis, sur un ton quelque peu sentimental, le souvenir attendri des étudiants d'alors et de leurs petites amies, les « grisettes » parisiennes. Ce fut l'âge héroïque du Quartier latin. Il y avait tant de causes à défendre, celles de l'indépendance de la Grèce, de la Belgique, et tant de révolutions à faire, de barricades à construire! Et quelques-uns sans doute s'y firent tuer.

Le Romantisme

Delacroix: La Liberté conduisant le peuple

La littérature
Les arts
Les sciences

C'est à l'époque de la Restauration et de la Monarchie de Juillet qu'eut lieu la révolution romantique. Comme toute révolution de ce genre, qui implique un changement dans les façons de penser et de sentir, ce ne fut pas un phénomène soudain, inattendu. Tout le monde sait — on l'a assez dit — que Jean-Jacques Rousseau fut le précurseur, l'ancêtre du romantisme, et l'on pourrait citer d'autre noms. Peu à peu, même avant la Révolution, apparaissent, en littérature et ailleurs, des goûts nouveaux, une sensibilité nouvelle qui annoncent l'avenir. Cependant, bien des aspects du romantisme français s'expliquent par le milieu même où il s'est développé, par la crise politique, sociale, morale, religieuse que traversait alors le pays.

Ce fut un mouvement des jeunes. La génération romantique se trouvait dans un monde nouveau qui cherchait sa voie parmi les ruines de l'ancien. Elle avait à la fois le dégoût du présent, la nostalgie du passé et l'espoir d'un avenir meilleur.

Les romantiques ont souvent dénoncé la médiocrité, la veulerie de leur temps, la préoccupation dominante des intérêts matériels, l'absence trop

fréquente de tout idéal autre que l'« enrichissez-vous » de Guizot. L'ennemi, c'est « le bourgeois » — on connaît le mot fameux de Flaubert :
« J'appelle bourgeois tout ce qui pense bassement » — le « philistin », ou,
par une généralisation qui porte gravement préjudice à une occupation
honorable, l'« épicier ». Le roi des Français est le roi des bourgeois.
« Il trouvait Louis-Philippe poncif, garde national, tout ce qu'il y avait
de plus épicier et bonnet de coton », dit, en parlant d'un autre, un des
personnages de l'*Éducation sentimentale*.

Dans ce monde si vulgaire, l'homme supérieur se sent isolé, dépaysé.
Il peut accepter cet isolement, chercher orgueilleusement refuge dans sa
tour d'ivoire, avoir recours au suicide, comme Chatterton, ou se laisser
aller à une incurable mélancolie, comme Obermann, le héros du roman
de Sénancour. Il peut aussi trouver une raison d'être dans l'action.
Stendhal a minutieusement et admirablement étudié, dans *le Rouge et le
Noir* un cas à la fois psychologique et sociologique. Son héros Julien
Sorel n'est pas un résigné : c'est un être supérieur, il en est convaincu, et
si la société refuse de lui faire la place qu'il mérite, il se la fera lui-même,
et cela par tous les moyens. Il finit mal, mais peu importe : mieux vaut
finir ainsi, sur l'échafaud, que mourir lâchement, comme on a vécu. Même
culte de l'énergie dans l'autre roman de Stendhal, *la Chartreuse de Parme*.
Il s'agit cette fois de l'Italie de son temps, de cette Italie violente, passionnée qu'il aimait, au point qu'il a fait inscrire sur sa tombe : « Henry Beyle,
Milanais ».[1] L'Italie, ou l'idée qu'il s'en faisait, lui permettait, tout esprit
positif qu'il fût, d'échapper à la médiocrité qu'il voyait partout autour de
lui. Comme tant d'autres romantiques, il cherchait refuge ailleurs, dans
l'espace et dans le temps. L'épopée napoléonienne, à laquelle il avait pris
part, avait laissé en lui, comme en tant d'autres, d'impérissables souvenirs
et d'âpres regrets. Napoléon était son héros, parce qu'à ses yeux il incar-
nait la volonté et l'énergie.

Procédant différemment, Balzac a, dans ses romans, tracé un vaste
tableau de la société de son temps. Moins analyste que Stendhal, qui
s'attache à étudier, à la loupe pour ainsi dire, les ressorts qui font agir ses
personnages, à expliquer comment et pourquoi ils sont devenus ce qu'ils
sont, Balzac décrit avec une précision extrême le milieu où vivent les siens,
le climat qui les entoure et dont, même à leur insu, ils subissent l'influence.
Milieux parisiens, provinciaux, milieux de grands et de petits bourgeois,
milieux ecclésiastiques, braves gens, gens sans scrupules, âmes désintéres-
sées et sublimes, esprits étroits, égoïstes, tous les types, toutes les conditions sociales de l'époque de Louis-Philippe paraissent dans les volumes
de *la Comédie humaine,* qui est aussi la comédie, et le drame, de cette époque.

Stendhal

Balzac

---

[1] Stendhal était le nom de plume d'Henri Beyle.

Illustration pour Le Père Goriot de Balzac

Les poètes, eux, ont chanté l'amour, la femme aimée, la grande Nature, celle des forêts, des montagnes, de la mer et des lacs solitaires, qu'ils associent à leurs amours, qu'ils prennent comme confidente des orages de leur cœur. La religion fut aussi pour certains une consolatrice, un moyen d'échapper à l'oppressante réalité. Chateaubriand avait réagi contre le rationalisme voltairien. Sous la Restauration, le romantisme fut catholique, comme l'était d'ordinaire la jeunesse de ce temps qui, faute d'une foi très assurée, avait au moins le sentiment religieux. En 1830, Lamartine intitulait encore un de ses recueils en vers *Harmonies poétiques et religieuses*. Puis l'inspiration religieuse s'affaiblit, ou tout au moins l'idéal chrétien tend à se confondre avec l'idéal humanitaire, démocratique, voire socialiste, comme dans le cas de Lamennais et de Victor Hugo. On a dit, non sans raison, que le saint-simonisme était le romantisme de la sociologie.

Beaucoup d'écrivains romantiques ont pris position dans les conflits politiques et sociaux de leur époque, et plusieurs ont participé activement aux affaires publiques. Chateaubriand, catholique et royaliste, fut sous la Restauration ambassadeur, ministre des Affaires étrangères, et l'un des chefs du parti ultra, jusqu'au jour où, déçu, il pencha, dit-on, vers le libéralisme. Stendhal était libéral, et il le resta. Lamartine plana, ou flotta d'abord au-dessus des partis. Élu député en 1833, il répondit, quand on lui demanda où il allait siéger : « au plafond ». Il descendit bientôt du plafond pour se faire le défenseur de la démocratie. La révolution de 1848 marqua le grand moment de sa carrière politique : il fut quelque temps

Lamartine

chef du gouvernement provisoire, il fut candidat à la présidence de la République, en concurrence avec Louis-Napoléon Bonaparte. Le coup d'État du 2 décembre et le rétablissement de l'Empire le firent rentrer dans l'ombre.

Ces mêmes événements en firent sortir Victor Hugo. Le poète fut d'abord royaliste, légitimiste, pensionné de Louis XVIII. Puis il devint libéral, fut, sous Louis-Philippe, membre de la chambre des pairs. Devenu républicain avec la révolution de 1848, élu député cette même année, le coup d'État du 2 décembre l'exaspéra : il quitta la France, se réfugia à Bruxelles, puis dans les îles anglo-normandes de Jersey et de Guernesey. C'est en exil qu'il composa ses *Châtiments,* recueil de poèmes éloquents et passionnés contre Napoléon III, ainsi que les *Contemplations* et *les Misérables*. Il ne rentra en France qu'en 1870, à la chute de l'Empire. Dès lors, il se fit de plus en plus le défenseur du peuple, des opprimés, le prophète des temps nouveaux où tous les hommes seraient des frères. Il restait grand poète. Sa mort, en 1885, fut un deuil national. La troisième République fit bien les choses pour l'homme qui avait dénoncé le 18 brumaire comme un crime contre la première. Jamais depuis le retour des cendres de l'homme du 18 brumaire, quarante-cinq ans plus tôt, on n'avait vu à Paris d'aussi belles funérailles.

Dès l'époque de la Restauration, la défense de grandes causes attira la jeunesse romantique. Tout d'abord la cause de la liberté, de l'indépendance des peuples opprimés. Les guerres de la Révolution et de l'Empire avaient ébranlé les vieilles monarchies européennes, porté partout des ferments d'agitation, éveillé les nationalismes. La révolte malheureuse des Polonais contre les Russes en 1830, celle de la Belgique la même année, surtout la longue lutte des Grecs contre leurs oppresseurs turcs à partir de 1821, tous ces événements passionnèrent la jeunesse française. C'est en l'honneur de l'indépendance hellénique que le jeune Victor Hugo publia, en 1829, les poèmes de ses *Orientales*.

La révolution de 1848, qui eut dans toute l'Europe un si grand retentissement, dramatisa les problèmes politiques et sociaux. *Les Misérables* ne parurent qu'une quinzaine d'années plus tard, mais Hugo y travaillait depuis longtemps. Même si l'histoire est quelconque et si les personnages, d'ordinaire tout bons ou tout méchants, sont assez conventionnels, le roman est curieux, car c'est à la fois un plaidoyer en faveur des déshérités et un vaste panorama de l'époque de la Restauration et de la Monarchie de Juillet. *L'Éducation sentimentale,* les romans de Stendhal présentent, outre valeur littéraire, le même intérêt documentaire.

A côté des grandes scènes de l'histoire récente ou contemporaine — récits de la bataille de Waterloo, descriptions des révolutions de 1830

Victor Hugo, par Daumier

ou de 1848 — que l'on trouve si souvent dans les ouvrages du temps, l'histoire des époques éloignées fut une source d'inspiration pour les poètes et pour les prosateurs du romantisme. Ce goût du passé était assez nouveau. A l'exception de M. de Chateaubriand, la Révolution et l'Empire ne s'étaient guère intéressés qu'aux antiquités romaines et égyptiennes — et cela pour des raisons surtout politiques, parce que Rome avait été une république avant d'être un empire, ou esthétiques, parce qu'on aimait alors des arcs de triomphe sur les places publiques et des sphinx sur le mobilier. Or, on assiste, au temps du romantisme, à un grand éveil de curiosité pour l'histoire en général, et en particulier pour l'histoire nationale. Michelet fut un grand historien et un excellent écrivain à la mode romantique, un magnifique évocateur du passé. Universitaire grand ennemi des jésuites, libéral grand admirateur de la Révolution française, chez lui l'apôtre, le polémiste nuisit à l'historien en affectant sa vision des hommes et des choses. Son *Histoire de France* reste néanmoins une œuvre considérable.

Illustration pour Les Misérables de Victor Hugo

Les écrivains, les romanciers surtout, exploitèrent les travaux des historiens. Walter Scott, alors très admiré en France, y lança la mode du roman historique. Il ne faut pas exagérer la tendance du romantisme à chercher dans le passé un moyen d'échapper au présent, car la plupart des auteurs ne se sont pas dissociés de leur temps, au contraire. Cependant, ils furent attirés et séduits par les époques hautes en couleurs, dramatiques, les époques aux passions violentes, le Moyen Age finissant, la Renaissance, le dix-septième siècle avant Louis XIV. *Notre-Dame de Paris,* cette puissante évocation du Paris médiéval, de son peuple, de sa cathédrale, est peut-être le chef-d'œuvre du roman historique. Le drame, avec ses héros et ses héroïnes romantiques transportés dans l'histoire, sa couleur locale, ses accessoires, tout son bric-à-brac, fut d'ordinaire moins heureux. Qu'elles soient historiques ou contemporaines, les pièces suivent trop souvent la formule ironique de Mérimée : « Pan! Pan! Pan! — Les trois coups. — Rideau levé. — Ris, souffre, pleure, tue. — Il est tué, elle est morte. — Fini ». Leur désir de prendre le contre-pied du classicisme expirant, voire de choquer les vieux, entraîna les jeunes dramaturges à bien des excès. Il est difficile de prendre au sérieux « la bataille d'Hernani », entre classiques et romantiques, laquelle fit tant de bruit, au propre et au figuré. Trente ans plus tard, Théophile Gautier, bien assagi, parlait de l'incident comme d'une folie de sa jeunesse, se souvenant encore avec attendrissement du beau gilet rouge qu'il portait ce jour-là.

La première représentation d'Hernani

Plus qu'à notre époque peut-être, les journaux appartenaient alors à la littérature. Bien réduits en nombre et étroitement surveillés sous l'Empire, ils se multiplièrent au temps de la Restauration et de la Monarchie de Juillet. Chateaubriand fonda son journal, qu'il appela fort pertinemment *le Conservateur.* L'opposition libérale eut ses journaux, notamment *le Courrier français,* où écrivaient régulièrement Mme de Staël et Benjamin Constant. On voit par ces noms que la presse quotidienne avait des collaborateurs distingués. Mais on ne pouvait alors se procurer ces journaux que par un abonnement, qui coûtait cher. Même si les abonnés les passaient souvent à leurs amis et connaissances, les journaux n'eurent en somme que peu de lecteurs jusqu'au jour où Émile de Girardin fonda *la Presse,* en 1836. Le coût de l'abonnement à ce nouveau journal était la moitié du coût habituel. Il se vendait aussi au numéro — quatre sous le numéro, ce qui était un prix raisonnable. Enfin, pour mieux financer l'entreprise, Girardin fit dans son journal une place importante à la publicité. Vers la même époque, le gouvernement de Louis-Philippe augmenta d'une façon appréciable le nombre des écoles primaires, créant ainsi, surtout dans les campagnes, un nombre de plus en plus grand de lecteurs des débats politiques et parlementaires, en même temps que des romans-feuilletons d'Eugène Sue et d'Alexandre Dumas père.

Rien ne ressemble plus à la littérature du romantisme que sa peinture. Les sources d'inspiration sont les mêmes, d'abord l'histoire de tous les temps et de tous les pays, mais particulièrement l'histoire nationale, celle du Moyen Age, de la Renaissance, et l'histoire contemporaine. Épisodes des croisades, de la guerre de Cent Ans, des guerres de Napoléon, scènes de la Révolution de 1830, de la guerre des Grecs contre les Turcs, voilà des événements qui, par leur caractère dramatique, attirèrent les peintres romantiques. A côté de ces sujets historiques, les artistes s'inspirèrent volontiers de légendes comme celle de Faust ou de Don Juan, ou ils représentèrent des scènes tirées des ouvrages des poètes avec lesquels ils se sentaient des affinités, des drames de Shakespeare, de la *Divine Comédie.* La vie orientale, si colorée et si pittoresque, celle des rues de l'Algérie dont on était en train de faire la conquête, les mœurs arabes et juives du Maroc, tout cet exotisme séduisit Delacroix et d'autres peintres qui partageaient avec les écrivains le goût des temps reculés et des pays lointains.

David avait mis à la mode l'antiquité romaine, avec ses personnages qui, même dans les scènes de batailles, ressemblaient à des statues combattantes. Les romantiques, eux, eurent le goût de la violence, des formes tour-

Géricault: Le radeau de la Méduse

mentées, torturées. Ils parlaient sans respect de « la queue-de-David » et de son académisme, qui même si c'était un néo-académisme, ressemblait beaucoup à l'ancien. Hélas, la peinture romantique eut elle aussi ses poncifs. Les moins bien doués de ses artistes tombèrent trop souvent dans la sentimentalité ou dans le mélodrame, parfois dans les deux en même temps. Il y eut trop de représentations d'Hamlet au cimetière, d'Ophélie noyée dont la blonde chevelure flottait au gré des flots qui entraînaient son beau cadavre.

C'est au Salon de 1819 que Géricault exposa son « Radeau de la Méduse », lequel choqua bien des habitudes. Le sujet était presque d'actualité. Trois ans auparavant, un navire, *la Méduse,* avait fait naufrage au large des côtes d'Afrique. Des cent cinquante passagers qui s'étaient réfugiés sur un radeau, une quinzaine seulement vivaient encore lorsqu'un brick les recueillit douze jours plus tard. La modernité du sujet, son caractère de fait-divers, surtout la violence et l'horreur de la scène surprirent et scandalisèrent. La facture du tableau, si différente de la composition classique, est admirable. Les naufragés forment une pyramide humaine dont les morts au corps nu et brisé et les agonisants occupent la base. Puis, à mesure qu'on s'élève, le mouvement s'accentue. Il devient frénétique chez le guetteur qui aperçoit dans le lointain le navire sauveteur. Le vent qui gonfle la voile improvisée, les vagues de la mer, le ciel chargé d'orage, tout évoque la puissance des éléments déchaînés contre les misérables survivants du naufrage. Le coloris heurté, avec ses contrastes d'ombre et de lumière, étonna ceux qui étaient habitués aux couleurs sobres des néo-classiques.

Ce fut pire encore lorsque, trois ans plus tard, en 1822, Delacroix exposa au Salon sa « Barque de Dante ». Le tableau représentait une scène de la « Divine Comédie », celle où le poète, sous la conduite de Virgile, descend aux Enfers. Les deux hommes, accompagnés de Phlégias, voguent sur le lac ténébreux qui entoure les murailles de la ville infernale de Dité, dont on voit dans le lointain les flammes, tandis que des damnés au corps blême, cadavérique, font des efforts désespérés pour s'accrocher à la frêle

Delacroix, par Géricault

Delacroix: La barque de Dante

Delacroix: Les massacres de Scio

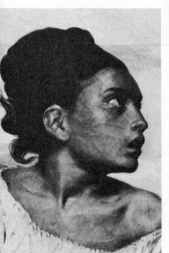

Delacroix: Jeune fille

barque qui leur permettrait d'échapper à leurs tourments. La violence de la scène, l'éclat des couleurs, toute cette vision de cauchemar indigna un critique au point que, ne trouvant pas de mot propre à exprimer son jugement du tableau, il en fabriqua un, celui de « tartouillade ».

Dès lors, Delacroix fut pour la peinture romantique ce que Victor Hugo était pour la littérature, le maître, le porte-drapeau. Sa « Scène des massacres de Scio » dramatise un épisode de la guerre de l'indépendance hellénique, sa « Liberté sur les barricades », un épisode de la révolution parisienne de 1830, avec cette jeune femme si violente et si belle qui brandit un drapeau tricolore sur une barricade jonchée de morts. Le Moyen Age, les croisades attirèrent aussi Delacroix, comme le fit cette Algérie, alors peu connue, avec ses femmes voilées, ses rues mystérieuses et son soleil éclatant.

Contre ces romantiques chevelus et qu'ils considéraient un peu comme des fous furieux, les classiques trouvèrent un champion en la personne du petit « Monsieur Ingres », respecté même par ses adversaires, car ce fut un grand peintre. Formé à l'école de David, Ingres pensait que la beauté est inséparable de la sérénité des expressions et du calme des attitudes. Il aimait les lignes pures et les gestes mesurés, mais ses personnages ne posent pas, ils sont bien plus souples, plus vivants que ceux de David. « La Source » est un bel exemple de cet art qui s'attache plus au dessein qu'à la couleur. Ingres a laissé de fort beaux portraits. Son « Apothéose d'Homère », qu'il exposa au Salon de 1827, est une glorification du classicisme alors en butte aux attaques des romantiques : devant un temple, symbole de la beauté classique, le peintre a groupé autour d'Homère les plus illustres parmi les Anciens et les plus grands parmi les Modernes — Pindare, Virgile, Molière, Racine et autres — mais excluant Shakespeare « pour ne pas compromettre, disait-il, la vertueuse unité de la scène ».

Le romantisme n'a pas créé de style architectural, se contentant de bâtir en pseudo-gothique, en pseudo-Renaissance, et les résultats furent souvent peu heureux. Par contre le romantisme, qui s'intéressa aux grands styles historiques, surtout à ceux du Moyen Age, a rendu d'immenses services à la postérité en sauvant pour elle bien des monuments du passé qui menaçaient de disparaître. La Révolution avait brûlé des châteaux, mutilé des églises et des cathédrales, livré tableaux, mobilier, tout ce qui pouvait s'emporter, aux dépravations des patriotes d'abord, de « la bande noire » ensuite. L'Empire n'eut guère plus qu'elle le culte du passé. Lorsqu'il n'abattit pas des monuments jugés irréparables, il les laissa à l'abandon. Bien des cathédrales, à commencer par Notre-Dame de Paris, menaçaient ruine. Elles exigent un entretien constant, et il est facile d'imaginer les effets d'un oubli total pendant quarante ou cinquante ans. En 1831, à la demande de nombreux auteurs et artistes de la génération nouvelle, fut créé le service des Monuments historiques. Nommé cette année-là inspecteur des monuments historiques, Mérimée voyagea partout et inlassablement. On répara, on restaura, on refit les fondations de cathédrales, où les bâtisseurs du Moyen Age avaient employé du bois qui avait pourri avec les siècles. Les cathédrales de Chartres, de Paris,

Ingres: Apothéose d'Homère

d'Amiens, la Sainte-Chapelle et bien d'autres églises furent remises en état. Le grand restaurateur fut un architecte érudit et passionné pour l'art du Moyen Age, Viollet-le-Duc, dont les connaissances étaient vastes, même si son zèle nous semble parfois excessif. Quand l'occasion se présentait, quand il s'agissait par exemple de restaurer le château féodal de Pierrefonds dont il restait de magnifiques ruines, le château restauré était celui de Viollet-le-Duc plutôt que l'ancien. Néanmoins, il restaura utilement, savamment, un grand nombre de monuments célèbres, y compris Notre-Dame de Paris et les murailles de la vieille Cité de Carcassonne.

Tandis que des étrangers, comme Rossini, l'auteur du « Barbier de Séville », continuaient en France la tradition de l'opéra italien, l'époque romantique eut un très grand compositeur, Hector Berlioz. Ses symphonies dramatiques, *Roméo et Juliette, La Damnation de Faust,* sont d'une richesse de sons, d'une puissance et d'une fougue extraordinaires. Elles étonnèrent plus qu'elles ne plurent, et Berlioz fut peu goûté par ses contemporains, même par les adeptes du romantisme. Ce n'est guère qu'à la fin de sa vie qu'il connut le succès, avec son opéra des *Troyens*. Et cependant, Berlioz est un des grands compositeurs français.

C'est vers 1840 que Niepce et Daguerre inventèrent un procédé pour fixer l'image des objets sur une plaque d'argent poli placée au fond d'une chambre noire, soumettant cette plaque à des vapeurs d'iode et la développant ensuite au moyen de vapeurs de mercure. La « daguerréotypie » se perfectionna rapidement. Dès 1850, on connaissait la photographie sur verre et l'on savait reproduire sur papier des épreuves.

D'autres découvertes, à peu près contemporaines, annonçaient l'avenir de la science. Arago, qui croyait si peu à l'avenir des chemins de fer, fut un physicien distingué qui fit de l'optique son étude principale, tandis qu'Ampère s'occupait de l'électricité et du magnétisme. Mais la découverte qui fit le plus de bruit — bien entendu après celle de la photographie — fut la découverte de la planète Neptune par l'astronome Le Verrier, en 1846. Le Verrier observa que la planète Uranus subissait dans sa course des perturbations qu'il expliqua par l'existence d'une planète inconnue. Par le calcul, il détermina la position et la grandeur de cette planète. Sur ses indications, un astronome allemand observa le ciel à l'aide d'un puissant télescope et découvrit la planète Neptune, qui répondait à la description qu'en avait faite Le Verrier. C'était la première fois qu'un astronome découvrait ainsi une planète « au bout de sa plume ».

Lamartine à l'Hôtel de Ville

La Deuxième République et le Second Empire

Les barricades de la révolution de 1848 fumaient encore lorsque la Chambre élit un gouvernement provisoire composé de républicains libéraux, y compris Lamartine et le savant Arago. Quand ce nouveau gouvernement arriva à l'Hôtel de Ville, où il devait siéger, la place était déjà prise. Les ouvriers parisiens, qui n'entendaient pas laisser les bourgeois profiter de cette révolution comme de celle de 1830, avaient envoyé à l'Hôtel de Ville des représentants de leur groupe. Afin d'éviter de nouveaux conflits, les deux gouvernements fusionnèrent.

C'était la première fois que des représentants de la classe ouvrière participaient à l'exercice du pouvoir. La bourgeoisie, qui avait tant bénéficié des révolutions précédentes, voyait maintenant sa position menacée par les revendications du prolétariat ouvrier. Le drapeau rouge, qui avait été jusqu'alors le symbole de la loi martiale autorisant l'intervention de la force armée en cas de trouble intérieur, devint, assez ironiquement, le symbole de la révolution prolétarienne. Peu s'en fallut même qu'il ne remplaçât le drapeau tricolore. Mais Lamartine intervint. « Citoyens, dit-il à une foule d'ouvriers venus à l'Hôtel de Ville, je n'adopterai jamais le drapeau rouge. Le drapeau tricolore a fait le tour du monde avec la Révolution et l'Empire, avec vos libertés et vos gloires, tandis que le drapeau rouge n'a fait que le tour du Champ-de-Mars, traîné dans les flots de sang du peuple ». C'est le genre d'éloquence qui convainc les foules. La République conserva donc le drapeau tricolore, et le prolétariat mit de côté ses drapeaux rouges, qui pourraient toujours servir plus tard.

Les journées qui suivirent la révolution de 1848 furent tout aux enthousiasme et aux illusions. On l'avait enfin, cette République fraternelle, une et indivisible, où tous les Français — en attendant le reste de l'humanité qui ne pouvait manquer de suivre le mouvement — seraient associés dans le travail et dans le bonheur. L'autre Révolution, la grande, avait déjà pris pour devise : « Liberté, Égalité, Fraternité », en y ajoutant une alternative : « ou la Mort », car elle luttait farouchement pour son existence. Elle avait été faite en somme surtout au nom de la Liberté et de l'Égalité. La Révolution de 48, elle, insista sur l'idée de Fraternité — fraternité des peuples, fraternité des hommes. Pour commémorer l'avènement de la Deuxième République, on planta un chêne ou un tilleul dans bien des villes de France, généralement en face de la mairie. Le clergé local prenait part à la cérémonie et bénissait « l'arbre de la liberté », la religion étant toujours étroitement associée à l'idéal républicain.

A la même époque, le gouvernement prit une série de mesures d'ordre politique et social. Il établit le suffrage universel, autour duquel on se battait depuis si longtemps. Il abolit l'esclavage dans les colonies, que les révolutions précédentes avaient maintenu. Il proclama le « droit au travail » de l'ouvrier. Complétant et précisant des réformes amorcées sous Louis-Philippe, il limita à 11 heures la journée de travail de l'ouvrier parisien, réglementa le travail des femmes et des enfants.

Toutes ces réformes étaient certes excellentes. Mais proclamer le droit au travail de l'ouvrier n'était pas lui assurer le travail dont il avait besoin pour vivre. Les années précédant immédiatement la révolution de 1848 avaient été des années de crise économique, de mauvaises récoltes, de fermeture des ateliers de construction des chemins de fer, qui avaient licencié plus d'un demi-million d'ouvriers. Pour donner du travail aux chômeurs, on eut l'idée de créer, à Paris, les « ateliers nationaux ». Des gens sans travail, venant de partout, accoururent dans la capitale. Il y eut bientôt plus de 100.000 ouvriers employés dans les ateliers nationaux à un salaire de deux francs par jour — « employés » étant d'ailleurs un terme peu exact, car la plupart d'entre eux n'avaient rien à faire ou s'occupaient à transporter quelque tas de terre d'un bout à l'autre du Champ-de-Mars. Le résultat était facile à prévoir. Lorsqu'au mois de juin 1848 le gouvernement, inquiet de l'agitation sociale, annonça son intention de fermer les ateliers nationaux, les ouvriers, déjà mécontents de leur sort, se révoltèrent. Une fois de plus, des barricades se dressèrent dans les quartiers populaires de Paris. La répression fut brutale. L'armée et la garde nationale emportèrent d'assaut les barricades. Sur l'une d'elles fut mortellement blessé d'un coup de fusil l'archevêque de Paris au moment où, place de la Bastille, il essayait de mettre fin à cette lutte fratricide.

Certains écrivains socialistes ont accusé des éléments bourgeois du gouvernement provisoire d'avoir saboté l'essai des ateliers nationaux et provoqué l'insurrection de juin 1848 afin de rétablir le pouvoir de la bourgeoisie. Il est possible aussi que l'échec des ateliers nationaux ne soit que le résultat d'efforts faits par des gens bien intentionnés, mais sans expérience, pour remédier au chômage. Chacun écrit l'histoire à sa façon. Quoi qu'il en soit, les « journées de juin » fournirent à Louis-Napoléon l'occasion qu'il attendait depuis longtemps.

Deux fois déjà, il avait tenté un coup de main pour rentrer en France — dont il était banni comme membre de la famille Bonaparte — car sa foi en l'étoile napoléonienne lui donnait de l'audace, bien qu'il fût timide par nature. L'homme ne manquait pas d'excellentes qualités. Il était intelligent, instruit, aimable. Tous ceux qui l'ont vraiment connu l'ont aimé. Il avait l'esprit ouvert, le sens du progrès, le souci des malheureux, et il travailla assidûment à la prospérité de son pays. Malheureusement, il régna dans des circonstances difficiles. Il se heurta à l'intérieur à une opposition républicaine toujours grandissante, et sa politique étrangère manqua de prudence. On a dit qu'en lui la tradition napoléonienne, dictatoriale, fut en conflit perpétuel avec les aspirations libérales, humanitaires de l'homme de quarante-huit. Le titre même de deux ouvrages qu'il avait publiés avant son arrivée au pouvoir — car c'était un écrivain non sans talent — illustre ce conflit, qui peut servir à expliquer les incertitudes et les contradictions de sa politique : l'un était intitulé *Jules César,* l'autre *De l'Extinction du paupérisme.*

L'insurrection parisienne de juin 1848 avait tellement inquiété les Français, surtout dans les campagnes, qu'ils se tournèrent vers lui parce qu'il promettait de rétablir l'ordre, parce qu'il représentait le gouvernement fort auquel ils aspiraient. Lorsque la Deuxième République élit son président, Louis-Napoléon, rentré légalement en France, reçut presque cinq millions et demi de voix, alors que le pauvre Lamartine, un de ses concurrents, en recueillit moins de huit mille. On eut donc un Prince-Président, qui ne tarda d'ailleurs pas à agir de plus en plus en prince et de moins en moins en président. Quand les troupes qu'il passait en revue criaient « Vive l'Empereur! », il acceptait ces cris comme un hommage rendu à la mémoire de son oncle, autrefois accueilli ainsi par ses soldats.

Puis, la nuit du 1er au 2 décembre 1851, le Président de la République renversa lui-même la République. Les quelques résistances populaires furent vite écrasées. La conclusion logique du coup d'État du 2 décembre fut, moins d'un an plus tard, le rétablissement de l'Empire. Le nouvel empereur eut soin de faire sanctionner son élévation par un plébiscite qui, comme le sont d'ordinaire les plébiscites, ne manqua pas d'être triomphal, malgré le nombre assez élevé des abstentions, dont on parla peu.

Au temps où il préparait le rétablissement de l'Empire, le futur Napoléon III prononça un discours dont quelques paroles sont souvent citées. « Par esprit de défiance, déclara-t-il, certaines personnes disent : l'Empire, c'est la guerre. Moi je dis : l'Empire, c'est la paix; c'est la paix, car la France la désire, etc. » Il était alors sincère, étant l'homme de sincérités successives et parfois contradictoires. Néanmoins son règne fut, pour la France, une suite de guerres stériles ou désastreuses.

La première fut la guerre de Crimée. La France était considérée par bon nombre de monarchies européennes comme une propagatrice d'idées subversives et une instigatrice de révolutions. Napoléon III tenait à restaurer son prestige. Ainsi, quand l'Angleterre décida d'envoyer une flotte dans la Mer Noire pour s'opposer aux Russes qui avaient envahi les principautés danubiennes et menaçaient Constantinople, la France fit cause commune avec elle. Un corps expéditionnaire franco-anglais débarqua en Crimée. Il réussit à s'emparer de Sébastopol après un long siège.

Cette guerre de Crimée est restée célèbre, du côté anglais, par la charge de la cavalerie anglaise à Balaklava et aussi par l'œuvre humanitaire de Florence Nightingale. Ce fut pourtant la France qui fit les principaux frais de l'entreprise — ses pertes au cours de la guerre d'Orient dépassèrent de beaucoup celles de l'Angleterre — et cela sans que cette guerre ait été pour elle bien nécessaire. Une des grandes artères parisiennes ouvertes sous le Second Empire s'appelle le boulevard de Sébastopol. Un des ponts construits sur la Seine à la même époque et qui porte le nom d'une bataille de Crimée, le pont de l'Alma, est orné, au niveau du fleuve, de quatre grandes figures de soldats, notamment du fameux zouave dont le degré d'immersion permet aux Parisiens de mesurer avec exactitude les crues de la Seine. On peut donc dire que la guerre de Crimée a servi à quelque chose.

La guerre de Crimée prit fin en 1856. Deux ans plus tard, la France intervint en Italie, pour libérer celle-ci de la domination autrichienne. La cause de la libération des nationalités opprimées était depuis longtemps populaire. La Grèce luttant pour son indépendance, la Pologne martyre avaient attiré toutes les sympathies libérales. Avant d'être empereur,

Un zouave

324

Napoléon III

Napoléon III lui-même avait pris une part active au mouvement italien de libération nationale. Il rêvait de plébiscites nationaux, d'une union fédérative italienne, d'une union ibérique, d'une union scandinave, d'une union danubienne, même d'une union allemande qui, hélas, se fit sans son consentement et d'une façon tout autre que celle qu'il avait prévue. Bref, lorsque le Piémont, sous la conduite du roi de Sardaigne Victor-Emmanuel, prit les armes contre l'Autriche, Napoléon III envoya un corps expéditionnaire français en Italie. Les Autrichiens furent vaincus sans grande difficulté. Ce fut alors que les difficultés commencèrent. Le nouveau roi d'Italie voulait établir sa capitale à Rome. Mais Rome appartenait au pape. Si Napoléon III laissait Victor-Emmanuel s'emparer de Rome, la colère serait grande parmi les catholiques français. S'il s'opposait à l'établissement du nouveau régime dans la Ville éternelle, les nationalistes italiens seraient furieux. C'est ce qui arriva, et Napoléon III le libérateur, tel Don Quichotte et ses forçats, ne tarda pas à être aux prises avec ses libérés.

Une escarmouche en Italie

Il reçut pourtant en paiement de ses services la Savoie et Nice, à la suite d'un de ces plébiscites qu'il aimait tant. Ajoutons que le Paris actuel garde encore le souvenir des victoires de cette guerre d'Italie, comme de celles de la guerre de Crimée : il y a un boulevard de Magenta et une avenue de Solférino.

L'extraordinaire guerre du Mexique semble se rattacher à ce goût qu'avait Napoléon III pour les nationalités, à sa sollicitude pour tous ceux qui, dans son esprit, représentaient des groupes ethniques, ou politiques, ou religieux. A côté de la République anglo-saxonne et protestante — à ce temps-là — des États-Unis, il rêva de fonder un empire latin et catholique.

L'expédition du Mexique fut, dans ses origines, une entreprise collective, comme l'avait été celle de Crimée. Pour obtenir le paiement d'intérêts qui leur étaient dus, la France, l'Angleterre et l'Espagne résolurent d'envoyer un corps expéditionnaire — un autre corps expéditionnaire — au Mexique. Les Espagnols et les Anglais ne tardèrent pas à quitter le Mexique, mais les Français restèrent. Napoléon III fit confier le nouvel empire à Maximilien, frère de François-Joseph, empereur d'Autriche. On connaît la suite de l'aventure, l'attitude hostile des États-Unis sortis de leur guerre civile, le rappel des troupes françaises, et enfin le lamentable dénouement, la folie de la pauvre impératrice Charlotte et l'exécution du courageux Maximilien à Queretaro.

Napoléon III lui-même allait à sa ruine avec la fatalité qui règle la destinée d'un héros de tragédie. En 1866, quelques mois avant la fin tragique de Maximilien, l'armée prussienne écrasa les Autrichiens à Sadowa. La rapidité et le caractère décisif de cette victoire révélèrent soudain le danger que représentait pour la France cette Prusse militairement puissante, qui entendait bien réaliser à son profit l'unité allemande. La conduite de son ministre Bismarck est un de ces chefs-d'œuvre de duplicité, pour ne pas dire de canaillerie, comme l'histoire en offre de temps à autre. En flattant de vagues et blâmables ambitions de Napoléon III du côté de la Belgique, Bismarck réussit à lui attirer l'hostilité de l'Angleterre, qui ne voulait pas davantage voir le neveu à Anvers qu'elle n'avait autrefois voulu y voir l'oncle. Lorsque la Prusse, alliée aux États de l'Allemagne du Sud, attaqua la France, l'Angleterre ne bougea pas, n'étant peut-être pas mécontente de voir les Allemands mettre les Français à la raison. Une quarantaine d'années plus tard, l'Angleterre put découvrir que sa politique n'avait pas été, en 1870, le modèle de la clairvoyance.

Pour Bismarck, il s'agissait seulement de trouver une cause de guerre. La candidature d'un prince prussien au trône d'Espagne lui fournit l'occasion cherchée. En falsifiant une dépêche — la fameuse dépêche d'Ems — il donna au gouvernement français l'impression qu'il avait été insulté, en la personne de son ambassadeur, par le roi de Prusse. Que le gouvernement français ait immédiatement répondu par une déclaration de guerre nous paraît maintenant presque inconcevable. De nos jours, il n'est pas rare qu'un pays traîne par les rues le drapeau d'une nation qu'il n'aime pas, ou qu'il mette en prison, et sans cause, ses nationaux, ou bien qu'il ouvre le feu sur des navires ou sur des avions de la nation en question. L'insulté proteste, l'insulteur ne répond pas, et les choses en restent là. Il n'en était pas de même en 1870, quand, à tort ou à raison, la diplomatie avait encore son code de bonnes manières. D'ailleurs, l'opinion française était très montée contre la Prusse qu'elle redoutait.

La guerre commença. Même si elle durait deux ans, avait affirmé le ministre de la guerre français, « il ne manquerait pas un bouton de guêtre ». Peut-être ne manqua-t-il pas un bouton de guêtre, mais bien d'autres choses manquèrent. Malgré les mesures prises hâtivement pour combler des lacunes qu'on n'avouait pas, les services étaient désorganisés, les arsenaux presque vides. Alors que les généraux prussiens avaient étudié de très près les campagnes de Napoléon, de « l'Autre », qu'ils avaient tiré d'elles tous les renseignements d'ordre tactique et stratégique qu'elles comportaient, le commandement français comptait avant tout sur l'improvisation, sur la décision soudaine qui assure la victoire. Malgré le courage de ses troupes, la guerre fut pour la France, et cela dès ses débuts, une suite presque ininterrompue de revers en Alsace et en Lorraine. Une armée française se laissa enfermer dans Metz. Une autre, sous le commandement nominal de l'empereur qui d'ailleurs était fort malade, se mit en marche pour lui porter secours. Cette nouvelle armée fut complètement enveloppée par les Allemands à Sedan. Ne pouvant se dégager, elle capitula avec armes et bagages. Napoléon III fut fait prisonnier. Cela se passait au début de septembre, un mois après le commencement des hostilités. La France avait non seulement perdu une bataille, elle avait déjà perdu la guerre.

Lorsque, le 4 septembre 1870, la nouvelle du désastre parvint à Paris, l'Empire fut aboli, et la République — la troisième — proclamée. On organisa un gouvernement de la Défense nationale pour continuer la guerre. Quinze jours plus tard, les Allemands assiégeaient Paris.

Turcos

Le ventre législatif, par Daumier

La politique intérieure du Second Empire ne fut guère plus heureuse que sa politique étrangère. Napoléon III était devenu empereur par un coup d'État. Dans ces conditions, il ne pouvait tolérer l'opposition dont la plus dangereuse, et de beaucoup, était l'opposition républicaine. Il exerça donc une véritable dictature, avec les caractères habituels d'un tel régime. Il y avait bien une chambre et un sénat — car il fallait garder les apparences d'un régime parlementaire — mais ces assemblées furent ingénieusement privées de tout contrôle réel sur les actes du gouvernement. Pour les élections à la chambre, le gouvernement avait ses propres candidats qu'il favorisait. Les ministres n'étaient responsables que devant l'empereur. Les journaux furent soumis à un contrôle extrêmement sévère. C'est à peine s'ils pouvaient publier un compte-rendu, d'ailleurs officiel, des débats parlementaires. Ils n'étaient pas, il est vrai, soumis à la censure, mais la moindre indiscrétion était durement réprimée, punie d'amende, de suspension du journal, et son auteur mis en prison à Sainte-Pélagie, qui était ainsi ce qu'avait été autrefois la Bastille. La police était partout. Des « mouchards », comme on les appelait, épiaient même les conversations privées, du moins dans les lieux publics, et il n'était pas prudent de parler trop librement du gouvernement.

Depuis l'insurrection parisienne de juin 1848, républicanisme et subversion se confondaient dans l'esprit de beaucoup de gens. L'Université même était suspecte, car elle comptait trop de républicains. En 1851, au temps où le futur Napoléon III était encore président de la République, fut votée « la loi Falloux », qui portait une atteinte sérieuse à l'Université en facilitant l'enseignement libre, en accordant même à l'Église un droit de contrôle sur l'Université. Les conditions requises pour l'ouverture d'un établissement d'enseignement secondaire furent réduites à la possession du baccalauréat ou même d'un simple brevet de capacité. Tout ministre du culte put enseigner dans une école primaire, ou, à défaut, exercer un droit de contrôle sur l'instituteur. Des dignitaires ecclésiastiques participèrent à la direction même de l'Université, comme membres du conseil supérieur de l'instruction publique ou des conseils académiques.

Cette loi Falloux mécontenta beaucoup d'universitaires et l'universalité des républicains. Jusqu'alors l'Église et la République s'accordaient assez bien — témoin la participation du clergé à la plantation d'« arbres de la Liberté » au lendemain de la révolution de 1848. La réaction politique et religieuse qui suivit les journées de juin consomma la rupture. Eventuellement, une lutte plus ou moins ouverte s'engagea un peu partout entre le curé et l'instituteur.

Un jour vint où sous la pression des événements Napoléon III jugea que le moment était venu de faire des concessions aux idées libérales. Les incertitudes de sa politique italienne inquiétaient et mécontentaient le Saint-Siège, comme elles inquiétaient et mécontentaient les libéraux italiens. Les catholiques français se montraient de plus en plus hostiles. L'empereur essaya donc une politique d'apaisement. Les contrôles se relâchèrent. Les chambres reçurent le droit de discuter une fois par an avec les ministres la politique du gouvernement. Le *Journal officiel* publia in-extenso les débats parlementaires. En 1867-68, à la suite des inquiétudes éveillées par la foudroyante victoire de la Prusse à Sadowa, vint une nouvelle série de lois libérales. Le régime de la presse fut adouci, on autorisa les réunions publiques.

Peine perdue. L'opposition profita des concessions qui lui étaient faites. De son exil, Hugo refusa l'amnistie offerte : « Et s'il n'en reste qu'un, je serai celui-là », déclara-t-il, et il continua à lancer à la face de « Napoléon-le-Petit » la masse de ses antithèses. La presse d'opposition, étroitement bridée, avait toujours montré une ingéniosité étonnante lorsqu'il s'agissait d'attaquer le gouvernement impérial, dissimulant le blâme sous l'éloge, l'ironie sous la naïveté. En 1868, Rochefort fonda un pamphlet hebdomadaire, *La Lanterne,* qui fit à l'Empire un mal immense, même si *La Lanterne* fut bientôt supprimée. Le premier numéro commençait ainsi : « La France a 36 millions de sujets, sans compter les sujets de mécontentement ». Pendant sa jeunesse, Louis-Napoléon avait été emprisonné à la suite d'une de ses tentatives malheureuses pour rentrer en France, et il s'était évadé en empruntant les vêtements d'un ouvrier, nommé Badinguet, qui travaillait à la prison. Vers la fin du règne, les bonnes gens de tendances républicaines appelaient toujours leur empereur « le Badinguet ».

Quand un régime est ainsi discrédité, un pays est bien mal en point. Bismarck, qui attendait son moment, lui donna le coup de grâce.

La société et la civilisation
au temps de Napoléon III

Le Second Empire est une période d'activité économique et de prospérité. Le rythme de la révolution industrielle, jusqu'alors assez lent en France, s'accélère. Haussmann entreprend d'immenses travaux à Paris. Au cours de cette période, on construit en France près de 15.000 kilomètres de chemins de fer, et les grandes compagnies ferroviaires, qui existaient encore il y a une trentaine d'années, se constituent. La région du Nord, avec ses mines de charbon, devient le principal centre des industries nouvelles du fer et de l'acier. Le capitalisme fleurit. Ceux qui possèdent des fonds sont moins disposés qu'autrefois à acheter de la terre : ils préfèrent devenir actionnaires dans une de ces sociétés anonymes qui se forment continuellement et qui, même si elles comportent des risques, ouvrent la possibilité de réaliser parfois de gros profits. La spéculation attire même les petits épargnants. Les capitaux disponibles cherchent volontiers un débouché dans des entreprises lointaines. C'est en 1869 que fut inauguré le canal de Suez, dont la construction par Ferdinand de Lesseps fut financée par la France.

Les premiers à profiter du développement des affaires furent sans doute les industriels, les gros commerçants. La plupart des grands magasins parisiens — ceux du Bon Marché, du Louvre, du Printemps, de la Samaritaine — si commodes puisqu'ils offraient rassemblés dans un seul endroit des produits de toute sorte jusqu'alors dispersés, datent du Second Empire. Mais les gens d'affaires ne furent pas les seuls à profiter de l'activité économique. Les petits rentiers et autres bourgeois économes touchèrent leurs coupons. Les ouvriers eux-mêmes en bénéficièrent. Le chômage, cause de tant de misères et de désordres au temps de Louis-Philippe et de la deuxième République, cessa d'être le grave problème qu'il était autrefois. Certes les salaires restaient bas, et bien des ouvriers et des petits employés vivaient péniblement, étaient mal logés, nourris plus ou moins bien. Mais au moins la construction des chemins de fer, les travaux parisiens leur donnaient du travail. D'ailleurs, la classe ouvrière prenait conscience de sa puissance. Le socialisme marxiste, si différent de l'ancien, notamment par son rejet de tout idéal religieux, contribua à donner au mouvement ouvrier une cohésion nouvelle. La première « Internationale », représentant des nations unies pour faire valoir les revendications ouvrières, fut fondée à Genève en 1866. Deux ans plus tôt, le gouvernement impérial avait accordé aux ouvriers le droit de s'associer pour la défense de leurs intérêts et le droit de se mettre en grève. Les grèves étaient auparavant illégales, comme l'étaient d'ailleurs les associations secrètes des compagnonnages. L'institution des syndicats ouvriers mit fin aux compagnonnages. Désormais, par l'intermédiaire de syndicats et par l'exercice du droit de grève, les ouvriers furent à même d'exercer une pression considérable sur leur employeur.

Paris croissait toujours. Les grands travaux qu'on y entreprenait, les usines qu'on y construisait attiraient les ouvriers des provinces, qui pouvaient si commodément prendre le train pour la capitale. Or Paris, malgré tant de beaux monuments, était encore à bien des égards une très vieille ville, mal aérée, aux rues étroites, parce que personne ne se souciait particulièrement de ce que nous appelons maintenant l'urbanisme. Napoléon III croyait au progrès. A son instigation, Haussmann, préfet de la Seine, se mit au travail. Du nord au sud de la capitale et de l'est à l'ouest, Haussmann perça des boulevards, des avenues, des artères nouvelles relativement droites et rectilignes, comme le boulevard de Sébastopol, le

Percement du Boulevard Sébastopol

boulevard Saint-Michel, l'avenue de l'Opéra. Il fit aménager des places, des squares, des parcs comme celui des Buttes-Chaumont, des établissements d'utilité publique, hôpitaux, casernes. Bien des monuments parisiens, presque enfouis au milieu de constructions hétéroclites, furent dégagés par lui, notamment le palais du Louvre et Notre-Dame. On lui a même reproché d'avoir trop dégagé Notre-Dame, d'avoir massacré l'île de la Cité, de n'avoir été retenu par rien dans le tracé de ses rues. On lui reprochait aussi l'extravagance de ses dépenses. Les *Contes fantastiques* d'Hoffmann étant alors très populaires, les ennemis de M. le Préfet parlaient des « Comptes fantastiques » d'Haussmann, car l'époque adorait les calembours. Cela n'empêche pas que Paris tel que nous le connaissons ne doive beaucoup au préfet de la Seine de Napoléon III.

Une autre critique que lui ont adressée certains de ses contemporains est d'avoir, par ses démolitions au cœur même de Paris, forcé la population ouvrière à émigrer sur la périphérie de la capitale. Jusqu'alors, disaient-ils, toute sorte de gens vivaient ensemble dans les mêmes immeubles, les riches aux étages inférieurs, les autres en haut, et cela favorisait une meilleure compréhension entre les différentes classes sociales. C'est toutefois ce qui reste à prouver, car les événements ne montrent pas qu'au temps de Louis-Philippe ou de la Seconde République, l'union ait régné entre les classes.

En tout cas, l'époque de Napoléon III fut une époque joyeuse pour ceux qui pouvaient profiter des agréments du Paris d'Haussmann. Elle a laissé une réputation de facilité et même de relâchement dans les mœurs. Peut-être le romantisme finissant, et aussi la prospérité économique peuvent-ils servir à expliquer la prédominance de deux thèmes chez des auteurs dramatiques à tendances moralisantes comme Augier et Alexandre Dumas fils : le rôle de l'argent dans la société du temps et celui de la femme, ou plutôt de l'amante plus ou moins vénale.

Une pièce de Dumas fils a fait la fortune du terme dont elle porte le titre : *le Demi-Monde*. Le monde, celui de la haute société parisienne, conservait tout son prestige. Il donnait des réceptions brillantes, fréquentées par l'ancienne aristocratie et par l'élite de la bourgeoisie, hauts fonctionnaires, banquiers, diplomates, etc. L'existence même de ce monde et ses valeurs morales, ses traditions familiales et autres sont menacées, disait Dumas fils, par l'influence corruptrice de femmes au passé mystérieux, déchues d'en haut ou montées d'en bas, de « demi-mondaines » qui ruinent les familles, abaissent la moralité publique. Dumas fils avait déjà écrit *la Dame aux camélias,* et cette pièce, qui exploitait le vieux thème romantique de la réhabilitation de la courtisane par l'amour, avait eu un grand succès de larmes. Maintenant, il ne parlait plus de la courtisane que

La Dame aux camélias

Fête donnée aux Tuileries
pendant l'Exposition de 1867

pour la dénoncer, et ce faisant, il se croyait le ferme soutien de la moralité publique.

Jamais les écrivains, romanciers et dramaturges, n'avaient tant parlé de ces femmes attrayantes et plus ou moins dangereuses, depuis la « grisette », petite ouvrière anodine et qui avait bon cœur, la « lorette », plus dangereuse, jusqu'à la « lionne » dont la suprême élégance coûtait très cher. S'ils avaient moins parlé d'elles, peut-être l'espèce, ou les espèces, auraient-elles été moins populaires.

Quelques-unes de ces femmes faisaient beaucoup parler d'elles, une Anglaise, Cora Pearl, qui finit dans la misère d'où elle était sortie, une Polonaise, la Païva, qui fit une belle fin en épousant un comte prussien. Étrangers et étrangères affluaient à Paris, la « vie parisienne » étant alors célèbre dans le monde entier. Un agréable compositeur d'opéras-bouffes, entre autres de *la Belle Hélène* dont le succès fut immense, et qui fut considéré comme le plus Français des Français et le plus Parisien des Parisiens, Offenbach, était un Allemand à favoris et à lunettes. A l'occasion de la fameuse Exposition universelle de 1867, qui se tint à Paris sur le Champ-de-Mars, accoururent toutes les têtes couronnées d'une Europe encore

334

L'Impératrice Eugénie

monarchique, le tsar de Russie, l'empereur d'Autriche, le roi d'Espagne, le roi des Belges et bien d'autres, même le sultan de Turquie et le frère du mikado, qui furent tous reçus magnifiquement. Ils venaient à Paris pour s'amuser. Bismarck, lui, n'y vint pas pour s'amuser, mais pour voir, accompagné du chef d'État-major de l'armée prussienne, Von Moltke, celui qui trois ans plus tard dirigea l'invasion de la France. Au Champ-de-Mars, ils purent admirer un des clous de l'Exposition, un énorme canon Krupp.

Naturellement, une fois rentrés chez eux, ces étrangers en goguette dénonçaient vertueusement la corruption parisienne, tout en prenant l'air entendu de gens qui s'étaient bien amusés à Paris. Ils y avaient notamment bien dansé. Jamais la vogue des bals ne fut plus grande que sous le Second Empire. Les bals de la cour, aux Tuileries, étaient de magnifiques affaires, comme d'ailleurs les réceptions qu'y donnaient l'empereur et l'impératrice. Napoléon III était infiniment plus gracieux que ne l'avait été son oncle; l'impératrice Eugénie, ancienne comtesse espagnole, était jeune et charmante. Aux Tuileries, comme aux bals que donnait à l'Hôtel de Ville la municipalité parisienne, les riches uniformes des militaires et des diplomates se mêlaient aux élégantes toilettes féminines. La crinoline eut une vogue durable, même si elle était bien gênante, car elle ne manquait pas d'élégance, bien qu'elle donnât au buste et à la tête de la femme l'air de reposer sur une cage à poulets.

On dansait partout, à l'Opéra, célèbre pour ses bals costumés, en plein air, à la lueur des lampions, pendant la belle saison. On dansait le quadrille, la valse, la polka, le cancan, ce dernier populaire parmi les étudiants qui fréquentaient la « Closerie des Lilas », près du jardin du Luxembourg.

Le Second Empire fut aussi la grande époque des Boulevards des Italiens, des Capucines, alors rendez-vous de la société élégante, des courses de chevaux, à Longchamp ou ailleurs, des restaurants fameux, Magny par exemple, où allaient Sainte-Beuve, Théophile Gautier, Flaubert, les Goncourt. Le restaurant était à ce temps-là une institution relativement nouvelle, en partie le résultat du développement urbain et des conditions d'existence dans une société plus déracinée que celle d'autrefois, qui déjeunait et dînait à domicile. Les restaurants petit-bourgeois se multiplièrent. Quant aux ouvriers, ils avaient leurs bistrots, leurs « assommoirs » comme disait Zola. Au cours de l'hiver de 1870, l'hiver du siège, les femmes faisaient queue, souvent vainement, à la porte de boulangeries vides. Sous le ciel chargé de neige, alors que tonnait le canon des forts d'Aubervilliers ou du mont Valérien, les lumières de la fête impériale étaient bien éteintes.

Boulevard des Italiens

Delacroix et Ingres vivaient toujours au temps de Napoléon III, mais ils appartenaient à une génération en train de disparaître. Corot, qui fut presque exactement le contemporain de Delacroix, étant né comme lui sous le Directoire, représente pourtant une peinture alors nouvelle en France, celle du paysage.

Il y avait eu des paysagistes avant lui. Mais les paysages de Poussin, du Lorrain, même de Watteau étaient des paysages imaginaires, composés dans l'atelier. Poussin aimait le paysage antique, chef-d'œuvre d'ordonnance et décor magnifiquement approprié à ces scènes mythologiques ou historiques. Le Lorrain bordait ses ports de mer de mer d'architectures classiques, dont les lueurs du soleil levant ou du soleil couchant éclairaient les façades. Les grands arbres d'un parc servaient de fond aux « fêtes galantes » de Watteau. Corot, lui, « ne quittait pas sa route nature ».

Corot: La cathédrale de Mantes

Millet: La bergère

Courbet: Les casseurs de pierres

Même s'il resta fidèle à la tradition qui voulait que la campagne fût peuplée d'êtres humains ou de nymphes, il fut le peintre des paysages tranquilles, où de grands arbres se reflètent dans l'eau d'un étang, des matins lorsque le soleil commence à dissiper la brume nocturne, des soirs paisibles, au moment où paraissent les premières étoiles. La lumière le passionnait. Il voyagea beaucoup, mais l'Île-de-France l'attirait, et déjà Fontainebleau était un de ses séjours favoris.

Dès l'époque du romantisme, Fontainebleau fut un lieu populaire parmi les peintres, et on pourrait dire qu'il n'est aucun des étangs ou des rochers de sa belle forêt qui n'ait été représenté sur la toile. Vers le milieu du siècle, un groupe de paysagistes s'établirent dans le voisinage de la forêt, à Barbizon, où plusieurs d'entre eux prirent pension à l'auberge. A ce groupe appartenaient Millet, Théodore Rousseau, le peintre des grands arbres et aussi des landes balayées par le vent. Avec ses chênes aux ramures gigantesques, couverts en été d'un épais feuillage ou dépouillés par l'hiver, avec ses tonalités violentes, le paysage de Rousseau n'a pas la sérénité de celui de Corot. Théodore Rousseau aime les ciels chargés d'orage et sa nature a souvent quelque chose d'inquiétant, presque de sinistre. Les paysans de Millet, eux, trouvent la paix dans l'accomplissement de leur labeur quotidien. L'impression de permanence, d'éternité que laissent les arbres de Rousseau, Millet la crée par l'attitude de ses paysans, par leurs gestes, même par les instruments de travail avec lesquels ils fouillent la terre ou accomplissent d'autres humbles tâches journalières.

Avec Corot et les peintres de Barbizon, l'art tendait à se rapprocher du réel. Mais il appartenait à Courbet de faire la fortune du *réalisme,* terme employé en peinture avant de l'être en littérature. Les romantiques voulaient échapper à la réalité, ils cherchaient refuge dans l'amour, dans les pays lointains, dans les temps éloignés. Courbet est moderniste, comme son ami le poète Baudelaire. Pour lui, les tares, les laideurs même des êtres et des choses appartiennent à l'art. « Les Casseurs de pierres », qu'il exposa en 1851, firent scandale. Rien là de la spiritualité des tableaux où Millet montrait ses paysans au travail : les deux hommes cassent des pierres le long d'une route, voilà tout. L'un est trop jeune, l'autre trop vieux pour ce travail éreintant, et comme Courbet était connu pour ses opinions socialistes, son tableau parut être aussi socialiste que lui. L'« Enterrement à Ornans », exposé en même temps, ne fit pas meilleure impression. Ornans, lieu de naissance de Courbet, est un bourg du Jura. Quelqu' un est mort, on l'enterre, et devant la fosse ouverte sont groupés un prêtre chauve, accompagné d'enfants de chœur et qui lit une prière, quelques notables, des représentants de la magistrature, de vieilles paysannes vêtues de noir qui font penser aux antiques pleureuses, enfin un chien blanc taché de noir. Le ciel bas, la longue ligne de falaises crayeuses qui forment le fond du tableau ajoutent encore à ce que la cérémonie a de morne, de désespérément médiocre. Les ennemis de Courbet virent dans cette scène magistrale une véritable négation de l'immortalité de l'âme.

Les novateurs comme Courbet, comme Manet qui commençait alors sa carrière, se heurtaient à l'opposition des fervents de l'académisme. Il

Courbet: L'enterrement à Ornans

faut voir certains tableaux et certaines statues du temps pour comprendre quels poncifs cet académisme pouvait produire. L'hostilité à toute peinture originale était telle que Napoléon III lui-même favorisa la création d'un « Salon des Refusés », pour ceux qui ne pouvaient exposer leurs œuvres au Salon officiel. Les gens de goût allaient au Salon des Refusés pour se divertir aux dépens des artistes.

Bien qu'on ait beaucoup construit sous Napoléon III, le Second Empire n'a pas créé de style architectural. Les rues, les boulevards et les avenues que perçait Haussmann furent bordés souvent d'immeubles de rapport assez caractéristiques de l'époque : des bâtiments juxtaposés de six étages chacun, dont la façade est ornée d'un balcon au premier et au cinquième. Le monument le plus connu de l'époque, l'Opéra de Garnier, se rattache également aux grands travaux d'Haussmann. C'est une construction élégante, agréable, et surtout admirablement adaptée à sa fonction : la façade, très ornée, fait penser à un décor d'opéra, et le grand escalier, à l'intérieur, peut-être encore davantage.

La deuxième moitié du dix-neuvième siècle fut une des époques les plus fécondes de la musique française. Le naturel et la naïveté font le charme de l'opéra de Gounod, et si son *Faust* n'a pas la profondeur de celui de Berlioz, sa Marguerite est une pure et touchante figure. Plus violente et plus passionnée est la *Carmen* de Bizet. Dans son fameux opéra, tout plein de passion méridionale, Bizet a su rendre à merveille le charme séducteur de la câline et sauvage héroïne de Mérimée. La *Manon* de Massenet, tout aussi populaire que Carmen, est plus civilisée, et en même temps plus voluptueuse.

A côté de ces œuvres passionnées, les poèmes symphoniques de Saint-Saëns peuvent paraître un peu froids, car Saint-Saëns fut surtout un intellectuel. Pourtant, l'auteur de *Samson et Dalila* s'est élevé jusqu'à la plus haute éloquence de la passion et de la ferveur religieuse.

Continuateur de Beethoven, César Franck retrouva l'inspiration morale et religieuse des bâtisseurs de cathédrales. Le vieil organiste parisien, auteur des *Béatitudes,* créa une musique magnifique et sereine, née au plus profond de l'âme.

Debussy, mort en 1918, s'inspira des symbolistes et des impressionnistes pour créer un art fluide, évocateur, tout en demi-teintes. *Pelléas et Mélisandre,* joué en 1902, renouvela la technique de l'expression musicale et marqua la fin de la domination wagnérienne.

Le théâtre fut un des plaisirs préférés de la société du Second Empire. La vogue de l'opéra, de l'opéra comique surtout fut immense. Les bouffonneries de l'opérette eurent beaucoup de succès dans le monde où l'on s'amuse. Même si sa valeur littéraire est faible, le théâtre de Labiche, si divertissant avec ses personnages cocasses et ses situations extravagantes appartient bien à une époque où, malgré les efforts d'Alexandre Dumas fils du côté de la vertu, on allait au théâtre surtout pour se divertir.

La génération des écrivains romantiques, comme celle des peintres, était en train de disparaître. Lamartine, Vigny, qui vivaient encore, avaient déjà produit l'essentiel de leur œuvre littéraire. Musset mourut en 1857, mais sa carrière était terminée sous l'Empire. Ses charmantes comédies comme *Fantasio,* comme *On ne badine pas avec l'amour,* avec le touchant et puissant drame de *Lorenzaccio,* sont sans doute ce que le théâtre romantique a produit de plus remarquable. Seul Hugo, en exil, conserve une étonnante activité. C'est alors qu'il écrit quelques-unes de ses plus grandes œuvres poétiques, les *Châtiments,* les *Contemplations,* la *Légende des siècles,* et son génie semble croître avec l'âge.

Hugo, vénéré des républicains, est pour Napoléon III un ennemi redoutable. La reprise d'*Hernani,* en 1867, est un triomphe, non pour la pièce elle-même qui date fortement, mais pour son auteur, adversaire acharné de l'Empire. La politique fait parfois le succès ou l'insuccès d'une pièce. A l'occasion, elle affecte divers aspects de la vie intellectuelle. Les étudiants manifestent contre des maîtres, comme Sainte-Beuve, qu'ils savent attachés à l'Empire. D'autre part, le gouvernement intervient dans des matières où l'on s'attendrait de sa part à plus d'impartialité. A la suite du coup d'État du 2 décembre, l'historien Michelet fut révoqué de sa chaire au Collège de France et chassé des Archives nationales.

Il y a deux exemples célèbres de cette intervention de l'autorité dans la vie littéraire, et par un hasard malencontreux, il s'agit des deux plus grandes des œuvres littéraires du temps. *Madame Bovary* de Flaubert et *les Fleurs du mal* de Baudelaire parurent la même année, en 1857, et furent l'une et l'autre poursuivies en justice pour délit d'outrage aux mœurs. Le tribunal acquitta Flaubert, solide bourgeois malgré lui, mais Baudelaire, dont la réputation de bohème était bien établie, fut condamné à une amende assez forte.

Madame Bovary n'est pas un livre immoral — c'est même un livre très moral si l'on veut à tout prix le juger au point de vue de la moralité. Mais ce roman d'une petite bourgeoise de province, éprise d'idéal et qui ne peut accepter la médiocrité du milieu où elle vit, qui finit par prendre un amant encore plus médiocre que son mari et qui, acculée à la ruine, avale des poignées d'arsenic est un roman amer, ironique, où le réalisme des détails augmente encore l'impression d'impitoyable vérité. Il y a des morceaux, des scènes inoubliables, des descriptions étonnantes de vérité et de vie ; et en même temps une espèce de révolte contre l'humaine condition, une aspiration vers l'idéal qui rachète ce que l'ouvrage a de volontairement terre à terre. Le sérieux du livre fait oublier les gaietés trop faciles de la « Vie parisienne ».

Flaubert

343

Quand elles parurent, *les Fleurs du mal* n'éveillèrent guère que de la curiosité, stimulée par la condamnation dont leur auteur avait été l'objet. Elle sont considérées, un siècle plus tard, comme une œuvre poétique de première importance. On y trouve, il est vrai, des survivances du romantisme, le satanisme, le goût du macabre. Mais la douloureuse expérience de la vie qu'elles traduisent, la misère de l'homme avec sa solitude, son ennui, ses angoisses, les attractions et les répulsions de sa chair, et cette grande pitié pour l'humanité souffrante qui se dégage du recueil donnent aux *Fleurs du mal* plus de vérité actuelle qu'elles n'en avaient au moment où elles furent publiées. Par son rythme, par ses images, par ses associations des sensations les plus aigues, le vers de Baudelaire touche souvent aux cordes les plus secrètes, aux émotions les plus intimes dans notre nature.

Le milieu du dix-neuvième siècle fut, en France comme dans d'autres pays d'Europe, une période de grands travaux scientifiques. Le traité de Darwin, publié en 1859, parut bientôt en français sous le titre : *De l'Origine des espèces par voie de sélection naturelle.* L'ouvrage fit du bruit et fournit des armes aux adversaires de la création selon la Genèse, habituellement interprétée dans le sens d'une création simultanée des espèces. Quelques années plus tard parut en France un ouvrage moins universellement connu et qui cependant marque une date importante dans l'histoire du mouvement scientifique : l'*Introduction à l'étude de la médecine expérimentale,* de Claude Bernard.

Le nom de Claude Bernard est resté attaché à des découvertes considérables dans le domaine de la physiologie, celle de la fonction glycogénique du foie, celle du rôle des nerfs vaso-moteurs, qui déterminent la contraction ou le relâchement des vaisseaux sanguins. Son *Introduction,* qui fut en son temps le manuel de recherche de la science positive, eut plus tard l'étrange fortune de servir de fondement à ce que Zola a nommé « le roman expérimental ».

Dans son livre, Claude Bernard distingue l'expérience fortuite, accidentelle, de l'expérimentation voulue et conduite par le savant. Puis il pose des règles de recherche. En présence d'un phénomène, le savant formule une hypothèse qui paraît l'expliquer. Mais cette hypothèse est sans valeur scientifique aussi longtemps qu'elle n'est pas vérifiée par l'expérimentation. Le danger, c'est de tenir prématurément une découverte pour définitive. Si difficile que soit la tâche, le savant doit s'efforcer constamment de ruiner sa propre découverte, et il n'a le droit de la proclamer que lorsqu'il a épuisé toutes les hypothèses contraires. Même alors, sa découverte ne sera que provisoire, car les données scientifiques ne sont valables qu'aussi longtemps qu'elles n'ont pas été contredites par de nouveaux travaux.

C'est en 1867 que Pasteur fut nommé professeur de chimie à la Sorbonne. Bien que ses grands travaux aient eu lieu plus tard, sous la Troisième République, il était déjà célèbre dans le monde savant. Ses études sur la fermentation furent une sorte de prélude aux découvertes qui allaient ultérieurement révolutionner la médecine par la microbiologie. Il prouva que la fermentation était due à la présence d'organismes dont il est possible d'arrêter le développement. C'est là l'origine de la pasteurisation.

Ces découvertes l'engagèrent dans une controverse célèbre au sujet de la génération spontanée. Pouchet, directeur du muséum de Rouen, affirmait que, bien qu'il eût pris les précautions nécessaires pour empêcher certaines substances d'être en contact avec les germes de l'air, des organismes vivants s'y étaient développés. Pasteur démontra que ces précautions étaient insuffisantes. Ne laissant pénétrer qu'un air libre de tout germe, il empêcha l'altération des substances, ruinant ainsi la théorie de la génération spontanée.

Pasteur

Ces découvertes, qui avaient lieu dans tant de domaines et dans divers pays, rendaient plus ferme encore la croyance aux possibilités illimitées de la science. Déjà Auguste Comte avait rejeté la métaphysique et affirmé sa foi dans le progrès continu et nécessaire de l'humanité. Dans l'*Avenir de la Science,* publié plus tard mais écrit vers le milieu du siècle, Renan proclame que la science remplacera un jour la philosophie et la religion. « Un jour viendra, dit-il, où l'humanité ne croira plus, mais où elle saura; un jour où elle saura le monde métaphysique et moral, comme elle sait déjà le monde physique... et l'homme, le jour où il possédera le savoir universel, sera Dieu ». Renan n'est toutefois pas d'accord avec Comte quand il s'agit de définir la nature de la science. Il reproche à ce dernier de négliger l'étude fondamentale, qui est celle de l'homme, de son histoire, de ses croyances, de ses aspirations. « M. Comte n'entend rien aux sciences de l'humanité », déclare-t-il.

Le « scientisme » de Renan, sa confiance totale dans les possibilités illimitées de la science est discutable, tout comme son affirmation que l'humanité « sait déjà le monde physique » est sujette à caution. Mais sa foi scientiste fut partagée par beaucoup d'autres. En tout cas, Renan vit clairement que l'immense développement des sciences allait amener une ère nouvelle dans l'histoire de l'humanité.

Renan

La Troisième République de 1870 à 1914

Le Gouvernement de la Défense Nationale, institué au lendemain de Sedan, était composé de républicains décidés à continuer la guerre. Il resta dans Paris assiégé, mais en même temps il décida d'organiser la résistance en province. Un jeune membre du gouvernement, l'énergique et éloquent Gambetta, fut l'âme de cette résistance. De Tours, où il s'établit d'abord, Gambetta créa des armées, celle de la Loire, celle du Nord, celle des Vosges — car les effectifs allemands, dont une bonne partie était retenue par les sièges de Metz et de Paris, n'étaient pas assez nombreux pour occuper des régions étendues. Les armées nouvellement formées remportèrent d'abord quelques succès. Mais celle qui s'était laissé enfermer dans Metz dès le commencement des hostilités, placée sous le commandement d'un général incapable, capitula, libérant ainsi les troupes allemandes qui assiégeaient la ville. Les armées de la Défense Nationale se trouvèrent bientôt fortement pressées par l'ennemi.

Paris était étroitement investi. C'était l'hiver, un sombre hiver, et dans cette ville de deux millions d'habitants les vivres manquaient. Les forts entourant la capitale tenaient bon, mais malgré de courageuses sorties, la

Les incendies de Paris sous la Commune

garnison de Paris ne réussit pas à rompre le cercle de fer qui entourait la capitale. Il fallut se rendre, après plus de quatre mois de siège, et un armistice fut conclu à la fin de janvier 1871. Le traité signé à Francfort quelques mois plus tard enleva à la France l'Alsace et une partie de la Lorraine et lui imposa une indemnité de guerre de 5 milliards de francs, chiffre énorme pour l'époque. La guerre continuait d'être pour l'Allemagne une occupation profitable.

Ce ne fut pas tout. Au lendemain de l'armistice eut lieu à Paris une insurrection, la Commune, qui devint bientôt une guerre civile, avec ses horreurs habituelles. Le terme « Commune » avait une très vieille histoire. Déjà au Moyen Age, bien des révoltes urbaines avaient été menées aux cris de « Commune! Commune! », et sous la Révolution, un gouvernement insurrectionnel parisien, qui fut un des plus fermes appuis de la dictature montagnarde, s'était installé à l'Hôtel de Ville sous le nom de Commune de Paris. De même en 1871, le gouvernement de la ville passa aux mains d'un Comité qui exerça pendant deux mois une véritable dictature.

Des élections nationales venaient d'avoir lieu. La nouvelle Assemblée était en majorité monarchiste et en faveur de la paix. Or les républicains, nombreux dans la Commune, voulaient continuer la guerre. C'étaient les populations rurales qui avaient déterminé la composition de l'Assemblée, puisqu'elles constituaient la majorité du pays. La vieille hostilité entre la province, de tendances conservatrices, et Paris, où la tradition jacobine et dictatoriale était toujours vivace, éclata avec une violence encore accrue par le ressentiment de la défaite. L'armistice avait stipulé que l'armée victorieuse ferait une entrée symbolique dans Paris, puis qu'elle évacuerait la ville pour n'occuper que des forts dans le voisinage. Il était entendu aussi que les soldats allemands, sans armes, pourraient visiter le Musée du Louvre, car il ne faut jamais manquer une occasion de s'instruire. Le jour de l'entrée des Allemands à Paris, l'Arc de triomphe était barricadé, l'avenue des Champs-Elysées déserte, les statues de la place de la Concorde étaient drapées de noir. Paris était en deuil, des drapeaux noirs flottaient aux fenêtres. Sous ce désespoir se cachait une sourde colère, qui éclata dans l'insurrection.

La Commune fut aussi une insurrection sociale, prolétarienne. Beaucoup de ses chefs étaient des « rouges », comme on disait alors, et beaucoup de ses soldats des ouvriers parisiens. Mais on y trouvait de tout, depuis des intellectuels idéalistes, des hommes désintéressés, jusqu'à des aventuriers et de purs et simples malfaiteurs. Son programme était assez vague. Il prévoyait l'établissement d'une Fédération de communes des villes de France — toujours le caractère urbain du mouvement — d'où le nom de Fédérés donné aux troupes de la Commune, anciens gardes nationaux, civils armés portant des insignes rouges. La Commune avait aussi un programme social de tendances collectivistes.

En face de cette Commune insurrectionnelle, le gouvernement légal avait à sa tête M. Thiers, historien du Consulat et de l'Empire et ancien ministre de la Monarchie de Juillet. Thiers rassembla une armée à Versailles et attaqua. Ayant l'habitude, dans son *Histoire,* de refaire les batailles de Napoléon, il se croyait sans doute des talents militaires. Pendant une semaine, « la semaine rouge », ce fut dans les rues de Paris d'affreuses batailles autour de barricades défendues par des canons. Les Versaillais tuaient tout ce qui s'opposait à leur marche, les Fédérés fusillaient des généraux et des otages, y compris l'archevêque de Paris (quelque vingt ans plus tôt, un de ses prédécesseurs avait été tué d'un coup de fusil sur une barricade). Forcés de reculer, les Fédérés incendiaient des monuments, l'Hôtel de Ville, le palais des Tuileries. Le Louvre et ses collections faillirent bien y passer. Le dénouement de cette horrible tragédie eut lieu au cimetière du Père Lachaise, où furent massacrés les derniers défenseurs de la Commune.[1] Puis les exécutions continuèrent dans les prisons. On se serait cru revenu au temps des guerres de religion, les principales différences étant que la passion politique et sociale avait remplacé la passion religieuse et qu'au seizième siècle on pendait les prisonniers alors qu'au dix-neuvième on les fusillait, ce qui représente un progrès, si l'on veut.

La Commune écrasée, il restait à organiser le gouvernement. La situation politique était étrange : le régime était républicain dans un pays où la majorité était encore monarchiste. Toutefois la majorité royaliste de l'Assemblée, qui se souvenait de l'accusation portée autrefois contre Louis XVIII d'être revenu « dans les fourgons de l'étranger », évita de proposer une restauration immédiate de la monarchie ; en d'autres termes, elle ne voulait pas que le retour du roi fût attribué à la défaite de la France. C'est seulement en 1873 qu'on demanda au comte de Chambord, petit-fils de Charles X et prétendant au trône, s'il consentirait à régner sur le royaume qu'il revendiquait. C'était une curieuse requête de la part d'un gouvernement républicain. Le comte de Chambord répondit qu'il ne reviendrait qu'avec le drapeau blanc, symbole de l'ancienne monarchie. Les pourparlers en restèrent là. L'échec de la tentative de restauration fut peut-être dû surtout à la rivalité entre la branche aînée des Bourbons, que représentait le comte de Chambord, et un des fils de Louis-Philippe, qui fidèle aux traditions libérales de la famille d'Orléans, avait combattu dans l'armée de la République fédérale américaine, au côté de Mac Clellan.

Faute d'entente entre ses adversaires, la République durait, sous le régime du provisoire. Le vieux maréchal Mac-Mahon, héros de la guerre de Crimée, avait succédé à Thiers comme Président de la République. Les idées républicaines faisaient des progrès dans le pays. L'Assemblée décida donc, en 1875, d'organiser définitivement le régime en votant des lois dites constitutionnelles, qui donnèrent lieu à d'intenses débats, surtout en ce qui concerne le problème capital de la présidence de la République.

En 1848 et sous l'influence du livre de Tocqueville *De la Démocratie en Amérique,* la Deuxième République avait décidé que le Président serait élu au suffrage universel. Or, le Prince-Président avait profité du prestige que lui donnait son élection par le peuple pour faire son coup d'État. La nouvelle loi décida donc que le Président serait élu pour 7 ans, non au suffrage universel, mais par les deux assemblées législatives, la Chambre des députés et le Sénat, réunies en Assemblée nationale à Versailles.

D'après la Constitution de 1875, le Président de la République avait de grands pouvoirs. Il commandait la force armée, choisissait les ministres, présidait à leur Conseil, exerçait le droit de grâce ; il pouvait, avec l'appro-

---

[1] Encore de nos jours, les marxistes vont chaque année, le 1er mai, déposer des immortelles rouges au pied du « mur des Fédérés », dans le cimetière du Père Lachaise.

bation du Sénat, prononcer la dissolution de la Chambre des députés. Mais en réalité ses pouvoirs étaient limités par le principe même de son irresponsabilité. Tous les actes officiels du Président de la République devaient être contresignés par un ministre responsable, ce qui, presque inévitablement, lui enlevait toute autonomie gouvernementale.

Sur la question de la responsabilité ministérielle, la Constitution de 1875 conservait un silence prudent. Selon la tradition du parlementarisme français qui remontait à Louis XVIII, les ministres étaient responsables devant le Parlement, c'est-à-dire les deux Chambres. Mais l'étaient-ils aussi devant le chef de l'État, comme le voulait le régime « orléaniste » de Louis-Philippe? La question se posa en 1877, sous la présidence de Mac-Mahon, et elle amena un violent conflit entre le Parlement et le Président de la République, conflit qui se termina par la défaite complète de Mac-Mahon et la réduction permanente des pouvoirs du Président de la République. Ce fut l'affaire du « Seize-Mai ».

Bien qu'il fût Président de la République, le maréchal Mac-Mahon était loin d'être un républicain convaincu. Il craignait le désordre, l'anarchie, et ses préférences allaient vers une monarchie constitutionnelle — Ah! si du moins M. le comte de Chambord avait été moins intransigeant, moins entêté de son drapeau blanc! pensait-il. Bref, les élections de 1875 ayant envoyé à la Chambre une forte majorité républicaine, Mac-Mahon chargea d'abord un républicain de former le ministère; puis, mécontent de la politique de ce ministère, il exigea sa démission. C'était poser la question de la responsabilité des ministres devant le Président de la République.

Allant plus loin encore, Mac-Mahon confia le soin de former le nouveau ministère, le « ministère du Seize-Mai », à un homme connu pour ses opinions conservatrices. Ainsi le Président prétendait gouverner, diriger lui-même la politique gouvernementale. Les républicains, très mécontents, engagèrent la lutte. Le conflit entre le maréchal et la Chambre s'envenima si bien qu'un jour Mac-Mahon, usant du droit que lui donnait la Constitution, prononça la dissolution de la Chambre des députés et appela le pays à de nouvelles élections. Ces élections furent une victoire pour les républicains. Gambetta, grand amateur de formules lapidaires, dit au Président qu'il ne lui restait plus qu'à « se soumettre ou se démettre ». Mac-Mahon n'eut pas même ce choix : il dut se soumettre d'abord, se démettre ensuite. En 1879, il donna sa démission.

En enlevant pratiquement au Président de la République son droit constitutionnel de dissoudre la Chambre des députés, cette Affaire du Seize-Mai assura la prépondérance politique du Parlement, le triomphe du législatif sur l'exécutif. La Constitution de 1875 avait partagé à peu près également les fonctions législatives entre deux Chambres, la Chambre des députés, élus pour 4 ans au suffrage universel — les femmes et les militaires ne votant pas — et le Sénat, élu pour 9 ans par des électeurs dont la grande majorité représentait les campagnes, ce qui donnait au Sénat une allure nettement conservatrice. Avant de devenir loi, un projet devait être voté par les deux assemblées, qui d'autre part exerçaient un contrôle constant, trop constant, sur la politique du gouvernement.

Ce gouvernement était aux mains de ministres, qui constituaient le Cabinet. Or, tout député et tout sénateur pouvait interpeller un ministre quelconque au sujet d'une mesure prise par le gouvernement. Le débat qui en résultait était suivi d'un vote de confiance ou de défiance, et dans ce dernier cas, le gouvernement tout entier démissionnait. L'initiative du vote de confiance ou de défiance pouvait aussi venir du Cabinet lui-même, lorsqu'il décidait de jouer son sort sur une question à laquelle il attachait une importance particulière.

Ainsi le gouvernement passait une bonne partie de son temps à se défendre contre ses ennemis, qui ne manquaient pas. Il y avait en outre les Commissions parlementaires, spécialisées dans les finances, la guerre, etc., qui parfois rendaient les choses fort difficiles pour tel ou tel ministre. Tout cela pourtant n'aurait pas été trop grave si le Cabinet avait été raisonnablement assuré d'une majorité stable. Mais la multiplicité des partis politiques représentés à la Chambre et au Sénat était telle qu'un ministère ne pouvait exister qu'avec l'appui d'une coalition de plusieurs partis. Or souvent ces coalitions se faisaient et se défaisaient au gré des circonstances et des intérêts de chacun. Si en général les partis de gauche étaient disciplinés, les désaccords étaient fréquents à l'intérieur des partis de la droite et du centre. De là l'instabilité ministérielle sous la Troisième République. Cette dernière eut plus de cent ministères au cours des soixante-dix années de son existence, et même s'il est vrai qu'une certaine continuité était assurée par le choix fréquent des mêmes hommes politiques pour composer les différents ministères, les inconvénients de l'instabilité ministérielle n'étaient que trop réels.

Cela ne veut pas dire que la Troisième République n'ait pas accompli une œuvre considérable et à beaucoup d'égards excellente. Il est même remarquable qu'elle ait tant fait au cours de son existence agitée. Dès le début, elle eut à se défendre contre ses adversaires. Le conflit, de part et d'autre, prit parfois des aspects bien déplaisants. Il y eut des scandales, des affaires retentissantes qui servirent, si l'on ose dire, de champ de bataille entre la droite, qui groupait les éléments conservateurs et les républicains dits modérés, et la gauche des radicaux-socialistes et plus tard des socialistes.

Ce fut d'abord l'affaire du général Boulanger, qui avait si belle mine sous son bicorne de général et si fière allure sur son cheval noir. Comme il était contre la République, il eut l'appui des royalistes, de ce qui restait des bonapartistes et même d'un bon nombre de catholiques, la République étant hostile à l'Église. Comme il parlait de la « revanche », il trouva appui parmi ceux — et ils étaient nombreux — qui n'avaient pas oublié la perte de l'Alsace et de la Lorraine. Les républicains, eux, craignaient un nouveau coup d'État, suivi de l'établissement d'une dictature et peut-être d'une guerre franco-allemande. Ils dénoncèrent avec violence le général dont l'imagerie d'Épinal, les cartes à jouer, les éventails avaient popularisé la physionomie dans la France entière. Au dernier moment, Boulanger n'osa pas faire un coup d'État. Il prit le train pour Bruxelles, où il se suicida deux ans plus tard.

En 1889, l'année même où Boulanger quitta la France, la société que Ferdinand de Lesseps avait constituée quelques années plus tôt pour le percement de l'isthme de Panama était mise en liquidation judiciaire. L'entreprise financée par la France s'était heurtée à des difficultés énormes, climat insalubre, fièvres, maladies. Comme le projet initial prévoyait la construction d'un canal sans écluses, les travaux de terrassement devinrent bientôt ruineux, et la situation financière de la société était déjà désespérée lorsque ses administrateurs décidèrent d'avoir recours à un nouvel emprunt par souscription publique. Afin d'obtenir l'autorisation législative nécessaire, ils distribuèrent des sommes parfois considérables à des hommes politiques influents, députés, sénateurs, journalistes et autres. Cette affaire de corruption découverte, ce fut un beau scandale. Les administrateurs, y compris Lesseps et Eiffel, qui venait de construire la fameuse tour, furent traduits devant les tribunaux. La plupart, d'ailleurs, furent acquittés.

Mais le boulangisme et Panama ne furent que des incidents au regard de l'Affaire par excellence, l'affaire Dreyfus, qui divisa la France en deux camps, les dreyfusards et les antidreyfusards. Elle commença par une simple affaire d'espionnage. Un officier, le capitaine Dreyfus, fut accusé d'avoir livré à l'Allemagne des documents interessant la défense nationale. Le conseil de guerre, devant lequel il fut traduit, le condamna à la déportation dans une enceinte fortifiée et à la dégradation militaire. Il fut envoyé à l'île du Diable, voisine des côtes de la Guyane française, qui servait alors de colonie pénitentiaire. Cela se passait en 1894.

Bientôt, la culpabilité de Dreyfus fut très sérieusement mise en doute. Les preuves s'accumulant en faveur de son innocence, les partisans de Dreyfus demandèrent la révision du procès. L'armée refusa d'admettre la possibilité d'une erreur judiciaire. Si elle avait dit : peut-être le conseil de guerre s'est-il-trompé, elle aurait ôté presque toutes les armes des mains de ses adversaires. Loin de là, elle s'obstina, et ce faisant, elle commit les pires erreurs. En 1898, par exemple, le ministre de la Guerre lut à la Chambre un document qui semblait établir la culpabilité de Dreyfus. Or, à l'examen, on s'aperçut que ce billet était un faux, fabriqué de toutes pièces par un lieutenant-colonel convaincu de la culpabilité de Dreyfus et qui avait cru sauver ainsi l'armée. Quand enfin les « révisionistes » l'emportèrent et que Dreyfus comparut devant un nouveau conseil de guerre, ce dernier décida d'adoucir sa peine, ce qui était complètement déraisonnable: ou bien Dreyfus était coupable, ou il ne l'était pas. L'Affaire, qui donna lieu à de violentes polémiques auxquelles prirent part politiciens, journalistes, gens de lettre comme Zola, ne se termina guère qu'en 1906, lorsque l'innocence de Dreyfus fut reconnue et qu'il fut réintégré dans les cadres de l'armée.

Il peut être difficile pour nous de comprendre l'immense émotion provoquée par l'Affaire. La justice était en cause, dira-t-on; mais il y eut depuis bien des affaires où la justice était en cause et qui n'eurent cependant aucun retentissement. C'est que l'affaire Dreyfus dressa les uns contre les autres toute sorte de gens et qu'elle excita toutes les passions : la passion patriotique, puisqu'elle mettait en cause l'Allemagne ennemie; la passion des uns pour l'armée, espoir et honneur de la France, la passion antimilitariste des autres, qui voyaient dans l'armée un bastion des idées réactionnaires; la passion anticléricale des hommes de gauche, qui redoutaient toujours la vieille alliance du trône et de l'autel; la passion de ceux pour qui la République était une mystique, alors que d'autres ne voyaient en elle que « la gueuse »; enfin la passion antisémitique — puisque Dreyfus était Israélite — de ceux qui dénonçaient les agissements des Juifs, appuyés par la franc-maçonnerie.

Une des questions qui, sous la Troisième République, donnèrent lieu aux plus âpres controverses fut celle de l'enseignement, puisqu'il s'agissait de la formation des générations futures. La loi Falloux avait facilité l'ouverture des écoles religieuses, particulièrement au niveau des études secondaires, accordé à l'Église une place dans l'Université, chargé le curé de veiller à l'instruction religieuse des enfants dans les écoles primaires. Or, les vues des hommes de la Troisième République sur la place que devait occuper dans l'enseignement la religion en général et le catholicisme en particulier étaient fort éloignées de celles des hommes de la Deuxième. L'Église et l'État ne s'entendaient plus.

En 1881, sous le ministère de Jules Ferry, et l'année suivante, furent passées des lois organisant l'enseignement public au niveau des études primaires. Cet enseignement avait été jusqu'alors assez négligé. Napoléon s'y intéressait peu. Soucieux avant tout de la formation des élites, il avait volontiers abandonné l'instruction des enfants aux curés des villages et aux Frères des écoles chrétiennes. Au lendemain même de la guerre de 1870, les républicains firent circuler des pétitions en faveur de l'obligation et de la gratuité de l'enseignement primaire. Ils recueillirent deux cents kilos de signatures. Les lois scolaires de 1881-82 décidèrent donc que l'enseignement primaire serait gratuit dans les écoles publiques et obligatoire pour tous les enfants de six à treize ans révolus. Mais la question passionnément discutée fut celle de la laïcité. La loi décida que toute instruction religieuse serait bannie de l'enseignement public et même de ses locaux scolaires. Un jour fut réservé chaque semaine pour les élèves qui désiraient recevoir cette instruction : c'est là l'origine du congé des écoles le jeudi. Il est facile d'imaginer les protestations qu'amena l'établissement de cette « école sans Dieu ». Dans presque chaque village, les relations devinrent tendues entre l'instituteur et le curé, souvent un curé de campagne pas nécessairement très brillant et un instituteur frais émoulu de l'École normale primaire et qui se croyait fort intelligent parce qu'il se disait fort athée.

La laïcité s'étendit à d'autres domaines que l'enseignement. En 1884, une loi institua le divorce civil, que ne reconnaissait pas l'Église. Enfin, en 1901, les chambres votèrent la célèbre loi sur les Congrégations. C'était une loi sur les associations en général, mais qui soumettait les congrégations, c'est-à-dire les associations religieuses, à un régime extrêmement sévère. Celles-ci ne pourraient être autorisées que par une loi. Faute d'obtenir cette autorisation, qu'elles devaient solliciter dans les trois mois, elles seraient considérées comme illicites. Une dizaine d'années plus tôt, la « Société de Jésus » avait été déclarée dissoute et ses écoles avaient été fermées. Lorsque d'autres congrégations enseignantes déposèrent leurs demandes d'autorisation, ces dernières furent rejetées en bloc par le Parlement, avec celles de congrégations prédicantes et de la congrégation commerçante des Pères chartreux.[2] Les établissements congréganistes d'enseignement furent fermés, les religieux ou les religieuses expulsés de leur monastère ou de leur couvent. Cela rappelait un peu, sur une plus petite échelle, la Révocation de l'Édit de Nantes. Néanmoins, si Louis XIV avait interdit aux huguenots de quitter son royaume sous peine des galères, la République laissa les religieux quitter librement son territoire. L'enseignement des écoles catholiques resta cependant parfaitement légal, à condition qu'il fût aux mains de membres du clergé séculier.

Les mesures prises contre les congrégations amenèrent la rupture des relations diplomatiques avec le Vatican. Certains éléments dans l'Église même préconisaient une politique de ralliement à la République. En 1890, une encyclique du pape Léon XIII déclara que la république n'était nullement incompatible avec la nature de l'Église. Néanmoins, dans l'esprit de bien des catholiques français, la cause de la monarchie et celle de l'Église se confondaient. Ils continuaient à dénoncer « les faux dogmes de 1789 »,

---

[2] La liqueur, la chartreuse, était fabriquée par les moines de la Grande-Chartreuse, dans les Alpes, de même que la bénédictine était faite à l'abbaye de Fécamp, en Normandie.

Notre-Dame de Paris

de même que la grande majorité des républicains continuaient à se méfier de l'Église, même dans ses efforts de conciliation. Les partis de gauche, radicaux très attachés à la tradition démocratique et libérale et grands partisans de la laïcité en toutes choses, les socialistes, dont l'importance au Parlement croissait, menèrent la lutte qui aboutit, en 1905, au vote de la loi de Séparation des Églises et de l'État.

Cette loi, moins discutable peut-être que ne l'avait été la loi sur les congrégations, fut cependant passionnément discutée. Comme son nom l'indique, elle établissait la séparation à peu près totale de l'Église et de l'État. Le Concordat de 1801 était aboli. L'État cessait de « salarier » les ministres du culte et de participer à la nomination des évêques. Aucun culte ne serait reconnu, subventionné ou protégé par lui. Les propriétés des Églises feraient retour à la nation. On procèderait donc à un « inventaire descriptif et estimatif des biens mobiliers et immobiliers dont les établissements publics du culte supprimés... avaient la propriété ou la jouissance ». La République laissait toutefois aux Églises l'usage des édifices servant à l'exercice du culte et se chargeait de leur entretien.

L'application de la loi de Séparation se heurta à de fortes résistances, lorsqu'il s'agit par exemple de « compter les chandeliers » dans les églises. Les passions une fois calmées, cette loi a pourtant fonctionné à la satisfaction générale. L'Église de France en est sortie appauvrie, mais bien plus indépendante qu'elle ne l'était auparavant. Même si la mainmise de l'État sur les églises et cathédrales peut sembler excessive, elle avait sa raison d'être si l'on considère que le clergé français, privé d'une grande partie de ses revenus, ne pouvait subvenir à leur entretien, souvent fort onéreux.

L'écrasement de la Commune de 1871 avait porté un rude coup au socialisme et au mouvement ouvrier. D'ailleurs, si tous étaient d'accord pour condamner la propriété privée, les socialistes ne s'entendaient pas sur l'étendue de cette condamnation : pour les uns, les communistes proprement dits, cette condamnation était totale; les collectivistes, par contre, proposaient de socialiser seulement les moyens de production. Jules Guesde se fit le propagateur du collectivisme marxiste, alors que le socialisme de Blanqui gardait quelque chose de l'aspect moral et individualiste du vieux socialisme français. Guesdistes et blanquistes furent longtemps rivaux au sein d'un parti socialiste encore faible.

Cependant, le mouvement ouvrier s'organisait. Des congrès réunis fréquemment précisaient leur programme de revendications et d'action

Pont des Saints-Pères à Paris

ouvrière. Le gouvernement de la République favorisait les syndicats professionnels. En 1884, il leur permit de se grouper, ce qui conduisit, une dizaine d'années plus tard, à la fondation de la Confédération Générale du Travail (C.G.T.). Les Bourses du Travail, qui avaient pour but de venir en aide aux chômeurs, aux grévistes et aussi de s'occuper d'enseignement et de propagande, se fédérèrent également. Des mesures furent prises enfin d'améliorer le sort des ouvriers — lois sur l'assistance médicale gratuite, sur les caisses de retraites et de secours, sur les habitations à bon marché.

Lentement leur sort s'améliorait. Cependant l'agitation restait grande parmi les cheminots, c'est-à-dire les employés des chemins de fer, parmi les ouvriers des régions industrielles du Centre et surtout du Nord de la France. Le roman *Germinal,* dans lequel Zola décrit la vie misérable des mineurs, parut en 1885. Or, l'année précédente, une grève dans les mines du Nord avait provoqué une crise ouvrière intense.

L'Église qui, même si elle était en train de perdre sa puissance politique, restait une grande force sociale, ne pouvait rester indifférente à la « lutte des classes » et aux maux dont souffrait la société. A la suite d'une encyclique de Léon XIII, « le pape des ouvriers », les « catholiques sociaux » entreprirent un programme d'action fondé sur l'idée d'une justice sociale basée sur l'Évangile et que l'État avait le droit, même le devoir d'assurer. Sans jamais atteindre au développement du collectivisme marxiste, ce catholicisme social a été et est encore un aspect important de l'action ouvrière française.

En comparaison avec celui d'autres États modernes, le développement économique de la France pouvait paraître assez lent. Elle restait encore un pays surtout agricole. L'artisanat le disputait encore au régime de la grande industrie, toujours localisée dans quelques régions, celle du Nord, du Centre, celle de Paris et de sa banlieue. On se félicitait de l'heureux équilibre qui existait alors entre l'agriculture et l'industrie, où l'on voyait un élément de stabilité sociale. Malgré ses dissensions politiques et sociales et des difficultés d'ordre économique, la période de la Troisième République fut en somme une période de stabilité relative.

Les affaires prospéraient. Pour la France, l'époque ne fut pas celle des entreprises géantes ni celle des gros capitalistes à l'américaine : ce fut plutôt l'époque des petits épargnants, des petits bourgeois, si l'on prend le terme dans son sens le plus large. Fonctionnaires, boutiquiers, paysans même mettaient de côté quelque argent qu'ils plaçaient, afin de le faire fructifier, dans des entreprises industrielles et commerciales. Et comme les intérêts et dividendes payés par les entreprises étrangères étaient souvent plus élevés que ceux offerts par les compagnies françaises, ils plaçaient volontiers leurs fonds à l'étranger, même si les risques étaient plus considérables. C'est ainsi qu'au début du siècle, l'épargne française contribua grandement à la construction des chemins de fer en Russie, alors l'alliée de la France. Quelques années plus tard vint la révolution bolchévique. Le régime soviétique refusa de reconnaître les dettes du régime tsariste, travaillant ainsi à la ruine du capitalisme, puisque ce furent surtout les petits épargnants qui en souffrirent.

Pendant les années qui suivirent la guerre de 1870, l'agriculture française connut des temps difficiles. Les échanges internationaux s'accroissaient. Le blé de Russie, et surtout celui des États-Unis, où le machinisme agricole était bien plus développé qu'en France, faisait concurrence au blé national. L'Amérique envoyait également à l'Europe sa viande de porc, son coton. D'autre part, la disparition de la jachère amena celle de bien des troupeaux de moutons, jusqu'alors très nombreux, en Champagne et ailleurs. Des maladies de la vigne, le phylloxéra entre autres, détruirent presque complètement le vignoble français, qui fut depuis remplacé par des ceps résistants à la maladie et importés d'Amérique, comme l'avait été le phylloxéra lui-même. Plus tard, la mévente des vins provoqua des émeutes parmi les vignerons du Midi et ceux de la Champagne qui, selon la meilleure tradition jacobine, réclamaient : « la délimitation ou la mort ».[3]

Le gouvernement fit de grands efforts pour venir à l'aide des popula-

---

[3] Seul le vin fabriqué avec le raisin des vignes de la région délimitée de Champagne a droit à l'appellation de *champagne*. Même en Champagne, le vin du département de l'Aube fut qualifié de « champagne deuxième zone », à la grande colère des Aubois.

tions rurales, qui constituaient alors la masse des électeurs. Il suivit, notamment pour l'agriculture, une politique nettement protectionniste. Il encouragea l'emploi des engrais chimiques, il développa le crédit agricole, pour l'achat des objets nécessaires à la culture. Ainsi l'agriculture française resta relativement prospère, tout en conservant beaucoup de ses caractères traditionnels. Ce n'est guère qu'au cours des années récentes qu'elle a vraiment changé.

En 1889, pour célébrer le centenaire de la Révolution française, on organisa à Paris une Exposition universelle, qui se tint au Champ-de-Mars, comme celle de 1867. C'est à l'occasion de cette Exposition que l'ingénieur Gustave Eiffel construisit sa fameuse tour, monument à l'âge nouveau du fer et de l'acier qu'illustrait l'immense Galerie des Machines. Sur l'Esplanade des Invalides eut lieu l'Exposition coloniale, car la France était alors en train d'étendre son Empire en Afrique et en Asie. L'Exposition eut plus de 25 millions de visiteurs. Mais, à la différence de celle de 1867 où étaient accourus tous les souverains d'Europe, l'Exposition de 1889 fut boycottée par eux : l'idée de célébrer le centenaire de 1789, avec reproduction de la Bastille, leur agréait peu. Seuls furent reçus avec tous les honneurs dus à leur rang, le shah de Perse, le bey de Tunis et un roi africain. La République n'était pas populaire dans une Europe encore monarchique. Néanmoins, à la fin de l'Exposition, on inaugura solennellement une statue de la République sur l'une des grandes places de la capitale.

La vogue allait alors aux statues, particulièrement à celles de la République, car la foi était grande parmi les adhérents du nouveau régime. Pas de ville de France qui n'eût sa rue de la République ou sa place de la République ; pas de salle publique qui ne fût ornée du buste de Marianne. Depuis 1866, la statue de la Liberté, don du gouvernement français, dominait l'entrée du port de New York, après avoir quelque temps dominé les toits de Paris près du boulevard de Courcelles. A l'occasion de l'Exposition de 1889, on inaugura à Paris, sur le pont de Grenelle, une réplique de la statue de la Liberté. C'était l'âge d'or des inaugurations et des statues d'inspiration républicaine.

La Tour Eiffel

Les dernières années du dix-neuvième siècle et les premières du vingt-ième virent les débuts des inventions qui transformèrent les communications, la bicyclette à roues égales qui remplaça le vélocipède où le cycliste était perché sur sa grande roue, et le tricycle de sûreté, ainsi nommé parce qu'il était moins dangereux que le vélocipède, puisque l'on avait moins de chances de tomber et qu'en tout cas on tombait de moins haut. En 1909, l'aviateur Blériot traversa en aéroplane — comme on disait alors — la Manche de Calais à Douvres. Son vol d'une quarantaine de kilomètres fit sensation. Le Salon de l'Automobile, encore si populaire en France, ouvrit ses portes en 1898. En 1914, il y avait déjà assez d'autobus et de taxis dans les rues de Paris pour qu'on les mobilisât au moment de la bataille de la Marne. De nombreuses lignes de métro existaient déjà dans la capitale.

De grands changements s'annonçaient donc dans cette France d'avant la première guerre mondiale, et lorsque ces changements vinrent, ils furent si profonds que l'époque nous semble maintenant distante, presque archaïque. Les canotiers et les faux cols en celluloïd des employés et fonctionnaires, comme les blouses que portaient toujours quelques ouvriers et paysans, comme les barbes des politiciens de gauche, tout cela appartient à des temps bien révolus. Ce qui pour les Français est resté la Grande Guerre, changea le monde.

Les arts, les lettres et les sciences sous la Troisième République de 1870 à 1914

La période de la Troisième République fut l'une des plus brillantes dans l'histoire de la peinture française. Ce fut celle des Impressionnistes, nés pour la plupart sous la Monarchie de Juillet ou au début du Second Empire, et dont la carrière se prolongea souvent jusqu'aux premières années de notre siècle, parfois même, comme dans le cas de Degas et de Renoir, jusqu'à l'époque de la Grande Guerre. Monet, il est vrai, ne mourut qu'en 1926, mais à l'âge de 86 ans.

Plus de cinquante ans auparavant, en 1874, Monet, Degas, Renoir, Cézanne et autres peintres, dont les œuvres étaient régulièrement refusées par le Salon officiel, s'étaient groupés sous le nom assez drôle de « Société

Monet: Impression

anonyme des artistes, peintres, sculpteurs, graveurs, etc. », et ils avaient organisé leur propre exposition. Monet y exposa un tableau représentant un lever de soleil, qu'il avait intitulé : « Impression ». Ce tableau fut furieusement discuté. Les adversaires du peintre donnèrent dédaigneusement le nom d'*impressionnisme* à son genre de peinture. Le nom resta, tout comme était resté le nom de *gothique* que les artistes de la Renaissance avaient dédaigneusement donné à l'art ogival.

La peinture nouvelle eut donc ses débuts au temps du naturalisme de Courbet. Dans une certaine mesure, ce fut une réaction contre ce naturalisme. Courbet avait voulu représenter les êtres et les choses avec une exactitude presque photographique. Mais l'ordonnance de ses tableaux, le groupement des personnages, la répartition de la lumière, des ombres, l'emploi de la perspective restaient en somme conformes à la tradition.

La photographie peut représenter la forme des objets avec toute l'exactitude désirable. Les impressionnistes s'attachèrent donc à fixer sur la toile autre chose que des formes vues dans la perspective horizontale habituelle, avec les ombres noires ou brunes habituelles marquant le degré d'éclairage des diverses parties du tableau. Pour eux, l'artiste doit s'efforcer de reproduire, non des formes statiques, mais le mouvement et surtout la lumière qui donne leur existence aux êtres et aux choses. Les ombres noires ou brunes, affirment-ils, n'existent pas dans la nature, où il n'y a que des couleurs et des nuances de ces couleurs. De là la tendance de l'impressionnisme à la gradation des couleurs, au passage presque insensible d'une tonalité à l'autre — du vert au brun, puis du brun à l'orange par exemple — et aussi à la fusion des contours, à la confusion des plans.

A l'exemple de Corot et des peintres de Barbizon, les impressionnistes aiment représenter la nature, l'eau, le ciel, les arbres. Ce qu'ils s'efforcent avant tout de rendre, ce sont les mille jeux de la lumière, ses vibrations, son scintillement sur l'eau. Les contours des choses restent indistincts, flous, le passage du ciel à l'eau, où il se reflète, parfois si peu marqué que le haut et le bas du tableau sont presque identiques.

Puisque c'est la lumière qui donne leur aspect aux choses, les peintres devaient être amenés à représenter le même objet vu d'un lieu différent, sous un éclairage différent, aux diverses heures de la journée. Ils peignirent donc volontiers des « séries », comme celle de la cathédrale de Rouen, de la gare Saint-Lazare, et des nymphéas de Monet, où le peintre montre des nénuphars, vus obliquement, qui reposent sur une eau tranquille.

Outre des paysages vus à la lumière du jour, les impressionnistes ont aimé représenter des scènes vues sous un éclairage artificiel, trouvant des sujets dans le monde des théâtres, des cabarets, des cafés-concerts, des bals publics alors si populaires. Le « Bar aux Folies-Bergère », d'Edouard Manet, est d'une composition fort curieuse, avec, à l'arrière-plan, un immense miroir qui reflète ce que voit devant elle cette femme au visage fatigué, debout derrière son comptoir. Même jeu de teintes claires et de teintes sombres dans « Le Moulin de la Galette », de Renoir, où danseurs et danseuses dansent en plein air.

Manet: Le bar aux Folies-Bergères

Renoir: Le Moulin de la Galette

Degas: Danseuses

Degas: L'Absinthe

La composition des tableaux de Degas est aussi très savante. Comme d'autres impressionnistes, il aime les vues obliques, à la façon de l'art japonais. La tristesse poignante d'une scène de café, « l'Absinthe », est accrue par la disposition en angles des tables désertes et par l'effrayante solitude des deux êtres, un homme et une femme, échoués là. Degas peut être plus gai. Ses pastels de danseuses et de ballerines aux mouvements légers et gracieux, cette femme nue et accroupie de la scène du « Tub » — dont l'ordonnance est si curieuse par la combinaison de carrés et de cercles — sont admirables par le dessin comme par la couleur. Toute la sérénité de son art et son magnifique usage des couleurs claires apparaissent aussi dans ses nus — baigneuses et autres — où Renoir a si bien rendu la grâce des gestes féminins et la chair douce et nacrée de ses modèles.

Chez bon nombre d'impressionnistes, les contours tendaient à disparaître, le ciel et l'eau à se confondre, les lointains à s'effacer dans une brume légère et colorée. Cézanne, au contraire, s'efforce d'accentuer les masses et le relief. On le compte parmi les impressionnistes, au groupe desquels il appartint, étant lié avec Monet, avec Renoir, vivant même quelque temps à Auvers-sur-Oise qui fut le Barbizon de l'école nouvelle. Mais en réalité cette école se composa d'artistes à peu près contemporains les uns des autres et rapprochés par certains caractères de leurs œuvres, notamment par l'emploi des couleurs, mais en même temps profondément originaux.

Cézanne marque vigoureusement les plans, tend à ramener les objets à leurs lignes élémentaires. Plus tard, les cubistes le considérèrent comme leur grand précurseur, parce qu'il disait que tout dans la Nature se ramène à des formes géométriques, la sphère, le cône ou le cylindre. Sa couleur très vive — il aimait les bleus profonds, les verts intenses — n'est pas diffuse, fragmentée, comme elle l'était chez d'autres impressionnistes. Alors que Renoir, par exemple, cherchait à rendre les jeux de la lumière pénétrant à travers un feuillage, le feuillage des arbres de Cézanne est une masse verte, ou bien ses arbres sont sans feuilles et ramenés aux lignes élémentaires de leur tronc ou de leurs branches. Lignes horizontales, lignes verticales, lignes obliques dominent la peinture de Cézanne. La composition du « Lac d'Annecy » est caractéristique de sa manière : à l'arrière-plan, des montagnes en forme de pyramide se reflétant sur l'eau du lac en lignes verticales ; le tronc d'un arbre, au premier plan, accentue ces lignes verticales qui sont interrompues, au milieu du tableau, par la ligne horizontale marquant la rive du lac ; enfin, au centre, la masse du château. Le même genre de composition massive se retrouve dans ses tableaux du mont Sainte-Victoire et dans ses natures mortes, où il fait un emploi si heureux de la couleur pour délimiter les plans.

Van Gogh: Champs de blé et cyprès

Cézanne était né à Aix-en-Provence, dans la lumière du Midi. Van Gogh était un Hollandais, un homme du Nord qu'attira l'éclat du soleil de Provence. Lorsqu'on pense à lui, on voit des champs de blé, des vergers, quelques maisons dispersées dans la campagne, des barques abandonnées sur une eau verte ou sur un sable jaune, sans compter les portraits de son visage hâve et tourmenté. On voit aussi des ciels d'un bleu intense, des champs de blé mûr d'un jaune éclatant. Comme Cézanne, il accentue les contours, marque fortement les plans par la couleur. Mais à la différence de celle de Cézanne, sa peinture est agitée, tumultueuse, inquiète comme l'était l'âme du peintre. Vers la fin de sa vie en particulier, les formes ondoient, se tordent comme des flammes, la Nature prend un aspect de plus en plus insolite et menaçant. En 1890, il quitta Saint-Rémy de Provence pour aller vivre à Auvers-sur-Oise. Il s'y suicida deux mois plus tard.

La destinée de Gauguin fut presque aussi tragique que celle de Van Gogh. A l'âge de 35 ans, jugeant la vie civilisée insupportable, il abandon-

Van Gogh: L'Arlésienne

Cézanne: La montagne Sainte-Victoire

Cézanne: Joueurs de cartes

Gauguin: Enfance de Bretagne

Gauguin: la Orana Maria

Rousseau: Le lion

na tout, y compris sa carrière d'agent de change, pour aller vivre parmi les paysans de Bretagne aux mœurs simples et aux croyances naïves. Déjà dans ses tableaux de la période bretonne, il simplifie les formes, marque les contours en noir à la façon des anciens vitraux. Fuyant toujours la civilisation, il chercha refuge à Tahiti, où il mena la vie primitive à laquelle il aspirait, parmi les indigènes dont il a représenté dans ses tableaux les corps harmonieux et massifs et les gestes si nobles dans leur simplicité presque biblique. Gauguin sépare les plans par la couleur, peint en larges surfaces de brun, de vert, de bleu, de rose, de rouge, qui forment un ensemble magnifiquement décoratif et font que la composition, quoique très savante, donne l'illusion d'une grande simplicité. Un jour vint où Tahiti même lui parut trop civilisé. Il se retira donc dans une petite île volcanique des Marquises, à près de 1500 kilomètres de Tahiti, et c'est là qu'il mourut en 1903.

Gauguin

Si pour Gauguin la vie civilisée était insupportable, Toulouse-Lautrec s'en accommodait fort bien, du moins en apparence. Il fréquentait les cirques, les théâtres, les cafés-concerts, les cabarets de Montmartre — Le Moulin Rouge, le Moulin de la Galette, alors dans tout leur éclat — sans compter d'autres lieux, qui lui ont fourni bien des types. Cet aristocrate quelque peu déchu fut un grand artiste. Comme Degas qu'il admirait, il excelle à saisir le geste, l'attitude, qu'il fixe en touches très sûres. Mais il et plus satirique, plus cruel que lui. Le plein air et le soleil ne l'intéressent guère. Il voit les êtres sous une lumière artificielle et crue, qui ne pardonne ni le grotesque des formes ni la lassitude des visages.

Henri Rousseau est resté célèbre sous le nom du « douanier Rousseau », bien qu'il ait été, non douanier, mais préposé à l'octroi de la Ville de Paris. Ce petit employé décida de consacrer à la peinture les loisirs de sa retraite, peignant d'instinct et sans éducation artistique très poussée. Il a représenté dans ses tableaux des scènes familières, mais il doit sa renommée surtout à ses paysages exotiques, qui montrent une jungle impossible, aux feuillages stylisés ornés de fleurs et de fruits aux brillantes couleurs, hantée de singes, d'oiseaux, de serpents, de tigres, de lions qui, dans « le Rêve », regardent de leurs yeux ronds cette femme nue, incongrûment étendue sur un sofa rouge.

Le douanier Rousseau fut un de ceux qui exposèrent au Salon d'Automne, à Paris, en 1905. Apercevant au centre de la salle un groupe d'enfants sculptés selon la meilleure tradition académique, un critique d'art déclara ne pouvoir comprendre ce que faisait ce chef-d'œuvre dans « une tanière de fauves ». Le nom resta, les exposants, Matisse, Vlaminck, Rouault et autres s'enorgueillissant du nom de « Fauves ». Il y avait de quoi être choqué. Jamais on n'avait vu aussi férocement juxtaposées des couleurs complémentaires — le rouge et le vert, l'orange et le bleu, le jaune et le violet — jamais les règles classiques de la perspective n'avaient été traitées avec plus de cruauté. De plus en plus, il s'agissait, non de reproduire l'aspect visuel des choses, mais de composer un tableau à l'aide de couleurs.

Quelques années plus tard vint le cubisme, audacieux effort pour représenter les objets dans l'espace à l'aide de lignes et de figures géométriques, de surfaces et de volumes fortement définis par la couleur. Se réclamant non sans raison de Cézanne, Braque peignit ses maisons à « L'Estaque », à la vue desquelles, dit-on, le mot « cubes » fut pour la première fois employé.

Les novateurs, y compris les impressionnistes, ne jouissaient pas d'ordinaire de la considération du monde académique. Déjà Napoléon III

Braque: L'Estaque

avait créé pour eux le Salon des Refusés, ce qui est tout à son honneur. Il y eut plus tard d'autres Salons où ils purent exposer leurs œuvres. Néanmoins, des peintres comme Renoir, comme Cézanne, qui sont maintenant presque des classiques, ne l'étaient alors ni pour la critique ni pour le public. De sorte que, faute d'acheteurs français, leurs œuvres sont maintenant dispersées dans les musées d'Amérique, de Russie, d'Angleterre, d'Allemagne. Le Louvre fut lent à les admettre.

Rodin se heurta lui aussi à de fortes résistances dans le monde de la sculpture où les traditions étaient peut-être encore plus solidement établies que dans celui de la peinture. Il est difficile de rapprocher son art de celui des impressionnistes, tant les moyens d'expression du sculpteur sont différents de ceux du peintre. On pourrait cependant trouver des ressemblances — le désir de s'éloigner de la copie exacte de la réalité, le goût de la simplification des formes, surtout le goût de l'inachevé que lui ont tant reproché ses critiques. En réaction contre la sculpture académique, élégante, lisse et molle, celle de Rodin est dramatique, intense. Son « Penseur », au modelé vigoureux, a la valeur d'un symbole de la condition humaine, dans laquelle l'esprit le dispute à la chair.

Rodin: Le penseur

On ne pourrait pas dire la même chose des romans que Zola écrivait vers la même époque, aux environs de 1880. Zola subordonne l'âme à la chair, nous présente habituellement des êtres dominés par leurs instincts, déterminés par des forces obscures — l'hérédité, le moment, le milieu social et familial où ils vivent. Dans sa série de romans qui a pour titre générique *Les Rougon-Macquart* et à laquelle appartiennent *Germinal, l'Assommoir,* etc., il a prétendu faire l'« Histoire naturelle d'une famille sous le Second Empire ». A l'origine de cette famille dont on suit le développement à travers cinq générations successives, il a placé des tares héréditaires, ou qu'il croit telles, la folie par exemple. Il en résulte des êtres fort divers qui, aux yeux de l'auteur, illustrent ce que nous appelons vulgairement vertus et vices, toutes les vertus et tous les vices, et qui représentent en même temps toutes les conditions sociales et toutes les occupations — bourgeois, paysans, artistes, ouvriers mineurs comme dans *Germinal*. Les prétentions scientifiques de ce que Zola appelait « le roman expérimental » et dont l'idée était empruntée à Claude Bernard nous paraissent quelque peu naïves, d'autant plus que l'auteur lui-même détermine arbitrairement les résultats de son « expérimentation » et qu'il a des idées politiques et sociales fort arrêtées. Mais là où Zola excelle, c'est dans la représentation du milieu où vivent ses personnages. Il a la passion du document, ses descriptions du monde des mineurs ou des employés des chemins de fer sont étonnantes par la précision et l'exactitude des détails. Surtout Zola est un puissant évocateur de la vie collective, de celle des masses, qu'il s'agisse de l'armée en déroute de *La Débâcle* ou de la foule des pèlerins de *Lourdes*.

En même temps que le mouvement réaliste de Zola et du soi-disant « groupe naturaliste » qu'il réunissait dans sa villa de Médan, se développait en poésie un mouvement idéaliste, auquel on donne parfois le nom de « symbolisme » et qui, tout en ne connaissant que trop bien le réel, cherchait à y échapper par l'esprit en se réfugiant dans le rêve. Déjà Baudelaire, pour vaincre l'Ennui attaché à l'humaine condition, s'était adressé à L'Amour, à la Poésie, même aux « paradis artificiels », et rêvé, dans son *Invitation au Voyage,* d'un monde plus beau que le nôtre :

> Là, tout n'est qu'ordre et beauté,
> Luxe, calme et volupté.

Avec une âme en apparence au moins plus simple et plus naïve, Verlaine connaît les mêmes tourments et les mêmes aspirations. Comme le Baudelaire des *Correspondances,* il discerne de mystérieuses relations entre les choses et les êtres, entre le matériel et le spirituel, entre les sentiments et les sensations. Comme Baudelaire encore, il évoque, par la musique du vers, tout un monde d'émotions obscures, cachées au plus profond de l'âme. « De la musique avant toute chose », dit-il dans son *Art poétique,* et c'est bien sur des effets musicaux que repose l'extraordinaire pouvoir de suggestion des vers célèbres — et de tant d'autres poèmes de Verlaine :

> Les sanglots longs
> Des violons
>   De l'automne
> Blessent mon cœur
> D'une langueur
>   Monotone...

Rimbaud

Comme le Victor Hugo des dernières années, comme Baudelaire surtout qu'il admirait, Rimbaud croit que le poète est un visionnaire. Déjà son *Bateau ivre* est un kaléidoscope d'images changeantes, aux couleurs vives, une suite d'évocations de lieux divers, de sensations visuelles, auditives, dont l'acuité est encore accrue par la sonorité des mots. Ce jeune poète — Rimbaud cessa d'écrire à l'âge de vingt et un ans — est très proche de notre temps par son refus d'accepter les valeurs traditionnelles, en poésie comme ailleurs, par son sens du mystère, par son désir d'aller « Au fond de l'Inconnu pour trouver du nouveau ».

Mallarmé, lui aussi, doit beaucoup à Baudelaire, qu'il s'agisse des thèmes — sentiment de solitude, besoin d'échapper au réel, rêves sensuels, hymne à la Beauté — ou de l'effort vers une poésie qui emprunte à la musique sa « sorcellerie évocatoire ». Il enveloppe ses idées de symboles dont le sens est souvent difficile à préciser. Peu importe d'ailleurs, le but de la poésie n'étant pas de décrire ou d'expliquer, mais d'évoquer un monde de « correspondances », où idées, sentiments et sensations sont étroitement associés les uns aux autres.

Notre époque considère Baudelaire, Rimbaud, Mallarmé comme des précurseurs. Par contre, bon nombre de leurs contemporains sont tombés, sinon dans l'oubli, du moins dans une demi-obscurité. Notre monde, qui a vu deux guerres mondiales et traversé dans tous les domaines des révolutions considérables, n'est plus celui de ce qu'à tort ou à raison on a nommé « la belle époque ». Nous avons d'autres préoccupations, d'autres inquiétudes. L'angoisse des poètes est plus proche de nous que ne le sont les soucis d'esprits plus fortement attachés aux valeurs morales ou esthétiques traditionnelles.

Renoir: La petite fille au chapeau

Seurat: Un dimanche d'été à la Grande-Jatte

Paul Bourget est un écrivain moraliste presque au sens classique du terme, c'est-à-dire un analyste du sentiment par l'intelligence. C'est même en ce sens un bon analyste, et ses *Essais de psychologie contemporaine* sont loin d'être une œuvre négligeable. Par l'importance qu'il attachait aux choses morales, Bourget a réagi contre le naturalisme. Son roman, *Le Disciple,* eut en son temps la valeur d'un manifeste. Le héros du livre, Robert Greslou, est le disciple du vieux philosophe positiviste Adrien Sixte. Curieux d'étudier le mécanisme de l'amour, voulant voir si, « les conditions exactes de la naissance de telle passion une fois connues », il était possible de « produire à volonté cette passion chez un sujet », le disciple séduit une jeune fille et la conduit à la mort. Son crime lui-même, Greslou l'explique par le jeu normal de ses hérédités et de son milieu. La thèse du livre est évidente : dénoncer les dangers du matérialisme positiviste, qui prétend s'affirmer aux dépens des valeurs spirituelles. Dressant le bilan des promesses faites par des savants, Auguste Comte entre autres, depuis un demi-siècle, certains conclurent à la banqueroute, au moins partielle de la Science.

La réaction contre le positivisme prit, vers la fin du siècle, des formes diverses. Des œuvres étrangères, celles des romanciers russes, celles d'Ibsen au théâtre, étaient bien différentes de celles des écrivains naturalistes français. En philosophie, Bergson fut l'initiateur d'une renaissance spiritualiste dont les effets furent profonds et durables. En littérature, le réveil de la spiritualité amena une espèce de renouveau catholique. Paul Claudel trouva dans la foi un moyen d'échapper au « bagne matérialiste ». Refusant de vénérer les « idoles » du monde moderne — le Progrès,

Bergson

l'Humanité, les Lois de la Nature — il célèbre Dieu et « l'immense octave de la Création ». Claudel fait parfois penser aux plus vieux poètes de la Grèce antique, qui associaient comme lui Religion et Nature; mais il est aussi pénétré d'idées chrétiennes, de l'idée de la dualité de la chair et de l'esprit, de celle du péché et de la rédemption. Sa poésie, si riche en allusions au monde naturel, à la bible, aux temps anciens, même aux humbles occupations de la vie journalière, trouve un écho profond dans l'âme contemporaine.

On ne peut pas en dire autant d'Anatole France, dont l'œuvre, pourtant si agréable à lire, est quelque peu datée. On lui a reproché son manque d'inquiétude, son détachement, son scepticisme souriant. Conteur et essayiste plutôt que romancier, les personnages qu'il met en scène, ironiques et diserts, lui ressemblent souvent, qu'il s'agisse du bon abbé Jérôme Coignard, de *La Rôtisserie de la reine Pédauque,* ou de Brotteaux des Ilettes, cet homme d'étude emporté dans la tourmente révolutionnaire qu'a si magistralement évoquée l'auteur des *Dieux ont soif.*

Les livres où il introduit, sous le nom de M. Bergeret, un autre lui-même, sont des ouvrages de controverse, où il prend le parti de Dreyfus dans l'Affaire. Antimilitariste et anticlérical, Anatole France y montre parfois une âpreté dans la polémique à laquelle on ne s'attendait guère de la part du doux et studieux auteur du *Crime de Sylvestre Bonnard.* Ce fut en somme un homme d'esprit, dans la tradition voltairienne, et un excellent écrivain, au style élégant et limpide.

Maurice Barrès s'engagea lui aussi dans l'affaire Dreyfus, mais dans le camp opposé, contre la révision du procès. Il avait commencé par une espèce de dilettantisme, sans autre souci que d'explorer et d'enrichir sa vie intérieure. De ce « culte du Moi », il passa au culte des ancêtres et à celui de sa terre natale, inséparables de lui-même. Il était Lorrain. Jamais il n'accepta l'annexion par l'Allemagne d'une partie de sa province. Il devint donc l'apôtre du Nationalisme, le défenseur des valeurs traditionnelles, de la religion, de l'armée — ce qui explique son engagement dans l'Affaire. Il est difficile pour nous d'éprouver l'émotion que causait alors la perte de l'Alsace et de la Lorraine, ainsi que de revivre l'époque fiévreuse de l'affaire Dreyfus. C'est pourquoi une partie au moins de l'œuvre de Barrès, d'Anatole France et d'autres nous paraît maintenant assez lointaine.

La seconde moitié du dix-neuvième siècle fut, pour la France comme pour d'autres pays d'Occident, une période de grandes découvertes scientifiques. Lorsqu'il fut nommé professeur de chimie à la Sorbonne en 1867, au temps de Napoléon III, Pasteur était déjà célèbre dans le monde savant par ses travaux sur la dissymétrie moléculaire.

A partir de 1877, Pasteur s'occupa des maladies contagieuses, qu'il croyait dues à la transmission des germes pathogènes. Le choléra des poules retint son attention. Il observa qu'en employant pour l'inoculation des poules une culture ancienne, la maladie perdait de sa virulence. Inversement, il parvint à rendre au vaccin sa virulence primitive, par des inoculations successives. Il pouvait donc atténuer ou accroître à son gré la virulence des germes et en faire des vaccins capables de conférer l'immunité.

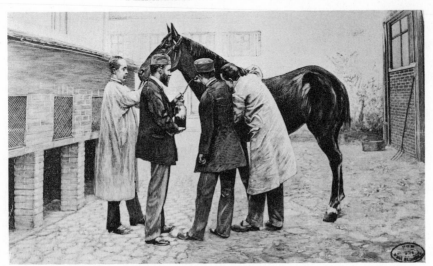

Le vaccin de la diphtérie

Ayant observé que la rage affectait le système nerveux, Pasteur eut l'idée d'employer, pour l'inoculation, des moelles desséchées d'animaux atteints de la maladie. Il remarqua qu'un chien soumis à l'inoculation de moelles rabiques d'une virulence croissante était immunisé en deux semaines. En 1885, on lui amena un petit berger alsacien qui avait été mordu par un chien enragé. Partagé entre la crainte et l'espérance, Pasteur procéda aux inoculations. Le berger guérit. Puis ce fut le tour d'un autre berger, mordu en protégeant des enfants. Il guérit comme le premier.

Bon, modeste, désintéressé, Pasteur reste le type même du savant. Lorsqu'il mourut, en 1895, ce fut un deuil universel. Ses découvertes, en indiquant les moyens de combattre les maladies par l'inoculation de virus-vaccins, en révélant le rôle des microbes, avaient révolutionné la médecine.[1]

[1] La vaccination contre la variole, en usage dans les harems de pays orientaux, avait été introduite en France au dix-huitième siècle. Elle y avait rencontré une opposition considérable, et cela non sans raison peut-être, puisque la pratique, purement empirique, donnait des résultats très aléatoires.

L'Institut Pasteur de Paris fut fondé par souscription publique en 1886. Le nouvel établissement devint tout de suite un centre d'enseignement et de recherches bactériologiques. C'est un disciple de Pasteur, le Dr Roux, qui découvrit le sérum antidiphtérique. Le Dr Calmette, fondateur de l'Institut Pasteur de Lille, s'occupa du traitement de la tuberculose. A l'heure actuelle, il existe en France, dans les pays de la Communauté et à l'étranger, de nombreuses filiales de l'Institut Pasteur, lesquelles ont accompli des travaux fort importants, notamment dans le domaine des maladies tropicales.

Dans le domaine des sciences physiques, la France eut aussi d'éminents représentants. Henri Becquerel avait déjà reconnu les propriétés radioactives de l'uranium. En collaboration avec son mari, Mme Curie découvrit une substance nouvelle très radioactive qu'elle nomma le polonium, en l'honneur de son pays natal, la Pologne. Après que Pierre Curie eut trouvé la mort dans un accident, Mme Curie continua ses recherches et, en 1910, elle parvint à isoler le radium. Sans parler de leurs immenses applications pratiques, les découvertes des Curie ont bouleversé les idées sur la constitution des atomes.

Pasteur: Notes de laboratoire

La politique étrangère
sous la Troisième République de 1870 à 1918

Aux termes du traité de Francfort qui lui enlevait l'Alsace et une partie de la Lorraine, la France devait payer à l'Allemagne une indemnité de guerre de 5 milliards de francs, chiffre énorme pour l'époque. Les armées allemandes quitteraient son territoire graduellement, à mesure que les payements seraient effectués. Deux ans plus tard, les derniers soldats allemands quittaient le sol français. La ponctualité avec laquelle la France avait remboursé aux Allemands les frais de leur guerre était une preuve de la rapidité du relèvement national. Se disant inquiet de ce redressement, Bismarck était tout prêt à reprendre la guerre contre la France en 1875 — lorsqu'une opération est profitable, pourquoi ne pas la recommencer ? Mais le tsar intervint et Bismarck l'assura de ses intentions pacifiques.

La perte de l'Alsace et d'une partie de la Lorraine fut, pour la France, une perte cruelle. Certains parlaient d'une guerre de revanche. La plupart des Français se rendaient compte qu'en face d'une Allemagne militairement puissante, c'était une folie que de parler ainsi. Il y avait pourtant un sentiment nationaliste très fort. Quelques-uns l'exagéraient, comme le général Boulanger et beaucoup de ses partisans, comme Déroulède, président de la Ligue des patriotes, comme Maurras, fondateur du journal *L'Action française* lequel, au nom du « nationalisme intégral », préconisait le retour à la monarchie traditionnelle et honnissait juifs, métèques et francs-maçons. La ferveur patriotique était grande, même parmi les hommes de gauche, radicaux et socialistes. La Troisième République avait choisi le 14 juillet comme jour de fête nationale. Jamais fête nationale ne fut célébrée avec plus de dévotion qu'à la fin du dix-neuvième siècle et au commencement du nôtre. Des revues militaires, des multitudes de drapeaux aux fenêtres, une espèce de communion dans la foi patriotique et républicaine, tels furent les 14 juillet d'autrefois.

L'intensité du sentiment national eut sa part dans la constitution par la France d'un vaste empire colonial. Certes, d'autres facteurs intervinrent : le désir d'ouvrir des débouchés nouveaux à l'industrie et au commerce, le sentiment que la politique n'était plus seulement européenne, mais mondiale, l'exemple enfin de l'Angleterre, dont la puissance était solidement assise sur ses possessions lointaines. Depuis 1830, date de l'envoi d'un corps expéditionnaire en Algérie, la France était déjà établie en Afrique. Mais les années de grande expansion coloniale furent les années de 1880 à 1890, particulièrement celles des deux ministères de Jules Ferry. C'est lui qui, malgré une forte opposition, fit occuper la Tunisie par les troupes françaises en 1881. C'est lui aussi qui, deux ans plus tard, envoya un corps expéditionnaire au Tonkin, l'occupation du Tonkin conduisant à la formation de l'Indo-Chine française. Il prépara la conquête de Madagascar. Il fit reconnaître par le Congrès de Berlin les droits de la France sur le Congo qu'avait occupé, si l'on ose dire, un homme seul, un officier de marine nommé Savorgnan de Brazza. A ce Congrès de Berlin (en 1878), Bismarck se montra on ne peut plus obligeant : il s'intéressait exclusivement à l'Europe et n'était pas mécontent de voir la France s'engager dans des aventures lointaines. Beaucoup de Français pensaient comme lui que la France était bien folle de s'y engager. Ils accusaient Jules Ferry de compromettre la sécurité du pays en envoyant au-delà des mers une partie de ses forces militaires, de faire ainsi le jeu de l'Allemagne. Ferry-Tonkin ou Ferry-Bismarck étaient des noms que ses adversaires donnaient volontiers au président du conseil.

L'expansion coloniale continua après Jules Ferry. L'occupation des vastes territoires qui devinrent plus tard l'Afrique occidentale et l'Afrique orientale françaises, en attendant de devenir de nos jours des républiques indépendantes, ne fut pas vraiment le résultat de la conquête. Ce fut l'œuvre de missions, de petits détachements de troupes indigènes sous la conduite de quelques officiers français, généralement lieutenants ou capitaines qui, souvent au prix de grandes difficultés, pénétrèrent jusqu'au cœur de l'Afrique. Rares furent les missions dont l'importance justifia la présence d'un officier supérieur.

Anglais et Français ne pouvaient manquer, un jour ou l'autre, de s'affronter en Afrique. Ils ne s'aimaient pas trop. Lorsqu'une mission française, qui avait traversé l'Afrique, s'installa à Fachoda, sur le Haut Nil, coupant ainsi la ligne du Cap au Caire, alors si chère aux Anglais, ces derniers se fâchèrent. Le conflit finit pourtant par s'arranger, les deux pays fixant des sphères d'influence comme on essaya de le faire plus tard, avec un moindre succès, au cours de la deuxième guerre mondiale.

Mais c'est avec l'Allemagne que les difficultés furent grandes. Guillaume

II, qui devint empereur en 1888, se débarrassa de Bismarck et inaugura une politique nouvelle. « L'avenir de l'Allemagne est sur l'eau », déclarat-il, c'est-à-dire sur les mers et au-delà des mers. Malheureusement pour lui, il ne restait plus grand-chose à prendre. Il réussit pourtant à occuper certains territoires en Afrique, et lorsqu'au début du siècle la France, d'accord avec le sultan, avec l'Angleterre et avec l'Espagne, décida de « rétablir l'ordre » au Maroc, Guillaume II en personne arriva à Tanger afin de défendre « la liberté marocaine ». Sur sa demande, on réunit en 1906 une conférence internationale qui lui donna peu de satisfaction. Theodore Roosevelt, à qui il s'adressa ensuite, l'éconduisit poliment. Guillaume II fut forcé d'accepter l'échec. Il se contenta, quelques années plus tard, de créer de nouveaux incidents à propos du Maroc. Il espérait d'ailleurs qu'un jour ou l'autre une guerre victorieuse contre la France donnerait à l'Allemagne toutes les colonies dont elle avait besoin.

Ce ne fut pas la question coloniale, mais celle des rapports entre puissances européennes qui amena la guerre. Bismarck se réconcilia avec l'empereur François-Joseph, qu'il avait vaincu une dizaine d'années plus tôt. Il conclut avec lui un traité d'alliance défensive — comme le sont toujours les traités de ce genre — auquel se joignit bientôt l'Italie, laquelle considérait que la Méditerranée lui appartenait, ainsi que la Corse et l'Afrique du Nord, la Tunisie en particulier, puisque Scipion l'Africain avait conquis Carthage. Ce fut la Triple Alliance. La Russie, ennemie de l'Autriche, commença à craindre pour sa sécurité. L'intérêt mutuel fit qu'elle se rapprocha de la France. Des navires de guerre des deux pays échangèrent des visites, ainsi que le tsar et le Président de la République. Une alliance fut conclue. D'autre part, l'Angleterre était de plus en plus inquiète des ambitions allemandes. Elle, dont la puissance était fondée sur sa flotte et sur ses possessions lointaines, voyait avec alarme l'Allemagne construire des navires de guerre de plus en plus nombreux et chercher à étendre son influence dans le monde. Au lendemain de la guerre sud-africaine, pendant laquelle toutes les sympathies françaises étaient du côté des Boers, les relations franco-anglaises devinrent presque amicales. Il fut plus difficile d'arriver à un accord entre l'Angleterre et la Russie. On y arriva pourtant, et « l'Entente cordiale » fut conclue.

Des incidents, de frontières et autres, étaient cause de conflits fréquents entre la France et l'Allemagne. Néanmoins, la Grande Guerre fut le résultat d'un incident qui eut lieu en Bosnie, loin des frontières des deux pays, l'assassinat d'un archiduc autrichien à Sarajevo. Le vieil empereur François-Joseph, dont la destinée avait été si tragique et qui était d'ailleurs sénile, en rendit la Serbie responsable. L'Allemagne appuya l'Autriche, son alliée ; la Russie prit fait et cause pour les Serbes, les Slaves du Sud. Il est douteux que Guillaume II lui-même ait voulu la guerre, mais il avait autour de lui des gens qui la souhaitaient, ces généraux, ces feld-maréchaux au visage dur, au long manteau descendant rigidement jusqu' aux talons de leurs bottes, et qui portaient sur la tête un casque dont la pointe était d'autant plus haute que le possesseur occupait un rang plus élevé dans la hiérarchie militaire. Une intervention vigoureuse de l'Angle-terre aurait pu empêcher la guerre. Forte par son industrie, par sa flotte et par les ressources de son immense empire, c'était une puissance avec laquelle l'Allemagne elle-même devait compter. L'Angleterre hésita, et lorsqu' enfin elle annonça son intention d'entrer dans le conflit, il était trop tard. Les armées allemandes avaient déjà envahi la Belgique.

Le commandement français avait envisagé la possibilité, en cas d'une attaque par l'Allemagne, d'une violation de la neutralité belge. Le rôle de l'état-major général, en temps de paix, est de préparer une série de plans différents destinés à faire face à toutes les éventualités possibles : si la guerre a lieu, on décide que tel ou tel plan sera appliqué, selon les circon-stances du moment. Or, plusieurs plans français prévoyaient le passage des armées allemandes à travers les plaines de la Belgique. Ce qu'on n'avait pas prévu, c'était l'ampleur du mouvement d'invasion, lequel s'étendait loin vers l'ouest, presque jusqu'à la côte, menaçant ainsi une région laissée sans défense, à l'exception de quelques troupes anglaises récemment débarquées. L'armée française essaya, une première fois, d'arrêter l'invasion à la frontière. Elle attaqua, et ce fut un échec coûteux. Ses soldats furent fauchés, sur les champs de France, par les mitrailleuses allemandes. L'armée ennemie continua son avance en direction de Paris.

C'était bien la masse de l'armée allemande dont l'armée française, aidée d'une petite armée anglaise que Guillaume II considérait alors comme « méprisable », subissait le choc. L'Allemagne avait concentré la presque totalité de ses forces militaires du côté de l'ouest. Sachant qu'il aurait sans doute à combattre sur deux fronts, du côté de la France et du côté de la Russie, le commandement allemand avait décidé de grouper presque toutes ses armées vers l'ouest, laissant le front russe relativement dégarni et l'abandonnant temporairement aux Autrichiens. Il règlerait ensuite le compte de la Russie, dont la mobilisation était lente. Et ce plan faillit réussir. Un mois après le début des hostilités, les armées allemandes étaient presque aux portes de Paris.

C'est alors que le miracle eut lieu. Profitant de la désorganisation inévi-

Verdun

table causée dans les armées allemandes par leur avance rapide, et aussi d'une erreur commise par le commandant de la première armée allemande qui laissa un instant son flanc exposé, Joffre donna l'ordre d'attaquer. On a parfois critiqué l'esprit d'offensive à outrance qui animait alors l'armée française, oubliant que c'est lui qui sauva la France à la bataille de la Marne. Cette bataille ou plutôt cette série de batailles qui s'étendirent progressivement vers l'ouest, arrêtèrent net l'armée allemande. Celle-ci se terra dans des tranchées profondément à l'intérieur du pays.

On vit dès lors de puissantes armées massées face à face, dont l'artillerie bombardait jour et nuit les positions adverses. De temps à autre, l'une d'elles montait une offensive de grande envergure pour essayer de rompre le front ennemi. Après des progrès initiaux, l'avance devenait de plus en plus pénible et les pertes de plus en plus lourdes. Les pires de ces attaques furent celles que les Allemands lancèrent contre Verdun en 1916. Elles avaient pour but de prendre la ville, point d'appui du front français, et en tout cas d'infliger à l'armée française, qui ne pouvait céder du terrain, des pertes telles qu'elle ne s'en relèverait pas. Dans cette seule bataille de Verdun, qui dura des mois, la France perdit presque 550.000 de ses soldats tués à l'ennemi, mais les Allemands « ne passèrent pas ». Simplement à

382

titre de comparaison, ce chiffre excède celui des soldats que les États-Unis ont perdu dans toutes leurs guerres, y compris la guerre civile, les deux guerres mondiales et la guerre de Corée. Voilà le sacrifice et les douleurs que le nom de Verdun représente pour la France.[1] La même année 1916 fut celle de la bataille de la Somme, qui coûta si cher à l'Angleterre et à ses dominions.

C'est néanmoins l'intervention américaine qui décida de la victoire. La Russie, où avait lieu la révolution bolchévique, abandonna la lutte en 1917. Ni la France ni l'Angleterre ni l'Allemagne, saignées à blanc par trois années de guerre, ne pouvaient, faute d'effectifs suffisants et surtout de réserves, monter des opérations décisives. La défection russe permit aux Allemands d'accroître considérablement leurs forces sur le front occidental. Mais l'arrivée des troupes américaines rétablit l'équilibre, qui fut bientôt rompu en faveur des Alliés. Le maréchal Foch fut à même de monter des attaques à un rythme si rapide que le commandement ennemi ne put concentrer ses forces sur les points menacés, comme les armées en présence l'avaient fait au cours des années précédentes. Les Allemands durent céder, et au moment de l'armistice, le 11 novembre 1918, leur armée était, sinon en déroute, du moins en pleine retraite.

La France accueillit la victoire avec une joie profonde et d'immenses espérances. Cette guerre serait sûrement la dernière des guerres. Elle lui avait coûté près d'un million et demi de morts, et les dévastations étaient grandes dans les régions du Nord et de l'Est. Mais, sans oublier les morts, il fallait penser aux vivants, remettre en état les régions dévastées, relever l'économie nationale. L'Alsace et la Lorraine étaient redevenues françaises. Certes, la dette publique s'était immensément accrue, de lourdes charges financières résultaient de la guerre, pensions aux familles des morts, pensions aux mutilés — au lendemain de la guerre, on voyait partout en France des manchots, des unijambistes, sans compter les blessés de la face, les « gueules cassées ». On croyait que les Allemands payeraient — les Français n'avaient-ils pas payé les 5 milliards, une cinquantaine d'années plus tôt? D'ailleurs, la France était débarrassée du danger allemand. Elle pouvait maintenant vivre sans crainte.

Les années à venir allaient détruire l'un après l'autre tous ces espoirs, ruiner l'une après l'autre toutes ces illusions.

---

[1] Sur les ruines du fort de Vaux, près de Verdun, on lit encore l'inscription suivante : « A mon fils. Depuis que tes yeux sont fermés, les miens n'ont cessé de pleurer ».

7

LA FRANCE CONTEMPORAINE

La vie politique entre les deux guerres

LE traité de paix avec l'Allemagne fut signé en 1919 dans la galerie des Glaces du palais de Versailles, à l'endroit même où l'empire d'Allemagne avait été proclamé en 1871 — une des rares satisfactions que la France ait tirées de sa victoire. C'était, selon la tradition, une espèce d'accord entre vainqueur et vaincu, dont les termes étaient dictés par le vainqueur, mais dont l'exécution dépendait surtout de la volonté, bonne ou mauvaise, du vaincu. Sauf le retour de l'Alsace et de la Lorraine à la France, sauf quelques cessions de territoire du côté de l'est, et de quelques régions, comme la Sarre, confiées à la Société des Nations moyennant plébiscite éventuel — car on aimait alors les plébiscites presque autant qu'à l'époque de Napoléon III — l'Allemagne proprement dite sortait de la guerre territorialement intacte. Son gouvernement restait libre. Guillaume II, il est vrai, sciait maintenant du bois dans son exil de Hollande, mais l'Allemagne restait un « Reich ». Bien que désarmée par le traité de Versailles et appauvrie par la guerre, elle restait puissante par son potentiel industriel et par les qualités mêmes de son peuple, patriotique, inventif, discipliné et travailleur.

Elle n'avait pas été dévastée par la guerre, puisqu'à l'exception d'une brève invasion de la Prusse orientale par les Russes en 1914, toutes les opérations militaires s'étaient déroulées hors de ses frontières. Elle avait sagement conclu l'armistice avant d'être envahie. La France, elle, avait beaucoup souffert. Les villes voisines du front, comme Saint-Quentin, comme Reims, étaient en ruines. Là où l'on s'était beaucoup battu, en Picardie, en Champagne, il ne restait rien, pas un arbre le long des routes, pas une maison dans les villages ; les champs maintenant déserts et criblés de trous d'obus, n'étaient qu'un enchevêtrement de tranchées, de barbelés, avec ça et là un casque sur une baïonnette plantée dans le sol pour indiquer qu'un homme était enterré là.

Les anciens habitants revinrent, vivant où ils pouvaient, dans un baraquement, dans la cave béante d'une maison détruite qu'on bouchait tant bien que mal. Toute la région industrielle du Nord, occupée pendant quatre ans par les Allemands, était en triste état, avec ses usines abandonnées, ses mines inondées. Pourtant, la remise en état des régions dévastées progressa rapidement. Le gouvernement français finança l'affaire, en attendant les réparations que devaient payer les Allemands.

Le traité de Versailles avait condamné l'Allemagne à une forte indemnité. Dès 1922, celle-ci déclara ne pouvoir faire face aux paiements en argent, offrant toutefois des réparations en nature, notamment sous forme de charbon. Puis vint l'inflation. Le mark s'effondra. Il fallut bientôt des millions, puis des milliards de marks pour prendre le tramway. L'Allemagne demanda un moratoire. En 1923, Poincaré, ancien président de la République et maintenant président du Conseil, essaya de forcer l'Allemagne à remplir ses obligations en faisant occuper la Ruhr par les troupes françaises. L'effet produit aux États-Unis et en Grande-Bretagne fut fâcheux. On y dénonça avec véhémence « l'impérialisme français », car les alliances ne survivent que rarement aux dangers qui les font naître. En France même, les partis de gauche étaient hostiles à l'occupation. La population allemande de la Ruhr organisa la résistance passive. La France tira en somme peu de profit de l'aventure.

Force fut donc d'essayer autre chose. On décida d'« aménager » les paiements, c'est-à-dire de les réduire et de les répartir sur une longue période. On ne peut reprocher en tout cas aux négociateurs d'avoir eu des vues courtes : le plan élaboré à Paris, en 1929, par un comité d'experts présidé par le financier américain Young prévoyait des paiements jusqu'en 1987.

Car même si, la guerre terminée, les États-Unis avaient adopté l'isolationnisme en politique, ils restaient étroitement mêlés aux affaires économiques et financières de l'Europe. Pendant la guerre, et même pendant l'année qui suivit la conclusion de l'armistice, la France s'était beaucoup endettée envers les États-Unis. Ceux-ci lui avaient accordé d'importants crédits pour l'achat de marchandises américaines, et, après la guerre, le gouvernement français avait acheté les stocks du corps expéditionnaire américain. D'autre part, au lendemain de la guerre, les banquiers d'Améri-

que avaient fait à l'Allemagne des prêts considérables. L'Allemagne était un pays avec un avenir brillant. De fait, les capitaux américains contribuèrent grandement à son relèvement.

Lorsque des négociations s'engagèrent, la France voulut lier le sort des dettes interalliées à celui des réparations : elle prétendait subordonner le paiement, par elle, de la créance américaine au paiement des réparations que lui devait l'Allemagne. Le gouvernement américain se montra moins intransigeant qu'on ne l'a dit parfois. Il réduisit sa créance, échelonna les paiements français aux États-Unis parallèlement aux paiements allemands à la France. Le malheur est que les uns et les autres s'étendaient jusqu'en 1987. Les événements allaient bientôt montrer l'inanité de toutes ces dispositions.

Survint la crise économique des années trente. L'Allemagne, durement atteinte, ne pouvait faire face à la fois à ses dettes politiques nées de la guerre, c'est-à-dire les réparations, et à ses dettes commerciales, nées des prêts consentis par l'Amérique après la fin des hostilités. En 1930, le moratoire Hoover, de sa propre initiative, suspendit pour un an le paiement des réparations dues par l'Allemagne à la France et le paiement de la dette française aux États-Unis. On eut l'impression, en France, que ce moratoire avait tué les réparations. Hitler, qui arriva peu après au pouvoir, n'était certes pas d'humeur à les faire revivre.

Cette question des dettes de guerre amena parfois pas mal d'acrimonie dans les relations franco-américaines. Lorsque la France cessa ses paiements, beaucoup d'Américains jugèrent qu'elle manquait vilainement à ses obligations. D'autre part, beaucoup de Français disaient que c'était leur pays qui avait le plus souffert de la guerre, alors que l'Amérique en sortait avec sa puissance accrue, que c'était la France qui avait fait les plus grands sacrifices pour sauver non seulement sa liberté, mais celle des autres. Une Allemagne victorieuse était une idée peu rassurante. Peut-être le grand tort des dettes interalliées, comme celui des réparations, fut-il simplement de trop hypothéquer l'avenir, d'imposer à un pays des charges trop lourdes et qui devaient durer trop longtemps.

La France, dont les finances étaient prospères en 1914, se trouvait, en 1919, dans une situation précaire. Les dettes interalliées ne représentaient qu'une petite partie du coût de quatre années de guerre. Le gouvernement avait alors fait de nombreux emprunts auxquels avait souscrit le public français, il avait émis des bons du Trésor, des billets de banque. Déjà fort endetté, il devait maintenant faire face aux dépenses qui étaient la conséquence de la guerre. Aussi longtemps que celle-ci avait duré, le cours de l'argent français s'était maintenu sur le marché international. La guerre terminée, le franc s'effondra. L'or avait disparu, avec l'absinthe,[1] dès le début des hostilités. Ce fut bientôt le tour des pièces d'argent, dont la valeur intrinsèque était maintenant supérieure à la valeur nominale. En 1914, le taux du change était d'environ 5 francs pour le dollar et de 25 pour la livre sterling : en 1926, la valeur du dollar et de la livre — les fortes monnaies nouvelles — était passée à 50 francs pour le dollar et à 250 francs pour la livre. C'est alors que Poincaré, nommé ministre des finances, inaugura une politique d'austérité qui donna de bons résultats. Il réduisit la dette intérieure, stabilisa le franc, inspira confiance aux éléments conservateurs du pays — industriels et gens d'affaires — par sa politique financière conservatrice. On eut un moment de prospérité relative.

Un moment seulement. A partir de 1931, la crise économique mondiale, qui sévissait depuis plus de deux ans aux États-Unis, commença à se faire sentir en France. Les industries de luxe se trouvèrent les premières atteintes. Le tourisme déclina. Des années de récoltes excédentaires aggravèrent la crise agricole. Quant à l'industrie française, elle entra dans une période de stagnation, avec pour conséquences le chômage et tous ses maux sociaux.

Lorsque le gouvernement du Front populaire — formé par une coalition entre radicaux-socialistes, socialistes et communistes — arriva au pouvoir en 1936, la situation financière et économique était grave. Le nouveau président du Conseil, Léon Blum, eut recours à la dévaluation pour stimuler les affaires, espérant remettre en branle toute la machine économique. Il se heurta à l'opposition du patronat, dont la méfiance était grande envers un gouvernement socialiste en train de nationaliser ses entreprises. N'ayant pas confiance dans l'avenir de leur monnaie, bon nombre de capitalistes, des petits et des grands, plaçaient leur argent à l'étranger, ou bien, malgré l'interdiction, achetaient des francs suisses ou des dollars américains. Ce qui rendait le redressement encore plus difficile, c'étaient les liens étroits qui existaient entre les problèmes économiques et financiers et les questions politiques et sociales de l'heure.

De plus en plus, la France était partagée entre deux idéologies, fasciste et communiste, qui s'y livraient l'une et l'autre à une propagande intense. Les communistes participaient au gouvernement, à un gouvernement qu'au fond ils n'approuvaient pas et qu'ils entendaient bien orienter selon leurs desseins. Des groupes plus ou moins fascistes s'organisaient, les Croix de Feu par exemple. Tout comme Staline, Mussolini, Hitler même, avaient des admirateurs parmi les Français mécontents.

---

[1] La fabrication de cette boisson aromatisée fut interdite par la loi en 1914.

A ces questions politiques se mêlait la vieille question ouvrière. Le malaise économique, la situation internationale alarmante, sans compter la propagande marxiste, avaient causé un profond mécontentement dans les masses. Les élections de 1936, en envoyant à la Chambre un nombre plus considérable que jamais de députés socialistes et communistes, donnèrent conscience de sa force à la classe ouvrière. Une épidémie de grèves éclata. Des usines, des ateliers, des bureaux furent occupés, pacifiquement d'ailleurs, par les grévistes. Il y eut un moment d'affolement dans le patronat français, qui voyait se dresser devant lui le « spectre rouge » de la révolution sociale. Puis on discuta. Ouvriers et patrons finirent par se mettre d'accord sur un certain nombre de réformes. En juillet 1936, le Parlement vota des lois sociales importantes : conventions collectives du travail, semaine de 40 heures, congé annuel payé pour tous les salariés, augmentation du traitement des moyens et des petits fonctionnaires.

Toutes ces réformes étaient équitables et nécessaires, mais elles arrivèrent à un mauvais moment, alors que l'Allemagne hitlérienne travaillait nuit et jour à construire sa prodigieuse machine de guerre. On pourrait faire la même observation au sujet de la nationalisation des entreprises d'armement qui eurent lieu à la même époque, les « marchands de canons » étant peu populaires parmi les hommes de gauche. Même justifiée, cette nationalisation risquait fort d'être, temporairement au moins, un élément de désorganisation dans les usines de guerre. Or le temps qui restait était court : trois ans à peine.

Un énergumène entouré d'une bande de chenapans, Adolf Hitler, devint chancelier du Reich au début de 1933. Il répétait aux Allemands qu'ils appartenaient à une race supérieure, que l'Allemagne n'avait pas perdu la guerre, qu'elle avait été trahie par les Juifs et par d'autres en 1918, et qu'il fallait au plus tôt effacer jusqu'à la dernière trace du « Diktat » de Versailles. Il se mit aussitôt à l'œuvre. En 1933, Hitler quitta la Société des Nations, laquelle, malgré ses lacunes, était tout de même mieux que rien pour assurer la paix du monde. En 1935, en violation d'une clause du traité de Versailles, il rétablit le service militaire obligatoire. L'année suivante, en violation d'une autre clause du traité, il annonça la remilitarisation de la rive gauche du Rhin. Ce fut là peut-être un événement décisif dans l'histoire du monde. L'Allemagne n'était pas encore prête à la guerre. Si l'armée française avait marché sur le Rhin, Hitler, de son propre aveu, aurait reculé, étant encore incapable de résister par la force — et plus tard, il se réjouit de constater combien, en l'occurrence, les Français avaient été innocents. Il eut soin d'ailleurs de faire à ses opposants possibles les plus belles promesses : il offrit à la France un pacte de non-agression, à l'Angleterre, un pacte aérien, à tous, le retour de l'Allemagne dans la Société des Nations.

La France seule aurait pu agir. Elle ne fit rien, parce que ne rien faire était la chose la plus facile, et aussi peut-être parce qu'elle se souvenait de l'indignation soulevée par l'occupation de la Ruhr en 1923, des dénonciations de l'impérialisme français, etc. Les Français commençaient à éprouver une grande lassitude de leur victoire.

La politique de contrainte essayée par Poincaré avait échoué. Briand, son successeur aux Affaires étrangères, tenta une politique d'accord entre l'Allemagne, la France, l'Angleterre et l'Italie, avec l'espoir d'aboutir à une entente générale entre les États européens. Selon son expression, il entreprit d'« organiser la paix » dans le cadre de la Société des Nations.

L'arrivée au pouvoir de Hitler mit fin à l'entreprise. En mars 1938, Hitler annonça l'annexion de l'Autriche à l'Allemagne. Quelques mois plus tard, sous prétexte que les minorités allemandes étaient opprimées en Tchécoslovaquie, il fit occuper militairement le pays, qu'il plaça sous son protectorat. La France avait un pacte d'assistance avec la Tchécoslovaquie, mais elle voulait éviter la guerre. Le ciel étant chargé d'orage, elle se réfugia sous le parapluie de Chamberlain[2] — et ce fut le triste accord de Munich, dont Hitler dicta les conditions.

Chacune de ses victoires augmentait le sentiment qu'avait Hitler de son infaillibilité, et aussi la crainte qu'il inspirait. En 1935, Mussolini, inquiet du rétablissement du service militaire en Allemagne, s'était rapproché de la France et de l'Angleterre. Il s'en sépara quand il vit croître la puissance allemande. Personne ne se souciait plus de faire cause commune avec la France, sauf la Grande-Bretagne qui se sentait presque aussi menacée qu'elle — pas autant toutefois, puisqu'elle n'avait pas de frontière commune avec l'Allemagne hitlérienne. La géographie, comme l'histoire — celle de sa longue rivalité avec l'Allemagne —plaçaient la France dans une situation désavantageuse. Le grand poids de la guerre reposait sur elle.

Au cours des premiers mois de 1939, Hitler commença à exercer une pression sur la Pologne. C'était son procédé habituel : une période de préparation, de revendications, de propagande intense, suivie quelques mois plus tard de l'exécution. A la fin d'août, eut lieu un événement qui causa une certaine stupéfaction parmi les naïfs : on apprit que la Russie soviétique et l'Allemagne hitlérienne avaient conclu un pacte de non-agression. Les conséquences de ce pacte étaient faciles à prévoir. S'il y

---

[2] Le premier ministre britannique sortait rarement sans son parapluie, qui devint une espèce de symbole de sa politique dite d'apaisement.

avait une considération qui pût retenir Hitler dans sa marche vers la guerre, c'était l'idée d'avoir à combattre sur deux fronts, à l'est et à l'ouest, idée qui, bien avant la première guerre mondiale, hantait déjà l'état-major allemand. Le pacte germano-russe résolvait le problème : après s'être débarrassé de la Pologne — l'affaire de quelques semaines — Hitler pouvait concentrer toutes ses forces du côté de l'ouest. L'occasion était trop belle pour qu'il la laissât échapper. Il envahit la Pologne, qu'il partagea avec son compère russe. La France et la Grande-Bretagne, qui l'année précédente avaient refusé de se battre pour la Tchécoslovaquie, ne purent cette fois éviter la guerre.

Mais la France n'était pas prête. Elle pensait, comme l'Angleterre, qu'il fallait être patient, que les choses finiraient par s'arranger. Les Français ne croyaient pas à la guerre, parce qu'ils ne voulaient pas y croire. L'entretien de l'armée coûtait cher. D'autre part, alors que l'Allemagne, désarmée par le traité de Versailles, travaillait fiévreusement à la fabrication d'un matériel de guerre moderne, le matériel de guerre de l'armée française datait encore en partie de la première guerre mondiale. Le canon de 75, excellent en 1914, ne l'était plus vingt-cinq ans plus tard.

Pendant les quelque huit mois qui suivirent la déclaration de guerre, il n'y eut pour ainsi dire pas d'opérations militaires sur le front occidental. La Grande-Bretagne avait envoyé des troupes en France. Le long de la frontière avec l'Allemagne, les troupes françaises occupaient les fortifications de la ligne Maginot. Certains commençaient à se demander si cette guerre était sérieuse ou non.

La question fut résolue au mois de mai 1940. Les Hollandais furent indignés lorsque, sans avertissement, l'aviation allemande bombarda Rotterdam. Les Belges, eux aussi, avaient veillé jalousement à leur neutralité, entravant le projet qu'avait formé la France d'étendre la ligne Maginot le long de la frontière de leur pays — projet d'ailleurs d'une utilité douteuse, tant était grande la puissance de choc de l'armée allemande.

Celle-ci envahit la Hollande, la Belgique, puis la France. Évitant les fortifications de la ligne Maginot, elle dirigea son attaque principale vers la région faiblement défendue des Ardennes. En quelques jours, les divisions blindées allemandes pénétrèrent profondément à l'intérieur du territoire français, isolant l'armée franco-britannique rassemblée dans la région du Nord de la France et en Belgique. Les routes étaient encombrées de civils fuyant l'invasion et qui gênaient considérablement le mouvement des troupes. L'aviation allemande avait une maîtrise complète de l'air, les Britanniques conservant une partie de leurs avions pour la défense de leur pays — et les événements prouvèrent qu'ils avaient raison de le

Paris occupé par les Allemands

faire. Ce qui restait de l'armée britannique et de l'armée française du Nord, incapable de se dégager, resserré dans un espace de plus en plus restreint autour de Dunkerque, réussit à gagner l'Angleterre, mais en abandonnant tout son matériel.

Le reste de la guerre en France ne fut guère, pour les Allemands, qu'une suite d'opérations de nettoyage. Ils occupèrent Paris, déclaré ville ouverte. Le gouvernement français se réfugia à Tours, puis à Bordeaux, comme en 70. Le vieux maréchal Pétain, le héros de Verdun, appelé au pouvoir par le Président de la République, négocia, si l'on peut dire, un armistice, qui fut conclu le 25 juin 1940.

Il est évident que la continuation des hostilités en France était alors impossible. Il n'y avait plus d'armée. En signant l'armistice, Pétain essaya de sauver de la débâcle ce qui pouvait être sauvé, de conserver au moins une espèce de gouvernement français qui administrerait une partie du pays. Une faible partie, en vérité. Les riches régions du Nord, de l'Est et de l'Ouest — y compris une large zone qui s'étendait le long de la côte atlantique jusqu'aux Pyrénées — étaient occupées et administrées directement par les Allemands. Le nouveau gouvernement français, installé à Vichy, n'exerçait son autorité que sur un tiers peut-être du territoire français, et même là, les Allemands avaient bien entendu leur mot à dire. On a prétendu qu'au lieu de conclure l'armistice, le gouvernement aurait dû se rendre à Alger par exemple, et de là continuer la guerre. Il est assez

Cherbourg en ruines

vain d'essayer de refaire l'histoire et d'imaginer ce qui serait alors arrivé, notamment au général de Gaulle. Mais ce qu'on doit reprocher au gouvernement de Vichy, c'est d'avoir accepté le principe même de la collaboration avec les Allemands.

Ce fut un étrange gouvernement que celui de Vichy. La République n'existait plus. On avait un vague « État français », dont le chef était le maréchal Pétain. Les ministres étaient responsables devant lui, mais lui était au fond responsable devant les Allemands. Puis, à partir de 1942, ces derniers, dont la situation était devenue difficile par suite de la guerre en Russie et de l'intervention américaine, firent créer à Vichy, en faveur de Laval, un poste de chef du gouvernement. On eut donc un chef de l'État, Pétain, et un chef du gouvernement, Laval. C'est ce dernier, plus souple et moins scrupuleux que le vieux maréchal, qui exerça vraiment le pouvoir et qui fut le principal responsable des actes de collaboration avec les autorités allemandes.

Il n'y avait plus de front occidental. La France était hors de combat et l'Angleterre hors d'atteinte. Vainement les avions allemands bombardèrent les villes anglaises. Les Anglais subirent ces bombardements avec un courage admirable. Mais il y a une différence entre subir des bom-

394

bardements aériens et être envahi par des colonnes motorisées, qui écrasent toute opposition. Incapable de franchir la Manche, Hitler dut renoncer à toute tentative de débarquement sur le sol britannique. Il fit alors ce que Napoléon avait fait cent vingt-neuf ans plus tôt, au temps du camp de Boulogne : il se tourna vers l'Est et attaqua la Russie — la guerre sur un seul front. Avec leur formidable puissance de choc, les armées allemandes remportèrent d'abord de grands succès. Mais Hitler avait oublié l'histoire de Napoléon : comme lui, il se perdit dans les immenses territoires de la Russie, mais après avoir infligé à la courageuse armée des soviets des pertes effrayantes — plus de 6 millions de morts.

En France, une période d'accablement suivit le désarroi de la défaite. Le général de Gaulle avait bien proclamé, dans son célèbre appel adressé en juin 1940 au peuple français : « La France a perdu une bataille ! Mais la France n'a pas perdu la guerre ! », néanmoins l'avenir paraissait bien sombre. Les soldats allemands se promenaient dans les rues de Paris, les autorités allemandes ordonnaient des réquisitions de toute nature, alors que la production déclinait, faute de matières premières et surtout de main-d'œuvre, des centaines de milliers de Français étant prisonniers de guerre en Allemagne. Dans les villes surtout, la vie devenait de plus en plus difficile, le marché noir fleurissait. Les journaux devaient servir la propagande allemande, s'ils désiraient continuer leur publication. Il y eut des « collaborateurs », qui par politique, ou même par conviction, prirent fait et cause pour l'Allemagne hitlérienne — ces collaborateurs représentant d'ailleurs toutes les idéologies politiques, depuis l'extrême droite jusqu'à l'extrême gauche.

L'incapacité des armées allemandes de remporter en Russie des succès décisifs, rendit l'espoir à beaucoup de Français. Les communistes en particulier passèrent à une résistance active. Peu à peu s'organisa le vaste mouvement de « la Résistance », dont les ramifications finirent par s'étendre partout, et qui groupait des gens, hommes et femmes, appartenant eux aussi à toutes les idéologies politiques. Elle avait pour objet d'aider la cause des Alliés et de nuire à celle des Allemands. L'œuvre de cette association clandestine, mais admirablement organisée, fut donc fort diverse : espionnage et transmission aux Alliés de renseignements d'ordre militaire ou économique intéressant leur cause, sabotage des moyens de production et de transport au service de l'Allemagne — usines, chemins de fer, etc. — évasion, souvent par le Portugal, d'aviateurs anglais ou américains abattus au cours de raids aériens.

C'étaient là bien entendu des occupations fort dangereuses. La Résistance eut ses héros et ses martyrs. Les premières exécutions eurent lieu pendant

Un membre de la Résistance

Une imprimerie clandestine de la Résistance

l'été de 1941, et dès lors, jusqu'à la fin de l'occupation, les Allemands fusillèrent de nombreux résistants. Si les coupables leur échappaient, ils fusillaient des otages. Outre les exécutions, les mesures répressives se multipliaient : obligation pour les Juifs de porter l'étoile jaune, déportation de malheureux, Juifs et autres, que l'on ne revit jamais. L'abominable Gestapo était une étrange collection de brutes et de fanatiques.

En 1943, les Allemands décidèrent de réquisitionner des travailleurs français pour les envoyer en Allemagne. Beaucoup, surtout parmi les jeunes, préférèrent former des bandes armées qui cherchaient asile dans des lieux écartés, lieux de montagnes et de forêts, dans le Morvan, dans le Vercors, où, en 1944, eurent lieu de sanglantes rencontres entre « maquisards » et Allemands. Malheur aux maquisards qui tombaient aux mains de l'ennemi. Mais ils le savaient, et ils agissaient en conséquence.

Les débarquements alliés dans l'Afrique du Nord, puis en Normandie, stimulèrent encore l'activité de la Résistance. Résistants et maquisards prirent part à la libération du territoire, à côté d'une armée française reconstituée en Afrique et qui avait débarqué en Provence, en même temps que les Américains. Au mois d'août 1944, une division française fit son entrée à Paris, venant de Normandie. Le même jour, le général De Gaulle arriva à l'Hôtel de Ville, venant de Londres.

Les Français avaient libéré eux-mêmes leur capitale, mais ils savaient bien que la libération de leur pays, à laquelle ils avaient participé, n'était pas essentiellement leur œuvre. Peut-être y a-t-il quelque chose de ce sentiment dans la ferveur ombrageuse avec laquelle le général De Gaulle défendit plus tard ce qu'il considérait comme l'indépendance politique et économique de son pays.

La libération de Paris

La société et la civilisation
entre les deux guerres

Au point de vue économique et social, comme au point de vue politique, les années entre les deux guerres furent des années difficiles. Les premières furent consacrées à la remise en état des régions dévastées, au relèvement des ruines de la guerre, plutôt qu'à l'accroissement de la production nationale. Puis vint la crise économique des années trente, avec toutes ses complications financières, sociales et autres.

Après 1918, le pays s'efforça de retourner à ses anciennes habitudes. Libéré, le soldat des campagnes revint labourer le champ que labourait son père, l'employé retourna à son bureau, l'ouvrier à son usine. Mais en réalité le monde où ils vivaient était bien différent de l'ancien. La période entre les deux guerres fut une période d'instabilité, d'incertitude du lendemain, de conflits de toute sorte, conflit entre l'idéologie fasciste et l'idéologie communiste — exaspéré encore par la guerre civile en Espagne, qui divisa si profondément l'opinion publique — conflit entre capital et travail, entre patrons et ouvriers, conflits au Parlement et jusqu'au sein du gouvernement, entre partis incapables de s'entendre.

L'économie nationale en souffrit. Le climat politique et social était peu favorable aux initiatives privées. Les charges nées de la guerre pesaient trop lourdement sur le budget de l'État pour que ce dernier fût à même d'intervenir vigoureusement dans la vie économique, et d'ailleurs on ne pensait guère encore à une telle intervention. Néanmoins, quelques industries se développèrent, particulièrement dans la région parisienne. Les usines Renault, dont le fondateur avait construit sa première automobile à la fin du siècle dernier, et qui, pendant la première guerre mondiale, avaient fabriqué du matériel de guerre, notamment des chars d'assaut, se mirent à fabriquer des automobiles. A Paris également, Citroën, qui avait établi une usine de guerre le long de la Seine, dans le voisinage du Champ-de-Mars, en fit autant, et il étonna les Parisiens par l'audace de sa publicité, surtout lorsqu'il illumina de haut en bas la tour Eiffel. Mais malgré ces deux entreprises et quelques autres, l'après-guerre ne fut pas, pour la France, une période d'expansion industrielle.

On construisit peu, même à Paris, et la crise du logement ne cessa de s'aggraver à mesure qu'augmentait la population de la capitale. En 1914, le gouvernement avait réglementé les loyers afin d'épargner des difficultés financières aux familles des mobilisés. La guerre terminée, il ne relâcha pas son contrôle. La construction de nouveaux immeubles en souffrit, d'autant plus que l'industrie du bâtiment étant encore une industrie artisanale, aux mains de petits entrepreneurs, cette construction était fort coûteuse. Les propriétaires des immeubles existants firent peu pour les moderniser ou même pour les réparer, puisqu'ils n'y trouvaient pas profit. Ce n'est guère que depuis quelques années qu'un effort systématique est fait pour encourager la construction de nouveaux immeubles et la modernisation des anciens.

En 1936, au moment de l'arrivée au pouvoir du Front populaire, l'économie nationale était dans le marasme. Les effets de la crise économique se faisaient durement sentir en France, comme dans toute l'Europe occidentale. En Allemagne toutefois, le développement énorme des armements donnait au pays une apparence de prospérité. Rien de tel en France. Le chômage sévissait, accompagné de désordres sociaux.

C'est dans ces circonstances que s'ouvrit l'Exposition de 1937. Elle eut à souffrir des difficultés du temps. Les travaux de construction étaient loin d'être achevés au moment de l'ouverture, et ils ne l'étaient pas

L'Exposition de 1937

complètement au temps de la fermeture, en novembre 1937. Cependant, une des vues les plus impressionnantes de la capitale se rattache à cette Exposition — le vaste ensemble formé par l'École militaire, les jardins du Champ-de-Mars, la tour Eiffel, et, sur l'autre rive de la Seine, le palais de Chaillot, un des rares grands monuments parisiens bâtis au cours des années qui ont immédiatement précédé la deuxième guerre mondiale.

La crise économique des années trente, jointe à l'action du Front populaire où l'idéologie marxiste était fortement représentée, amena des relations extrêmement tendues entre ouvriers et patrons. Les adversaires du capitalisme libéral l'accusaient d'être sujet à des crises cycliques qu'il ne pouvait éviter et auxquelles il ne savait remédier. Ils réclamaient donc au moins une participation de l'État dans la vie économique. Cette vie économique, disaient-ils, est maintenant aux mains de quelques familles de gros actionnaires qui peuplent de leurs membres les conseils d'administration des grandes entreprises industrielles et commerciales. Or, ces gens pensent plus à leurs propres intérêts qu'à l'intérêt général. Il convient donc de leur enlever la direction d'entreprises qui présentent les caractères d'un service public national ou d'un monopole pour la confier à la collectivité, sous la forme d'un conseil composé de représentants du travail, de représentants des usagers et de représentants de l'État. Tel fut le sens de la « nationalisation » des entreprises d'armement et des chemins de fer, traditionnellement déficitaires, au cours des années 1936 et 1937.

A la même époque furent prises les mesures indiquées plus haut,[1] conventions collectives, semaine de 40 heures, congé annuel payé, augmentation des traitements, destinées à donner satisfaction aux revendications des ouvriers, des employés et des fonctionnaires — mesures d'ailleurs assez vaines aussi longtemps que l'économie nationale resterait si déficitaire. Or, en 1939, l'année de la guerre, la production industrielle n'atteignait que 70% du niveau de 1929, et la France, pays pourtant agricole, ne produisait que la moitié de ce qu'elle consommait.

La lutte contre « les puissances de l'argent » et contre les « privilèges sociaux » s'étendit à d'autres domaines. La bourgeoisie vit ses positions de plus en plus menacées. Depuis la fondation de l'Université napoléonienne, c'était elle qui avait fourni aux lycées et collèges la masse de leurs élèves, qui devaient constituer plus tard les « élites » dirigeantes. L'enseignement primaire n'était que le parent pauvre de l'enseignement secondaire, avec lequel il n'avait aucune relation. Or, pendant les années qui précédèrent la dernière guerre, des mesures furent prises pour abaisser les barrières qui séparaient les deux enseignements. On décida que les études secondaires seraient gratuites, comme les études primaires. Le

[1] Voir p. 390.

parti radical-socialiste, à la fois petit bourgeois et égalitaire, qui participait au gouvernement du Front populaire, fit accepter le principe que l'admission d'un élève dans un lycée ou dans un collège de l'enseignement public serait désormais fondée sur ses aptitudes, et non sur les désirs de ses parents ou sur les moyens financiers dont ils disposent.

Picasso: La famille du jardinier

Dans la peinture, la période entre les deux guerres vit se continuer la révolution commencée avant 1914 par les Fauves et par les Cubistes. Les maîtres d'autrefois avaient en somme suivi de près le goût de leur temps. Il y a conformité entre la peinture de Le Brun et l'intérêt du grand siècle pour la mythologie et pour l'histoire ancienne, entre les « fêtes galantes » de Watteau et l'époque de la Régence, entre les goûts, les aspirations de la jeunesse romantique et les tableaux de Delacroix, même entre la peinture de Courbet et les idées de son temps. L'art nouveau, au contraire, tend à se libérer de son époque. Cessant de reproduire les objets tels qu'ils apparaissent à la vue, il tend aussi à s'éloigner du monde des apparences et à créer sa propre réalité. De là la difficulté pour l'artiste d'établir un lien entre son art et le goût du grand public, lequel veut d'ordinaire des objets représentés tels qu'il les voit; de là la nécessité pour le peintre d'éduquer son public, de former son goût pour un art si peu conforme à ses habitudes.

Depuis quatre siècles, la peinture occidentale s'attachait à la reproduction des formes visuelles, des lignes du corps humain, des objets naturels. Elle modelait les figures, essayait, par l'emploi des ombres, de donner, sur une surface, l'illusion du volume et de la solidité. Les artistes avaient eu recours à divers moyens, à la perspective par exemple, pour créer l'impression d'une troisième dimension, de l'éloignement dans l'espace. Or, cette esthétique paraît maintenant caduque. Bien plus qu'à l'art de

Raphaël et de Vinci, les peintres s'intéressent à des formes d'art jusqu'
alors étrangères aux artistes de l'Occident, du moins depuis la Renaissance,
à l'art oriental, à l'art africain, à l'art archaïque grec, à l'art des anciens
vitraux.

Révolution donc dans le dessin, et aussi dans la couleur. Avec les
impressionnistes, les formes tendaient à disparaître, perdues dans les
gradations de la couleur et de la lumière. Cézanne essaya de rendre aux
objets leur solidité et leur volume en les ramenant à des lignes géométriques, en accentuant les contours, en délimitant les plans par la couleur.
Gauguin, comme lui, peint par masses colorées, opposant avec une maîtrise parfaite les bleus, les verts, les violets avec les teintes chaudes du rouge,
du jaune, de l'orange. Il s'attache moins que Cézanne à donner l'illusion
de la profondeur et de la solidité. Pour lui, un tableau est essentiellement
la représentation simplifiée et à deux dimensions des êtres et des choses.
C'est ainsi que déjà avec Gauguin, comme d'ailleurs avec Van Gogh, la
peinture prenait un aspect décoratif, recherchant le plaisir des yeux, le pur
charme du dessin et de la couleur.

Matisse fut l'un des Fauves. Sa « Femme au chapeau », de 1905, offre
un violent assemblage d'oranges et de bleus, de jaunes et de violets, de
verts et de rouges, et même si ces couleurs sont « complémentaires »,[2] le
tableau manque d'unité. Les « Poissons rouges », qu'il peignit dix ans plus
tard, sont bien plus séduisants, à la fois par la composition et par la couleur. L'emploi des lignes horizontales, verticales et obliques rappelle les
procédés du cubisme. Matisse excelle à définir les plans par quelques
lignes élémentaires. Une teinte rouge uniforme domine son « Intérieur
en rouge » de 1948. Toutefois, par la présence de divers objets, vases et
autres, et par un heureux contraste de couleurs, Matisse a réussi à donner

---

[2] Deux couleurs sont complémentaires lorsque le blanc résulte de leur combinaison.

402

l'illusion de la profondeur, et cela sans détruire l'aspect décoratif de l'ensemble.

Rouault fut aussi l'un des Fauves. Comme eux, il marque en noir les contours, juxtapose les couleurs complémentaires. Son art expressionniste cherche à rendre, sur un visage humain, l'intensité des passions, la souffrance endurée, comme dans sa « Sainte Face », ou l'usure de la vie, comme dans le profil si pathétique du « Vieux Roi». Il s'inspire volontiers de l'art archaïque du Proche-Orient, de l'art de l'ancienne Égypte, mais surtout de l'art des vitraux du Moyen Age, avec lequel sa peinture aux couleurs intenses et au dessin vigoureux a tant d'affinités.

Rouault: Le vieux roi

Picasso: Les Demoiselles d'Avignon

Picasso

Picasso a sans cesse cherché à découvrir des formes d'art nouvelles. Après une époque bleue, puis une époque rose, il se rallia au cubisme. Son tableau de 1907, « Les Demoiselles d'Avignon », représente des femmes dont le corps et les gestes sont ramenés à des lignes géométriques et dont le visage rapelle certains masques congolais. Puis Picasso expérimenta avec une forme de cubisme où les objets sont représentés à l'aide de surfaces anguleuses qui ressemblent à des morceaux de verre brisé ou bien à des cristaux de quartz dont chaque facette est d'une teinte légèrement différente. Puis il eut recours au procédé du « collage », dans lequel divers éléments, papier, tissu, etc., sont collés sur la toile. Ce procédé, utilisé d'abord pour des natures mortes, Picasso l'employa ensuite dans la figuration du corps humain. Le fond des « Trois danseuses », de 1925, avec ses panneaux colorés, fait penser à Matisse; mais l'imitation de tissu rayé, surtout celle du papier peint qui borde de chaque côté le tableau, rappelle le collage. Les corps disloqués des danseuses, dont les traits et autres attributs ne sont pas à leur place habituelle, laissent l'impression d'être eux-mêmes étrangement découpés et collés à la surface du tableau, bien que leurs mouvements soient traduits avec une force singulière. « Guernica » fut inspiré par la guerre civile d'Espagne, la destruction, en 1937, de la petite ville de Guernica par l'aviation allemande. C'est une vision de cauchemar, où des corps démembrés, des gestes vains de supplication et de désespoir, des animaux monstrueux et symboliques évoquent les misères de la guerre. Le tableau est en tous points digne de l'acte.

Verlaine

Apollinaire

Le poète Apollinaire mourut en 1918, victime de l'épidémie de grippe qui suivit la première guerre mondiale, dans laquelle il avait combattu. Ami de Picasso, un des habitués du « Bateau-lavoir »,[3] il fut, par ses articles de critique, l'un des propagateurs du cubisme. Comme les cubistes l'étaient en peinture, Apollinaire était en poésie à la recherche d'un art nouveau. Comme eux, il « en (avait) assez de vivre dans l'antiquité grecque et romaine », tant au point de vue de l'inspiration que de l'expression poétique. Sa poésie ouvre toutes grandes les portes du rêve. Elle est faite d'une suite d'évocations, d'images, d'allusions à des objets les plus divers, les plus éloignés dans le temps et dans l'espace, pays lointains, vieilles histoires, vieilles croyances, jusqu'aux scènes les plus familières, le Paris des tramways, de l'électricité et de la tour Eiffel, tout cela intimement associé aux émotions, aux états d'âme du poète. L'effet presque visuel des images qu'il évoque est encore accru par l'harmonie, par le rythme prenant du vers. La poésie d'Apollinaire est proche à la fois de la musique et des arts plastiques, au point qu'il essaya même, dans ses *Calligrammes,* d'explorer les possibilités picturales des vers.

Moins subjectif qu'Apollinaire à qui un amour malheureux inspira sa belle *Chanson du mal-aimé,* Paul Valéry s'attache, comme lui, à toucher par la musique du vers et par la richesse des images les cordes les plus secrètes de la sensibilité et de l'intelligence. Sa poésie est essentiellement invocatoire, non seulement par l'acuité des sensations visuelles, auditives, tactiles qu'elle éveille, mais par l'appel à toutes les associations d'idées et de sentiments qui s'attachent aux objets qu'elle évoque. Elle doit beaucoup à Mallarmé, mais aussi aux anciens mythes, aux souvenirs de la Grèce antique, aux thèmes reparaissant du ciel, des astres, des flots de la mer qui lui donnent quelque chose de permanent et d'universel. *Le Cimetière marin*

---

[3] On appelait ainsi une série d'ateliers de peintres sur la colline de Montmartre.

est une méditation sur l'existence et sur la mort, sur le temps, sur le contraste entre le fugitif et l'éternel, entre l'immobilité et le mouvement, comme, dans le monde méditerranéen qu'évoque le poète, entre la lumière et l'ombre. L'art de Valéry est un art très conscient, d'une obscurité souvent voulue parce que cette obscurité même force le lecteur à partager l'effort de création du poète. Nul poète depuis Victor Hugo ne fut plus honoré de son vivant, et lorsqu'il mourut, en 1945, Valéry eut, comme son illustre devancier, l'honneur de funérailles nationales.

Les débuts littéraires de Marcel Proust remontent aux années précédant immédiatement la première guerre mondiale, mais la notoriété ne lui vint qu'en 1919, lorsque l'Académie Goncourt[4] couronna *A l'ombre des jeunes filles en fleur*. Il en profita peu. De santé précaire, il mourut trois années plus tard, trois années d'une activité étonnante.

L'influence littéraire de Proust a été profonde et durable. *A la recherche du temps perdu* est un immense effort pour explorer « la grande nuit impénétrable et décourageante de notre âme que nous prenons pour du vide et pour du néant ». En réalité, cette nuit recouvre un monde de souvenirs qui paraissent oubliés et d'émotions qui semblent mortes. Pour les faire revivre, il suffit quelquefois, dans un moment imprévisible, de la répétition d'une sensation autrefois éprouvée, de la vue ou du parfum d'une fleur, de la saveur d'une tasse de thé, de la petite phrase d'une sonate associée à un ancien amour. On éprouve alors une sorte de révélation qui nous fait sentir la présence du passé, la réalité d'êtres depuis longtemps absents de notre conscience claire, soit que la mort et l'oubli nous aient séparés d'eux, soit que le temps les aient changés, car le moi de chacun est en évolution constante. Révélation accompagnée de joie ou de douleur, souvent des deux ensemble, et qui n'est peut-être pas sans analogie avec l'expérience mystique, lorsque, dans un moment privilégié, la présence de Dieu devient réelle.

---

[4] L'Académie Goncourt, composée de dix membres, fut fondée en 1896 par Edmond de Goncourt. Elle décerne chaque année un prix au meilleur roman.

Léger: Deux figures et une fleur

Les êtres, comme d'ailleurs le monde tout entier, n'existent qu'en nous-mêmes. Une personne aimée, une grand-mère ou une maîtresse, peut occuper un moment une place énorme dans notre vie; puis elle disparaît de notre existence quotidienne. Seul un accident nous permettra de retrouver les sentiments que cet être nous inspirait autrefois. Le temps alors semble s'effacer.

C'est autour de révélations de ce genre que Proust a construit son ouvrage, et ce procédé a renouvelé la technique traditionnelle du roman. Le récit n'est plus conduit selon l'écoulement du temps mesurable et objectif, celui qu'on divise en heures et en journées, mais selon une durée psychologique, irréductible, parce que variable avec l'expérience personnelle. Avant Proust, le philosophe Bergson avait insisté sur la notion de durée, dont il faisait une force créatrice.

Les êtres dont Proust a peuplé ses livres sont des personnes qui lui furent chères, ou des connaissances appartenant à la société d'oisifs un peu snobs qu'il fréquentait. Peu importe d'ailleurs le monde qu'il nous présente, car son analyse dépasse l'accidentel de la condition sociale pour s'élever jusqu'à l'universel de la condition humaine.

André Gide fut un des guides spirituels de la jeunesse intellectuelle d'entre les deux guerres. Une partie considérable de son œuvre est pourtant antérieure à 1914. Dès 1897, dans *Les Nourritures terrestres,* il prêchait à son disciple Nathanaël, d'un ton inspiré et vaguement biblique, une morale fondée sur le désir de s'affranchir, de se libérer des contraintes religieuses et des principes de conduite acceptés qui limitent la liberté, sur le refus de s'attacher à ce qui est acquis, car s'attacher c'est choisir, et choisir est exclure de sa vie tout ce qu'on ne choisit pas. Plus tard, dans *Les Faux-Monnayeurs,* Gide dénonce le mensonge qui existe, non seulement dans les rapports des hommes entre eux, mais dans les rapports de chaque homme avec lui-même. Son analyse des désirs et des sentiments les plus secrets, ceux dont on ne parle pas, des conflits ouverts ou cachés, — restes peut-être d'une conscience puritaine, — qui déchirent des personnages qui, sans être lui, sont ses possibles, ce qu'il aurait pu être, est parfois pénible à cause de sa sincérité même, mais elle témoigne d'un grand effort pour pénétrer ce qu'on appelait autrefois les « ressorts » du cœur humain.

L'après-guerre : La vie politique

Au temps de la défaite de 1940, tandis que le gouvernement du maréchal Pétain s'installait à Vichy, le général De Gaulle créait à Londres un embryon de gouvernement français en exil. A la suite du débarquement américain en Algérie, un autre gouvernement se fonda à Alger, de sorte qu'on eut un moment trois gouvernements rivaux, comme on avait eu trois papes rivaux au temps du Grand Schisme. Le gouvernement de Vichy disparut à la Libération. Les deux autres fusionnèrent au profit du général De Gaulle, qui devint ainsi chef du gouvernement provisoire de la République.

On procéda presque immédiatement à de nouvelles élections où, pour la première fois en France, les femmes votèrent. Jusqu'alors, députés et surtout sénateurs, désireux de ne rien changer à la composition d'un électorat dont ils se sentaient maîtres, avaient obstinément refusé de leur accorder le droit de vote. Outre le choix des représentants à la nouvelle assemblée, les électeurs et nouvelles électrices eurent à décider, par voie de référendum, si cette assemblée serait chargée de préparer une nouvelle constitution, ou si l'on raviverait la Troisième République. Le résultat fut décisif : il y eut moins d'un Français sur vingt-cinq pour se prononcer en faveur d'un retour à la Troisième République. La nouvelle Assemblée prépara donc la constitution de la Quatrième.

La composition de cette Assemblée était à certains égards nouvelle. On vit disparaître de la scène politique les hommes qui, à des degrés divers, avaient collaboré avec les Allemands. Nombre d'entre eux étaient d'ailleurs en prison, quelques-uns même, Laval entre autres, avaient été fusillés. Comme on pouvait s'y attendre, les élections de 1945 furent un triomphe pour les partis qui avaient joué un rôle particulièrement grand dans la Résistance, laquelle, aux yeux de bien des Français, rachetait un peu l'humiliation de la débâcle de 1940 et de cinq années d'occupation. Après l'entrée en guerre de la Russie, les communistes français s'étaient soudain découverts patriotes. Ils avaient pris une part active à la Résistance. Leur parti, solidement organisé, avait profité de la Libération pour s'assurer des moyens de propagande efficaces, en mettant par exemple la main sur des journaux accusés d'avoir collaboré avec l'ennemi. Les socialistes eux aussi, et un peu pour les mêmes raisons, réalisèrent des gains considérables. Enfin un nouveau parti, le Mouvement Républicain Populaire ou M.R.P., qui appuyait alors le général De Gaulle, devint l'un des « trois grands », comme on disait alors.

Le M.R.P. était un parti démocrate-chrétien, c'est-à-dire qu'il se réclamait à la fois de l'idéal démocratique et des principes du christianisme. Le clergé avait pris une part active à la Résistance — des prêtres et des pasteurs avaient été tués par les Allemands — et le catholicisme étant en France la religion dominante, il est tout naturel que le M.R.P. ait été influencé par la pensée catholique. Toutefois, pour beaucoup de Français, la religion est un héritage moral, un ensemble de valeurs plutôt qu'un ensemble de pratiques. C'est cet état d'esprit que représentait surtout le M.R.P., lequel comptait des non-pratiquants unis avec les autres pour défendre des valeurs qu'ils sentaient menacées par l'idéologie communiste.

Si le M.R.P. se faisait ainsi le défenseur de traditions d'ordinaire associées avec les partis de droite, son programme d'action politique, sociale et économique était nettement de gauche et voisin du socialisme. C'est ainsi qu'il se prononça en faveur des nationalisations d'entreprises jusqu'alors privées — nationalisation des usines Renault, des houillères de la région du Nord, des grandes banques, des compagnies de gaz et d'électricité — qui eurent lieu au lendemain de la guerre.

Assemblée Nationale

Les socialistes, les communistes et le M.R.P. constituant la grande majorité de l'Assemblée, ce sont eux qui élaborèrent la nouvelle constitution. Les communistes ne s'intéressaient pas à l'établissement d'un gouvernement viable. D'autres ne se souciaient pas de voir diminuer leurs pouvoirs en tant que représentants du peuple, et ils entendaient bien conserver la haute main sur l'exécutif. Un premier projet de constitution fut soumis au référendum. Une des dispositions déclarait que l'Assemblée pourrait suspendre les libertés politiques à la majorité des deux tiers pour une durée de six mois, indéfiniment renouvelable. Était-ce là une espèce de préparation à un coup d'État? Le public rejeta le projet, montrant ainsi qu'il avait plus de sens des réalités que la majorité de ses représentants.

L'Assemblée prépara donc un nouveau projet de constitution, qui n'eut pas l'approbation du général De Gaulle. Il fut cependant approuvé au référendum, mais à une très faible majorité. De fait, les votes étaient presque également répartis entre les « oui », les « non » et les abstentions, le grand nombre de ces dernières étant une indication de l'apathie, ou du dégoût, des électeurs.

La Quatrième République qu'organisa la constitution de 1946 ressemblait étonnamment à la Troisième, malgré le sentiment exprimé si clairement par le référendum. Plus qu'elle encore, elle établissait la toute-puissance de l'ancienne Chambre des députés, devenue maintenant Assemblée Nationale. L'ancien Sénat, que le projet rejeté au référendum avait purement et simplement supprimé comme étant trop conservateur, était remplacé par un Conseil de la République. Mais ce Conseil n'avait guère qu'un rôle consultatif. Le pouvoir législatif appartenait tout entier à l'Assemblée Nationale. Pour le reste, c'était un retour aux anciennes pratiques. Le Président de la République, sans pouvoir réel, était toujours élu par les deux chambres, les ministres étaient toujours responsables devant l'Assemblée Nationale, et seulement devant elle. Par l'exercice illimité du droit d'interpellation, le massacre ministériel continua donc comme auparavant.

La vie politique, elle aussi, reprit comme avant. Il est vrai que l'équilibre entre les partis s'était modifié, qu'il y avait de nouveaux venus comme le M.R.P., de nouveaux hommes politiques issus de la Résistance. Mais les divisions étaient aussi nombreuses et aussi profondes qu'autrefois, les oppositions aussi marquées entre idéologies rivales. Sans majorité stable, incapable d'obtenir l'accord sur les mesures à prendre, le gouvernement de la Quatrième République ne put faire face à tous les graves problèmes qui se posèrent à lui au cours des douze années de son existence.

Au fond, la vie politique restait trop dominée par la politique, au sens étroit et parlementaire du mot. Le parti radical-socialiste s'était formé au temps où l'Église était encore une puissance politique, où l'anticléricalisme était de mode, au temps aussi où la France était un pays surtout agricole, car le parti s'appuyait fortement sur les populations rurales. Le radicalisme, certes, avait perdu du terrain aux élections de 1945. Mais les autres partis n'échappaient pas au vieillissement et montraient souvent un attachement excessif à une idéologie acceptée. Les nationalisations, réclamées par les partis de gauche, n'étaient pas un remède universel aux maux économiques dont souffrait le pays. On ne pouvait même pas dire que le sort des ouvriers fût meilleur dans les entreprises nationalisées que dans les autres — et les ouvriers s'en rendaient compte.

Le rôle politique de la France en Europe, sous la Quatrième République, fut assez mince. La guerre avait rompu le vieil équilibre européen. La Grande-Bretagne était épuisée par l'effort qu'elle avait fourni, l'Allemagne était écrasée, dépecée. Les grands Alliés traitaient un peu la France comme un parent pauvre. Quand il s'agit par exemple d'organiser l'occupation de l'Allemagne vaincue et de la bizarre enclave de Berlin, partagée entre les vainqueurs, la France eut de la peine à se faire accepter parmi les puissances occupantes. Il était clair que l'avenir, du moins l'avenir immédiat de l'Europe, était aux mains de deux nations, les États-Unis d'Amérique et l'Union soviétique. Cette dernière avait poussé ses frontières vers l'ouest, créé des États satellites, étendu dans toutes les directions sa « sphère d'influence », selon la formule alors si fréquemment employée. Elle cherchait d'ailleurs à l'étendre davantage, en Grèce et ailleurs. En 1948, elle interdit le passage à travers la zone soviétique aux convois alliés ravitaillant Berlin. Les États-Unis répondirent en ravitaillant Berlin par avion, de sorte que le blocus ne donnant pas les résultats espérés, il fut levé au bout de six mois.

Seuls les États-Unis étaient capables de résister aux poussées et aux empiétements qui risquaient fort de se produire, en Allemagne et ailleurs. Autrefois, l'armée française assurait une espèce d'équilibre sur le continent, de même que la flotte britannique, celle du *Rule Britannia,* dominait autrefois les mers. L'une et l'autre avaient maintenant perdu leur efficacité. Par la force des choses, les États-Unis étaient condamnés à assumer la responsabilité du rôle qu'elles jouaient auparavant, et cela sur une échelle non plus européenne, mais mondiale — rôle ingrat, coûteux, dangereux, mais qu'ils ne pouvaient refuser sans s'exposer eux-mêmes aux risques les plus graves. Un accord sincère et durable entre les États-Unis et l'Union soviétique était pour le moins peu probable.

L'entrée de la République Fédérale d'Allemagne dans l'OTAN (au Palais de Chaillot)

Il fallut donc prendre des mesures pour la protection de l'Europe en particulier. En 1949, fut conclu entre les États-Unis, le Canada et dix États européens, y compris la France, un pacte d'assistance mutuelle, l'O.T.A.N. (Organisation du Traité de l'Atlantique Nord), aux termes duquel les États-Unis assumaient environ 15 % des dépenses militaires des pays participants. D'autres nations furent admises plus tard, notamment l'Allemagne occidentale, qui fut invitée à fournir des contingents aux forces de l'O.T.A.N. Ce ne fut pas sans l'opposition de certains Français, qu'inquiétait le réarmement de l'Allemagne. Mais à cette date, en 1955, les relations économiques entre la France et l'Allemagne étaient déjà fort étroites, avec pour résultat une détente dans les relations franco-allemandes en général. D'autre part, l'Allemagne n'était plus la puissance dominante en Europe.

Plus même que le problème des relations européennes, le problème colonial se posa avec une urgence extrême au cours des années qui suivirent la deuxième guerre mondiale. Beaucoup de Français furent désagréablement surpris par l'agitation dans leurs possessions d'outre-mer. Ils étaient convaincus, non sans raison, que leur pays y avait accompli une mission civilisatrice, ils croyaient les indigènes dévoués à la France. Marocains, Algériens, Sénégalais n'avaient-ils pas bravement combattu à leurs côtés pendant les deux guerres? Ce fut un choc pour eux que de découvrir que ces gens-là ne les aimaient pas particulièrement, le grand public étant souvent enclin à mêler le sentiment à la politique.

En 1944, à une époque où les territoires d'outre-mer étaient soit sous l'autorité de Vichy soit sous celle du gouvernement provisoire du général De Gaulle, ce dernier avait promis aux populations indigènes leur autonomie à l'intérieur d'une Union française. La constitution de 1946 organisa cette Union, créant divers organes composés de représentants des pays intéressés. Mais l'établissement de l'Union n'arrêta pas le mouvement nationaliste, ni en Indochine où le Viêt-nam, soutenu par la France, était aux prises avec les communistes de Ho Chi Minh, ni dans l'Afrique du Nord, où la Ligue arabe encourageait l'agitation au Maroc, en Algérie et en Tunisie.

La France essaya de résister. En Indochine, elle se heurta aux mêmes difficultés que celles que devaient affronter plus tard les États-Unis : un pays nominalement allié, mais avec une armée et une population de fidélité incertaine, une guerre d'infiltrations perpétuelles, un ennemi insaisissable et qui reparaît aussitôt qu'on croit l'avoir réduit. Or, la France n'avait pas les immenses ressources militaires, aériennes et navales des États-Unis. Ceux-ci, d'accord avec l'Union soviétique pour dénoncer le colonialisme, étaient alors engagés dans la guerre de Corée. Lorsque cette guerre prit fin, en 1953, le conflit en Indochine changea de nature. Ho Chi Minh devint plus agressif. En 1954, une garnison française de 12.000 hommes dut capituler à Dien-Bien-Phu, après avoir opposé à l'ennemi une longue et courageuse résistance. Ce fut la fin de l'Indochine française.

Dans l'Afrique du Nord, les choses suivirent un cours semblable, mais elles eurent des répercussions plus graves encore. L'Algérie présentait des problèmes particuliers. Tout d'abord, elle était française depuis plus d'un siècle. Divisée comme la France en départements, elle faisait partie de la métropole. D'autre part, elle était peuplée d'environ un million de colons européens qui, même s'ils étaient d'origine fort diverse — française, alsacienne, allemande, italienne et espagnole — se considéraient comme Français. Leurs familles vivaient en Algérie depuis une ou deux générations, et ils jugeaient qu'ils avaient le droit d'être là, aussi bien que les Arabes et que les Berbères. Quoi qu'il en soit, lorsque les troubles s'aggravèrent, beaucoup quittèrent un pays où l'avenir apparaissait sans espoir pour eux ou pour leurs enfants.

La France essaya de tenir tête à l'insurrection. La presque totalité de son armée fut bientôt en Algérie. La guerre pourtant s'éternisait. Six ans après le commencement des troubles, les choses allaient de mal en pis. A Paris, le gouvernement ne savait que faire en face du F.L.N., le Front de Libération Nationale, qui réclamait l'indépendance totale. A Alger, les Européens avaient l'impression que la France les abandonnait, qu'elle était prête à les sacrifier. L'armée prenait fait et cause pour eux. Officiers et soldats étaient engagés dans une guerre sans pitié, et qui n'était pas belle. Une expédition franco-britannique pour saisir le canal de Suez, que venait de nationaliser Nasser, se heurta à l'opposition des États-Unis et de la Russie : Nasser conserva le canal. Le souvenir du désastre militaire de 1940, de celui plus récent de Dien-Bien-Phu, ne contribuait pas à calmer les esprits. Allait-on capituler une fois de plus en Algérie ? C'est dans cette atmosphère de colère, d'exaspération qu'il faut replacer les événements d'Alger, du mois de mai 1958. Le 13, un coup d'État eut lieu à Alger. La foule s'empara des bâtiments du gouvernement. On institua un Comité de Salut Public, comme en 1792. L'armée, réclamant l'arrivée au pouvoir du général De Gaulle, menaçait de s'emparer du pouvoir par la force, si la force était nécessaire. Le gouvernement de Paris capitula. Il y était habitué.

Le général De Gaulle était alors retiré, comme Achille sous sa tente, dans sa résidence de Colombey-les-Deux-Églises. Il avait quitté le pouvoir en 1946, à la suite d'un désaccord avec l'Assemblée, mais n'avait jamais disparu de la scène politique. Il avait rompu avec son ancien parti, le M.R.P., pour fonder, en 1947, le R.P.F., ou Rassemblement du Peuple Français. Même retiré en principe de la vie publique, il restait présent, disponible. Lorsque le pouvoir lui fut offert, à la suite des événements d'Alger, De Gaulle accepta, à condition qu'une réforme constitutionnelle fût accomplie. La Constitution nouvelle, qui date de 1958, est celle de la Cinquième République.

De Gaulle à Rennes, 1958

Ce ne fut pas l'Assemblée, mais un groupe de ministres présidés par le général De Gaulle, qui prépara la constitution. Le projet, légèrement retouché, fut approuvé, à une très forte majorité, par un référendum qui s'étendait non seulement à la France métropolitaine, mais à ses possessions d'outre-mer. Des élections à l'Assemblée nationale eurent lieu peu après. Elles furent un triomphe pour les gaullistes, groupés sous le nom d'Union pour la Nouvelle République, ou U.N.R. Le général De Gaulle fut élu Président de la République par le collège électoral prévu par la constitution.

La constitution nouvelle conserve le principe essentiel du régime parlementaire, puisque les ministres continuent d'être responsables devant l'Assemblée nationale. Mais cette responsabilité est soigneusement réglée dans son exercice. L'interpellation, qui sous les régimes précédents mettait si fréquemment en jeu l'existence des ministères — car le débat qu'elle provoquait était suivi d'un vote de confiance ou de défiance à l'égard du gouvernement — n'existe plus. Elle est remplacée par la motion de censure, dont le mécanisme est bien plus compliqué. Le gouvernement bénéficie même de quelque avantage dans le vote qui suit cette motion, puisque les députés absents ou ceux qui s'abstiennent de voter sont considérés comme opposés à la censure. Bien mieux, il peut exercer une pression sur l'Assemblée en posant, à propos d'un projet de loi, la question de confiance, qui fait que ce projet est considéré comme adopté, à moins qu'une motion de censure n'ait été déposée dans les vingt-quatre heures. Bref, le pouvoir exécutif, c'est-à-dire le Président et ses ministres, autrefois si désarmés en face du Parlement, possèdent maintenant des moyens de défense et d'action très efficaces.

La constitution a rétabli le Sénat, lequel partage en principe le pouvoir législatif avec l'Assemblée nationale, et même jusqu'à un certain point avec le gouvernement, puisque le Parlement ne peut légiférer que sur des matières énumérées par la constitution et touchant les grands intérêts de l'individu ou de la collectivité. Le reste est l'affaire du Premier ministre.

Les deux assemblées sont élues par des procédés semblables à ceux en usage sous la Troisième République : les députés à l'Assemblée nationale sont élus pour 5 ans au suffrage universel, les sénateurs pour 9 ans, par un corps électoral composé surtout de représentants des départements et des communes. Comme il y a en France quelque 38.000 communes héritières des anciennes paroisses, ce dernier procédé d'élection avantage nettement la partie rurale du pays.

Aux termes de la constitution de 1958, le Président de la République était élu, non par le Parlement comme il l'était sous la Troisième République et sous la Quatrième, mais par un collège électoral dont la composition était voisine de celui qui élisait les sénateurs. En 1962, De Gaulle a fait décider par référendum que le Président serait élu au suffrage universel direct — procédé assez contraire aux habitudes du parlementarisme français, même si la durée du mandat présidentiel restait fixée à 7 ans.

Le droit du Président de la République de recourir au référendum, c'est-à-dire de soumettre au vote populaire une mesure d'ordre législatif ou constitutionnel, est une innovation de la Cinquième République. Il est évident qu'elle tend à accroître beaucoup les pouvoirs du Président. De même, le Président a le droit de prononcer lui même, sans contreseing ministériel, la dissolution de l'Assemblée nationale et de faire procéder à de nouvelles élections.

Cet accroissement des pouvoirs du Président de la République est bien la grande caractéristique de la Cinquième République. On disait autrefois : « le Président de la République préside, mais il ne gouverne pas ». Maintenant, le Président gouverne. Ses actes n'ont plus besoin d'être contresignés, c'est-à-dire approuvés, par les ministres responsables. Il choisit lui-même ses ministres, ce qui en soi ne signifie pas grand-chose puisque ce pouvoir lui appartenait aussi sous les deux républiques précédentes. Mais il est bien plus libre dans son choix, car si les ministres continuent d'être soumis au contrôle de l'Assemblée, ce contrôle est beaucoup moins étroit qu'autrefois. Le régime est donc nettement présidentiel, « orléaniste » même, disent ses adversaires, en souvenir du règne de Louis-Philippe, roi des Français.

Le plus urgent des problèmes qui se posaient au général De Gaulle au moment de son arrivée au pouvoir était le problème algérien. Afin de le résoudre, il dut prendre parti contre l'armée française d'Algérie, à qui il devait son arrivée au pouvoir, et dont certains membres, soutenant les colons, refusaient de donner satisfaction aux nationalistes algériens. La France, elle, était lasse de cette guerre qui se prolongeait depuis sept ans et qui lui coûtait si cher, en hommes et en argent. De Gaulle proposa de laisser les Algériens décider eux-mêmes de leur sort. Un référendum tenu en France au commencement de 1961 se prononça clairement en faveur de sa proposition. Peu après, les Algériens, eux, se prononcèrent clairement en faveur de leur indépendance politique complète. Quelques liens subsistent pourtant entre les deux pays, pour le moment du moins. L'Algérie, désorganisée par la guerre civile et par le départ de beaucoup de Français — notamment des fonctionnaires, instituteurs et autres — est dans une situation politiquement instable et économiquement difficile. La France l'aide, en échange de concessions temporaires relatives au pétrole saharien. Certains pensent que la France a payé trop cher ces concessions.

En tout cas, De Gaulle a mis fin à une situation très pénible, donnant ainsi satisfaction aux désirs de la majorité des Français, dissimulant aussi l'amertume de la défaite sous de belles formules telles que « la paix des braves » — et la France avait besoin de ça.

La constitution de 1958 inaugura la liquidation de ce qui restait de l'ancien empire colonial français en Afrique. Cette constitution organisa une « Communauté » en remplacement de l'ancienne « Union » française. Les anciennes colonies furent invitées à décider de leur sort. Toutes se prononcèrent en faveur de l'autonomie à l'intérieur de la Communauté — sauf la Guinée qui, en raison surtout de ses relations avec les pays communistes, refusa d'y appartenir. Au cours des années suivantes se constitua donc toute une série d'États africains, la République de Madagascar, et les nouveaux États nés de la division des immenses territoires de l'ancienne Afrique Occidentale Française — les Républiques de la Côte d'Ivoire, de la Mauritanie, du Mali, du Sénégal, etc. — et de ceux de l'ancienne Afrique Équatoriale Française, notamment la République du Gabon et la République Centrafricaine.

Les liens divers entre ces nouveaux États et la France sont d'ordre culturel, et surtout d'ordre économique et financier. La France les aide dans leur développement, en échange de quoi elle tire certains bénéfices de ses relations commerciales — importations et exportations — avec ces pays. Les relations sont ainsi fondées sur l'intérêt mutuel. Chaque membre peut quitter la Communauté quand il le désire, et ce système est bien préférable à l'ancien, où l'intérêt des uns était, ou semblait être, subordonné à l'intérêt de l'autre. Il est impossible de dire combien de temps durera cette Communauté, car les rivalités idéologiques et économiques sont âpres autour de ces nouveaux États et leur orientation future reste très incertaine.

La décolonisation — comme on dit d'une façon assez impropre, car ces pays n'étaient plus des colonies au sens ancien du mot — a été accompagnée d'un certain désengagement de la part de la France à l'égard des problèmes politiques concernant l'Asie et l'Afrique, où elle n'a plus guère que des intérêts économiques. Elle sait d'ailleurs que son intervention serait assez vaine, d'autres nations plus puissantes qu'elle étant engagées là. Son attention tend donc à se concentrer plutôt sur des questions européennes, surtout sur celle des rapports entre les pays de l'Europe occidentale. La création de la Communauté européenne du charbon et de l'acier (C.E.C.A.) en 1951, celle, en 1957, de la Communauté économique européenne et de la Communauté européenne de l'énergie atomique (EURATOM) entre la France, la République fédérale allemande, la Belgique, l'Italie, le Luxembourg et les Pays-Bas marquent des étapes

L'Arc de Triomphe à Paris

dans cette orientation politique nouvelle. Chacun de ces pays, bien qu'économiquement développé, n'est dans le monde actuel qu'une puissance de
second ou de troisième ordre. Ensemble, ils constituent un groupe de plus
de 175 millions d'habitants, c'est-à-dire du même ordre que les nations
géantes, les États-Unis et la Russie. Bon nombre de Français, et d'Européens, pensent ainsi à la création d'une troisième force entre les puissances
rivales des États-Unis et de l'Union soviétique, ou du moins à la restauration d'une espèce d'équilibre en Europe.

Malgré des difficultés inévitables, l'union économique de l'Europe
occidentale semble en bonne voie. L'union politique des pays de l'Europe
occidentale, les « États-Unis d'Europe » dont rêvent quelques-uns, semble
bien plus difficilement réalisable. Trop de barrières nationales les séparent

encore. Surtout, leurs intérêts politiques particuliers ne sont pas les mêmes. Il est évident, par exemple, qu'une des grandes préoccupations de la République fédérale allemande est la réunion des deux Allemagnes, à laquelle la France ne s'intéresse pas particulièrement.

La politique de « désengagement », même à l'égard de l'O.T.A.N., que le gouvernement actuel de la France paraît suivre, a causé des tensions dans ses relations avec les États-Unis. Il y a d'autres causes de conflits presque inévitables, les États-Unis étant militairement, financièrement et économiquement en relations étroites avec la France, comme avec les autres pays de l'Europe occidentale. Ainsi, lorsque De Gaulle annonce qu'il retire sa flotte des forces navales de l'O.T.A.N., ou bien quand il rejette l'admission de la Grande-Bretagne dans la Communauté économique européenne à cause des liens économiques particuliers qui existent entre elle, les autres pays du Commonwealth et les États-Unis d'Amérique, ses actes ne plaisent pas aux États-Unis, ce qui est compréhensible.

L'avenir décidera de la sagesse ou de la folie de cette politique. Il n'est sans doute pas juste, comme on le fait souvent, d'accuser De Gaulle de chercher à dominer la Communauté européenne. Deux des nations de ce groupe, l'Italie et l'Allemagne occidentale, ont une population plus grande que celle de la France, et les Allemands possèdent une puissance économique dont ils sont fort conscients. Même si elle le désirait, la France n'arriverait pas à dominer ses partenaires.

De Gaulle est un homme d'État lucide, volontaire, toutefois bien plus souple qu'il n'en a l'air, et qui excelle dans les rôles sérieux, voire héroïques. Même au point de vue de la forme de gouvernement qu'il a établie, l'avenir est loin d'être assuré, et c'est peut-être cette incertitude qui fait sa force auprès de bien des Français. Il a donné à la France une stabilité gouvernementale qu'elle ne connaissait plus depuis longtemps. Il serait pourtant regrettable qu'aux changements de ministères, autrefois trop fréquents, soient substitués des changements, même plus rares, dans les lois constitutionnelles du pays. Car une question se pose : la constitution actuelle survivra-t-elle à la forte personnalité du général De Gaulle ?

Caves de Roquefort

L'après-guerre : L'économie et la société

Depuis la dernière guerre, l'économie tend à dominer de plus en plus la politique, et c'est elle qui, dans une large mesure, oriente cette politique vers l'établissement d'une communauté européenne. Les Français sont maintenant très conscients de l'importance des questions économiques. A l'exception de l'époque de grande expansion du Second Empire, les progrès accomplis dans l'agriculture, dans le commerce et l'industrie avaient été plus lents en France que dans d'autres pays. L'économie, comme la population, tendait à rester statique. La seconde guerre mondiale a changé tout cela.

Au temps de Napoléon, la France était encore le pays le plus peuplé d'Europe. Puis, à partir du milieu du dix-neuvième siècle, alors qu'une énorme augmentation de la population se produisait en Angleterre, en Allemagne et ailleurs, en France l'accroissement était lent et, vers la fin du siècle, s'amenuisait d'une façon inquiétante. Le pays risquait de se dépeupler.

Toute sorte d'explications étaient données du phénomène, y compris des raisons d'ordre physiologique assez fantaisistes. Il semble bien plutôt que c'est dans des facteurs d'ordre psychologique associés aux conditions sociales du temps qu'il faut chercher une explication. La France était devenue une nation bourgeoise — sans attacher aucunement au terme le sens péjoratif que, tel autrefois le mot « vilain », il semble avoir acquis — et les vertus bourgeoises y triomphaient, l'esprit d'économie, la prévoyance, le souci du lendemain, une prudence parfois voisine de la timidité. Les paysans d'autrefois étaient devenus des cultivateurs, ordinairement de petits propriétaires, et comme tels, ils partageaient bon nombre de valeurs morales bourgeoises. L'idée de voir le patrimoine divisé à leur mort entre plusieurs enfants leur déplaisait. Le remède était donc tout indiqué : n'avoir qu'un seul enfant, un fils autant que possible. Dans la bourgeoisie proprement dite, c'étaient d'autres considérations : il fallait penser à l'avenir, constituer une dot à la fille, envoyer le fils au lycée ou au collège afin de faire de lui un médecin, un notaire ou un fonctionnaire. Quant aux ouvriers, certes ils aimaient bien leurs « gosses »; mais, étant donné leurs conditions d'existence, en avoir beaucoup était une calamité.

Entre les deux guerres, le gouvernement prit des mesures pour remédier à ce qu'on appelait « la crise de la natalité ». Il accorda des allocations et bénéfices aux « familles nombreuses » : indemnités diverses, voyage à prix réduits sur les chemins de fer, etc. On eut un Code de la Famille, comme on avait un Code civil, ou un Code de la Route pour la circulation auto-mobile. Mais ce fut la guerre qui révéla la vanité, en même temps que les dangers, des préoccupations bourgeoises. A quoi bon économiser, quand l'avenir est si incertain ? La première guerre avait réduit des trois quarts la valeur de l'argent; la seconde avait diminué de plus de 90% la valeur de ce qui restait, de sorte que lorsque De Gaulle arriva au pouvoir, il restaura le franc de 1914 — le vieux « franc germinal » — en décidant simplement que 5NF (nouveaux francs) vaudraient 500 anciens francs.

Bien des Français apprirent ainsi à vivre dans le présent plutôt que dans l'avenir. D'autre part, le sort des ouvriers s'améliorait. Lorsqu'au lende-main de la guerre la natalité s'accrut tout à coup, certains pensaient qu'il s'agissait là d'un phénomène passager, suite ordinaire des guerres. Mais elle continua, et la France, qui comptait moins de 42 millions d'habitants en 1940, en a maintenant plus de 48. Même si ce miracle de la multiplica-tion des hommes est assez général, il représente pour la France un revire-ment important.

Tout aussi remarquable est l'essor économique qui a suivi la seconde guerre mondiale. Lui aussi semble être dû avant tout à des changements profonds dans la mentalité, au sentiment que les anciennes valeurs ne répondaient pas aux besoins nouveaux. Le monde des affaires lui-même avait été largement dominé par le souci de la sécurité, le désir de ne pas s'engager dans des affaires risquées, le désir aussi de ne pas trop porter atteinte à l'ordre de choses existant. Depuis la guerre, on ne rêve plus, on ne parle plus que d'expansion économique. Quelques-uns, les petits boutiquiers ou les petits cultivateurs par exemple, en souffriront. Le gouvernement fera certes ce qu'il pourra pour les protéger, mais pas aux prix de leur sacrifier ce qu'il considère comme les nécessités de la vie économique nouvelle.

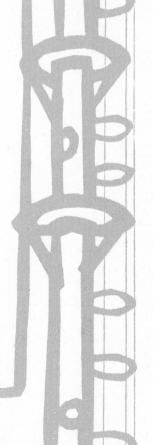

L'État, en effet, joue un rôle de plus en plus grand dans l'économie nationale, et là encore il y a rupture avec la tradition. Le libéralisme économique du dix-neuvième siècle avait été forgé par la bourgeoisie. Il était hostile à une participation trop active de l'État à la vie économique, par crainte qu'elle ne portât atteinte aux droits de l'individu. Mais la société et l'économie avaient bien changé depuis le siècle dernier.

La guerre était à peine terminée que le gouvernement se mit en devoir de restaurer, puis de développer l'économie nationale. En 1947, le secrétaire d'État américain George Marshall offrit aux nations européennes, soit à titre de don soit à titre de prêt, des crédits nécessaires à leur relèvement. Dix-sept nations acceptèrent l'offre, que rejetèrent l'U.R.S.S. et ses satellites. Le Plan Marshall, en vigueur de 1948 à la fin de 1951, fut d'un immense secours à la France comme aux autres États bénéficiaires. Il fournit non seulement au besoin urgent qu'avait alors le pays de produits alimentaires de toute sorte, mais surtout, par l'envoi de matières premières et de machines, par l'introduction de techniques nouvelles, il contribua grandement au développement de son agriculture et de son industrie. C'est grâce à lui que furent commencés de grands travaux d'aménagement des cours d'eau, notamment la construction de barrages dans la région des Alpes.

La mise en œuvre du Plan Marshall, qui fut sagement laissée au gouvernement français, engagea ce dernier dans une participation de plus en plus grande à la vie économique. Déjà pendant la guerre, l'État français de Vichy était intervenu dans ce domaine, car il fallait bien répartir au mieux les rares matières premières et assurer une production sinon suffisante, du moins acceptable, par les Allemands en particulier. Le Plan Marshall préconisait une coopération économique et financière entre les divers États participants. Lorsque la date de son expiration approcha, on pensa donc à l'établissement d'un nouveau plan. Ce fut le Plan Monnet, dont le principal objet était l'équipement du pays en ce qui concernait surtout la fabrication de l'acier, du matériel des transports — automobiles et autres — le développement de l'énergie hydro-électrique, etc.

Peu après la guerre, on avait nationalisé les banques et les compagnies d'assurance. Leurs ressources, jointes à celles qu'offraient les assurances sociales, les avances consenties par l'Export-Import Bank, et aussi l'inflation, mettaient à la disposition du gouvernement des fonds considérables. Il s'en servit pour orienter, par l'intermédiaire d'experts, l'activité économique dans les directions souhaitées, indiquant les objectifs à atteindre, marquant les diverses étapes du financement et de la réalisation des programmes. Le gouvernement avait d'ailleurs d'autres moyens d'action pour favoriser le développement de certaines industries, tels que la fixation des prix, des concessions de terrain, des exemptions temporaires d'impôts. Il en est résulté un système de collaboration entre l'État et l'entreprise privée qui, malgré des erreurs, des projets peut-être trop coûteux pour les résultats obtenus ont donné en somme de bons résultats. Tout en conservant les avantages de l'initiative individuelle et de la libre concurrence, la planification tend à réduire la fréquence et la gravité des crises cycliques auxquelles semble sujet le libéralisme économique intégral. C'est pourquoi elle a été, et est encore, généralement approuvée. D'ailleurs, pour rassurer ceux que pourrait alarmer cette intervention de l'État, on y voit une sorte de néo-colbertisme plutôt qu'un nouveau saint-simonisme.

En effet, les plus beaux plans seraient restés lettres mortes s'ils n'avaient pas eu l'appui du public, et en particulier des entrepreneurs. Au lendemain de la guerre, qui avait révélé, croyaient-ils, le retard de leur économie nationale, beaucoup de Français pensaient que la modernisation et l'expansion de leur agriculture, et surtout de leur industrie, était nécessaire à l'existence même de leur pays.

Jean Monnet avait observé qu'une partie considérable des ressources de l'Europe occidentale en fer et en charbon est concentrée dans une région voisine du Nord et de l'Est de la France. C'est là que se trouvent le bassin houiller franco-belge, celui de la Sarre et de la Ruhr, les mines de charbon des Pays-Bas, les gisements de fer de Lorraine et les « Terres rouges » du Luxembourg, avec les industries métallurgiques dont la présence du fer et du charbon a permis le développement. Or, cette région est partagée entre cinq nations, la France, l'Allemagne occidentale, la Belgique, le Luxembourg et les Pays-Bas. C'est entre ces nations, auxquelles se joignit l'Italie, que fut conclu, à l'initiative de Jean Monnet, l'accord établissant une Communauté européenne du charbon et de l'acier (C.E.C.A.). Aux termes de cet accord, toute mesure restrictive concernant la vente de ces produits disparaissait entre les pays signataires. Une usine française pouvait donc acheter du charbon allemand au même prix qu'une usine allemande ou italienne, tout comme une usine de la Ruhr pouvait acheter le fer de Lorraine au même prix qu'une usine belge ou française. Ces prix, même s'ils étaient uniformes, n'étaient pas fixés arbitrairement. Ils étaient déterminés par le jeu de la libre concurrence, sous la surveillance de la Communauté, chargée d'empêcher la formation de tout cartel. Ainsi, l'accord internationalisait le marché du fer et de l'acier à l'intérieur de la Communauté européenne.

L'initiative de Jean Monnet eut d'heureux résultats. Elle encouragea l'industrie française à devenir plus compétitive, c'est-à-dire à changer ses méthodes, à se moderniser. Elle contribua au développement d'un sentiment de solidarité européenne, amena une amélioration surprenante dans

les relations entre la France et l'Allemagne. Cette amélioration est fondée sur une communauté d'intérêts, mais après tout il n'est pas nécessaire, pour s'entendre, de recommencer la scène du baiser Lamourette.[1] Le danger est que des conflits aient lieu sur l'orientation de la politique étrangère, car combien de temps les accords économiques peuvent-ils survivre, si des désaccords politiques sérieux se produisent à l'intérieur de la Communauté économique européenne?

C'est à la suite du traité conclu à Rome, en 1957, entre les six membres de la C.E.C.A., que fut établie cette Communauté Économique Européenne (C.E.E.), connue aussi sous le nom de Marché commun. L'accord prévoit l'élimination graduelle, au cours d'une période de 10 à 15 années commençant en 1959, des barrières économiques entre les États signataires. Il vise à établir éventuellement un échange libre et complet, non seulement des produits, mais aussi du capital et du travail. Comme l'accord relatif au fer et au charbon, dont il est une extension, le traité de Rome est donc fondé sur le principe de la libre concurrence à l'intérieur du Marché commun. Il ne semble pas offrir de grandes difficultés en ce qui concerne la circulation des produits manufacturés : tout au plus peut-il amener

---

[1] En 1792, à la suite d'un éloquent discours du député Lamourette à la Législative, Montagnards et Girondins tombèrent dans les bras les un des autres, ce qui, l'année suivante, n'empêcha pas les premiers d'envoyer les seconds à la guillotine.

une plus grande spécialisation industrielle des pays intéressés. Le problème est plus complexe au point de vue agricole. Pour des raisons d'ordre économique et social, chaque nation protège son agriculture, en fixant les prix, par exemple, ou en accordant des subsides à des produits agricoles. Mais là encore il est possible d'arriver à un accord, même si les négociations risquent d'être quelque peu laborieuses, notamment entre la France et l'Allemagne occidentale, désireuse de défendre son agriculture contre la concurrence française.

Le Marché commun favorise grandement les échanges commerciaux entre ses membres — c'est même là sa raison d'être. Comme la Grande-Bretagne, les États-Unis, dont les relations économiques et financières avec l'Europe occidentale sont pourtant si nombreuses et si étroites, restent en dehors. Dans ces conditions, il est tout naturel que des entreprises américaines aient voulu profiter des avantages du Marché commun en établissant des filiales dans les pays qui y appartiennent. La prospérité actuelle de ces pays encourage les investissements. Le taux de l'intérêt y est plus élevé qu'aux États-Unis, les risques sont minimes, il y a là un vaste marché de gens désireux d'améliorer les conditions matérielles de leur existence, et surtout financièrement capables de le faire. La France a besoin, dans une certaine mesure, de ces placements de fonds et de ces entreprises, qui représentent pour elle non seulement du travail et des capitaux, mais aussi l'introduction de techniques très développées pour lesquelles l'industrie américaine est célèbre. Ils ont pourtant éveillé des inquiétudes, non par leur pourcentage dans l'économie nationale, mais parce qu'ils affectent des secteurs particulièrement importants de cette économie, la fabrication des calculateurs électroniques, des machines agricoles, l'industrie automobile. Presque un tiers de cette industrie, dans l'Europe occidentale, est aux mains d'entreprises américaines.  Lorsqu'il y a quelque temps, The Chrysler Corporation a acquis S.I.M.C.A., bon nombre de Français, jaloux de leur·indépendance économique, et, comme leur gouvernement actuel, extrêmement susceptibles lorsqu'ils croient que cette indépendance est en cause, ont été assez inquiets. D'ailleurs, il ne s'agit pas seulement d'entreprises privées établissant des filiales à l'étranger. Pour des raisons d'intérêt national, parce que l'abondance d'argent à bon marché est nécessaire à leur prospérité économique, les États-Unis maintiennent un taux d'intérêt inférieur à ce qu'il est dans les pays de l'Europe occidentale, ce qui équivaut, dit-on, à une espèce de dumping monétaire sur le marché international, tendant ainsi à « exporter l'inflation ».

Plus grave encore, aux yeux de certains, est l'excellence même de la technologie américaine. Les entreprises privées et le gouvernement des

Mirage 3

Caravelle

États-Unis consacrent chaque année des sommes énormes à la recherche scientifique. Le résultat est la découverte constante de nouveaux produits, de nouveaux procédés de fabrication qui placent l'industrie américaine, déjà si puissante, dans une position extrêmement avantageuse sur le marché international, aboutissant parfois à un monopole de fait, quand il s'agit par exemple de la fabrication de calculateurs électroniques. La technologie française a certes créé d'excellents avions, comme la « Caravelle » ou les avions militaires de la série « Mirage ». Mais de telles réussites doivent être constamment renouvelées. Cela implique de grosses dépenses. C'est pourquoi la France s'est associée avec l'Angleterre pour mettre au point l'avion commercial « Concorde ». L'entreprise se heurte à des difficultés, d'ordre politique et autre, sans compter à de redoutables concurrents, comme les États-Unis et l'Union soviétique.

La formidable puissance économique et financière des États-Unis inspire des craintes, justifiées ou non. Qu'il s'agisse de la production de l'acier, ou de celle des automobiles, des industries chimiques ou des industries du pétrole, la supériorité américaine est grande, et cela non seulement sur la France, mais sur chacun des pays appartenant au Marché commun. Le montant des ventes de General Motors dépasse celui du budget de l'Allemagne fédérale. Même là où les différences sont moins marquées — dans les industries chimiques par exemple, où la France occupe un rang élevé dans le monde — l'écart reste grand. Rhône Poulenc est une des deux ou trois principales compagnies européennes. Elle n'atteint pourtant guère plus d'un tiers de la production de Du Pont, sans parler des autres grandes compagnies américaines.

L'industrie française a néanmoins accompli d'immenses progrès au

Trans-Europe-Express

cours des dix dernières années. Le gouvernement a fait de grands efforts, et de grandes dépenses, pour moderniser les entreprises nationalisées, les houillères, les chemins de fer — traditionnellement déficitaires — de sorte qu'au point de vue notamment de l'électrification des lignes, la S.N.C.F. (Société Nationale des Chemins de Fer) est maintenant le modèle du genre. La Régie Renault a construit de nouvelles usines, cherché activement de nouveaux marchés à l'étranger pour ses produits. L'industrie privée a suivi le mouvement. Alors que les anciens patrons étaient souvent timides lorsqu'il s'agissait d'apporter des changements notables dans la gestion de leur entreprise, qu'ils préféraient essayer de maintenir le statu quo plutôt que de courir les risques que comporte souvent l'expansion industrielle, les nouveaux acceptent volontiers les dangers de la libre concurrence. Il faut dire que ces dangers sont surtout graves pour les petits entrepreneurs, qui ne sont pas heureux de cet état de choses. Le mécontentement est encore plus sérieux parmi les petits commerçants, parce qu'ils sont plus nombreux. A Paris surtout, la vie de bon nombre de boutiquiers devient plus difficile : impitoyablement, la concurrence des *Prisunic* et établissements de ce genre les force à fermer leurs portes. Ils se plaignent aussi d'être accablés d'impôts. De là le succès inattendu, il y a quelques années, du mouvement poujadiste,[2] qui représentait artisans et petits commerçants dressés contre l'ingérence gouvernementale et les exactions fiscales, comme au bon vieux temps du roi Louis XIII et des Nu-pieds.

Cependant, en général, le sort des travailleurs s'est amélioré. L'ouvrier vit mieux qu'autrefois, il peut s'offrir des conforts nouveaux pour lui, des

_____

[2] Nommé d'après Poujade, chef du mouvement.

Usines Renault

appareils ménagers, même une automobile. Il reste d'ordinaire mal logé. La situation est particulièrement défavorable à Paris, où abondent les vieilles maisons, avec leurs cours obscures et leurs escaliers incertains. Le gouvernement a bien entrepris un vaste programme de construction, notamment dans le voisinage immédiat de la capitale, où l'on bâtit des habitations, ouvrières et autres. Mais il est difficile de résoudre rapidement une crise du logement vieille de presque deux générations, d'autant plus que Paris ne cesse de croître et que la génération des nombreux enfants nés au lendemain de la guerre commence à se mettre, elle aussi, à la recherche d'un logement.

Aussi le gouvernement cherche-t-il à décongestionner la région parisienne, qui compte actuellement plus de 8 millions d'habitants, c'est-à-dire presque un tiers de la population du pays, et plus de 2 millions d'automobiles. Il encourage les industries à s'établir ailleurs, dans le voisinage des villes, même à la campagne, où l'on construit en même temps usines et habitations ouvrières. A côté des vieilles régions industrielles comme Paris et la région du Nord, de nouvelles industries s'installent un peu partout, en Lorraine, en Normandie, autour de Bordeaux, et, grâce à la construction de barrages et de centrales hydro-électriques, dans la région du Jura, des Alpes et dans la vallée du Rhône. Il est pratiquement interdit de bâtir à Paris des établissements industriels. Néanmoins, la croissance de la région parisienne continue. Bon nombre de familles ouvrières, contraintes par la crise du logement d'émigrer dans de nouvelles habitations aux environs de Paris, regrettent la vie plus pittoresque et plus divertissante de la capitale.

Les salaires réels ont augmenté, et, grâce au développement de l'économie nationale, le chômage est à l'heure actuelle peu important. L'industrie absorbe les travailleurs des champs qui, à cause des difficultés présentes, abandonnent l'agriculture. Un apaisement s'est produit dans les relations entre ouvriers et patrons, bien qu'il subsiste encore entre les deux groupes des sentiments de méfiance fondés sur un long antagonisme. Les congés payés, en permettant au salarié de passer chaque année trois semaines ou un mois loin de son labeur quotidien, ont contribué à cette détente. Les assurances sociales, très développées en France, mettent l'ouvrier à l'abri des dépenses et des inquiétudes financières causées par la maladie et des incertitudes au sujet de sa vieillesse.[3] Il se rend mieux compte que, dans une certaine mesure, son sort dépend de la prospérité de l'entreprise à

---

[3] Ces assurances sociales sont en partie couvertes par des cotisations versées par l'employé et par l'employeur. Entre autres bénéfices de ces assurances, l'assurance contre la maladie garantit à l'employé le remboursement de 80% de ses frais médicaux et chirurgicaux, du coût de son hospitalisation et des médicaments nécessaires, plus une indemnité journalière durant sa maladie.

laquelle il appartient. Contrairement à ce qu'on pourrait croire, les entreprises nationalisées ne l'attirent pas particulièrement, les autres lui offrant souvent un salaire plus élevé. Cette rivalité entre entreprises privées et entreprises publiques est peut-être un des bons effets des nationalisations, car c'est un stimulant au progrès social comme au progrès économique. D'autre part, les patrons se soucient davantage du bien-être de leurs employés, de leur logement, des conditions dans lesquelles ils travaillent. Un nouveau type d'employeur, efficient et conscient de ses responsabilités sociales, apparaît de plus en plus, le type du « jeune patron », qui s'efforce de faire oublier certains des méfaits de l'ancien.

L'Église catholique se préoccupe beaucoup des problèmes sociaux, cherchant à agir à la fois sur les patrons et sur les salariés, surtout sur les jeunes, par l'intermédiaire d'organismes tels que la « Jeunesse ouvrière » catholique ou le « Centre des Jeunes Patrons ». Son programme d'action n'est plus politique, comme il l'était encore en partie au siècle dernier, mais social et religieux.[4] Continuant une tradition de solidarité avec le prolétariat fort ancienne dans certains milieux ecclésiastiques, de jeunes prêtres, dans leur désir de ramener à l'Église des populations ouvrières gagnées aux idées marxistes, ont décidé de vivre avec elles, de travailler comme elles. D'où le mouvement si curieux des prêtres-ouvriers. Mais les conversions ne s'opéraient pas toujours dans la direction voulue, et Rome finit par condamner le mouvement.

Même si beaucoup d'ouvriers continuent de voter aux élections pour les candidats communistes, l'idéologie marxiste n'a plus sur eux l'empire qu'elle avait autrefois. On assiste, là comme ailleurs, à une espèce de déclin des idéologies au profit des occupations et des préoccupations de la vie matérielle.

Si un certain apaisement, dû à la prospérité actuelle, s'est produit dans le monde ouvrier, par contre un mécontentement général et une agitation sporadique existent parmi les agriculteurs. L'agriculture française s'est beaucoup modernisée depuis la dernière guerre. Alors qu'avant 1940, les chevaux étaient encore couramment employés comme moyen de traction, ils ont maintenant disparu des véritables régions de culture, où ils ont été remplacés par des tracteurs.[5] La mécanisation, encouragée par le gouvernement, a même gagné des régions de culture marginale, avec

---

[4] Au cours des premières années de notre siècle, Marc Sangnier, dans sa revue *Le Sillon*, s'était fait l'apôtre d'une justice sociale conforme à l'idéal chrétien. Ses idées ont été reprises plus tard par les démocrates-chrétiens.

[5] La seconde guerre mondiale était à peine terminée que j'ai reçu un jour une lettre dans laquelle un vieux cultivateur champenois, que connaissait mon père, me demandait de lui envoyer un tracteur, qu'il me payerait bien entendu - comme si, au lendemain de la guerre, un tracteur s'envoyait comme une boîte de bonbons au chocolat.

des conséquences parfois fâcheuses en raison du coût du matériel agricole. Il est vrai que lorsque les agriculteurs désirent exprimer leur mécontentement au sujet des prix qu'ils reçoivent pour leurs produits, ils peuvent toujours utiliser leurs tracteurs pour bloquer les routes, interdisant ainsi la circulation, mais ce n'était pas là la destination primitive de leurs machines. Leur grand problème, en effet, est de trouver un marché profitable. En ce qui concerne l'agriculture, la France est le plus grand producteur des pays du Marché commun, et celui où les prix sont les moins élevés. Les autres membres désirent naturellement protéger leur agriculture. En outre, grâce à la mécanisation et à un emploi plus judicieux des engrais, la production agricole française a augmenté de 50% au cours des dernières dix années. Bien que la France continue d'importer des produits agricoles des États-Unis, elle s'est heurtée aux difficultés de la surproduction du blé, des légumes, des fruits, du fromage, même de certaines variétés de viande. Toutefois, en raison de l'accroissement considérable de la consommation du bœuf dans les pays de l'Europe occidentale, la production de cette viande risque de devenir déficitaire, même si la vue des bêtes à cornes est une des vues familières de la campagne française.

C'est naturellement le petit agriculteur qui souffre le plus des changements en cours. Le type traditionnel du paysan français labourant son petit champ avec une charrue tirée par deux chevaux est en train de disparaître. La proportion de la population employée dans l'agriculture diminue chaque année. Elle est maintenant de moins de 20%, alors qu'elle était dans le voisinage de 30 il y a une quinzaine d'années. Certes, presque partout, le régime de la petite propriété reste le régime habituel. La grande majorité des exploitations agricoles françaises ont moins de 20 hectares (environ 50 *acres*). Pourtant, dans certaines régions, surtout du Nord et du Centre, il existe de grosses fermes.

Avant la Révolution, la propriété paysanne était déjà plus développée qu'on ne le croit d'ordinaire, et cette propriété, péniblement acquise pièce par pièce au cours des siècles, était très fragmentée et dispersée — un petit champ ici, un autre là — tendance qu'augmentait encore le groupement des fermes en villages.[6] Le Code civil, en ordonnant non seulement le partage égal entre les enfants, mais aussi la composition uniforme de la part de chacun d'eux, contribua encore au morcellement.[7] Or, au point de vue de

[6] En France, les fermes sont ordinairement groupées en villages comptant en moyenne quelques centaines d'habitants. Presque tous ces villages existaient déjà au Moyen Age. Leur formation s'explique par des considérations d'ordre historique — le besoin de protection, par exemple — ou géographique, le voisinage d'un cours d'eau, etc.

[7] La forme rectangulaire des parcelles est le résultat de partages faits dans le sens de la longueur, de façon à assurer à chaque propriétaire un débouché sur le chemin qui limite d'un côté son champ.

l'exploitation, l'existence de ces parcelles est fort regrettable. Trop souvent, le cultivateur français possède des champs dispersés sur toute l'étendue du territoire de la commune où il demeure, parfois même sur le territoire des communes voisines. Pour aller d'un champ, souvent fort petit, à un autre, qui n'est guère plus grand, il a parfois plusieurs kilomètres à parcourir. D'où perte de temps et usure du matériel, qui entrent dans le prix de revient des produits.

Aussi procède-t-on de plus en plus à des opérations de « remembrement » de la propriété agricole par des échanges de parcelles entre cultivateurs, échanges volontaires entre individus, ou même échanges obligatoires, lorsque la majorité des agriculteurs d'une commune votent en faveur des opérations de remembrement. Celles-ci sont alors accomplies par l'administration départementale. Mais il n'est pas toujours aisé de défaire en quelques années l'œuvre de plusieurs siècles, surtout quand il s'agit de terres depuis des générations dans la même famille. Aussi, même à l'heure actuelle, l'exploitation agricole moyenne se compose-t-elle d'une trentaine de parcelles distinctes, et parfois assez éloignées les unes des autres.

Dans des villages, particulièrement ceux situés dans des régions qui offrent un intérêt touristique quelconque, les Basses-Alpes par exemple, des citadins, surtout des Parisiens, achètent volontiers les maisons laissées vides par suite du départ ou de la mort de leurs propriétaires, et les aménagent pour y venir passer leurs vacances. Le goût des vacances se développe avec l'accroissement du bien-être. Autrefois, seuls les gens aisés quittaient Paris l'été pour se rendre à la plage ou à la campagne. Maintenant, les « congés payés » envahissent les plages de la Manche ou de la Méditerranée, à la grande indignation de leurs anciens habitués. Et ce n'est là qu'un exemple des profonds changements dans les mœurs qui se sont produits au cours des dernières vingt années. Non que les distinctions sociales aient disparu. Il y a toujours de la distance entre la casquette de l'ouvrier et le chapeau du gros commerçant ou du haut fonctionnaire. C'est simplement que des conditions nouvelles ont amené bien des changements dans les habitudes, même dans celles de la bourgeoisie. Le souci de l'avenir y est moins grand qu'autrefois. Alors que leurs parents avaient horreur des dettes, les jeunes achètent de plus en plus à crédit. Ils ne comptent plus comme autrefois sur un héritage éventuel, ni sur la dot de la femme ou du mari, laquelle n'est guère maintenant qu'une tradition sans grande importance financière. Un contrat de mariage reste la chose à faire.[8] Toutefois, le statut de la femme mariée, dont le Code civil avait grandement limité la capacité juridique, est en train d'être changé dans le sens d'une indépendance à peu près complète. Les parents ont perdu l'habitude de « se priver pour leurs enfants », qui d'ordinaire leur en étaient peu reconnaissants, de même qu'ils ont perdu l'habitude d'arranger le mariage de leurs fils ou de leurs filles. Si l'autorité familiale reste assez ferme sur les jeunes enfants, qui ne sont pas laissés libres d'agir à leur guise, elle ne s'exerce plus lorsque ces enfants deviennent des adultes.

Dans un pays devenu très conscient de la nécessité de son expansion économique, administrateurs, ingénieurs, techniciens occupent une position de plus en plus importante. Les descendants de l'ancienne aristocratie ne dédaignent plus d'occuper, non seulement dans l'administration, mais dans l'industrie, dans le commerce ou l'agriculture, des positions que leurs ancêtres auraient considérées comme du dernier bourgeois. Un commerçant n'est pas nécessairement « un épicier », comme sous Louis-Philippe. Les techniciens sont appréciés, les technocrates respectés, même par ceux qui les critiquent. L'ancien enseignement secondaire, longtemps

---

[8] Le contrat de mariage, qui doit précéder le mariage proprement dit et être rédigé par un notaire, règle les questions touchant les intérêts pécuniaires des époux. Il est facultatif. Faute d'un tel contrat, le mariage est soumis au régime de la "communauté légale".

la citadelle des études humanistes, est maintenant largement ouvert aux études techniques.[9] Dans les universités, le nombre des étudiants des sciences a plus que quadruplé au cours des dernières quinze années. Le nombre des « scientifiques » y dépasse maintenant celui des « littéraires ». Ce sont là des signes des temps nouveaux.

Un groupe social dont l'importance augmente sans cesse est celui des fonctionnaires, c'est-à-dire de ceux qui remplissent une fonction publique. En raison de la complexité des États modernes et de leurs tâches de plus en plus lourdes, le nombre des fonctionnaires tend à s'accroître, en France comme ailleurs. Il ne s'agit pas là d'ailleurs d'un groupe homogène. Le petit employé de bureau n'appartient évidemment pas au même monde que l'Inspecteur des Finances, sorti de l'École Nationale d'Administration, bien qu'ils soient l'un et l'autre fonctionnaires. Les Français sont fiers de leur administration, laquelle remonte en partie à Napoléon, ce qui ne les empêche pas bien entendu d'en dénoncer les lenteurs et les ridicules. En somme, ils ont raison dans les deux cas. Cette administration, recrutée au concours, est compétente, honnête — et parfois remarquablement exaspérante, lorsqu'il s'agit de ses bureaucrates en contact avec le grand public. Le traitement des fonctionnaires[10] est souvent médiocre, l'avancement d'ordinaire lent, chaque étape en étant presque marquée d'avance, en raison de l'importance attachée à l'ancienneté des services. Mais le fonctionnarisme a aussi ses avantages. Quelques-uns y font une carrière brillante. Tous reçoivent à la fin une pension de retraite égale à 2% du traitement moyen des 3 dernières années multiplié par le nombre des années de service, ce qui fait qu'après 40 années d'un tel service, le bénéficiaire reçoit environ 80% de son traitement terminal. Cela lui facilite le passage de l'activité à la retraite.

---

[9] Voir p. 445.

[10] Le terme *traitement* s'applique à la rémunération des fonctionnaires. *Salaire* s'emploie pour la rémunération des ouvriers, *gages* pour celle des gens de maison. On parle par contre des *honoraires* de ceux qui exercent une profession libérale, médecins, avocats, etc. C'est une survivance d'anciennes catégories sociales.

L'administration et les services publics

C'est la Révolution qui a divisé la France en départements, dont le nombre a varié avec les années. Il est à l'heure actuelle de 94, y compris la Corse. Le *département* n'est donc pas d'une bien grande étendue. De forme très irrégulière, le département moyen pourrait se ramener à un carré de 75 ou 80 kilomètres de côté. Dans son désir de détruire le particularisme régional, la Constituante a procédé à un découpage arbitraire des anciennes provinces, qui constituaient du moins des unités historiques, et même des unités géographiques et économiques. Tout le monde reconnaît maintenant que le département est une circonscription trop petite. La facilité des communications ne justifie plus la fragmentation extrême du territoire. Surtout, cette fragmentation est souvent en conflit avec les nécessités de la vie économique actuelle. Beaucoup de grands projets, la construction de barrages par exemple, intéressent plusieurs départements. Or, chacun de ces départements constituant une unité administrative distincte, sous l'autorité d'un préfet, les contacts entre eux ne peuvent guère s'établir que par l'intermédiaire du gouvernement central. C'est pourquoi on est en train de regrouper les départements en *régions,* sous l'autorité d'un super-préfet.

La raison pour laquelle il n'est pas aisé de modifier la structure départementale est que le département a servi de base à toute l'organisation napoléonienne, au point de vue administratif, comme au point de vue fiscal, et au point de vue judiciaire. Cette organisation subsiste encore dans ses grandes lignes, quoiqu'on la modifie constamment, dans la mesure où elle ne correspond plus aux conditions nouvelles.

Chacun des départements porte un nom qu'il doit à quelque particularité géographique, en général un nom de montagne, comme le Jura ou les Basses-Pyrénées, ou un nom de fleuve ou de rivière, comme la Haute-Marne ou la Seine-Maritime. Le siège de l'administration départementale est le chef-lieu de département. Ce n'est pas nécessairement la ville la plus peuplée, mais une ville qui occupe une position centrale. Les chefs-lieux ont été choisis au temps des diligences.

Un département comprend plusieurs *arrondissements,* généralement trois ou quatre. L'arrondissement est divisé à son tour en *cantons,* chaque canton groupant une quinzaine de *communes,* petites circonscriptions territoriales qui remplacent les anciennes paroisses, et dont la population est fort variable. S'il s'agit d'une commune rurale, celle-ci ne comprendra qu'un village, parfois de moins de cent habitants, avec les champs et les bois qui l'entourent. S'il s'agit au contraire d'une commune urbaine, sa population sera celle de la ville et de ses alentours immédiats. Il y a en France environ 38.000 communes.

A la tête du département, et résidant au chef-lieu, est le *préfet.* Créés par Bonaparte au temps du Consulat, les préfets furent les grands agents de la centralisation impériale. Ils n'ont cessé depuis de jouer un rôle important dans la vie de la nation. Sous l'autorité du ministre de l'Intérieur, ils étaient autrefois essentiellement des agents politiques, chargés de surveiller l'opinion dans leur département et de l'orienter selon les tendances du parti au pouvoir. Aussi leur sort était-il précaire. Encore au début du siècle, surtout à l'époque de la loi sur les Congrégations, le ministre les révoquait avec une facilité extrême. Mais à l'heure actuelle, le rôle administratif du préfet tend de plus en plus à l'emporter sur son rôle politique. Nommé par le Conseil des ministres et révocable par lui, il veille à l'exécution des lois et règlements, contrôle les services des administrations, ainsi que les actes des sous-préfets et des maires, sur qui il exerce sa tutelle. Il représente aussi l'État dans les cérémonies publiques. Bref, M. le Préfet est un personnage.

C'est aussi le représentant du département. Il nomme aux emplois départementaux, il prépare le budget departemental, lequel est voté par une assemblée élue, le *Conseil général.* Le Conseil général, composé de membres élus pour 6 ans par les électeurs du département à raison d'un conseiller par canton, s'occupe de la gestion des affaires départementales, du budget, des travaux publics, de l'entretien des routes departementales, et en général de tous les services départementaux, services d'assistance, hôpitaux, hospices, etc.

Comme circonscription administrative, l'arrondissement n'a qu'une importance médiocre. Il a à sa tête un *sous-préfet,* qui a peu de pouvoirs propres.

Chacune des communes de France possède un *maire,* assisté d'un *conseil municipal.*[1] Les conseillers municipaux, dont le nombre varie selon la population de la commune, sont élus pour 6 ans au suffrage universel. Ce sont eux qui, à leur tour, élisent un maire, lequel s'occupe des intérêts

---

[1] La Ville de Paris a une administration particulière, avec un maire, nommé par le gouvernement, dans chacun des arrondissements de la capitale.

L'Hôtel de Ville de Lyon

locaux — budget de la commune, services municipaux, voirie, etc. — avec le concours du conseil municipal. Dans les communes rurales, le maire est souvent un retraité, ou un cultivateur, aidé dans son travail par un adjoint, qui est généralement l'instituteur.

Une des principales fonctions du maire est la tenue des registres de l'état-civil, où sont mentionnés les naissances, les mariages, les décès. C'est en qualité d'officier de l'état-civil que le maire, après avoir lu aux futurs conjoints l'article du Code civil relatif aux droits et aux devoirs réciproques des époux, prononce le mariage civil, qui doit obligatoirement être célébré avant le mariage religieux, lequel est bien entendu facultatif.

Ce qui précède suffit à faire comprendre les principaux caractères de l'organisation administrative en France, l'uniformité, la subordination des autorités les unes aux autres, la centralisation. Or, à notre époque où l'action de l'État ne cesse de s'étendre dans tous les domaines, le gouvernement central ne peut suffire à sa tâche. La vieille machine napoléonienne était admirablement construite, solide, mais elle était lourde et marchait lentement. On est donc en train de faire des réformes, qui ont pour but surtout de décentraliser l'administration en augmentant les pouvoirs des autorités locales, notamment des préfets.

Magistrats de la
Cour d'Appel

L'organisation judiciaire a été, en 1959, l'objet d'une telle réforme. En France, l'administration de la justice est une fonction gouvernementale. Les magistrats sont des fonctionnaires, recrutés par concours. Comme tels, ils jouissent des droits attachés à la fonction publique en ce qui concerne l'avancement, la pension de retraite, plus la prérogative de l'inamovibilité, qui fait qu'un magistrat ne peut être privé de ses fonctions avant d'avoir atteint l'âge de la retraite. Cette prérogative lui assure une indépendance relative à l'égard du gouvernement qui le nomme. Échappant ainsi au contrôle direct de l'État, et aussi aux influences politiques qui peuvent être le résultat de l'élection populaire, les juges sont à même d'exercer plus librement leurs fonctions.

Napoléon avait organisé sa justice comme le reste, sur la base du département, de l'arrondissement et du canton : un juge de paix pour chaque canton, un tribunal pour chaque arrondissement, une cour d'assises par département, une cour d'appel pour plusieurs départements. Or, les communications, et surtout la répartition de la population, ont bien changé depuis Napoléon. Les villes se sont développées, la population s'est considérablement accrue dans certaines régions industrielles, alors que des régions rurales se sont presque dépeuplées. Certains tribunaux d'arrondissement n'avaient pas grand-chose à faire, alors que d'autres étaient accablés de travail. On a donc réorganisé la justice, en tenant un plus grand compte de la population.

En ce qui concerne la justice civile,[2] la juridiction ordinaire est ce qu'on appelle maintenant le *tribunal de grande instance*, dont le siège est fixé par le gouvernement. Il y a au moins un de ces tribunaux par département, parfois plusieurs, à raison, dans l'ensemble, d'un tribunal par arrondissement de plus de 100.000 habitants. C'est ce tribunal qui est l'arbitre habituel dans les contestations entre individus, actions en divorce, procès relatifs à un héritage, actions civiles en dommages-intérêts, etc. Il est composé de trois juges, qui rendent le jugement.

Comme partout, si la justice est gratuite, les moyens d'arriver jusqu'à elle ne le sont pas. Chacune des parties est représentée par un *avoué*, chargé de la procédure, c'est-à-dire de l'accomplissement des formalités

---

[2] *La justice civile* est celle qui règle les contestations entre particuliers, relatives à la famille, à la propriété, aux contrats, bref, à toutes les questions relevant du Code civil. *La justice répressive* est celle qui punit les infractions à la loi. Selon leur gravité, ces infractions sont divisées en *crimes*, meurtres par exemple, en *délits*, moins graves, mais cependant sérieux, tels que vol, abus de confiance, etc., et en *contraventions*, menues infractions à la loi, comme excès de vitesse, etc.

prévues par la loi au cours d'un procès, et d'ordinaire par un *avocat*, qui plaide la cause de son client devant le tribunal. Ces gens-là se paient. Si la profession d'avocat est libre, une charge d'avoué est la propriété de son titulaire, qui peùt vendre son étude, et parfois fort cher.[3]

Ce même tribunal de grande instance est aussi une juridiction répressive, qui punit les infractions à la loi qualifiées de « délits » — tels sont le vol, l'escroquerie, le délit de coups et blessures. Il prend alors le nom de *tribunal correctionnel*, ou simplement « la correctionnelle ». Comme tel, il peut condamner le prévenu à l'amende ou à la prison. Outre, bien entendu, l'avocat de la défense, il y a, auprès du tribunal, un *procureur de la République*, chargé habituellement de l'accusation, et un *juge d'instruction* qui dirige l'enquête préalable, procède à l'interrogatoire de l'inculpé, et, le cas échéant, ordonne son arrestation. C'est alors que l'« inculpé » devient le « prévenu ».

Alors que les tribunaux de grande instance reçoivent l'appel des jugements des tribunaux d'instance, l'appel des jugements rendus en matière civile par les tribunaux de grande instance est porté devant une *cour d'appel*, qui peut confirmer le jugement rendu ou rendre un nouveau jugement. Il existe en France 27 cours d'appel, et la compétence de chacune d'elles s'étend sur plusieurs départements. Leurs magistrats, personnages considérables, portent le nom de *conseillers à la cour*, et ils ont l'accompagnement habituel d'avoués, d'avocats à la cour, etc.

Pour juger les infractions qualifiées de crimes par la loi, le meurtre par exemple, il existe un tribunal spécial, la *cour d'assises*, composée de 3 juges et de 9 jurés. C'est une des rares juridictions françaises qui aient un jury, institué en raison de la gravité de la condamnation possible, laquelle peut comporter la peine de mort, d'ailleurs très rarement appliquée, ou celle des travaux forcés.[4] Il y a une cour d'assises par département, et ses décisions sont sans appel, le seul recours possible étant le recours en cassation. La cour d'assises fonctionne également comme juge d'appel des décisions de la correctionnelle. Dans ce dernier cas, la décision est rendue par les 3 juges, sans le concours d'un jury.

Tout au sommet de la hiérarchie judiciaire est la *Cour de cassation*, qui

---

[3] Un autre cas est la vénalité des charges de **notaire.** Le notaire est surtout chargé de la rédaction des contrats entre particuliers. Ses fonctions sont donc importantes, et souvent profitables. L'emblème des avocats, avoués, notaires, est le panonceau, écusson doré orné de symboles de la justice, qu'on trouve couramment au-dessus ou à côté de la porte de l'étude des gens de loi.

[4] Les condamnés aux travaux forcés étaient autrefois envoyés aux établissements pénitentiaires de la Guyane française, connus aux États-Unis sous le nom de l'Île du Diable, bien que l'Île du Diable n'ait eu rien à voir avec eux. Contrairement à une croyance assez répandue, un père de famille n'était pas envoyé à « l'Île du Diable » pour avoir volé un pain afin de nourrir ses enfants affamés. Depuis 1938, la peine des travaux forcés est subie en France, dans une maison de force.

siège à Paris, et dont la mission est de veiller à l'observation de la loi par les tribunaux. Si, au cours d'un procès devant une juridiction quelconque, civile ou répressive, depuis le tribunal d'instance jusqu'à la cour d'appel ou la cour d'assises, l'une des parties croit s'apercevoir que les formalités prescrites par la loi n'ont pas été observées, elle peut se pourvoir en cassation, c'est-à-dire chercher à faire annuler le jugement prononcé. Si la Cour casse le jugement, elle ne rend pas de décision nouvelle, mais se borne à renvoyer l'affaire devant une juridiction semblable à celle qui a prononcé le jugement invalidé. Les fonctions de conseiller à la Cour de cassation sont les plus hautes fonctions judiciaires de l'État.

Il existe en France beaucoup d'autres juridictions. Tout au bas de la hiérarchie judiciaire, il y a ce qu'on appelle maintenant le *tribunal d'instance,* l'ancien juge de paix, qui siège au chef-lieu d'arrondissement. Bien qu'il y ait plusieurs tribunaux d'instance dans chaque arrondissement, chacun d'eux se compose d'un juge unique. Le tribunal d'instance tranche les litiges de peu d'importance, et, sous le nom de *tribunal de police,* condamne à une amende les fauteurs de contraventions, infractions minimes à la loi. Il existe aussi des tribunaux militaires, des tribunaux de commerce et surtout des *tribunaux administratifs,* qui jugent les procès où l'administration est en cause, procès relatifs aux impôts par exemple. Ces tribunaux administratifs constituent une excellente institution par le recours facile et la décision impartiale qu'ils garantissent aux particuliers qui se considèrent comme lésés par l'État, par le département ou par la commune, alors qu'en Angleterre et aux États-Unis par exemple, l'individu éprouve parfois des difficultés à engager un procès contre les pouvoirs publics. Le *Conseil d'État,* qui siège à Paris, est à la fois un tribunal d'appel et un tribunal de cassation pour les décisions rendues par les tribunaux administratifs. Il est aussi souvent consulté par le gouvernement dans l'élaboration des projets de lois.

Aucune réforme n'a attiré autant d'attention, au cours des dernières trente années, que la fameuse « réforme de l'enseignement », laquelle semble être un sujet de discussion inépuisable. L'Université, telle que Napoléon l'avait organisée, ne répondait plus aux conditions nouvelles. La distinction d'ordre social qu'il avait établie entre l'enseignement secondaire, destiné à la formation des élites bourgeoises, et l'enseignement primaire, bon pour le peuple, était bien périmée. Non que le pays n'ait plus besoin de ces élites. Loin de là, ce besoin est plus pressant que jamais.

Mais il faut aussi tirer parti de toutes les aptitudes, et à tous les degrés de compétence. Enfin, le nombre des élèves s'accroît prodigieusement, surtout dans l'enseignement secondaire et dans l'enseignement supérieur, ce qui pose de nouveaux problèmes. Il y a maintenant plus de 11 millions d'élèves dans les écoles françaises, et l'Éducation nationale absorbe 17% du budget annuel de l'État.

Les réformes accomplies au cours des années qui précédèrent immédiatement la deuxième guerre mondiale furent des réformes sociales, autant, et peut-être plus, que des réformes pédagogiques. Il s'agissait de rendre l'enseignement secondaire plus facilement accessible, en établissant la gratuité de cet enseignement, en le confondant à la base avec l'enseignement primaire, et en prenant comme critère d'admission les aptitudes d'un élève plutôt que la bourse de ses parents.

Les réformes postérieures, particulièrement la réorganisation de l'enseignement entreprise en 1959, allèrent beaucoup plus loin. Cette réorganisation affecta peu l'enseignement primaire, ou, selon la terminologie nouvelle, l'enseignement « du premier degré »,[5] si ce n'est en prolongeant jusqu'à 16 ans l'âge de la scolarité obligatoire. Établies dans chaque commune, les écoles primaires donnent aux enfants les connaissances élémentaires — lecture, écriture, calcul, etc. — et les mènent au « certificat d'études primaires », qu'ils obtiennent à la suite d'un examen, vers l'âge de 14 ans. Ils pourront alors terminer leur scolarité obligatoire dans la

[5] Le terme *primaire* avait acquis une signification péjorative. On parlait, par exemple, d'un « esprit primaire » pour désigner une personne d'une culture peu profonde.

préparation d'une carrière dans l'agriculture, l'artisanat, le commerce ou l'industrie.

Ou bien, vers l'âge de onze ans, l'enfant peut décider — ou ses parents peuvent décider pour lui — de poursuivre ses études dans l'enseignement secondaire. Il est alors l'objet, durant deux ans, au cours des classes de sixième et de cinquième,[6] d'une observation méthodique de la part de ses maîtres. A la fin de ce « cycle d'observation », un « conseil d'orientation », composé de maîtres et d'experts, recommande le genre d'études qui convient le mieux à ses aptitudes.

D'après ces aptitudes, l'élève est alors orienté vers l'enseignement général ou vers l'enseignement technique, et cela pour une durée d'études qui varie selon la nature de cet enseignement — « court » ou « long ».

L'enseignement général long est donné dans les *Lycées classiques et modernes*. Il prépare les élèves à l'examen du baccalauréat, qu'ils subissent vers l'âge de dix-huit ans, et est divisé en 5 sections classiques et en deux sections modernes, selon l'importance attachée aux diverses disciplines. Dans les premières en particulier, cet enseignement est assez conforme à l'enseignement secondaire traditionnel, comportant, entre autres études, celle du latin, parfois du grec, celle des sciences, y compris les sciences humaines. Les sections modernes insistent davantage sur l'étude des

---

[6] En France, les classes sont comptées dans l'ordre inverse de celui en usage aux États-Unis.

Lycée de jeunes filles de Nîmes

sciences expérimentales. Toutes, qu'il s'agisse des sections classiques, comme des sections modernes, comme des sections techniques, comprennent l'étude d'une ou de deux langues vivantes.

L'enseignement général court, d'une durée de 3 ans, est donné dans les *Collèges d'enseignement général.* Il prépare aux emplois non techniques dans l'industrie, dans le commerce, et aux études dans les écoles normales d'instituteurs. Il se termine, après examen, par l'obtention du brevet d'enseignement général, qui doit remplacer le brevet élémentaire.

Les besoins de l'économie moderne ont amené la création, parallèlement à l'enseignement général, d'un enseignement technique. Cet enseignement, déjà fort développé, puisque le nombre des élèves y est environ la moitié de ce qu'il est dans l'autre enseignement, s'accroît à un rythme rapide. Sans négliger la culture générale, il prépare plus particulièrement ses élèves aux emplois techniques dans le commerce et dans l'industrie, y compris l'industrie hôtelière.

Il se divise, comme l'autre, en enseignement « long » et en enseignement « court ». L'enseignement technique long est donné dans les *Lycées techniques,* qui remplacent les anciens collèges techniques et les Écoles nationales professionnelles. Il compte deux sections différentes, dans lesquelles l'étude des sciences, des langues vivantes et de l'activité économique occupe une place importante, sans que les autres disciplines soient négligées. Le titre de technicien breveté, auquel il conduit, est l'équivalent du baccalauréat. Quant aux *Collèges d'enseignement technique,* chargés de l'enseignement « court », ce sont en réalité des centres d'apprentissage, qui forment des ouvriers qualifiés, et leur décernent, à la suite d'un examen, un certificat d'aptitude professionnelle.

Cette organisation, assez complexe et systématique de l'enseignement, est le résultat d'un effort louable pour moderniser la vieille machine universitaire. Elle cherche à tirer parti de toutes les aptitudes. Mais ne risque-t-elle pas de grouper ces aptitudes en catégories, opérant ainsi un nouveau compartimentage social, et cela d'une façon assez arbitraire, bien qu'elle prévoie des « classes passerelles » pour faciliter le passage d'une catégorie à l'autre ? Certes, une sélection doit se faire. Cela ne veut pas dire qu'il faille la faire d'office, et peut-être prématurément.

Les difficultés que présente la « réforme de l'enseignement » apparaissent bien dans les hésitations officielles au sujet de l'examen du baccalauréat. Il y avait autrefois des épreuves écrites et des épreuves orales, que les élèves subissaient, au cours de deux examens passés à une année d'intervalle, au centre universitaire régional, soit en juin soit en septembre. Le nombre grandement accru des candidats a rendu ces procédés inapplicables. On a commencé par supprimer l'examen oral, sauf pour les langues vivantes. On a supprimé la session de septembre, puis on l'a rétablie. Des deux parties du baccalauréat, il n'en reste plus qu'une seule qui couvre le même ensemble de sujets, ce qui ne peut manquer d'augmenter la difficulté de l'examen. Bref, depuis 1959, la France a eu cinq types différents d'examen — un nouveau baccalauréat tous les ans. Il n'y a qu'une chose qui n'a pas changé: le nombre des élèves qui échouent — 40% environ — et cela assure le maintien du niveau des études, fonction importante de tout système d'enseignement.

Malgré des efforts faits pour moderniser les méthodes d'enseignement, les réformes n'ont pas mis l'enseignement secondaire à l'abri de toute critique. Il a de grandes qualités, et la tradition humaniste avec laquelle il n'a pas rompu a une indéniable valeur. Une critique souvent dirigée contre lui est qu'il reste trop abstrait, trop théorique dans l'enseignement des sciences. Après tout, on ne doit pas étudier la physique ou la chimie sans attacher d'importance à ses applications pratiques. C'est pourquoi on cherche actuellement à rapprocher la science de la vie.

Le problème de la multiplication des élèves se pose aussi dans l'enseignement supérieur. Leur nombre a triplé depuis 1950, et il y a maintenant presque 360.000 étudiants dans les universités françaises. Paris seul a plus de 100.000 étudiants. A côté des dix-sept universités existantes, on en a donc créé de nouvelles, en 1964, à Orléans, à Rouen, à Reims.

Une université française comprend d'ordinaire cinq *facultés* — lettres, sciences, droit, médecine, pharmacie — ces deux dernières étant parfois réunies. La Sorbonne. qui fut jusqu'à la Révolution la Faculté de théologie, groupe maintenant la Faculté des lettres et la Faculté des sciences de l'Université de Paris.

Pour commencer des études supérieures, il faut être pourvu du baccalauréat ou d'un diplôme équivalent.[7] Les universités elles-mêmes décernent deux diplômes principaux, la licence et le doctorat. La licence exige plusieurs certificats, qui s'obtiennent à la suite d'examens plus difficiles et plus spécialisés que ceux du baccalauréat. Le doctorat est le plus haut grade universitaire. A dire vrai, il n'est pas besoin d'un mérite extraordinaire pour devenir docteur en droit ou docteur en médecine. Mais le doctorat d'enseignement dans les facultés implique de longs et savants travaux. Aussi les thèses présentées pour l'obtention de ce diplôme sont-elles des œuvres distinguées.

Dans les universités comme dans les lycées, le nombre des jeunes filles est considérable. Elles sont plutôt, bien entendu, attirées par les études littéraires. Cependant leur nombre est grand aussi dans les sciences, et surtout

---

[7] L'année propédeutique, intermédiaire entre l'enseignement secondaire et l'enseignement supérieur, a été récemment abolie.

dans les facultés qui préparent aux professions libérales, droit, médecine, pharmacie. Les femmes-médecins sont nombreuses, et les pharmaciennes encore plus.

Appartenant à l'enseignement supérieur, mais distinctes des facultés, sont les *grandes écoles,* spécialisées et qui n'admettent qu'un très petit nombre d'élèves, d'ordinaire à la suite d'un concours. L'École Normale Supérieure, qui prépare ses élèves à l'enseignement dans les classes supérieures des lycées et éventuellement dans les universités, n'accepte qu'une petite fraction — peut-être un sur huit — des candidats au concours d'admission.[8] Nombre d'hommes devenus célèbres dans le monde des sciences, comme Pasteur, dans le monde des lettres, comme Giraudoux et Jean-Paul Sartre, ou de la politique, comme Georges Pompidou, étaient, ou sont, d'anciens normaliens.

L'École Polytechnique jouit de la même distinction, dans le passé et dans le présent. Au temps de Napoléon, c'était surtout une école militaire, destinée à la préparation des officiers dans les armes dites savantes, artillerie et génie. Elle a donné à la France des militaires, tels que le maréchal Foch, des présidents de la République, des mathématiciens, comme Henri Poincaré. A l'heure actuelle, par les ingénieurs qu'elle forme, elle occupe une place considérable dans la direction des entreprises industrielles, nationalisées et autres.

De création récente, l'École Nationale d'Administration jouit déjà d'une grande réputation. La sélection professionnelle y est poussée fort loin, et son but est de former des experts en matière d'administration, d'économie, de finances publiques. Elle est l'objet de la sollicitude de De Gaulle, qui trouve là à la fois des administrateurs et des conseillers.

Il existe d'autres grandes écoles, l'École des Chartes, qui forme des archivistes-paléographes, l'École des Mines, l'École des Beaux-Arts, dont les noms indiquent la destination, l'École Interarmes, ancienne école militaire de Saint-Cyr, établie en Bretagne depuis la destruction, au cours de la dernière guerre, de la vieille maison de Mme de Maintenon — et bien d'autres. Dans toutes, l'admission est soumise à des conditions rigoureuses, soit concours soit examen difficile.

Quelques mots de l'enseignement libre, presque tout entier aux mains de l'Église catholique. Cet enseignement est maintenant indirectement

---

[8] Avoir été reçu au difficile concours de l'agrégation était autrefois à peu près exigé des professeurs des lycées, au moins de ceux des classes supérieures. A l'heure actuelle, les besoins de l'enseignement sont tels que, dans les lycées, le nombre des agrégés est relativement minime. Le problème se complique encore du fait que pas mal d'agrégés recherchent volontiers une carrière dans la littérature ou dans la politique, dans l'administration, dans la recherche scientifique ou dans l'industrie. La même pénurie de professeurs existe d'ailleurs dans l'enseignement supérieur.

Faculté de médecine de Marseille

subventionné par l'État, quoique cette question ait soulevé de vives controverses, et risqué de réveiller un vieil anticléricalisme, pourtant bien assoupi depuis le commencement du siècle. Aux termes d'une loi de 1959, les écoles privées peuvent passer des contrats d'association à l'enseignement public, lesquels leur permettent de recevoir l'aide financière de l'État en échange d'un contrôle exercé par ce dernier sur leur enseignement. Cette mesure a amené de violentes protestations, et les socialistes réclament la « nationalisation » de tout l'enseignement.

Cet enseignement est maintenant surtout l'œuvre des ordres religieux, des « congrégations » dissoutes à la suite de la loi de 1901. Les passions calmées, on en est venu à penser que l'ostracisme dont elles étaient frappées était excessif. Une loi passée par le gouvernement de Vichy en 1942 a décidé que la reconnaissance légale n'était nécessaire que pour l'exercice de la capacité juridique. L'existence en France des ordres religieux non autorisés a donc cessé d'être illicite.

L'armée, comme tout le reste, est en voie de modernisation. Son matériel doit être renouvelé au cours des années immédiatement à venir. La décolonisation, puis la fin de la guerre d'Algérie, en réduisant beaucoup les « engagements » de la France outre-mer, ont réduit en même temps le rôle de son armée à la protection du territoire. Cette protection, elle ne peut l'assurer complètement. Son gouvernement veut pourtant l'assurer dans la mesure de ses moyens, quand ce ne serait que pour affirmer son indépendance dans sa politique étrangère. C'est pourquoi il conserve le service militaire obligatoire, dont la durée est fixée à dix-huit mois. C'est pourquoi aussi il insiste sur la création d'une « force de frappe », comprenant des armes nucléaires et les moyens de s'en servir. Certes, les forces nucléaires de la France sont, et resteront faibles, comparées à celles des États-Unis ou de l'Union soviétique. Si ses avions sont les égaux de ceux de n'importe quel pays, elle en est encore, pour ses fusées, quelque peu au commencement. Certains disent donc que la protection que peut assurer cette « force de frappe » est illusoire, et que l'argent consacré à son établissement pourrait être employé plus utilement. D'autres pensent que dans le monde dangereux où nous vivons, un monde dont la population s'accroît comme celle des lapins en Australie avant l'introduction de la myxomatose — et qui n'est pas fraternel — il convient d'être prêt au pire, et ne pas remettre complètement son sort dans les mains des autres, même bien intentionnés.

En France comme ailleurs, les dépenses publiques ne cessent de s'accroître. Les dépenses militaires ne représentent qu'une petite fraction de ces dépenses. Bien plus importantes sont les dépenses civiles, celles des services publics — traitements des fonctionnaires, etc. — celles occasionnées par les travaux publics, constructions d'écoles, de routes, subventions à diverses entreprises — et surtout celles des services sociaux, aide aux anciens combattants, assurances sociales, etc.

Ces dépenses sont dans une large mesure couvertes par l'impôt. La haine des Français pour les impôts est bien connue, quoique, comme la plupart des autres, ils soient bien obligés de les payer. Cette haine tenace, presque héréditaire, remonte, dit-on, à la *gabelle,* si impopulaire, et à la *taille,* si arbitraire.[9] De là sans doute l'importance budgétaire qu'ont en France les impôts indirects,[10] qui paraissent moins onéreux que les autres, parce qu'ils sont plus fragmentés. On peut soutenir que l'impôt indirect est injuste, qu'il frappe les petits plus que les gros. On peut soutenir aussi que l'impôt direct l'est tout autant, à cause des inégalités flagrantes qu'il comporte : dans des familles riches, par exemple, ni l'impôt direct sur le revenu ni l'impôt direct sur les successions ne semblent affecter notablement la capacité de transmettre de grosses fortunes d'une génération à l'autre.

Les Français, en tout cas, paient les deux sortes d'impôts. Ils paient un impôt progressif sur le revenu, lequel tient compte des charges familiales, et un impôt sur les salaires. Les sociétés paient un impôt élevé sur leurs bénéfices. Outre les droits sur les boissons et d'autres produits de consommation, le principal impôt indirect est la « taxe à la valeur ajoutée », ou T.V.A. C'est un impôt sur le commerce de gros, non sur le commerce de détail, et qui affecte chaque stade du commerce, et par conséquent de la fabrication d'un produit. Le paiement est dû sur la « valeur ajoutée », c'est-à-dire sur la valeur du produit, déduction faite des taxes précédemment perçues. Le procédé est complexe, mais aussi productif. Quand il s'agit des impôts, et d'une façon générale des moyens de se procurer de l'argent, les États modernes sont d'une ingéniosité très grande.

---

[9] Voir p. 168-169.
[10] L'impôt direct est un impôt nominatif, l'impôt sur le revenu par exemple, ou l'impôt sur les successions. L'impôt indirect, par contre, est un impôt anonyme, perçu à l'occasion d'un service, souvent l'achat d'un produit, le tabac par exemple.

Le pays

Le Pays Basque

Le Mont-Blanc

En Bretagne

La France n'est pas un pays d'une très grande étendue. On peut la traverser facilement en une journée d'automobile du nord au sud — environ 900 kilomètres — ou bien de l'est à l'ouest, la distance étant à peu près la même. Sa forme est plus ou moins celle d'un hexagone, symbole, a-t-on dit, de régularité, d'équilibre, etc. On pourrait aussi y voir un pentagone, et raisonner tout aussi congrûment sur les vertus du pentagone.

Considérant son étendue, c'est un pays d'une extrême variété. Du côté atlantique, et du nord au sud, est une large zone de plaines et de collines. De l'autre côté, et presque également du nord au sud, sont des montagnes très diverses d'aspect, les Vosges, le Jura, les Cévennes, les Alpes. Le Mont-Blanc, situé en France près de la frontière italienne, est le sommet le plus élevé d'Europe.

Même variété dans le climat. La zone voisine de l'Atlantique a un climat maritime, humide et tempéré. A mesure qu'on s'éloigne de la mer, le climat tend à devenir continental, avec des écarts de température plus marqués, des étés chauds et des hivers froids, sans que la pluie, ou même la neige, fasse défaut. Le pays de la sécheresse est la région voisine de la Méditerranée. Là, les pluies sont rares, été comme hiver. C'est le pays du soleil, des hivers doux et aussi des étés brûlants, des vignes, des oliviers, des chênes-lièges, des plages lumineuses de la Méditerranée, qui est d'un bleu intense, et très différente de la Mer du Nord, avec ses brumes et ses vagues verdâtres.

Dans les régions de plaines coulent des rivières aux eaux tranquilles, souvent bordées de saules et d'osiers, des fleuves au débit régulier, comme la Seine, malgré ses crues occasionnelles, qui, passé Paris, s'en va serpentant à travers les champs et les prés de l'Ile-de-France et de la Normandie. Sortie du Massif central, la Loire, le plus long fleuve de France, s'étale au milieu des sables de sa large et verte vallée. Son cours incertain, ses crues redoutables font d'elle un fleuve capricieux, contre lequel il est bon de prendre ses précautions. Le Rhône inspirait autrefois la terreur par la rapidité de son courant. Descendant du massif du Saint-Gothard, son passage à travers le lac de Genève ne fait qu'éclaircir un peu ses eaux, et il continue sa course à la mer. La violence de son cours est devenue de nos jours un bienfait. Tout le long du fleuve, on a construit de larges canaux latéraux coupés de grands barrages — Génissiat, Donzère-Mondragon et autres — qui industrialisent toute la région. Et les travaux se poursuivent. On est également en train d'aménager la Garonne et ses affluents. Née dans les Pyrénées, la Garonne commence en torrent et finit en lac, par l'estuaire de la Gironde, à la naissance duquel est située la ville de Bordeaux.

La diversité du pays de France se retrouve chez ses habitants. Il y a partout, en particulier à Paris, des gens « qui sont du Nord et qui sont du Midi », comme disait La Fontaine, et les caractéristiques régionales sont moins marquées qu'autrefois. Toutefois, elles existent encore, surtout dans les campagnes. Çà et là, et particulièrement dans les régions longtemps isolées, comme la Bretagne et le Morvan, au nord du Massif central, des traits celtiques sont encore discernables, dans l'apparence physique comme dans certaines coutumes des habitants. Le Flamand et le Provençal n'ont pas le même type physique, pas plus que leur façon de parler n'est identique. Il est vrai que les façons de parler dialectales disparaissent rapidement. Mais quelques régions conservent leur ancienne langue. A l'intérieur de la Bretagne, subsistent encore des vestiges du breton, langue celtique. Les Basques des Pyrénées parlent toujours leur langue mystérieuse, sans rapport avec les langues voisines. Le provençal se parle encore, s'écrit même. Les Alsaciens gardent leur dialecte germanique. Tout cela ne veut pas dire cependant que le français n'est pas parlé partout.

Les Français mentionnent volontiers leur province d'origine. Ils diront tout aussi bien « Il est Bourguignon » que « Il vient de la Côte d'or », nom du département dont Dijon est le chef-lieu. Et pour étudier la géographie

452

Carcassonne

de la France, la province et la région sont des divisions bien plus significatives que le département.

La région du Nord, par exemple, comprend non seulement le département du Nord, dont par pure coïncidence les limites sont à peu près celles de l'ancienne Flandre française, mais aussi les provinces voisines de l'Artois et de la Picardie. La Flandre, région très peuplée, très riche par son agriculture et par son industrie, est aussi très peu pittoresque. C'est une plaine d'une platitude extrême, où les champs de blé alternent avec les champs de betteraves à sucre, alimentant sucreries et distilleries dispersées dans toute la région. La monotonie du paysage n'est guère rompue çà et là que par des amoncellements de déblais provenant des mines de houille du « Pays Noir ».[1] Certes, l'outillage et l'équipement, par conséquent les conditions de travail, se sont beaucoup améliorés depuis *Germinal,* et surtout depuis la nationalisation des houillères. L'État a consacré de grosses sommes à leur modernisation. La vie dans les communautés minières, qui se succèdent le long des routes avec leurs rangées de maisons de briques, est néanmoins peu attrayante, et beaucoup de mineurs sont des étrangers. La présence du charbon a amené le développement de l'industrie. Toute la région du Nord — l'Artois et la Picardie comme la Flandre — est celle des industries textiles, lin, laine et coton, établies là depuis longtemps, mais encore si importantes dans l'économie nationale. Lille, Roubaix, Tourcoing, Amiens, sont les principaux centres de ces industries. La sidérurgie et la métallurgie y sont aussi très développées, en Flandre surtout.

Flandre

L'Artois et la Picardie ont plus de variété et d'agrément que le département du Nord. Du moins, il y a ici des collines, des arbres, des prairies, et les routes en briques, martyre des coureurs du Tour de France, disparaissent.[2] La Picardie est, elle aussi, une région de grande culture. La Somme y coule dans sa large vallée, tantôt parmi les marais, tantôt parmi les jardins maraîchers coupés de canaux de la vieille ville-cathédrale d'Amiens, pour aller se perdre dans la Manche, au milieu des sables de son embouchure.

Dans la partie méridionale de la Picardie, la campagne est déjà celle de l'Ile-de-France, une campagne paisible, pleine d'agrément, où les cultures alternent avec les prés et les forêts. Entre Paris et Orléans, la plaine de Beauce, que dominent les deux clochers de la cathédrale de Chartres, fut longtemps le grenier de Paris. Son blé alimentait autrefois les moulins à

---

[1] Le bassin houiller du Nord de la France, prolongement du bassin belge, produit les deux tiers du charbon français. L'exploitation en est difficile, le filon étant mince et situé à une grande profondeur.
[2] Le Tour de France est une course cycliste, extrêmement populaire, qui a lieu chaque année au mois de juillet, et qui attire des coureurs professionnels de pays de l'Europe occidentale.

Chartres

eau ou à vent de la capitale, tandis que la Brie voisine envoyait à Paris sa viande et ses fromages. De nos jours, pour nourrir les millions d'habitants de la région parisienne, il faut aussi faire venir les produits de plus loin, bien que les environs de Paris soient encore couverts de jardins potagers. Les industries sont nombreuses. Toutes sont représentées à Paris ou dans la région parisienne, depuis les industries du vêtement, haute couture ou confection, jusqu'aux usines d'automobiles, sans oublier la fabrication des mille brimborions connus sous le nom d'« articles de Paris ». Beaucoup d'entre elles, heureusement, sont situées dans la banlieue. L'Ile-de-France n'a pas perdu son attrait, l'attrait de ses vieilles cathédrales, Beauvais, Chartres, de ses résidences royales, Versailles, Saint-Germain, Fontaine-bleau, et de ses belles forêts.

Paris non plus n'a pas perdu le sien. Certes, il y a bien des maisons dont le confort laisse à désirer, l'installation de l'eau courante étant la dernière innovation importante que bon nombre d'entre elles aient connue. On est maintenant en train de rénover les vieux quartiers, celui du Marais par exemple, d'en construire de nouveaux, ultra-modernes, comme au Rond-Point de la Défense.[3] Ce n'est pas la première fois que le neuf et le vieux voisinent dans la capitale. Toute l'histoire de Paris est faite d'un tel voisi-nage, et la modernisation, faite avec discrétion, ne diminuera pas l'attrait

---

[3] C'est un lieu situé dans le prolongement de l'avenue des Champs-Elysées, à quelques kilomè-tres de la place de l'Étoile, ainsi nommé en mémoire de la défense de Paris en 1870.

de la Ville. Les Halles centrales, il est vrai, vont disparaître,[4] mais leur valeur est plus pittoresque qu'artistique, et, situées en plein cœur de Paris, elles gênent beaucoup la circulation. Même l'Université, la vieille Université, est en train de s'étendre à la périphérie.

A l'est de l'Île-de-France s'étendent les plaines crayeuses de la Champagne. La région fut longtemps déshéritée. Sauf dans les vallées des rivières, son sol calcaire et perméable ne permettait guère que l'élevage des moutons. Faute de mieux, on y avait, au siècle dernier, planté des forêts de sapins rabougris, sans valeur commerciale. Les troupeaux de moutons ont presque disparu, on est maintenant en train de couper les sapins pour étendre les cultures. Car cette Champagne dite « pouilleuse » est devenue, grâce aux engrais et techniques agricoles modernes, une des principales régions de la France pour la culture du blé, de l'orge, des betteraves. C'est aussi le pays des vignes, plantées sur les versants exposés au soleil, dans la vallée de la Marne et parmi les collines de la « Montagne de Reims », le soleil de Champagne n'ayant pas l'ardeur du soleil de Provence.

Ce qu'on appelle la Champagne « humide », à l'est de l'autre, est un pays fort différent. Son sol argileux et imperméable se prête à l'élevage, sans pourtant que ses pâturages soient comparables à ceux de la Normandie. Malgré son nom, la Champagne pouilleuse est maintenant sans doute plus riche que la Champagne humide. Néanmoins, dans les villes un peu mortes de cette dernière, des industries, autrefois artisanales, fleurissent, par exemple la coutellerie à Langres, ville natale de Diderot, où son père était maître coutelier.

Par contre, l'activité industrielle est grande dans la Lorraine voisine, surtout au nord, dans la région de Briey et de Thionville. Là se trouvent des gisements de fer qui sont parmi les plus importants du monde. La « minette » lorraine, riche en phosphore, resta longtemps inutilisée, avant que deux Anglais n'aient découvert un procédé pour en extraire le fer. Une industrie sidérurgique considérable existe à l'heure actuelle dans la vallée de la Moselle et de ses affluents. D'autre part, les conditions sont éminemment favorables à son développement, puisque le coke nécessaire au fonctionnement des hauts fourneaux vient des mines de houille de la Lorraine et de la Sarre voisine.

Le massif des Vosges est dans la partie méridionale de la Lorraine. C'est un vieux massif de montagnes aux sommets souvent arrondis. Elles appartiennent au même groupe de montagnes que celles de la Forêt-Noire, dont elles sont séparées par la vallée du Rhin. Comme dans la région allemande de la Forêt-Noire, les Vosges sont en grande partie couvertes de forêts. L'exploitation de ces forêts a donné naissance à des industries

---

[4] Les Halles nouvelles seront situées à l'est de Paris, sur la Seine.

locales, scieries, fabrication de meubles, papeterie, sans compter l'imagerie, autrefois célèbre, d'Épinal. Les Vosges étant une région pittoresque,
avec ses lacs, ses pins et ses hêtres, les touristes y vont en grand nombre,
du moins pendant les mois d'été, car l'hiver y est fort rude et neigeux.

Bien que son nom, par suite de la domination allemande, soit étroitement associé à celui de la Lorraine, l'Alsace est une région très différente.
Large plaine de la vallée du Rhin, elle est abritée des rigueurs du climat
par les montagnes des Vosges. Aussi les vignes, les céréales, les légumes,
Alsace les arbres fruitiers y poussent-ils à merveille. L'Alsace est riche aussi en
ressources naturelles, la potasse de la région de Mulhouse, le pétrole de
Péchelbronn — un des rares bassins pétroliers français. A côté de la vieille
industrie textile alsacienne, à Mulhouse et à Colmar, de nouvelles industries se développent, en particulier dans le voisinage de Strasbourg.

L'Alsace est en outre une des plus attrayantes des régions françaises.
La campagne alsacienne est agréable, Strasbourg est une vieille ville fort
pittoresque, et rien n'est plus charmant que les petites villes et villages
d'Alsace, avec leurs maisons fleuries à charpente apparente et leurs hautes
toitures percées de lucarnes.

Au nord de l'Alsace et des Vosges, le long de la frontière franco-suisse,
s'alignent les chaînes montagneuses du Jura, séparées par des vallées
profondes. Ces montagnes, avec les plateaux calcaires coupés de rivières
qui leur succèdent vers l'est, constituaient autrefois la Franche-Comté,
qui, jusqu'au temps de Louis XIV, fut province du Saint-Empire. Ainsi
l'auteur d'*Hernani*, né à Besançon, se considérait-il comme quelque peu
espagnol.

C'est une région de montagnes et de plateaux, parfois boisés et souvent
arides. Une des ressources est l'élevage, qui fournit le lait nécessaire à la
fabrication du « gruyère », nommé d'après le fromage suisse. Le voisinage
de la Suisse se retrouve aussi dans le développement d'une industrie
régionale, celle de l'horlogerie, dont Besançon est la capitale.

La Bourgogne fut autrefois l'apanage de ses ducs, et Dijon leur capitale.
Unité historique plus qu'unité géographique, elle comprend en réalité
des régions diverses, la plaine de la Saône, les monts boisés du Morvan,
qui prolongent au nord le Massif central, des « côtes » couvertes de vignes,
car là, comme en Champagne, c'est sur le versant des hauteurs exposées
au soleil que mûrit le raisin. La « Côte d'or », qui domine la vallée de la
Saône, est le pays des grands vins de Bourgogne, le chambertin, le pom-
mard, le cru du Clos-Vougeot, passant devant lequel, dit l'histoire, un
régiment de Napoléon présenta les armes.

Grâce à quelques mines de fer et de houille, la Bourgogne eut de bonne
heure une industrie du fer. Le Creusot, fondé au dix-huitième siècle, est

encore un centre important de la grosse industrie métallurgique — fabrication du matériel des chemins de fer, etc. — quoique les anciennes mines soient à peu près épuisées. De fait, les usines utilisent maintenant le gaz naturel de Lacq, amené par pipe-line des Pyrénées, à des centaines de kilomètres de là.

Au sud de la Bourgogne, on arrive dans la région lyonnaise, qui, par la vallée du Rhône, ouvre la route vers les pays méditerranéens, si différents des provinces septentrionales. C'est pourquoi, repartant du Nord, peut-être convient-il de reprendre le voyage vers le Midi, cette fois en direction de l'ouest.

La première région, voisine de la Picardie et de l'Île-de-France, est la Normandie, une des plus riches de France par son agriculture, son industrie et son commerce. Elle s'étend sur les deux rives de la Seine, sur laquelle est située Rouen, son ancienne capitale, en importance le troisième port de France. Toute la partie de la Normandie proche de la Seine s'industrialise rapidement. De plus en plus, des industries modernes, raffineries de pétrole, usines de constructions métalliques, s'établissent à proximité du fleuve, d'Evreux jusqu'au Havre, à côté des vieilles industries textiles normandes d'Elbeuf et de Rouen. Pourtant, lorsqu'on parle de la Normandie, on pense volontiers à une région verdoyante, où des vaches grasses paissent, à l'ombre des pommiers, l'herbe épaisse de riches pâturages. Pays d'élevage, la Normandie est aussi celui des produits laitiers, d'illustres fromages comme le camembert. Certes, toute la Normandie n'est pas ainsi. Au nord de la Seine, le pays de Caux est surtout une région de cultures, avec ses fermes dispersées dans la campagne et entourées de carrés d'arbres inclinés par le vent. L'est de la Normandie, notamment la presqu'île du Cotentin, à l'extrémité de laquelle est Cherbourg, est plus accidentée, coupée de haies vives. Vert, pittoresque, moins riche toutefois que la région de la Basse-Seine, le « bocage normand » annonce déjà la Bretagne.

Au point de jonction entre la Normandie et la Bretagne, se dresse, solitaire sur son rocher « la Merveille » du Mont-Saint-Michel au Péril de la Mer. Le long de la côte bretonne, le littoral est souvent désolé et sauva-

Deauville, par Dufy

La côte bretonne

ge. Des rochers déchiquetés s'amoncellent le long du rivage, et la mer est parsemée d'écueils, de pointes rocheuses que cache une brume soudaine.

Sur cette côte bretonne, souvent si inhospitalière, on trouve pourtant des endroits tranquilles et charmants. Dans une baie abritée du vent, à l'estuaire d'une rivière, se blottit un petit port de pêcheurs, parfois entouré de murailles grises, et sa plage voisine. Les hommes de la côte sont des marins, frustes et durs comme le granit de leur pays. Même si la pêche lointaine s'est industrialisée — les Bretons ne traversent plus, comme autrefois, l'Océan dans leurs petites barques pour aller pêcher la morue sur les bancs de Terre-Neuve — la pêche côtière garde encore son caractère artisanal. C'est de la mer que vivent, non seulement les pêcheurs, mais ceux qui travaillent à la mise en conserve des produits de la mer.

La pêche n'est pas la seule ressource de la côte bretonne. Des rivières, venues de l'intérieur, y débouchent en grand nombre, et les vallées de ces rivières, abritées du vent, arrosées par des pluies abondantes et fertilisées par les algues tirées de la mer, sont merveilleusement propices à la culture des légumes et des fruits. Dans certaines parties de la côte et grâce à la proximité du Gulf Stream, le climat est d'une douceur extrême, malgré la violence des vents venus de l'est.

L'intérieur de la Bretagne est moins privilégié. C'est un plateau de

Une fête en Bretagne

granit, pays du genêt et de la bruyère, où souvent encore l'homme vit péniblement des produits de son sol ingrat. Région longtemps isolée, les traditions — langue, pardons[5] et autres — s'y conservent. Dans le Morbihan en particulier, les progrès — si modernisation signifie progrès — sont lents. Néanmoins, l'ancienne capitale de la Bretagne, la ville archiépiscopale et universitaire de Rennes, si longtemps endormie, se réveille et s'industrialise.

Toute la région de la Loire, de Nevers jusqu'à l'embouchure du fleuve, est essentiellement un pays de culture et d'élevage. Des régions marécageuses et autrefois assez pauvres, comme la Sologne, au sud d'Orléans, et comme la Vendée, au sud de Nantes, ont été mises en valeur. On a drainé et planté de pins les marais de la Sologne, qui reste le paradis des chasseurs et des pêcheurs. Les marais de la Vendée, drainés eux aussi, sont maintenant des champs de céréales et de légumes. Ce qu'on appelle le bocage vendéen est, comme le bocage breton, un pays boisé, où des prés, entourés de haies épaisses, servent à la pâture de vaches et de bœufs.

Le Berry, au sud de la Sologne, est encore la campagne paisible des paysans de George Sand. L'agriculture et l'élevage sont toujours les principales ressources du pays, bien que Bourges, sa capitale, s'industrialise quelque peu. Située au centre géographique de la France, la ville de Jacques Cœur garde son charme ancien. Surtout, elle a son admirable cathédrale.

Quand on descend la Loire, les bois, les vergers et les prairies de la Touraine, puis les vignobles de l'Anjou, forment le plus attrayant des paysages. C'est la région des châteaux des rois de France et celle des poètes de la Renaissance, de « la douceur angevine » de Du Bellay. C'est aussi celle du père Grandet, qui fabriquait à Angers ses tonneaux, pour y mettre le « rosé » d'Anjou et autres vins réputés. Nantes, près de l'embouchure de la Loire, est un port actif et un centre industriel important. Mais c'est plus loin sur l'estuaire, à Saint-Nazaire, que sont situés les chantiers de constructions navales d'où sortent les grands paquebots transatlantiques français.

Dans toute la région de l'ouest de la France qui fait face à l'Atlantique, l'activité industrielle est surtout concentrée dans les villes de la côte. Bordeaux, l'ancienne capitale de la Guyenne, est non seulement un des grands ports français, dont le commerce des vins du Bordelais a fait la fortune — au temps de la guerre de Cent Ans, Bordeaux expédiait déjà ses vins en Angleterre, — c'est aussi un grand centre industriel moderne.

[5] Le *pardon* est un ensemble de cérémonies religieuses, notamment de processions, qui se déroulent en Bretagne, dans des lieux de pèlerinage. Le plus connu est le pardon d'Auray, dans le Morbihan, en l'honneur de sainte Anne.

Bordeaux

Grande Dune de Sabloney

Raffineries, fabriques de conserves, usines de constructions aéronautiques, sont nombreuses aux alentours, et la découverte récente de pétrole non loin de là, à Parentis, et de gaz naturel dans les Pyrénées ne peut que favoriser le développement industriel de la ville.

Les plaines basses et sablonneuses au sud de Bordeaux, les Landes, furent longtemps fort déshéritées. C'était un pays de terres incultes, marécageuses, où des bergers, montés sur des échasses, gardaient des troupeaux de moutons. Au siècle dernier, on a drainé ces landes, puis on y a planté des forêts de pins résineux, dont l'exploitation a fait la fortune du pays, même si, de nos jours, des produits synthétiques font une concurrence sérieuse à la térébenthine landaise.

La Gascogne, au voisinage des Pyrénées, est restée une région assez pauvre, malgré quelques vallées fertiles. Les Pyrénées elles-mêmes sont formées de chaînes de montagnes élevées, qui séparent la France de l'Espagne. Elles sont difficilement franchissables, bien que le célèbre col de Roncevaux soit moins effrayant que ne le veut la légende. Certaines de ces montagnes sont vertes et boisées, comme dans le voisinage de Lourdes, lieu de pèlerinage. Ailleurs, le déboisement a fait ses ravages. Le tourisme est encore une des ressources de la région. A l'extrémité atlantique des Pyrénées, Biarritz et Saint-Jean-de-Luz sont bien connus comme lieux de villégiature. Mais il y a une quinzaine d'années, on a découvert à Lacq, au pied des montagnes, de vastes dépôts de gaz naturel. Des pipe-lines envoient maintenant ce gaz un peu partout, à Nantes, à Lyon, même à

Le Puy-en-Velay

Paris. En outre, cette découverte a fait de la France un des principaux pays producteurs de souffre, qu'on extrait du gaz naturel de Lacq.

Au nord et à l'est du bassin d'Aquitaine, toute la partie centrale de la France est un massif montagneux appelé, très justement, le Massif central. Ce Massif central est en réalité formé de régions très diverses. A l'est et au sud, il est bordé par une chaîne de montagnes, les Cévennes, qu'on voit clairement lorsqu'on remonte la vallée du Rhône. C'est un pays rude, aride et peu accessible, qui, au temps de Louis XIV, servit de refuge aux protestants « du désert ». Au centre du Massif, l'Auvergne est une région de volcans éteints, dont l'activité est encore indiquée par de nombreuses sources thermales plus ou moins curatives, le Mont-Dore et autres, que fréquentent les malades ou les touristes. Ses anciens volcans sont maintenant usés par l'érosion, qu'indiquent leurs formes arrondies. Quelquefois pourtant, la colonne de lave qui emplissait la cheminée a résisté. De curieux pitons volcaniques dominent alors la plaine voisine, comme celui du Puy-en-Velay, au sommet duquel a été construite une église.

Comme il arrive souvent dans les régions volcaniques, le sol est tantôt pauvre, tantôt riche, et souvent plus pauvre que riche. Certaines parties du Massif central n'ont que de maigres ressources, entre autres le fromage. Il y a aussi, au nord surtout, des vallées très fertiles, comme la plaine de Limagne. Clermont, ancienne capitale de l'Auvergne et patrie de Pascal, nommée maintenant Clermont-Ferrand, est devenue, grâce aux usines Michelin, le centre français de l'industrie du caoutchouc, particulièrement de la fabrication des pneus d'automobile.

Le Massif central se prolonge, vers l'ouest, par des régions qui sont sans doute parmi les plus pauvres de France. Les Causses, plateaux calcaires, ne conviennent guère qu'à l'élevage des moutons et des brebis. C'est avec le lait de ces dernières qu'est fait l'authentique fromage de Roquefort. Et puis, il y a là les gorges du Tarn : ce modèle réduit du Grand Canyon n'a pas la grandeur majestueuse de l'autre, mais il est plus fait à l'échelle de l'homme. Au nord des Causses, le Limousin est aussi une région médiocrement fertile. Limoges, sa capitale, est universellement célèbre pour sa porcelaine, et Aubusson l'est également pour sa tapisserie.

Au sud du Massif central et à l'est des Pyrénées est la région méditerranéenne du Languedoc, région de plaines qui produisent en abondance le vin de consommation courante. Il n'est pas besoin là de planter la vigne sur le versant des hauteurs : le soleil du Midi se charge de la faire mûrir. La culture de la vigne a, pour la région, les inconvénients de la monoculture. Mais la vieille ville universitaire de Toulouse s'industrialise. Entre autres industries, c'est près de Toulouse, dans les usines de Sud-Aviation, qu'on fabrique les « Caravelle », ces avions de transport commerciaux qui sont une des réussites de la technique française. Montpellier a toujours son université, et la vieille Cité de Carcassonne vit en toute sécurité à l'abri des murailles restaurées par Viollet-le-Duc.

Le Languedoc s'étendait autrefois le long du Rhône, presque jusqu'à Lyon. La vallée du Rhône a toujours des vignes, mais elle a acquis une importance économique bien plus grande que celle que pourraient lui donner les plus beaux vignobles du monde, y compris celui de Châteauneuf-du-Pape, près d'Avignon. L'aménagement du fleuve, par la construction de barrages sur des canaux latéraux, a fait de cette vallée une des principales régions industrielles françaises, en ce qui concerne surtout les industries chimiques. Non loin du delta du Rhône, Marseille, premier port et seconde ville de France, est aussi un grand centre industriel pour

Gorges du Tarn

Marseille

Les Alpes

La Camargue

les industries pétrochimiques et celles des huiles et savons. A l'autre extrémité de la vallée, Lyon, troisième ville de France, a toujours son industrie de la soie, à laquelle elle a ajouté, car il faut bien changer avec le temps, celle de la rayonne.

A l'est du Rhône se dressent les sommets des Alpes. Massifs montagneux séparés par les vallées des affluents du Rhône, l'Isère, la Durance, les Alpes, malgré leur altitude, sont relativement aisées à franchir. Les armées, à commencer par celle d'Annibal, les ont maintes fois traversées. De nos jours, des routes, des voies ferrées mènent de France en Italie par les cols des Alpes, avec l'aide de quelques tunnels et d'un judicieux emploi des vallées sur les deux versants des montagnes. Ces rivières alpestres ont d'ailleurs une autre utilité : les nombreux barrages qu'on y a construits fournissent l'énergie hydro-électrique qui a permis l'établissement de toute sorte d'industries nouvelles.

Le Mont-Blanc, avec ses 4807 mètres, est le plus haut sommet des Alpes[6]. Dans les montagnes de Savoie, comme dans celles du Dauphiné voisin, villes et villages sont situés au fond des vallées. Là, jusqu'à la limite des neiges permanentes, les versants sont couverts d'herbages et de forêts. Chamonix, en Savoie, Grenoble, dans le Dauphiné, sont, été comme hiver, de grands centres du tourisme alpin.

Dans la partie méridionale des Alpes, l'influence du climat méditerranéen se fait sentir. Les Alpes de Provence sont sèches, brûlées par le soleil. Elles étaient autrefois couvertes de belles forêts. Mais, dès l'antiquité, là comme dans bien d'autres régions méditerranéennes, les grands arbres furent abattus pour fournir aux besoins des populations côtières, notamment pour la cuisson des briques et pour la construction des navires. A la place des anciennes forêts, il n'y a plus maintenant que de maigres arbustes, des plantes odoriférantes. C'est ce qu'on appelle la « garrigue ». En bordure de la mer, la végétation est plus riche et plus variée. La « Côte d'Azur » est ainsi nommée à cause du bleu intense de la mer, la Méditerranée étant une mer relativement stérile et bien plus pauvre que l'Océan en organismes végétaux. Là, ses flots viennent battre le pied de collines dont les pentes raides sont couvertes de vignes et d'oliviers. Ailleurs, la montagne, coupée de ravins profonds, arrive jusqu'à la mer bleue, frangée d'écume blanche; et sur le sol rouge, de belles forêts de pins, de châtaigniers, de chênes-lièges, dont le tronc est parfois dépouillé de son écorce, forment un tapis de verdure. Au chaud soleil de Provence croissent des plantes exotiques, l'oranger, le palmier, l'eucalyptus, sans compter les arbres méditerranéens par excellence, les oliviers au feuillage

---

[6] Un tunnel creusé sous le Mont-Blanc facilite maintenant les communications routières entre la France et l'Italie.

Provence

Les Baux

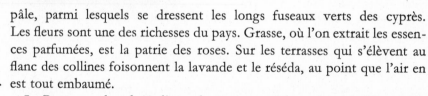

pâle, parmi lesquels se dressent les longs fuseaux verts des cyprès. Les fleurs sont une des richesses du pays. Grasse, où l'on extrait les essences parfumées, est la patrie des roses. Sur les terrasses qui s'élèvent au flanc des collines foisonnent la lavande et le réséda, au point que l'air en est tout embaumé.

La Provence abonde en lieux charmants et riches en passé. Aix, vieille ville universitaire; Nîmes, avec ses monuments romains et les platanes de son mail, à l'ombre desquels des hommes en bras de chemise jouent d'interminables parties de boule; Les Baux,[7] ce bourg étrange et blanc, brûlé par le soleil et à moitié enfoui sous terre, où l'on distingue à peine ce qu'ont construit les hommes du reste du paysage.

Au large de la côte, la Corse semble un morceau détaché de la Provence. Île fort belle, mais dont les ressources sont limitées, elle fournit à la France de très bons fonctionnaires et d'excellents agents de police. Pays de gens indépendants et fiers, il a fallu peut-être la naissance de Napoléon Bonaparte à Ajaccio pour que la Corse devînt vraiment française.

---

[7] C'est de ce nom que vient celui de *bauxite,* le minerai d'aluminium.

La littérature et les arts

Il y a dans l'histoire des peuples des périodes de stabilité, où ce qui est paraît durable, peut-être parce que, pour quelque raison, les changements en train de s'accomplir sout peu visibles. Le règne de Louis XIV, la fin du siècle dernier et le commencement du nôtre, ont été pour la France de telles périodes. Par contre, d'autres sont des époques d'instabilité, d'inquiétude, de grands conflits idéologiques et parfois armés, des époques où l'ordre existant est ébranlé, où les valeurs morales et autres précédemment acceptées sont attaquées ouvertement. Telle est la nôtre.

Les deux guerres mondiales ont grandement contribué à amener l'ère nouvelle. L'établissement d'un régime collectiviste en Russie eut une influence profonde et durable sur la pensée des pays d'Occident et a amené directement ou indirectement de grands changements dans leur structure économique et sociale. En face de l'idéologie marxiste s'est dressée l'idéologie fasciste, bien que l'une et l'autre aient eu bon nombre de caractéristiques communes. On pourrait même dire que la deuxième guerre mondiale a été une guerre idéologique, une version au vingtième siècle des guerres de religion.

Les années qui suivirent la première guerre mondiale furent, pour la France, celles de ce qu'on a appelé « l'effritement de la victoire ». La déception fut rude et l'inquiétude grandissante. Il devint bientôt apparent que cette guerre n'était pas nécessairement « la dernière des dernières », comme on l'avait juré. C'est en 1935, alors qu'Hitler était déjà depuis deux ans chancelier du Reich, que Giraudoux fit représenter la pièce dont le titre même révéla assez bien le désenchantement et l'inquiétude de l'après-guerre : *La guerre de Troie n'aura pas lieu*. Cette guerre de Troie qu'Hector veut empêcher, qu'Andromaque redoute et qu'Ulysse ne souhaite pas finit bien entendu par avoir lieu, malgré le titre. Giraudoux exagère peut-être le rôle que joue dans la genèse du conflit la suffisance des uns, comme le poète Démokos, ou l'inanité des autres, comme le diplomate Busiris. Mais l'auteur dramatique est libre de simplifier l'histoire et de l'interpréter à sa guise. Et puis, le caractère idéologique de la guerre qui se préparait n'apparaissait pas encore clairement en 1935. Giraudoux a-t-il même voulu, comme on l'a dit, traiter le thème de l'inévitabilité de la guerre ? Il la craignait sans doute plus qu'il ne la considérait comme inévitable. Même après Munich, on espérait toujours que la guerre n'aurait pas lieu.

Néanmoins, l'idée d'une espèce de fatalité qui pesait sur le monde et à laquelle l'homme ne pouvait échapper hantait les esprits. De là la popularité, parmi les auteurs dramatiques, de sujets renouvelés de la tragédie grecque. Non seulement « On vit renaître Hector, Andromaque, Ilion », comme disait Boileau, mais aussi Jocaste, Antigone, Egisthe, Clytemnestre, les Euménides — la légende d'Œdipe et celle d'Oreste séduisant particulièrement par ce qu'elles ont d'implacable et d'horrible. Ces légendes inspirèrent *La Machine infernale* de Cocteau, l'*Électre* de Giraudoux, plus tard *Les Mouches* de Sartre, l'*Antigone* d'Anouilh et d'autres pièces. On a pu parler ainsi d'une renaissance de la tragédie. Cela dépend de ce qu'on entend par là. Il ne s'agit pas d'essayer de restaurer la tragédie grecque ni de renouer la tradition de la tragédie classique française. Cette dernière était surtout une tragédie d'analyse des sentiments, en particulier de celui de l'amour. Les pièces récentes tendent plutôt à présenter des conflits idéologiques, non seulement chez des individus, mais parmi des collectivités, résultat de la conscience sociale et du sentiment de solidarité humaine de notre temps. *Les Mouches,* où toute une population est en proie à la terreur et aux remords d'un crime commis, sont une révolte contre des valeurs religieuses et morales imposées par les vivants et par les morts à une collectivité, par conséquent à chacun des individus qui la composent. Ces pièces dont le sujet est emprunté à l'ancienne Grèce sont donc d'inspiration toute moderne. Les personnages sont semblables à nous, leurs soucis, leurs sentiments sont les nôtres, leurs paroles mêmes, souvent populaires et argotiques, sont peu conformes à ce que Racine aurait considéré comme la grandeur et la dignité des héros ou des héroïnes de la tragédie. La même remarque pourrait s'appliquer aux personnages historiques, au Becket d'Anouilh par exemple. L'anachronisme voulu a pour objet, dit-on, de situer l'action en dehors du temps. Cependant, les personnages et le milieu physique où ils vivent sont historiques ou légendaires. Le danger du procédé est qu'il rappelle parfois celui de la parodie.[1]

Sartre

---

[1] C'est en 1913, à la veille de la première guerre mondiale, que Jacques Copeau fonda le Théâtre du Vieux-Colombier, qui a tant contribué au renouvellement en France de la technique théâtrale, au point de vue du jeu des acteurs et surtout peut-être de la mise en scène, du décor, de l'éclairage et de la musique. Son œuvre a été continuée par d'excellents metteurs en scène tels que Louis Jouvet et Jean-Louis Barrault, interprètes des œuvres classiques aussi bien que d'œuvres modernes. La Comédie-Française, si longtemps attachée à ses traditions, a fini par accepter bien des innovations.

La Comédie-Française est un théâtre subventionné par l'État, ainsi que l'ancien Odéon, nommé maintenant le Théâtre de France, et le Théâtre National Populaire (T.N.P.), qui occupe la vaste salle souterraine du Palais de Chaillot, aménagée sur l'emplacement d'anciennes carrières parisiennes.

Le sentiment de la misère de l'homme et de ses institutions fut accru par les amères expériences de la seconde guerre mondiale. Le désespoir de la défaite, les souffrances et les angoisses de l'occupation, les privations, les camps de déportation et d'extermination, les exécutions d'otages, l'oppression et la violence universelles, engendrèrent un ressentiment profond, un esprit de révolte, voisin parfois du nihilisme, contre un monde où de telles horreurs étaient possibles. Plusieurs œuvres littéraires, parmi les plus connues, *La Peste* de Camus, *Les Mouches* de Sartre, nous montrent un fléau accablant une communauté entière, et le thème de l'homme opprimé qui veut se libérer des contraintes d'ordre physique et moral qui l'accablent est un thème commun dans la littérature d'après-guerre.

Misère de l'homme dans ses institutions : Son sort dépend d'une machine sociale, d'une bureaucratie sans compréhension et sans humanité. Meursault, le héros de l'*Étranger,* est un type connu des sociologues : celui qui ne peut accepter, ou qui refuse d'accepter les conventions, les valeurs généralement admises, qui reste un « étranger » dans la société où il vit. Meursault commet un crime pour lequel il est traduit en justice. Ses juges et lui ne se comprennent pas, ne parlent pas le même langage. Le « procès » se termine par sa condamnation à mort. C'est ainsi que Camus dénonce à la fois l'absurdité de l'existence et se révolte contre l'ordre existant, que cet ordre soit l'œuvre de la nature ou l'œuvre des hommes.

Misère de l'homme en soi : La vie et la mort sont pour l'homme incompréhensibles, sans cause, sans raison d'être. Les questions touchant la

Albert Camus avec Jean-Louis Barrault

condition humaine restent sans réponse pour ceux qui rejettent les explications qu'offre la religion — la croyance en une vie future dont la vie présente est une épreuve, la foi en une Providence qui règle les choses humaines, l'idée que le mal est la punition du péché. Pour Jean-Paul Sartre, ce que nous appelons le bien ou le mal ne s'applique tout au plus qu'à une situation particulière. L'homme est libre. Il doit accepter la responsabilité de ses actes et cette responsabilité est totale, car, qu'il le veuille ou non, c'est toujours lui-même qui est en cause. Il ne peut même pas chercher une justification de ses actes dans l'intention, puisque ces actes sont irréversibles, ni dans le mythe commode de la nature humaine, car l'homme n'est pas une abstraction, une essence : la seule réalité, c'est son existence — d'où le nom d'existentialisme donné au système. La destinée des hommes se trame au jour le jour, à mesure qu'ils vivent, qu'ils écoutent en eux-mêmes les pulsations de la vie, que Sartre essaie de rendre, dans *La Nausée,* par une série d'instants, de moments successifs.

L'existentialisme est le produit d'une époque où l'homme a l'impression de vivre dans un monde en plein changement et lourd de menaces, et où il a pourtant plus que jamais le sentiment de la solidarité humaine. Il n'accepte plus les valeurs traditionnelles, mais, en dépit d'un nihilisme latent, il essaie désespérément de trouver les assises d'une humanité meilleure. C'est pourquoi bon nombre d'auteurs, comme Sartre lui-même, par une sorte d'acte de foi, s'engagent dans l'action politique et sociale, voire dans l'action communiste, bien que l'auréole qui entourait l'idéologie nouvelle paraisse maintenant quelque peu obscurcie.

La notion de l'absurde, cette impuissance qu'a l'homme d'expliquer rationnellement son existence, se retrouve dans les romans de Robbe-Grillet. Mais tandis que Sartre s'attache à l'analyse, à l'étude du monde

Robbe-Grillet

intérieur, le milieu où vivent les êtres et les choses qui les entourent passent ici au premier plan. Les objets deviennent inquiétants par la façon même dont l'auteur les présente. Il les décrit avec une extrême précision, les ramenant volontiers à des lignes géométriques — un peu à la manière des peintres cubistes — les voyant volontiers « de biais », sous un angle qu'il indique rigoureusement. Il crée ainsi l'impression d'une réalité exacte et familière, impression trompeuse d'ailleurs, car ces objets deviennent troublants, presque hallucinants par la fréquence de leur réapparition au cours du récit, par les changements légers, et pourtant perceptibles, qui s'accomplissent en eux. Il y a là une technique très curieuse, fondée sur une série d'instants, de présents successifs qui ne sont reliés les uns aux autres par aucune narration suivie. C'est au lecteur à recomposer, s'il le veut, une histoire à l'aide de fragments dispersés.

Cette technique n'est pas sans offrir des ressemblances avec certaines tendances de la peinture moderne, notamment du mouvement surréaliste. C'est entre les deux guerres que naquit le surréalisme, en poésie d'abord, avec André Breton. De littéraire, le mouvement devint artistique. De même que le surréalisme poétique se réclamait de Rimbaud et d'Apollinaire, les peintres surréalistes virent dans le douanier Rousseau un lointain précurseur. Le cubisme s'était attaché surtout aux formes, le fauvisme surtout à la couleur. Le surréalisme fut plus ambitieux. Écartant de l'art les données immédiates de nos sens et de notre raison, et cette réalité stable, ordonnée, qui nous est familière, il a cherché son inspiration dans le hasard, dans l'irrationnel, dans les arcanes de l'inconscient, dans les visions du rêve — érotique et autre — qui recompose des images du réel pour créer une réalité nouvelle, faite d'objets que rattachent les uns aux autres de mystérieuses « correspondances ». C'est ainsi que le surréalisme a rendu à l'art quelque chose du sens du mystère qu'avaient les anciens imagiers de l'époque romane. A côté d'œuvres médiocres, il a produit des œuvres singulièrement évocatrices par leur étrangeté même, tantôt gracieuses, comme le « Divertissement d'été » d'André Masson, cette composition si gaie avec ses insectes multicolores et ses légères couleurs, tantôt inquiétantes, comme cette « Multiplication des arcs » d'Yves Tanguy, où des pierres taillées et nues s'amoncellent sous un ciel bas et chargé d'orage.

Le surréalisme n'existe plus en tant qu'école, car cette école, si même elle exista jamais, devint bientôt le théâtre de dissensions profondes entre

Marc Chagall

les membres. Il ne serait pas exact de considérer Marc Chagall comme l'un d'entre eux. Et pourtant Chagall se rapproche des surréalistes par son goût de rêve et de la vision intérieure. Il aime évoquer les souvenirs de son enfance en Russie, mêlés à des souvenirs de la religion juive qui fut aussi celle de son enfance. Il aime représenter des animaux symboliques — oiseaux, poissons, vaches, chèvres — à qui une légère stylisation donne un sens mystérieux, ou des êtres humains, acrobates de cirque, amants surtout, qui semblent flotter, glisser dans les airs, et dont les figures s'incurvent à la façon de celles qui ornent les vieux tympans romans. Peinture en même temps archaïque et très moderne, parfois très tendre et parfois tragique, lorsqu'elle évoque par exemple les misères de la guerre.

Comme d'autres artistes contemporains, Chagall a été attiré par l'art religieux, en particulier par l'art du vitrail. Pour la cathédrale de Metz, dont certains vitraux avaient été détruits pendant la deuxième guerre mondiale, il a reproduit, dans un esprit très moderne, des scènes de la Bible. Pour la synagogue de Jérusalem, il a créé des vitraux lumineux et d'un dessin fort séduisant, avec leurs figures géométriques tracées par l'armature de plomb, leurs symboles de la foi juive — les Tables de la Loi, le chandelier à sept branches — et surtout le « bestiaire » habituel dans ses œuvres, puisqu'ici la représentation du corps humain n'était pas permise.

L'art du vitrail, qui connaît à l'heure actuelle un tel renouveau, ne cherche plus guère, comme au Moyen Age, à enseigner, à illustrer à l'usage des fidèles des récits de la Bible ou des incidents tirés de la vie des saints, car les temps sont changés et nous n'avons plus la foi naïve de nos ancêtres. Il s'agit plutôt de faire de la maison de Dieu un intermédiaire entre notre monde et l'au-delà, à l'aide d'une symphonie lumineuse capable d'inspirer la révérence et de communiquer le sens du mystère.

474

Chagall: La calèche fantastique

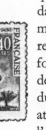

Dans les églises nouvelles, le béton a souvent remplacé la pierre. Or le béton, par sa nudité même, par ses formes aux arêtes nettement tranchées, se prête fort bien aux jeux de la couleur et de la lumière. Dans l'église qu'il a construite à Ronchamp, non loin de Belfort, Le Corbusier a admirablement tiré parti des techniques nouvelles. L'église, bâtie sur une hauteur, rappelle par sa forme la proue d'un navire. La lumière ne pénètre que par de rares et étroites ouvertures, qui à l'intérieur vont en s'évasant dans l'épaisseur des murs, laissant ainsi pénétrer une lumière diffuse et mystérieuse. Peut-être l'impression laissée est-elle plus esthétique que religieuse, ou du moins chrétienne, car l'intérieur de l'église évoque à la fois les anciennes catacombes et les habitations préhistoriques des Baux-de-Provence. Il est d'ailleurs curieux d'observer combien, malgré l'emploi du béton et de ses techniques nouvelles, les bâtisseurs d'églises sont restés attachés aux traditions du grand art religieux du Moyen Age. Dans l'église qu'il a construite au Havre, Auguste Perret a tiré de beaux effets de sa modernisation de l'ancienne tour-lanterne médiévale. De même, la silhouette de l'église nouvelle de Royan rappelle d'une façon frappante celle de l'étrange cathédrale d'Albi.

C'est vers 1950 que fut bâtie à Marseille la Cité Radieuse de Le Corbusier, alors si discutée et qui pourtant a inauguré un style d'architecture urbaine. Le long édifice repose sur de massives potences en béton. Sur trois de ses côtés, de vastes baies en retrait et dont les lignes horizontales sont heureusement brisées afin d'éviter la monotonie, permettent à la lumière, sinon aux rayons directs du soleil, de pénétrer à flots à l'intérieur de l'édifice. Cette disposition a été reprise dans de nombreux bâtiments construits par Le Corbusier, notamment en Inde et dans l'Amérique du Sud.

Le Corbusier, né en Suisse, acquit par naturalisation la nationalité française. La France, surtout Paris, continue d'exercer une très forte attraction sur les étrangers, qu'il s'agisse de compositeurs, d'artistes ou d'écrivains. Chagall, las du régime soviétique, vint s'y établir en 1923. Parmi les auteurs les plus en vue de notre temps, Ionesco est d'origine roumaine et Samuel Beckett d'origine irlandaise.

Le Corbusier: Immeuble à Marseille

En musique, comme en littérature et dans les arts plastiques, le renouvel-lement date de l'époque de la première guerre mondiale. Par sa recherche de sonorités nouvelles, les grands novateurs français furent Debussy et Ravel. Leur œuvre a été continuée, au lendemain de cette guerre, par le « groupe des Six », dont l'animateur fut Jean Cocteau et dont plusieurs membres, entre autres Arthur Honegger et Darius Milhaud, sont devenus célèbres. Messiaen emploie des structures sonores exotiques, qu'il emprun-te à l'Afrique, à l'Asie, pour rendre à la musique religieuse sa magie incantatoire. Là encore, il y a sinon rupture avec la tradition de la musique occidentale, du moins un effort fait pour la renouveler en y incorporant des éléments étrangers.

Cette recherche du nouveau en toutes choses peut conduire parfois à des bizarreries, qui indignent les uns et font rire les autres. C'est néanmoins un signe de vitalité. Reconnaissons-le : dans la corbeille de beaux fruits qui mûrissent chaque année au soleil parisien, il peut bien y avoir çà et là des pêches un peu véreuses. Mais devant quelque tableau étrange ou à la lectu-re d'un livre qui dérange nos habitudes, ne crions pas à la décadence. Celle-ci ne commencera que le jour où les Français cesseront de s'intéresser aux choses de l'esprit — et ce jour n'est pas près de naître.

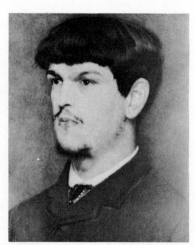

Debussy

Ravel

Milhaud

Fêtes Galantes

(P. Verlaine)

1º En Sourdine.

Très lent

p très expressif

Cal—mes, dans le de—mi jour

que les bran-ches hau-tes font,

Pé-né-trons bien notre—a mour

ce si-len-ce pro-fond.

Fon—dons nos â—mes,

cœurs et nos sens ex-ta-siés,

Par-mi les va—gues lan—

gueurs des

Index Alphabétique

INDEX ALPHABÉTIQUE

Illustrations

ILLUSTRATIONS

ILLUSTRATIONS

ILLUSTRATIONS

366 Photo Giraudon.

367 *Sainte-Victoire,* Photo Giraudon.

Joueurs de cartes, The Metropolitan Museum of Art, Bequest of Stephen C. Clark, 1960.

L'Arlésienne, French Cultural Services.

368 *Enfance de Bretagne,* French Cultural Services.

Ia Orana Maria and "The Repast of the Lion," The Metropolitan Museum of Art, Bequest of Samuel A. Lewisohn, 1951.

369 *Portrait de Gauguin au Christ Jaune,* by Gauguin, French Cultural Services.

370 Photo Giraudon.

371 The Metropolitan Museum of Art, Gift of Thomas F. Ryan, 1910.

372 Rimbaud by Paul Verlaine, French Cultural Services.

373 French Cultural Services.

374 French Cultural Services.

376 French Cultural Services.

377 Bettmann Archive.

382 Photo Yvon.

386 Photo Silberstein from Monkmeyer.

393-399 French Embassy Press & Information Division.

401-402 French Cultural Services.

403 Collection of Carnegie Institute, Pittsburgh.

405-408 French Cultural Services.

410, 413, 415 French Embassy Press & Information Division.

419 Photo Louis Goldman from Rapho-Guillumette.

421 Photo Albert Monier.

423 Photo Henri Cartier-Bresson, Magnum Photos.

426 Photo Henri Cartier-Bresson, Magnum Photos.

428-429, 432 French Embassy Press & Information Division.

433 Photo Henri Cartier-Bresson, Magnum Photos.

434 Photo Albert Monier.

439 Photo Yvon.

440-448 French Embassy Press & Information Division.

450-454 Photos (5) Yvon.

457 Photo Fritz Henle from Monkmeyer.

458 *Deauville* by Dufy, French Cultural Services.

Bretagne, Photo Yvon.

459 Photo Henri Cartier-Bresson, Magnum Photos.

460-461 Photos (2) Yvon.

462 Photo Fritz Henle from Monkmeyer.

463-463 Photos (4) Yvon.

466-467 Photos (2) Fritz Henle from Monkmeyer.

469 "Comme par miracle," tapestry by Jean Lurçat, The Metropolitan Museum of Art, Gift of Seward W. Eric, 1951.

470 French Embassy Press & Information Division.

471-472 French Cultural Services.

474-475 French Cultural Services.

476 Photo Helene Adant.

477 Plan by Le Corbusier, French Cultural Services.

Photo from French Embassy Press & Information Division.

478 French Cultural Services.

Photo Yvon: © SPADEM 1966 French Reproduction Rights, Inc.

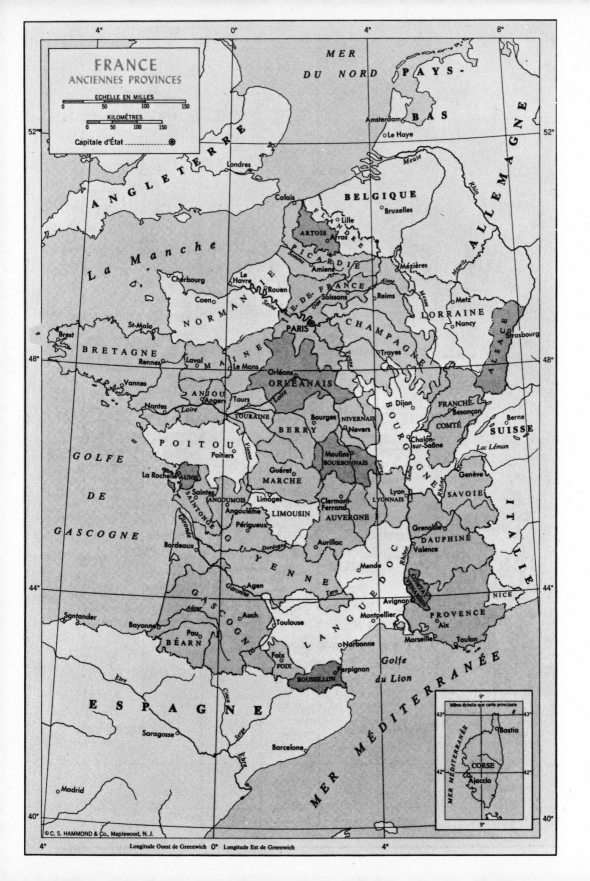

FRANCE
ANCIENNES PROVINCES

ECHELLE EN MILLES
0   50   100   150

KILOMÈTRES
0   50   100   150

Capitale d'État .... ⊛

Water bodies and seas:
MER DU NORD
La Manche
GOLFE DE GASCOGNE
MER MÉDITERRANÉE
Golfe du Lion
Lac Léman

Countries and regions:
ANGLETERRE
PAYS-BAS
BELGIQUE
ALLEMAGNE
SUISSE
ITALIE
ESPAGNE

Provinces:
ARTOIS
FLANDRE
PICARDIE
NORMANDIE
BRETAGNE
ILE-DE-FRANCE
CHAMPAGNE
LORRAINE
ALSACE
MAINE
ANJOU
TOURAINE
ORLÉANAIS
BERRY
NIVERNAIS
BOURGOGNE
FRANCHE-COMTÉ
SAVOIE
POITOU
AUNIS
SAINTONGE
ANGOUMOIS
MARCHE
BOURBONNAIS
LYONNAIS
DAUPHINÉ
LIMOUSIN
AUVERGNE
GUYENNE
GASCOGNE
BÉARN
FOIX
ROUSSILLON
LANGUEDOC
COMTAT VENAISSIN
PROVENCE
CORSE

Cities:
Amsterdam
Le Haye
Londres
Calais
Lille
Arras
Bruxelles
Mézières
Cherbourg
Le Havre
Caen
Rouen
Amiens
Soissons
Reims
Metz
Nancy
Strasbourg
St-Malo
Brest
Rennes
Laval
Le Mans
PARIS
Troyes
Besançon
Berne
Orléans
Tours
Angers
Nantes
Bourges
Nevers
Dijon
Chalôn-sur-Saône
Poitiers
La Rochelle
Saintes
Angoulême
Limoges
Guéret
Moulins
Clermont-Ferrand
Lyon
Genève
Périgueux
Bordeaux
Aurillac
Mende
Grenoble
Valence
Agen
Auch
Toulouse
Montpellier
Avignon
Aix
Marseille
Toulon
Nice
Bayonne
Pau
Foix
Narbonne
Perpignan
Santander
Saragosse
Barcelone
Madrid
Bastia
Ajaccio

Rivers:
Meuse
Somme
Seine
Oise
Aisne
Marne
Moselle
Rhin
Loire
Vienne
Gironde
Dordogne
Garonne
Tarn
Adour
Rhône
Saône
Ebre
Cinca
Segre

Même échelle que carte principale
MER MÉDITERRANÉE
CORSE

© C. S. HAMMOND & Co., Maplewood, N. J.

Longitude Ouest de Greenwich   0°   Longitude Est de Greenwich

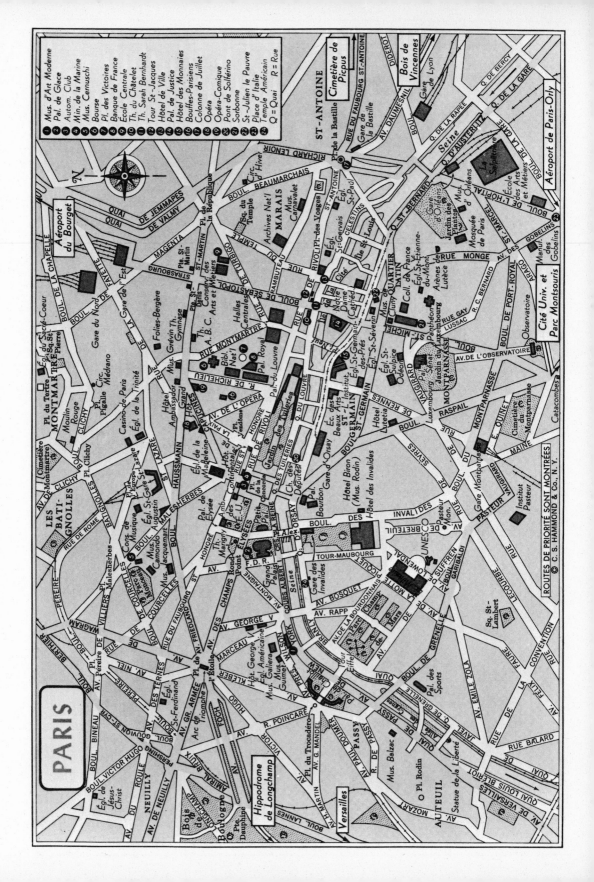